S0-AIL-561

Über dieses Buch Der »Historikerstreit« – eine Auseinandersetzung über die moralische Bedeutung, den geschichtlichen Ort und historiographischer Vergleichbarkeit des Nationalsozialismus und der in seinem Namen begangenen Massenverbrechen, markiert im öffentlichen Bewußtsein dieses Landes einen Einschnitt von erheblicher Wirkung. Vordergründig eine geschichtswissenschaftliche Frage, verbirgt sich hinter ihr eine hochpolitische und dramatische Auseinandersetzung um den künftigen Ort der Bundesrepublik – oder besser: Deutschlands.
Hinter dem unmittelbaren Anlaß jener öffentlich geführten Debatte drängt sich eine weitere Fragestellung in den Vordergrund, die mit dem Historikerstreit verbunden ist, aber bislang kaum wahrgenommen ist: das Problem der Historisierung des Nationalsozialismus. Ist der Nationalsozialismus Geschichte? Geschichte wie jede andere Vergangenheit?
Dieser Band ist dem Zusammenhang von Historisierung und »Historikerstreit« gewidmet, zu dem namhafte bundesdeutsche und ausländische Autoren grundlegende Beiträge geliefert haben.

Der Herausgeber Siehe am Ende des Bandes S. 311

Dan Diner (Hrsg.)

Ist der Nationalsozialismus Geschichte?

Zu Historisierung und Historikerstreit

Mit Beiträgen von
Wolfgang Benz, Gerhard Botz, Dan Diner,
Saul Friedländer, Ulrich Herbert, Konrad Kwiet,
Claus Leggewie, Hans Mommsen, Lutz Niethammer,
Detlev J. K. Peukert, Gian Enrico Rusconi
und Hagen Schulze

Übersetzungen von
Nele Löw Beer und Rainer Spiss

Fischer
Taschenbuch
Verlag

Lektorat: Walter H. Pehle

13.–14. Tausend: Juni 1993

Originalausgabe
Veröffentlicht im Fischer Taschenbuch Verlag GmbH,
Frankfurt am Main, November 1987

Umschlaggestaltung: Jan Buchholz/Reni Hinsch
Foto: Harro Wolter
Gesamtherstellung: Clausen & Bosse, Leck
Printed in Germany
ISBN 3-596-24391-2

Gedruckt auf chlor- und säurefreiem Papier

Inhalt

Einleitung

Der »Historikerstreit« – eine Auseinandersetzung über moralische Bedeutung, geschichtlichen Ort und historiographische Vergleichbarkeit des Nationalsozialismus und der von ihm begangenen Massenverbrechen – markiert im öffentlichen Bewußtsein der Bundesrepublik Deutschland einen Einschnitt von erheblicher Wirkung. Viel war und wird auch weiterhin Gegenstand von Spekulationen darüber sein, welche Befindlichkeiten sich mittels dieses Streites Bahn brachen, welche gesellschaftlichen und politischen Tendenzen sich gerade mittels des Mediums Geschichtswissenschaft grell Ausdruck verschafften.
Seit längerem läßt sich in diesem Lande eine Entwicklung registrieren, in der nationale Bezüge und nationale Perspektiven von der Peripherie immer mehr ins Zentrum langfristiger Politik gerückt werden. So ist die als »Historikerstreit« nur unzulänglich charakterisierte Debatte als eine erste öffentlich wahrnehmbare, wenn auch »historisch« verschlüsselte Kontroverse über zukünftige Anlagen und Zielsetzungen deutscher Politik anfänglich recht widerstrebend, dann aber in zunehmendem Maße zur Kenntnis genommen worden. Man bedient sich der Geschichte, um sich einer national identifikationsfähigen Zukunft zu versichern.
Jenes Motiv politischer Indienstnahme von Geschichte zum Zwecke nationaler Geltungssuche ist von Jürgen Habermas in seinem Eröffnungsbeitrag zum zentralen Argument seiner Kritik erhoben worden. Die von ihm als »neorevisionistisch« apostrophierten Tendenzen haben tatsächlich politisch die Rekonstitution des Nationalen zum Ziel – eingestandenermaßen oder auch nicht. Nicht zufällig führt die Replik Ernst Noltes im Untertitel die offene parteiische Positionsbestimmung: gegen den negativen Nationalismus in der Geschichtsbetrachtung![1]
Der »Historikerstreit« ist als geschichtswissenschaftlich chiffrierte hochpolitische und dramatische Auseinandersetzung um den zukünftigen historischen Ort der Bundesrepublik – oder richtiger: Deutschland – ohne Zweifel auf den ersten Blick gut gewählt. Es bilden sich, nur geringfügig verzerrt, die klassischen Haupttendenzen bundesrepublikanischer politi-

scher Frontenbildung ab: Ganz traditionell standen sich erwartetermaßen Linke und Rechte, Progressive und Konservative gegenüber. Doch eine derartige Wahrnehmung erweist sich bei näherem Zusehen als ungenau, ja als unzutreffend. Bewegte sich die Auseinandersetzung um Bedeutung und Stellenwert der nationalsozialistischen Vergangenheit ausschließlich in den eingefahrenen Spuren gewohnter politischer Gegensätze, dann wäre sie wohl nicht als derart qualitativer Einschnitt in die politische Kultur dieses Landes empfunden worden. Im Gegenteil: Bestehendes wäre bestätigt, Veränderungen wären unter Umständen nur quantitativ im Zusammenhang mit gesellschaftlichen Kräfteverschiebungen zu diagnostizieren.

Wenn nunmehr Zweifel an einer Charakterisierung des »Historikerstreits« als Auseinandersetzung zwischen tradierten politischen Lagern, zwischen einem aufstrebenden Konservativismus und seinen Gegnern angemeldet werden, dann ist nicht beabsichtigt, ein solches *auch* bestehendes Gegeneinander in Abrede zu stellen. Die Betonung dieses Elements ist durchaus relevant; aber letztendlich verhüllt es mehr, als es erhellt. Denn hinter dem öffentlich mit großem Aufwand ausgetragenen »Historikerstreit« und mit ihm auf das engste verbunden, türmt sich ein methodisches, ethisches und gleichzeitig nicht desto weniger hochpolitisches Problem auf: das Problem der Historisierung des Nationalsozialismus.

Bedeutet dieser Befund, daß hinter dem inzwischen zu einem Codewort mit internationaler Breitenwirkung ausgewachsenen »Historikerstreit« eine weitere Auseinandersetzung ansteht, eine Auseinandersetzung eher methodischen Charakters, die vertraute Frontenbildung aufbricht und neue Konstellationen schafft? Steht eine Kontroverse an, die zum politisch definierten Gegeneinander des »Historikerstreits« quer liegt?

Das Wort von der Historisierung des Nationalsozialismus geistert durch manch einen der Beiträge, auf die im originären Historikerstreit Bezug genommen wird. Klaus Hildebrand etwa lobt in der »Historischen Zeitschrift« einen früheren Beitrag Ernst Noltes (»Zwischen Mythos und Revisionismus«) als eine besonders gelungene »Historisierung« des Nationalsozialismus. In seiner jüngsten Publikation[2] hat sich Ernst Nolte dieses Zauberwortes prominent bedient: »Wissenschaftliches Ethos und Historisierung.« Mit solcher Gesamtwürdigung seines umstrittenen komparatistischen Projekts fühlte er sich sicherlich – endlich – richtig verstanden. Würde dies Anerkennung finden, könnten sich seine Invektiven und peinlichen Vergleiche bald als vergessen erweisen – Vergleiche und Konstruktionen, die seine vermeintlich so ernsthaften geschichtstheoretischen Absichten in ein so trübes Licht zu tauchen vermochten. Vergessen wären Antisemitismen und Rechtsradikalismen, denen er zu Ehrbarkeit und politischer Legitimation aufhalf und die seinen Gegnern doch Anlaß und Handhabe genug waren, sein »eigentliches« Anliegen ignorant zu übergehen. Wenn hier Noltes Absicht der Historisierung des Nationalsozialismus in den Vordergrund gerückt wird, wenn die Historisierung von einem bislang eher abseitigen zu einem zentralen Element der Debatte erhoben wird, dann geht es nicht etwa um eine Generalisierung spezifisch Noltescher Anteile im »Historikerstreit«, sondern um die grundlegende Frage: Führt das Projekt der Historisierung des Nationalsozialismus notwendig zu solchen Positionen, für die der Name Ernst Nolte heute steht? Oder sind Historisierungen des Nationalsozialismus denkbar, die im Bewußtsein des besonderen Charakters des Nationalsozialismus seine Vergeschichtlichung zu betreiben vermögen, ohne *notwendig* in den Sog der Nolteschen Vorgaben zu geraten?

Joachim Fest, ein dezidierter Parteigänger Ernst Noltes im Streit der Historiker, hat in einem ihm und anderen Kontrahenten zugebilligten Nachtrag im Dokumentationsband des Piper-Verlages nicht ohne offenkundige polemische Genugtuung grenzüberschreitende methodische Gemeinsamkeiten zwischen Ernst Nolte und Gegnern konstatiert; Gemeinsamkeiten – sollten sie wirklich bestehen –, die klare politische Abgrenzungen im »Historikerstreit« zu annullieren vermögen. Dort heißt es unverblümt: »Strenggenommen hat Nolte nichts anderes unternommen, als jenen Vorschlag zur Historisierung der NS-Zeit aufzugreifen, den Broszat und andere gemacht haben. Jedem Einsichtigen und, wie Broszats bedeutender Eröffnungsartikel erkennen läßt, auch ihm selbst blieb nicht verborgen, daß dieser Übergang mit Schwierigkeiten verbunden sein werde.«[3] Tatsächlich war es Martin Broszat, der bedeutende Zeithistoriker und Direktor des Münchener Instituts für Zeitgeschichte, der in einem programmatischen Beitrag in der Zeitschrift »Merkur« schon im Frühjahr 1985 sein »Plädoyer für eine Historisierung des Nationalsozialismus« veröffentlichte.[4] Auf eben diesen Artikel spielt Joachim Fest in seinem Nachtrag an.

Besteht wirklich ein bislang unerkannter, untergründiger Zusammenhang zwischen »Historikerstreit« und Historisierung? Nicht von der Hand weisen läßt sich die Tatsache, daß sowohl Gegner wie Parteigänger Noltes, Hillgrubers u. a. einer Historisierung des Nationalsozialismus das Wort reden und sich somit eines Begriffes bedienen, den Martin Broszat – ohne die Folgen abzusehen – 1985 ins Zentrum eines in Angriff zu nehmenden historiographischen Wissenschaftsprogramms gehoben hat.[5] In seinem jüngsten Beitrag (»Die Ausschau nach dem Ganzen«) hat sich Ernst Nolte in der Forderung nach Einhaltung eines »wissenschaftlichen

Ethos« in der Geschichtswissenschaft noch enger an das Historisierungspostulet gehalten.

Ist dies bereits bedenklich oder gar als verwerflich anzusehen? Welcher ernsthafte Historiker sollte sich gegen eine Historisierung einer geschichtlichen Epoche oder Periode stemmen wollen? Gehört dies nicht zu seinem akademischen Auftrag, den er nach bestem Wissen und Gewissen, Fähigkeiten und Möglichkeiten ohnehin zu erfüllen hat? Gegen die Historisierung eines historischen Gegenstandes wäre demnach nichts einzuwenden – im Gegenteil. Kann aber das, was für andere Epochen als selbstverständlich anzusehen ist, auch für die NS-Zeit gelten? Ist der Nationalsozialismus Geschichte, Geschichte im Sinne von Historie? Ernst Nolte würde diese Frage nicht nur umstandslos bejahen; er würde seine öffentlichen Bemühungen um eine Umgestaltung des historischen Bildes vom Nationalsozialismus genauso verstanden wissen wollen. Nichts anderes als Historisierung meint seine »Normalisierung« des Geschichtsbildes der NS-Zeit einklagende Forderung an eine »Vergangenheit, die nicht vergehen will«. Sie soll nun mittels eines neuen Zugriffs in den Fluß der Geschichte eingepaßt werden, in einen Fluß, dem sie sich bislang so beharrlich entzogen habe.

Muß eine Historisierung des Nationalsozialismus zu dem führen, was Nolte ihr abzugewinnen sucht? Der Beantwortung dieser Frage soll hier nicht vorgegriffen werden. Es ist diesem pluralistisch, ja, kontrovers gehaltenen Band überlassen, Richtungen im Übergang von der Aktualität des »Historikerstreits« zum untergründigen bzw. abgeleiteten Problem der Historisierung anzugeben. Hier sei nur einleitend zu bedenken gegeben, daß jene gegenwärtig laut werdenden Stimmen, die *endlich* eine Historisierung des Nationalsozialismus einfordern, damit gleichzeitig nahelegen, die bisherigen Forschungsbefunde und damit auch ihre eigenen Arbeiten zum Thema Nationalsozialismus als Makulatur, zumindest als bloß vorwissenschaftliche Versuche zu betrachten. Die aktuelle Forderung nach Historisierung des Nationalsozialismus insinuiert jedenfalls, die Historiker hätten sich bislang nur bei moralischen Werturteilen aufgehalten, sich einer wirklich wissenschaftlichen Behandlung ihres Gegenstandes entzogen bzw. vor ihr zurückgeschreckt.

Was immer die Formulierung »Historisierung des Nationalsozialismus« operativ auch bedeuten mag – und tatsächlich handelt es sich um einen mißverständlichen und mißverstehbaren Begriff insofern, als ein methodisches Einverständnis suggeriert wird, das in jeweils unterschiedlicher und politisch vorgeprägter Weise aufgegriffen werden kann und auch aufgegriffen wird: Von der »Verwissenschaftlichung« bis zur »Normalisierung« –, eins wird jedenfalls deutlich: Wer die Historisierung will, hat die Absicht, sich dem Nationalsozialismus nicht mehr als Problem von erheblicher *hi-*

storischer Bedeutung, sondern als einem ausschließlich *historiographischen* Gegenstand zu nähern. Ob sich dies so einfach wird realisieren lassen, ist höchst zweifelhaft. Gerade der aktuelle Historikerstreit hat deutlich werden lassen, zu welch ungewollten, aber auch durchaus mutwilligen Mißdeutungen Plädoyers für vermeintlich völlig neue Zugänge auf dem herrschenden politischen und zeitgeistigen Resonanzbogen führen können. Die auffällige Gegenwärtigkeit der Vergangenheit jedenfalls scheint widerständiger, als die Historisierung es hoffen machen will.

Joachim Fest jedenfalls ist guten Mutes. Das mag wohl eher damit zusammenhängen, daß er auf dem Weg zur Historisierung weniger auf gute Argumente als auf naturhafte Entwicklungen setzt – Entwicklungen, denen kein Sterblicher gewachsen sein dürfte. So heißt es bei ihm zukunftsfroh: »Dennoch wird der Prozeß der Historisierung weitergehen. Er ist nicht aufzuhalten. Denn er hat die mächtigste denkbare Kraft auf seiner Seite: die Zeit.«[6] Zwar soll die von ihm bemühte Zeit um Himmels willen nichts vergessen machen – im Gegenteil. Sie soll aus neuen Fragestellungen heraus erst recht zu einem geschärften moralischen Empfinden führen. Aber eins scheint ihm unausweichlich: Habermas und all jene, die seinem Dafürhalten nach für ein »statisches Bild« des NS-Regimes plädieren, stehen Wacht auf verlorenem Posten. Da sie verurteilt seien, gegen die verrinnende Zeit anzulaufen, werden sie zu »Anwälten einer aussichtslosen Sache.«[7]

Solch wohlfeile vorausschauende Gewißheit ansonsten beredter Gegner von Geschichtsteleologien könnte sich rächen. Schon das Ereignis des »Historikerstreits« sollte Joachim Fest zu denken geben. Bislang jedenfalls hat die als so dienstbar angesehene Magd der Historisierung – die Zeit – die von ihr erwarteten Handreichungen nicht geleistet. Diese Bringschuld bleibt nicht nur offen, sie scheint obendrein noch anzuwachsen. Das neu erwachte Interesse am Nationalsozialismus wie die Heftigkeit des Historikerstreits offenbaren eher ein anderes, nicht weniger erklärungsbedürftiges Phänomen: das des Rücklaufs von Zeit. Je weiter man sich zeitlich von der Nazi-Periode entfernt, desto näher scheint man ihr bewußtseinsmäßig zu rücken. Offensichtlich haftet dieser doch relativ kurzen historischen Zeitspanne etwas an, was sie von anderen geschichtlichen Epochen unterscheidet. Und gerade dieses Phänomen dürfte sich hinsichtlich der Historisierungsabsichten folgenreich niederschlagen.

Mit dem vorliegenden Band wird versucht, verschiedene, durch den »Historikerstreit« aktualisierte Aspekte der Beschäftigung mit dem Nationalsozialismus aufzunehmen und weiterzuführen. Im Zentrum des Interesses steht jener zwischen Historisierung und Historikerstreit vermutete Zusammenhang. Eingeleitet werden sollte dieser Band mit dem »Plä-

doyer« Martin Broszats aus dem Jahre 1985, ein lange vor dem sogenannten Historikerstreit publizierter Text, in dem sich der Münchner Zeitgeschichtler für eine Historisierung des Nationalsozialismus aussprach. Martin Broszat hat seine ursprüngliche Zusage zum Abdruck seines Beitrages wie einer von Herausgeber und Verlag erbeteten Replik auf die vom Tel Aviver Historiker Saul Friedländer auf sein »Plädoyer« hin verfaßte Antwort jedoch zurückgezogen. Dies wird von Verlag und Herausgeber zutiefst bedauert. In seinem Schreiben vom 29. 7. 1987 hat Martin Broszat mitgeteilt, aus vielerlei Gründen werde er zum gegenwärtigen Zeitpunkt auf die Kritik Friedländers nicht eingehen, sondern später mit Friedländer gemeinsam die Diskussion zu diesem Thema führen. Ohne eine Replik wiederum könne er nicht seine Zustimmung zum Nachdruck seines »Plädoyers« im Kontext dieses Bandes erteilen.
Saul Friedländer unterstreicht in seinem Beitrag angesichts des bundesdeutschen »Historikerstreits« den substanziellen Unterschied, der zwischen einem seiner Auffassung nach methodisch zwar problematischen, aber durchweg legitimen Zugang Broszats und den unhaltbaren Thesen Noltes besteht. Letztere sieht er bereits als außerhalb des wissenschaftlichen Diskurses angesiedelt. Friedländer arbeitet die Fallstricke der Historisierung heraus, indem er auf die Gefahren beliebiger Perspektivenwahl aufmerksam macht. Ein Mangel an kritischer Selbst-Reflexion des Historikers im, was von Friedländer betont wird, gegenwärtigen Kontext vermag Positionen Tür und Tor zu öffnen, die zu einer Ignorierung des für den Nationalsozialismus Charakteristischen führen kann, eine Einschätzung, die übrigens an anderer Stelle auch von Eike Hennig geteilt wird.[8] Überhaupt ist die Konvergenz der Argumente bei Friedländer und Hennig interessant.

Wolfgang Benz widmet sich in seinem Beitrag der Erinnerung. Zentral geht es um die psychische Abwehr der nationalsozialistischen Massenverbrechen durch die deutsche Bevölkerung. Sein historisch-sozialpsychologisch angelegter Verstehungsversuch des Umgangs mit der NS-Vergangenheit führt ihn zur resignativen Einsicht, daß ein unbefangenes Verhältnis, eine nur wissenschaftlichen Interessen folgende Beschäftigung mit dem Nationalsozialismus als einer Ära deutscher Geschichte unter vielen anderen doch so leicht nicht möglich ist.
Die Beziehung zwischen methodischen Zugängen in der historiographischen Behandlung des Nationalsozialismus und Tendenzen politisch motivierter Normalisierungsbemühungen thematisiert der *Herausgeber* dieses Bandes. In seinem Beitrag widmet er sich möglichen und tatsächlichen Folgewirkungen unterschiedlicher Zugriffe auf den Nationalsozialismus. Darüber hinaus versucht er, sich mittels historiographischer Theoreme

dem Kernereignis des Nationalsozialismus – Auschwitz – zu nähern und dabei die Grenzen historischer Vorstehensbemühungen aufzuzeigen.
Detlev Peukert spricht sich für eine »kritische Historisierung« des Nationalsozialismus aus, wobei er der Rekonstruktion der vor, nach und damit auch durch die NS-Periode hindurchführende Gesellschafts- und Alltagsgeschichte eine kontinuitätsperspektivische Bedeutung zuspricht. Ähnliche Kontinuitätsbezüge sieht *Peukert* auch für die »Endlösung« als gültig an – vor allem dort, wo sie sich wissenschaftsgeschichtlich auf Erb- und Rassebiologie zurückführen läßt.
In seinem Beitrag stellt *Hans Mommsen* den »Historikerstreit« und die in ihm geführten Argumente und Paradigmata in den Kontext bundesrepublikanischer Geschichtsschreibung zum Nationalsozialismus. Er kommt dabei zum Ergebnis, daß der bislang primär methodologisch bedingte Flügelstreit innerhalb der Fachhistorie unmittelbar politische Relevanz gewinnt. Gleichzeitig stellt *Mommsen* einen auffälligen, geradezu paradoxen Paradigmenwechsel bei führenden deutschen Fachhistorikern fest, einen Wechsel, den er nicht zuletzt auf die Wende in der politischen Kultur der Bundesrepublik zurückführt. Neben der politischen und historiographischen Einordnung des »Historikerstreits« spricht sich *Hans Mommsen* gleichwohl für eine Historisierung des Nationalsozialismus aus, nicht ohne dabei auch die darin eingelegte Möglichkeit einer mißbräuchlichen Relativierung jener Ära zu erwähnen.
Der Berliner Historiker *Hagen Schulze* ist prominenter Vertreter der Theorie von der »deutschen Mittellage«. Dieser Zugang erhebt zwar nicht den Anspruch, das Phänomen des Nationalsozialismus zu erklären, führt aber die Bedingungen, die zu ihm haben beitragen können, auf geopolitische Konstanten zurück. Insofern stellt auch das Paradigma der »deutschen Mittellage« ein Kontinuitätsmodell dar, ein Modell freilich, das sich von gesellschaftlichen Variablen verhältnismäßig unabhängig sieht, um dafür umsomehr von naturhaften Festlegungen auszugehen.
Mit der Darstellung des »Historikerstreits« aus italienischer Sicht wird die Perspektive um eine europäische Dimension erweitert. *Gian Enrico Rusconi* betont vor allem die Bedeutung dieser Diskussion als Präludium zu einer deutschen Identitätsdebatte. Gleichzeitig befaßt er sich mit dem Problem der Vergleichbarkeit der Massenverbrechen von Nationalsozialismus und Stalinismus für die politisch-historische Theoriebildung und die politische Kultur überhaupt.
Das Problem der bewußtseinsmäßigen Präsenz der nationalsozialistischen Vergangenheit im heutigen Frankreich beschreibt *Claus Leggewie*. Ausgehend von der Aktualität des Barbie-Prozesses problematisiert er das Verhältnis von Résistance und Kollaboration in der französischen Erinnerung. Dabei zeigt er, daß die Diskussion um die Besonderheit oder

Verallgemeinbarkeit der nationalsozialistischen Massenverbrechen auch und gerade in Frankreich hinsichtlich der Bewertung des Unterschieds politischer und ihrer Herkunft wegen stigmatisierter Opfer aufflammte. Insofern stellt die französische Debatte über Nationalsozialismus, politischen Widerstand und Massenvernichtung ein überaus praktisches Exempel des Historisierungsproblems dar.

Die Präsenz der nationalsozialistischen Vergangenheit scheint heute in keinem anderen Land deutlicher und auch nach außen hin spürbarer zu sein als in Österreich. Hierfür ist der Fall des Bundespräsidenten Waldheim symptomatisch. Erst heute werden die Österreicher unsanft veranlaßt, sich ihrer »großdeutschen« Geschichte anzunehmen. Die durch höchst problematische Geschichts- und Identitätstheorien erleichterte Abspaltung Österreichs von der Vergangenheit scheint heute nicht mehr ohne weiteres gelingen zu wollen. Der österreichische Bewußtseinsstand hinsichtlich der NS-Verbrechen dürfte sich heute wohl mit dem der Bundesrepublik in den 50er Jahren vergleichen lassen – mit dem Unterschied, daß diese nachholende Entwicklung in den 80er Jahren international auf eine geschärfte Sensibilität hinsichtlich der Bedeutung der Nazi-Vergangenheit stößt. Dieser Zusammenprall von Ungleichzeitigkeiten dürfte auch die symbolische Bedeutung des notorischen Waldheim-Falls ausmachen. Der Salzburger Historiker *Gerhard Botz* analysiert das unaufgearbeitete Verhältnis Österreichs zum Nationalsozialismus als aktuelles Problem, das an ein Skandalon grenzt.

Die 50er Jahre der Bundesrepublik stehen für *Lutz Niethammer* im Zentrum seiner, mittels der Methode der »oral history« geleisteten Rekonstruktion milieugebundener Normalitätserfahrung, die auch durch den Nationalsozialismus hindurchgeführt hat. *Niethammer* macht dabei deutlich, daß der wissenschaftliche Versuch, die Dimension der Erfahrung – als zeitgenössische Teilnahme sowie als eine im Rückblick gewonnene Erkenntnis – in die Geschichte zu holen, nichts mit Identifikation zu tun hat – ein Bedenken, das gern gegenüber der Alltagsgeschichte im allgemeinen erhoben wird. Gerade der mikrohistorische Zugriff könne *Lutz Niethammer* nach eine Klärung der Frage herbeiführen, warum das, was in doch so extremer Weise von früheren Verhältnissen abwich, von den einzelnen als »normal« erfahren wurde.

Wie stark der Nationalsozialismus und die von ihm verübten Verbrechen das Bewußtsein der Nachgeborenen bestimmt haben und voraussichtlich auch in Zukunft prägen werden, dieser Frage versucht der *Herausgeber* dieses Bandes in einem zweiten Beitrag nachzugehen. Dabei wird das Ereignis »Auschwitz« für die Ausbildung kollektiven Bewußtseins von Deutschen und Juden als fundamentaler Bestandteil gleichermaßen betont – freilich mit umgekehrten Vorzeichen. Dieser Essay will jenes Phäno-

men zunehmender Komplikation deutlich machen, das sich zwischen Deutschen und Juden *nach* und wegen des Ereignisses der Massenvernichtung entwickelt.
Die Diskussion um den Nationalsozialismus und seinen Kern – Auschwitz – wird auch als eine Debatte um die Verstehbarkeit dieses Ereignisses geführt. Historiographische Schulen haben sich entlang der Frage ausgebildet, inwieweit die Massenvernichtung, vor allem der Mord an den Juden, ideologisch intendiert oder eher Ausdruck einer erst später eingetretenen Selbstradikalisierung des Systems anzusehen ist. Frühe Faschismustheorien haben den Massenmord in den Kontext von Ausbeutung und damit unmittelbarer ökonomischer Interessen gestellt. Heute werden in der Zeitgeschichtsschreibung wieder Stimmen laut, die den Aspekt ökonomischer Rationalität in der NS-Vernichtungspolitik unter dem Stichwort »Vernichtung durch Arbeit« zum Angelpunkt des Verstehens erheben wollen. *Ulrich Herbert* beschäftigt sich in seinem umfassenden Beitrag mit dieser Frage. Nachdem er die Politik der Judenvernichtung vor dem Hintergrund von Wirtschafts-, Rüstungs- und Beschaffungspolitik untersucht hat, kommt er zum ernüchternden Ergebnis, daß es sich um einen Irrglauben handele, die Politik der Massenvernichtung der Nazis auf »rationale« Interessen zurückführen zu wollen.
Herberts Beitrag stützt sich auch auf jene Veröffentlichungen, die zu dem Zeitpunkt, als *Konrad Kwiet* seinen grundlegenden Literaturbericht verfaßte, noch nicht vorlagen. Bei aller zeitlichen Bedingtheit – Kwiet verarbeitet und strukturiert die schier unübersehbare Literatur bis 1981 – dürfte dieser Bericht jedem Interessierten bei der Weiterbeschäftigung mit dem Nationalsozialismus eine Richtung weisen können.

Der Band setzt sich im wesentlichen aus Beiträgen zusammen, die als Vorträge zu einer Ringvorlesung gehalten wurden, die das Fach Geschichte im Fachbereich 1 der Universität/Gesamthochschule Essen im Wintersemester 1986/87 aus Anlaß des »Historikerstreits« mit dem Generalthema: »Ist der Nationalsozialismus Geschichte?« ausgerichtet hat. Der Erfolg der Veranstaltung legte es nahe, die Beiträge zu veröffentlichen und weitere Kollegen aufzufordern, sich an diesem Band zu beteiligen. Vorgetragen haben Dan Diner (Essen), Saul Friedländer (Tel Aviv), Hans Mommsen (Bochum), Lutz Niethammer (Hagen), Detlev Peukert (Essen) und Hagen Schulze (Berlin).[9]
Der Herausgeber möchte die Veröffentlichung zum Anlaß nehmen, sich bei den Essener Kolleginnen und Kollegen für das erfolgreiche Zustandekommen der Ringvorlesung zu bedanken. Dank gilt auch Herrn Dr. Godde, dem Kulturdezernenten der Stadt, die mit ihrem »Ruhrlandmuseum« und der »Alten Synagoge« zwei Einrichtungen betreibt, die sich

die historische Darstellung jenes Themas zur Aufgabe gemacht hat, und mit der Universität bei der Durchführung der Ringvorlesung kooperierte. Hierfür sei auch Herrn Dr. Ulrich Borsdorf, dem Direktor des »Ruhrlandmuseums« und Frau Dr. Mathilde Jamin Dank ausgesprochen. Frau Karin Dietrich bin ich für die Unterstützung bei der Zusammenstellung dieses Bandes verpflichtet. Herzlich danke ich auch meinem Lektor Dr. Walter H. Pehle und der Herstellerin des Bandes, Frau Cornelia Wagner.

Essen, im Juli 1987 Dan Diner

Wolfgang Benz

Die Abwehr der Vergangenheit

Ein Problem nur für Historiker und Moralisten?

Daß der Nationalsozialismus als Gegenstand wissenschaftlichen Bemühens vor allem in die Kompetenz der Historiker fällt, ist unstrittig, aber man muß das vielleicht jetzt in Frage stellen. Nach vier Jahrzehnten historischer Arbeit, in der Grundriß und Struktur nationalsozialistischer Herrschaft freigelegt, die Details der Ereignisse und Fakten in einer Vollständigkeit wie für keinen anderen Abschnitt der deutschen Geschichte erhellt, die handelnden Personen und das Programm des Regimes dargestellt und das Gesamtbild von Staat und Gesellschaft wie auch der Charakter der NS-Zeit ausgeleuchtet wurden, sind wir über fast alles, was mit den Methoden des Historikers sich fassen läßt, aufgeklärt. Die Zeitgeschichte gehört ohne Zweifel zu den wissenschaftlichen Disziplinen, die reich an Erfolgen sind, soweit sich das messen läßt, wenn man Wissenschaft begreift als das Klären und objektive Sichern von Sachverhalten, als das Beibringen von Beweisen für jede Art von These und das Bemühen um Erkenntnis – alles um der jeweiligen Sache selbst willen[1].

Erfolgreich sind Historiker aber auch allemal dann, wenn ihre Forschungsergebnisse und Interpretationen im Einklang stehen mit den Sehnsüchten, Träumen, Erlösungswünschen von Herrschaft und Gesellschaft ihrer Zeit. Paradebeispiele dafür sind die Historiker Heinrich von Sybel, Gustav Droysen und Heinrich von Treitschke. Sie artikulierten, von Wogen der Zustimmung ihres Publikums getragen, das Streben des Bürgertums nach einem kleindeutschen Nationalstaat unter preußischer Führung. Diese Historikergeneration des 19. Jahrhunderts legitimierte sich dadurch, daß sie gestützt auf die Autorität der Wissenschaft, geschmückt mit Geheimrats- und anderen exzellenten Titeln, auch als Publizisten und Politiker die Ideologie der nationalen Einheit propagierten. Das brachte Ansehen und Geltung, stiftete Identität zwischen akademischer Gelehrsamkeit und öffentlichem Streben. Die Gesellschaft war stolz auf ihre Historiker, und umgekehrt galt dasselbe.

Neiderregend war das schon, der Verdacht könnte daher aufkommen, die durch die Ungunst später Geburt und einen in hohem Maße widrigen

Gegenstand benachteiligten Historiker der zweiten Hälfte des 20. Jahrhunderts litten daran oder doch einige unter ihnen. Der Verdacht böte immerhin die Erklärung für etliche besonders originelle Thesen, die den Beifall interessierter Politiker finden und bei den Kundigen Kopfschütteln auslösen. Die Universitäten sind eng, die Konkurrenz ist groß geworden und – das ist wohl das Entscheidende – die Beschäftigung mit dem Nationalsozialismus ist aus der positivistischen Phase heraus- und in eine historistische eingetreten. Die Historikergeneration, die mit der Erforschung des Nationalsozialismus gleich nach 1945 begann, war noch doppelt begünstigt. Die Geschichtsforscher der frühen Stunden konnten, in wahren Gebirgen von Quellenmaterial grabend, immer neue Details und manches Sensationelle einem interessierten Publikum bieten, und es herrschte breiter Konsens in der moralischen Beurteilung des Forschungsgegenstands[2].

Das hat wohl auch manchen Historiker zum Predigen verführt; die Pflicht zur Aufklärung wurde manchmal mit moralisierender Belehrung verwechselt, Überdruß an der »Vergangenheitsbewältigung« stellte sich aber auch aus anderen Gründen ein. Und auch der andere, der vornehmlich kommerziell orientierte Zweig der Beschäftigung mit der NS-Zeit begann zu kümmern, denn die Sensationen konnten schließlich nur noch mit abenteuerlichen Mitteln erzielt werden, wie im Falle der »Hitler-Tagebücher« mit Schmerzen konstatiert wurde.

Der »Historikerstreit« ist kaum geeignet, für die Sensationslüsternen Abhilfe zu schaffen, er signalisiert aber, daß die Beschäftigung mit dem Nationalsozialismus künftig im Zeichen eines neuen Historismus steht: Nicht mehr die Konsensstiftung über den Abscheu vor einem kriminellen Regime und den vielfachen Verstrickungen der Mitlebenden und, jawohl, auch der Nachgeborenen, steht künftig im Mittelpunkt, sondern die Betrachtung und Einordnung der nationalsozialistischen Zeit in die gesamte deutsche Historie. Gefragt ist aber auch zunehmend die Beurteilung und Deutung des Phänomens in der Absicht, vor allem die guten Anteile der Geschichte zu tradieren, um eine positive Identifizierung mit der Vergangenheit in toto zu ermöglichen und dadurch der Gesellschaft des prosperierenden Nachfolgestaates des Deutschen Reichs historischen Sinn mit Zukunftsperspektive zu stiften. Kein Volk könne auf Dauer mit einer kriminalisierten Geschichte leben, lautet die Feststellung des Historikers Franz Josef Strauß, der anläßlich eines Festkommers zum 130jährigen Bestehen des Cartellverbandes der Katholischen Deutschen Studentenverbindungen auch den »Anspruch der Deutschen auf Normalität« anmahnte[3]. Den Versuch »einer Art Schadensabwicklung« nennt dagegen in entgegengesetzter Motivation der Philosoph Jürgen Habermas die jüngsten Versuche, dem Dilemma zwischen Sinnstiftung und Wissenschaft im Umgang mit dem Nationalsozialismus zu entgehen[4].

Gemeint ist das Bemühen, die dem Selbstbewußtsein, der Staatsfreude und dem Bedürfnis der Deutschen, in der Welt anerkannt und beliebt zu sein, vermeintlich hinderlichen Trümmer der Geschichte aus dem Weg zu räumen. In der Werkstatt des Historikers allein läßt sich das aber nicht erledigen. Die Auseinandersetzung findet nicht von ungefähr in öffentlichen Medien statt, natürlich unter Wahrung der akademischen Attitüde. Der Streit um Einmaligkeit und Vergleichbarkeit der nationalsozialistischen Herrschaft und ihrer Wirkungen macht vor allem deutlich, welche Defizite bei der Reflexion über den Nationalsozialismus noch existieren und wie begrenzt die Möglichkeiten historischer Analyse und Interpretation letztendlich sind. Die psychologische Dimension nationalsozialistischer Herrschaft und ihrer Gesellschaft ist immer noch weitgehend unerforscht und unbewältigt, eine politische Psychoanalyse, die den Umgang mit der nationalsozialistischen Vergangenheit als Gruppenprozeß begreift und Erklärungsmodelle bietet, steht auch zwanzig Jahre nach Mitscherlichs »Unfähigkeit zu trauern« noch in den Anfängen[5]. Als Alleininterpreten des Hitlerstaats und der Hitlergesellschaft sind Historiker, Philosophen, Juristen, Sozialwissenschaftler aber überfordert. Obwohl sie ihr Bestes getan haben, konnten sie der Sehnsucht der Bürger der Nachkriegsgesellschaft, von den Schatten der Vergangenheit erlöst zu werden, natürlich nicht gerecht werden. Aber auch die Methoden und Möglichkeiten der Tiefenpsychologie – immer vorausgesetzt, man wollte sich ihrer bedienen, um das Trauma des Nationalsozialismus zu überwinden – sind nicht ohne weiteres anwendbar, denn seit Auschwitz ist eine Voraussetzung der klassischen Psychoanalyse nicht mehr gültig, daß nämlich die Realität von der Phantasie überboten wird. In der Konfrontation mit dem Unbewußten, mit den in der Phantasie heimlich gelebten Triebwünschen, besteht nach der Freudschen Methode im Bewußtmachen die Therapie, deren Zweck die Verhinderung der Wiederkehr des Gleichen ist. Nicht erinnern und nicht diskutieren konstelliert den Wiederholungszwang. Was aber, wenn die schrecklichsten Triebwünsche in der Realität aufs exzessivste ausgelebt worden sind? Der Nationalsozialismus bleibt auch für dieses Fach, von der theoretischen Sozialpsychologie bis zur Praxis der Psychotherapeuten eine Herausforderung[6].

Gegenüber den emotionalen und psychologischen Abwehrmechanismen, die gegen die Beschäftigung mit der jüngsten Vergangenheit aufgebaut wurden und die je länger desto reibungsloser funktionieren, sind Forschungsergebnisse wirkungslos, ganz gleich ob es sich um die Zahl der in Konzentrations- und Vernichtungslagern ermordeten Opfer des Regimes, um die Schuld am Zweiten Weltkrieg, um die Ruinierung von Wirtschaft und Finanzen des Deutschen Reiches, über Ursachen und Folgen der NS-Herrschaft handelt. Denn das menschliche Bewußtsein ist so beschaffen, daß Unerwünschtes und Unerfreuliches von der Realität abgespalten werden kann, nicht wahrgenommen wird, und der Umgang mit der nationalsozialistischen Zeit – Erinnerung der Mitlebenden ebenso wie Reflexion der Nachgeborenen – bietet eine Fülle von Anschauungsmaterial dazu.

Charakteristisch für das trotzige Aufbegehren gegen die Realität ist der Brief eines Vaters an die Religionslehrerin eines Gymnasiums, in dem er begründet, warum er seinem Sohn die Teilnahme an einem Besuch des ehemaligen Konzentrationslagers Dachau untersagte. Er, der Vater, habe sich nämlich 1939 als 18jähriger seinem Vaterland als Kriegsfreiwilliger zur Verfügung gestellt, auch seine fünf Vettern seien natürlich Soldaten gewesen und nicht mehr heimgekehrt; diesen und vielen weiteren gefallenen Freunden fühle er sich verpflichtet. Das KZ Dachau, führte der Vater, ein Doktor und Professor der Medizin, weiter aus, sei in den letzten Kriegstagen von seinen Wachmannschaften den amerikanischen Truppen übergeben worden. Diese Wachen seien entwaffnet, verprügelt und dann zusammen erschossen worden, ohne Urteil und Anklage. Er, der gegen den Besuch der Gedenkstätte protestierende Vater, wisse auch, daß die Gaskammer im KZ Dachau erst nachträglich im Auftrag der amerikanischen Armee gebaut, ebenso wie das Krematorium, das erst geplant und errichtet worden sei, als das Lager längst der Militärregierung unterstand. Überdies habe das Institut für Zeitgeschichte in München bestätigt, daß nicht nur in Dachau, nein, in keinem KZ des ehemaligen Reichsgebietes Vergasungen stattgefunden hätten[7].

Der Vater hatte sich offenbar gründlich auf seinen Brief vorbereitet und außer eigenem Erleben auch weitere Indizien gesammelt: »Die Kosten für dieses US-Bauvorhaben in Dachau trug das bayerische Finanzministerium in seinem Referat Hochbau«, wofür der Professor als Beweis anführt, »einer meiner Freunde verwaltete damals diesen Sektor«, den Gipfel der Argumentation erklomm er dann mit folgender Ausführung: »Wie soll ein 16jähriger diese Dinge verarbeiten? Die von der Besatzungsmacht errichteten Lagerteile werden ihm als wesentliches Merkmal der NS-Zeit vorgestellt. Sie, als Lehrerin, dürfen mit ihm darüber keine Gespräche führen, die Bundesregierung hat das mit ihrem neuen Gesetz über die ›Auschwitzlüge‹ zu einem gefährlichen Unterfangen, ja unmöglich gemacht. Es bleibt uns nur, diesen Dingen möglichst weit fern zu bleiben.«

Die Argumente des Vaters sind allesamt gängige Topoi rechtsradikaler Realitätsverleugnung und längst widerlegt. (Benützt werden solche Argumente, wie das Beispiel zeigt, aber nicht nur von Angehörigen der

rechtsextremen Szenerie, sie sind zur generellen Abwehr der Beschäftigung mit unangenehmer Vergangenheit tauglich, weil mit ihnen durch die scheinbare Widerlegung beliebiger Details die ganze historische Realität negiert werden soll.) Die Vorstellung, daß die amerikanische Armee die Wachmannschaften des Konzentrationslagers, die sich der aufgebrachte Mediziner als ältliche Familienväter, »die nur noch in der Heimat garnisonsverwendungsfähig waren«, vorstellte, kalt lächelnd zusammenschoß, linderte möglicherweise den Schuld- und Leidensdruck vieler, denn sie wird immer wieder kolportiert. Tatsache ist, daß die Masse der KZ-Bewacher vor Ankunft der US-Army geflohen war, Tatsache ist auch, daß von den Wachtürmen des Lagers auf die Amerikaner geschossen wurde und daß die Schützen das mit ihrem Leben büßten. Die Annahme, das NS-Regime hätte seine Konzentrationslager von harmlosen und beschränkt einsatzfähigen alten Soldaten bewachen lassen, ist mehr als grotesk[8].
Aber was wäre anders, wenn die Behauptungen stimmen würden? Die häufig angeführte »Feststellung des Instituts für Zeitgeschichte«, »in keinem KZ des ehemaligen Reichsgebiets« hätten Vergasungen stattgefunden, führt der um die Urteilskraft seines 16jährigen Sohnes so besorgte Vater an, weil er damit suggerieren und durch eine Expertise bekräftigen möchte, es sei überhaupt niemand in deutschen Konzentrationslagern mit Hilfe von Gas ermordet worden. Die Expertise besteht aus einem 1960 an eine Wochenzeitung gerichteten Leserbrief eines Mitarbeiters (des heutigen Direktors) des erwähnten Instituts, in dem klargestellt werden sollte, daß die Vernichtungslager, in denen Menschen millionenfach ins Gas getrieben wurden, nicht auf dem Territorium des Deutschen Reiches in den Grenzen von 1937 lagen, daß die quasi industriell betriebene Tötung außerhalb der alten Reichsgrenzen stattfand, in Auschwitz (das nebenbei bemerkt formal gesehen damals sogar zum Deutschen Reich gehörte, diese Ecke Polens war nämlich annektiert und zu Oberschlesien genommen worden), in Belzec, Sobibor, Treblinka, Majdanek und Stutthof bei Danzig[9].
Am millionenfachen Mord ändert diese geographische Klarstellung freilich ebensowenig wie an der Verantwortlichkeit für die begangenen Verbrechen. Übrigens wurde, dies sei nur der Vollständigkeit halber erwähnt, auch in Konzentrationslagern im Altreich mit Gas gemordet, nämlich in Sachsenhausen und im Frauenkonzentrationslager Ravensbrück, nur eben nicht in diesem großen Ausmaß. Und dasselbe gilt für Mauthausen bei Linz in Oberösterreich. Der Erkenntnis dienlicher als das spitzfindige Anführen peripherer Einzelheiten wäre auch die Erinnerung an die mehr als siebzigtausend Opfer der sogenannten Euthanasie, der Vernichtung »lebensunwerten Lebens« in den Jahren 1940 und 1941, geschehen in sechs Anstalten unter ärztlicher Leitung, von denen fünf im

Reichsgebiet lagen und die sechste in Hartheim bei Linz in Oberösterreich[10].

Die Fabel vom nachträglichen Bau der Gaskammer und des Krematoriums in Dachau – die mit unsinnigen »Beweisen« gestützt wird (die vorgefundenen Zustände und Einrichtungen in Dachau sind von der US-Army nicht nur dokumentiert worden, u. a. in einem Film vom 3. Mai 1945, die Berichte darüber hatten in der Öffentlichkeit der alliierten Länder eine mächtige Wirkung) – diese Fabel hat den Zweck, durch die Leugnung eines Details den ganzen Vorgang, das ganze System zu negieren. Wenn die Dachauer Gaskammer (die existierte, aber nicht betrieben wurde, worauf in der Gedenkstätte ausdrücklich hingewiesen wird) erst nach dem Ende der NS-Herrschaft gebaut wurde, dann war diese Herrschaft weniger schlimm, lautet der Trugschluß.

Es ist müßig, der Argumentation des Medizinprofessors, die in weiterem Briefwechsel mit der Schule und dem Bayerischen Staatsministerium für Unterricht und Kultus ausgebreitet wurde, zu folgen, soweit er lediglich Verwirrung zu stiften sucht durch das Aneinanderreihen der bekannten Verweigerungstopoi (angereichert um so wesentliche biographische Details wie die Begegnung des Achtjährigen mit Konrad Adenauer im Elternhaus, ein Faktum, das mit der Sache natürlich gar nichts zu tun hat, aber Autorität begründen oder wenigstens imponieren soll). Von geringem Interesse sind die Briefe als Dokumente des Auftrumpfens deutschnationalen Spießertums, denn der Briefschreiber zelebriert nur die bekannten Riten, wenn er in bildungsbürgerlicher Eloquenz auf den Herzog Alba, die Katharina von Medici, die Inquisition und andere Missetaten der katholischen Kirche, wie die Ausrottung der Albigenser oder die Verfolgung sonstiger Ketzer, verweist. Es fand sich aber ein Verleger, der bereit war, die Briefe zu broschieren, und der, weil es für ein Büchlein gar zu wenig Text war, noch etliche Pamphlete, eine Aufstellung »Bilanz des Grauens« über Gesamtverluste des Zweiten Weltkriegs (1956 in der »Cannstatter Zeitung« erstmals gedruckt) und – ohne recht erkennbaren Zusammenhang – weitere Schriftstücke dazutat[11].

»Mit juristischer Schärfe«, so der werbende Text zum ganzen Werk, »wird eine Auseinandersetzung über das vielzitierte sogenannte ›Auschwitz-Gesetz‹ geführt, die in ihrer zeitkritischen Gründlichkeit besticht.« Die »Streitschrift zu Dachau und zum ›Auschwitz-Gesetz‹«wurde mit dem Titel »Antigermanismus« geziert, und diese Parole ist das einzig Bemerkenswerte an der ganzen Geschichte. Dem realen Antisemitismus wird mit trutziger Gebärde ein neues Schlagwort entgegengestellt, das über seine Entlastungsfunktion hinaus die Identitätsschwäche, die Unsicherheit zum Ausdruck bringt, die sich seit dem zweiten Kaiserreich abwechselnd im wehleidigen Gefühl des Benachteiligtseins oder in aggressivem

Nationalismus äußert. Aus der Sorge, zuwenig Geltung auf den Meeren der Welt und zuwenig Anteil an der kolonialen Expansion zu haben, steigerte man sich in die martialische Attitüde, die allen Nationen Angst machte. Nach dem verlorenen Ersten Weltkrieg, der ja nicht grundlos übers unschuldige deutsche Vaterland gekommen war, steigerte sich das Selbstmitleid der national Empfindenden zum Haß auf Republik und Demokratie, flüchteten sie sich in die irrationale Wut auf Juden, andere Minderheiten und Außenseiter. Der Versailler Vertrag, sicherlich kein Meisterstück an Diplomatie und Pazifizierungskunst, wirkte damals auf die enttäuschten Patrioten als Stimulans, diente dann als Motiv, sich der Hitlerbewegung anzuschließen, weil sie die Revision des Versailler Vertrages propagierte und bis zum heutigen Tag – und in letzter Zeit sogar häufiger – wird er als Alibi benützt, wenn einem neuen positiven Nationalgefühl die NS-Zeit im Wege zu stehen droht.
Wem der verlorene Erste Weltkrieg als hinlängliche Rechtfertigung für das Herbeiführen eines Zweiten genügt, für den ist auch die Formel »Antigermanismus« ausreichend dadurch begründet, daß an die Schrecken der NS-Zeit erinnert wird; die infantile Abwehr konstituiert sich ja nicht durch die Missetat, sondern durch die Erinnerung daran. Das »Auschwitzgesetz«, das der Vater des Gymnasiasten immer wieder anführt, um seine Attacken gegen die Beschäftigung mit der NS-Vergangenheit zu begründen, weil es Erörterungen verhindere, den Glauben an eine amtlich verordnete Version erzwinge und Kinder zu Denunzianten mache, dieses »Auschwitzgesetz« gehört ins Reich der Phantasie. Das einundzwanzigste Strafrechtsänderungsgesetz vom 13. Juni 1985 ist gemeint, und Gegenstand des Gesetzes ist, daß Verfolgte »der nationalsozialistischen oder einer anderen Gewalt- oder Willkürherrschaft« wegen dieser Verfolgung nicht ungestraft beleidigt werden dürfen und daß man das Andenken derer nicht ungestraft verunglimpfen darf, die »als Opfer der nationalsozialistischen oder einer anderen Gewalt- oder Willkürherrschaft« ihr Leben verloren. Wer anders muß sich gegen ein solches Rechtsinstrument, verabschiedet vom Deutschen Bundestag und ausgefertigt vom Bundespräsidenten Weizsäcker, Bundeskanzler Kohl und Bundesjustizminister Engelhard[12], aufbäumen, als jemand, der die Beleidigung und Verunglimpfung der vom Nationalsozialismus Verfolgten im Schilde führt?
An einem anderen Beispiel läßt sich zeigen, daß der aggressive Patriotismus, der, um sich zu rechtfertigen, die Realität von Auschwitz zur Lüge erklären muß, Entsprechungen findet in der egozentrischen Borniertheit des Spießers, der empfindungslos gegen fremdes Leid bleibt, auch bei voller Wahrnehmung des schrecklichsten Sachverhalts. Ein Lehrer aus dem Landkreis Celle, genauer aus Bergen, also der Gemeinde, bei der außer dem Truppenübungsplatz eines der fürchterlichsten Konzentra-

tionslager des NS-Regimes lag, berichtete im August 1947 über seine Erlebnisse: »Das KZ im Lager Belsen ist jetzt dem Erdboden gleichgemacht. Lange stand noch der Rest des einen Verbrennungsofens. Es sind große gärtnerische Anlagen gemacht und ein Denkmal wurde gebaut von zwei Berger Firmen. Es ist ein Sockel mit einer Sandsteinsäule, die auf einer Platte eine große Kugel trägt. Die Inschrift ist auf der einen Seite englisch und auf der anderen jüdisch, sie ist den dort umgekommenen Juden gewidmet, ich entzifferte ein Wort, das hieß ›nazimurderer‹. Das Denkmal wurde von 12 Mann gebaut durch die Firma Borchert, Bergen, es ist drei Meter hoch, ein jüdisches Komitee ist Träger der Arbeit gewesen. Ich habe am Denkmal mitgebaut. Unser Bauführer sagte immer ›Es wird nicht die Arbeit bezahlt, sondern die Zeit!‹ Wir bekamen pro Tag eine Büchse Fleisch, 1 Büchse Milch, 1 Dose Marmelade, was zum Rauchen, 1 Brot. Wir haben die Arbeit lange hingezögert. Haben hinter unserem Windschirm gelegen, ein Feuer angemacht und nichts getan. Ich war Beifahrer beim LKW. Wir sagten uns: einer muß es ja doch bauen, dann können wir uns ja auch die guten Sachen verdienen! Als das Denkmal fertig war, sollte der Platz noch eingeebnet und mit Sand bestreut werden. Wir sagten, daß das nicht unsere Arbeit sei. Der Jude fragte: ›Was verlangt ihr außer der täglichen Ration?‹ So bekamen wir für diese einstündige Arbeit noch einmal eine Büchse Fleisch, 1 Brot, 1 Tafel Schokolade, eine Büchse Milch, eine Büchse Marmelade und Zigaretten und noch mehr. Wir luden Sand auf unseren LKW, streuten ihn dünn über den Platz und die Sachen waren schnell verdient. Jetzt wird ein noch größeres Denkmal geplant.«[13]

Das KZ Bergen-Belsen war am 15. April 1945 von britischen Truppen befreit worden. Die sanitären Zustände in dem mehr als überfüllten Lager waren schlimmer und die Ernährung war noch schlechter als in anderen Konzentrationslagern, das führte zum Massensterben, das auch im Frühjahr 1945, nach der Befreiung anhielt. Zwischen April und Juni 1945 starben noch etwa 14000 Menschen[14]. Der Lehrer aus Bergen hatte freilich andere Sorgen; und wenn er von jenen »bitteren Jahren« sprach, meinte er nur sich, weil er vorübergehend seinen Beruf nicht ausüben durfte. Er gab, während er auf seine Entnazifizierung wartete, Privatstunden in Mathematik, und zwar in dem Lager, in dem junge Juden, zwischen 19 und 21 Jahren alt, nach der KZ-Haft auf Auswanderungsmöglichkeiten warteten. Der Lehrer fuhr hinaus, um gegen 30 Mark, Kaffee und Zigaretten Unterricht zu erteilen. Über seine Schüler berichtete er: »Diese Burschen standen alle allein. Die Eltern waren im KZ umgekommen. Eisenberg hatte immer sehr viel Brot, er hatte die Karten noch von all seinen umgekommenen Angehörigen, vier Stück hatte er. Er konnte damit handeln von den Zuteilungen, bekam 4–5 Brote extra. Der junge Grock hatte keine Angehörigen im KZ verloren, hatte also nicht so viel zum Handeln. Eisenberg war klug und fleißig. Grock hatte kein jüdisches Ansehen, auch kein jüdisches Benehmen, ihm war die Hauptsache, daß ich mit meinem Salair zufrieden war. Eisenberg hingegen rechnete auf Heller und Pfennig.« Dafür lobte der Lehrer auch nur die Gesinnung des jungen Grock, und das tat er mit dem Ausspruch, den er selber in aller Unbefangenheit überlieferte: »Sie sind kein Jude, jedenfalls nicht dem Charakter nach!«[15]

In der Nachbarschaft, in Wietze, lebten der Elektromeister H. und seine Frau. Sie mußten am 13. April 1945 für die britischen Truppen ihr Haus räumen, den Laden durften sie jedoch behalten. Das Erlebnis des Kriegsendes verdichtete sich bei diesen ordentlichen Leuten in der Sorge um den Zustand der Wohnung und um die Aufrechterhaltung der Schicklichkeit: »Dann haben sie in unserer adretten Wohnung ziemlich bös gehaust. Unser Klavier war ganz neu, da haben sie viele heiße Krinke mit heißen Teegläsern gemacht. Um halb sieben sind sie ins Haus marschiert. Und gleich darauf war Radio und Grammophon-Musik, als ob hier ein Zirkus wäre, die Fenster waren aufgerissen und die Gardinen wehten auf die Straße. Ich stand unten und sah mir das Spielwerk an, dann sagte ich zu unserem jungen Mädel aus dem Büro: ›Anneliese, geh hinauf und zieh sie wieder vor!‹ Ich dachte, einem so hübschen jungen Mädchen werden sie schon nichts tun. Und so war es auch. Bei ihrer Siegesfeier ist das Bier durch die Decke in den Laden geflossen und die Lampen unter der Decke tanzten. Meist saßen sie auf der Fensterbank. Ein 19–20jähriger Jude war ein ganz arroganter Kerl, er war ein geborener Wiener. Wenn der mit mir sprechen wollte, habe ich ihn einfach stehen lassen.«[16]

Gekränkter Ordnungssinn im Umgang mit befreiten KZ-Insassen und den Truppen der Siegermächte beherrschte nicht nur die Erinnerung dieser Leute, wie sie sich in der ersten Nachkriegszeit manifestierte. Vier Jahrzehnte später argumentieren die Provinzpolitiker immer noch auf der gleichen Linie ängstlich-beflissenen Reinlichkeitszwanges: Im Juni 1987 steht in der Gemeinde Ottobrunn bei München die Errichtung eines Kriegerdenkmals zur Diskussion. Auf die Anfrage aus den Reihen des Gemeinderats, ob im Zusammenhang damit auch eine Tafel zur Erinnerung an das seinerseits existierende Außenlager des KZ Dachau angebracht werden könne, reagiert das Gemeindeoberhaupt äußerst ablehnend: Ottobrunn habe damals noch gar nicht als selbständige Kommune bestanden. Vor allem aber müsse dem Ort die Etikettierung als »KZ-Gemeinde« erspart bleiben. Man denke doch nur an den »fürchterlichen Ruf« Dachaus in der ganzen Welt[17]. In Hersbruck nahmen etliche Jahre zuvor die Stadträte Anstoß an der Broschüre eines geschichtsforschenden Abiturienten, der unter dem Titel »Das Konzentrationslager Hersbruck«

die Geschichte eines Flossenbürger Außenlagers publizieren wollte. Gegen den Titel richtete sich der Einwand, dadurch komme die Stadt ins schiefe Licht, der beanstandete Titel würde die Tatsachen verfälschen und bedeute eine Rufschädigung. Richtig sei die Bezeichnung »Nebenlager« oder »Außenstation«[18].

Das liest sich in der Tat harmloser. Ähnliche Beispiele können aus allen Gegenden Deutschlands angeführt werden. Bei Landsberg kamen in elf Lagern, in denen KZ-Häftlinge für die Rüstungsindustrie des Dritten Reichs arbeiten mußten, etwa 8000 Menschen ums Leben, es gibt aber Kommunalpolitiker, die die Existenz dieser KZ abstreiten und den freundlicheren Ausdruck »Arbeitslager« gebraucht sehen möchten, und außerdem das Argument anführen, Landsberg habe eine so glanzvolle Geschichte, daß man nicht gerade diesen kleinen dunklen Punkt breittreten müsse[19].

Am heftigsten, so scheint es, weht aber derzeit der provinzielle Geist in Dachau, wo eine geplante Internationale Jugendbegegnungsstätte – als »Lernort« und Forum der Auseinandersetzung in der Nähe der KZ-Gedenkstätte konzipiert, von den Kirchen und Bundestagsabgeordneten der großen Parteien unterstützt – von kommunalen Politikern mit starken Worten bekämpft wird: Man habe ein »moralisches Recht auf Widerstand« gegen eine solche »Vergangenheitsbewältigungsstätte« und müsse sich »dagegen zur Wehr setzen bis zum letzten Blutstropfen«[20]. In den Dachauer Nachrichten war schließlich, im Mai 1987, in einem Kommentar verlangt worden, die 1200jährige Große Kreisstadt müsse bemüht sein, ein »Zeichen zu setzen gegen all jene linkslastigen Krakeeler und selbsternannten Vergangenheitsbewältiger, deren Ziel es ist, Dachau zum Zentrum deutscher NS-Geschichte zu machen – zum alleinigen Zentrum«[21].

Die erwähnten Reaktionen sind typisch für die Mechanismen irrationaler Abwehr einer als belastend empfundenen Vergangenheit. Man kann einen ganzen Katalog von Abwehrreaktionen zusammenstellen und die Stimmigkeit der Liste tagtäglich am Arbeitsplatz, in den Medien, am Stammtisch, in den Parlamenten überprüfen. In diesen Katalog deutscher Urängste gehört der psychologisch leicht erklärliche Versuch, durch ›Vergessen‹ und Nichterwähnen Probleme aus der Welt zu schaffen. Die Furcht, sich zu erinnern, wird scheinbar rationalisiert durch den Kernsatz, daß man das eigene Nest nicht beschmutzen dürfe. Den solcherart auf Reinlichkeit Bedachten unterläuft dabei nur der Denkfehler, daß das beschmutzte Nest nicht sauber wird, wenn man über den Unrat mit Schweigen hinweggeht.

Die banale Verwechslung von ›Kollektivschuld‹ und gemeinsamer historischer Verantwortung führt zu einer weiteren Reaktion, einer der ärgerlichsten und gefährlichsten: dem Aufrechnen. Der von alliierten Bombengeschwadern bewirkte Untergang Dresdens löscht die Verbrechen des NS-Regimes ebensowenig aus wie die millionenfache Drangsalierung und Vertreibung Deutscher aus ihrer Heimat in den Gebieten östlich von Oder und Neiße, aus der Tschechoslowakei, Jugoslawien, Ungarn, Rumänien usw. nach dem Ende des Krieges. Daß 3,3 Millionen sowjetischer Kriegsgefangener in deutschen Lagern umgekommen sind[22], läßt sich weder ungeschehen machen noch durch Beweise deutscher Leiden (an denen ja niemand zweifelt) beschönigen.

Der Abwehr des Schuld- und Leidensdrucks dient auch die Verharmlosung der Wirklichkeit. Beispiel dafür ist die der Selbstberuhigung dienende Vermutung, die Konzentrationslager seien (zwar strenge, aber immerhin doch nur) Besserungsanstalten gewesen, in denen vorwiegend kriminelle Elemente ihren wohlverdienten Aufenthalt gehabt hätten. Nicht mehr weit ist nach solcher Argumentation der Weg zum Mißtrauen gegen ehemalige KZ-Häftlinge und Verfolgte des NS-Regimes überhaupt; es gehört zu den elenden Hinterlassenschaften des Dritten Reichs, daß die Widerstandleistenden und die, die emigrieren mußten, weil sie nicht zur Anpassung an das System bereit waren und deshalb zu Opfern wurden, wenn sie nicht rechtzeitig fliehen konnten, daß die Verfolgten des Regimes heute keineswegs besonders hoch im allgemeinen Ansehen stehen. Den Widerstandskämpfern und Emigranten gegenüber reicht die Skala bürgerlicher Vorurteile vom Vorwurf vaterlandslosen Verhaltens über die pauschale, oftmals eher moralisch als politisch gemeinte Abqualifizierung als Kommunisten bis hin zur Unterstellung, sie hätten durch ihr Exil oder durch ihren Widerstand Deutschland verraten. Das Mißtrauen der Konformisten haben wohl alle irgendwann einmal erlebt, nicht nur Prominente wie Willy Brandt, dem man die norwegische Uniform ankreidete, als Hans Globkes Karriere längst ihren Höhepunkt erreicht hatte, oder Herbert Wehner, der einmal an einer Rede zum Gedenken der Opfer des 20. Juli gehindert wurde, weil er seinerzeit kein Konservativer, sondern ein linker, ein kommunistischer Gegner des Nationalsozialismus gewesen war.

Elemente im kollektiven Abwehrprozeß sind aber nicht nur solche Verhaltensweisen oder eine bestimmte Form deutscher Wehleidigkeit, die ganz auf eigene Leiden fixiert ist, mit den Stichworten: Dresden und der alliierte Luftkrieg überhaupt, der Verlust der deutschen Ostgebiete, die Besetzung durch die Alliierten, schließlich die Teilung Deutschlands. Zur Wehleidigkeit fügt sich bei vielen Deutschen, die sich mit einem anderen Teil ihres Bewußtseins gerne international und kosmopolitisch zeigen, ein seltsamer Provinzialismus: Die nationalsozialistische Vergangenheit würden sie am liebsten als deutsche Familienangelegenheit, (notfalls als Familienstreit) behandeln. Aber nach außen dringen sollte möglichst nichts davon, im Ausland soll nur der gute Deutsche präsentiert werden. Die Mißverständnisse sind dabei programmiert, denn der Nationalsozialismus ist immer noch eines der interessantesten deutschen Themen in der Welt; spürbar ist das immer dann, wenn Rechtsradikale in Deutschland von sich reden machen, und seien es noch so wenige und seien sie noch so lächerlich. Wenn sie freilich in provinzieller Selbstbescheidung darüber nicht reden wollen, dann dürfen sich die Bürger der Bundesrepublik auch nicht darüber wundern, daß Zweifel an der Stabilität der westdeutschen Demokratie bestehen, selbst wenn nicht der leiseste Grund dazu existiert. Dann sind die paar Rechtsradikalen und Neonazis in den Augen des Auslands eben nicht mehr so lächerlich und geringfügig. Daß der Nationalsozialismus einiges mehr war als nur ein Teil der deutschen Geschichte, ist in der Welt nicht vergessen worden.

Ganz anders, ja geradezu entgegengesetzt, manifestiert sich die Unsicherheit im Umgang mit dem Nationalsozialismus in einer Art verbalen Übereifers, im inflationären Gebrauch verurteilender Vokabeln, die der pauschalen Charakterisierung des Hitlerstaats dienen bzw. der Artikulation von Abscheu und Entrüstung. Das »Unrechtsregime«, das »menschenverachtend« war, um nur zwei gängige Attribute zu nennen, weckt aber lediglich Langeweile oder bekräftigt, weil man die Absicht moralisierender Belehrung ohne sachlichen Inhalt ahnt, die Abwehr.

Wie aber kann man diesen Kanon von Verhaltensweisen erklären, der dem Abwehren der NS-Vergangenheit dient? Mit den Mitteln des Historikers lassen sich immerhin einige Feststellungen treffen.

Erstens. Die Herrschaft des Nationalsozialismus gründete sich auf der Ekstase der Mehrheit der Beherrschten. Das war mindestens für die »guten«, die außenpolitisch und militärisch erfolgreichen Jahre des Dritten Reiches – im wesentlichen die Zeit zwischen Machtergreifung bzw. Durchsetzung 1933/34 und dem Sommer 1940, als Frankreich besiegt war und Hitler sich als den »größten Feldherrn aller Zeiten« feiern ließ – der Fall. In dieser Zeit herrschte breiter Konsens mit den Zielen des Regimes. Viele, die nicht Nationalsozialisten im Sinne der Ideologie oder der Mitgliedschaft oder nur der Sympathie mit der Hitlerbewegung waren, fühlten sich in ihren politischen Sehnsüchten verstanden, fühlten sich erlöst von der nationalen Schmach des Versailler Friedensvertrages, dessen Revision die Hitlerregierung betrieb, befreit vom Zank und Hader der »Systemzeit« der Weimarer Republik, sie sahen die Demütigungen des Deutschen Reiches – Entwaffnung und alliierte Bevormundung, Rheinlandbesetzung, Ruhrkampf, Reparationsdruck – beendet, und sie befanden sich zum Teil auch auf der Seite des Regimes gegenüber den Verlierern der Machtergreifung, den Kommunisten, den »zersetzenden Intellektuellen«, der jüdischen Minderheit.

Zweitens. Im Kriege und angesichts der militärischen Katastrophe, die sich nach Stalingrad Anfang 1943 abzeichnete, wurde die Ekstase (die das Regime permanent inszenierte und durch perfekte Selbstdarstellung und Regie des öffentlichen Lebens in Gang hielt) ersetzt durch einen trotzigen Patriotismus, der nicht nach Ursachen fragte, sondern nur nach der Bedrohung des Vaterlandes, das auch mit einer bösen Regierung an der Spitze als unbedingt verteidigenswert galt. Außerdem war inzwischen der Terrorapparat des Regimes, der in der Konsolidierungsphase aufgebaut und erprobt worden war, so perfektionert, daß die Herrschaft auch ohne Akklamation mühelos aufrechterhalten werden konnte. In gewissem Maß waren Konsens und freudige Zustimmung durch die Furcht vor den Zwangsmitteln ersetzt worden. Dazu kam aber auch die Furcht vor einer Niederlage gegenüber dem kommunistischen Rußland. Vermutlich war das sogar das stärkste Motiv zur Unterstützung des Regimes und zum Durchhalten, nämlich die von der Goebbelspropaganda weidlich stimulierte Urangst, vom zivilisatorisch inferioren Osten besiegt zu werden. Man schauderte vor der Imagination einer Roten Armee, die in der Nachfolge der Hunnen und Tataren auf deutschem Boden wüten würde. Da rückte man zusammen und schloß die Reihen fest.

Drittens. Nach dem Krieg und dem Ende der NS-Herrschaft bedurften sämtliche Varianten der Zustimmung zum Regime der Rechtfertigung – die Ekstase ebenso wie die Tolerierung aus patriotischen Gründen und das Nichtaufbegehren aus Angst. Zum Rechtfertigungszwang gesellte sich Scham sowohl über das Geschehene selbst als auch darüber, daß man es, wenn nicht applaudierend und es gut heißend, doch wenigstens schweigend hingenommen hatte. Zur Begründung waren alle Argumente willkommen, die sich da anboten, nämlich Untaten der Sieger während des Krieges, Kriegsverbrechen der Alliierten und ihre Kriegführung mit dem unnötigen Terror gegen die Zivilbevölkerung der deutschen Großstädte aus der Luft. Näherliegend und logischer war die Berufung auf Unkenntnis über die Greuel (oder doch deren Ausmaße) des NS-Regimes, begangen in Konzentrationslagern an politischen Gegnern, Andersdenkenden und Minderheiten, in den besetzten Gebieten an Land und Leuten, Hab und Gut, Leib und Leben, verübt an den Opfern der nationalsozialistischen Rassenideologie, den millionenfach ermordeten Juden, Zigeunern und Slawen. Die ganz Phantasielosen reden sich allemal ein, es sei halt Krieg gewesen, und damit scheint ihnen alles hinlänglich erklärt.

Viertens. Entsetzen, Scham und Reue, mindestens aber die Verurteilung des NS-Regimes, seiner Exponenten und der von ihnen begangenen oder angeordneten Verbrechen wurden im Laufe des ersten Nachkriegsjahrzehnts von den Anstrengungen des Wiederaufbaus und der Bewältigung der Not überlagert und gingen endlich in Abwehr über. Man habe sich jetzt genug mit der unseligen Vergangenheit beschäftigt und im übrigen daraus gelernt. Weiteres Erinnern wurde nun als lästiges Aufrühren verstanden, und viele hatten ohnehin das Schweigen auch jeder Reflexion vorgezogen.

Fünftens. Hinzu kam, daß die Arbeit mit der Erinnerung auch institutionalisiert wurde, in Forschung, Lehre, politischer Bildung. Das vermittelte einerseits das beruhigende Gefühl, daß bestimmte Instanzen von Amts wegen mit der »Bewältigung der Vergangenheit« betraut und beschäftigt waren, andererseits erzeugte diese Delegation der Aufarbeitung des Nationalsozialismus Unsicherheit und neuen Leidensdruck. Die dargebotene Aufklärung wurde abgewehrt, weil sie dem einzelnen keine Identifikationsmöglichkeit bot. Das spürten die Amerikaner schon 1945, als sie die an den Greueln unbeteiligte deutsche Zivilbevölkerung in den Konzentrationslagern an die Leichenberge führten, um ihr durch Augenschein die Schrecken des NS-Regimes zu demonstrieren. Auch der Film »Todesmühlen«, den die US-Army aus authentischem Material zusammenstellte und der 1946 in die deutschen Kinos kam, verfehlte aus diesem Grund seinen aufklärerischen Zweck und wirkte eher kontraproduktiv[23]. Dazu kam, daß die Verurteilung des Nationalsozialismus einen Programmpunkt der »Umerziehung« der Deutschen durch die Besatzungsmacht bildete. Gegen die »Umerziehung« bäumte sich der Stolz der deutschen Kulturnation, ein nicht geringer Teil der Aufarbeitung des Vergangenen fiel einfach der Tatsache zum Opfer, daß die Alliierten darauf bestanden, die Deutschen müßten über Hitler nachdenken.

Sechstens. Die Abwehr schlug schließlich in Trotz und Selbstmitleid um: Man habe gebüßt und bezahlt und wiedergutgemacht und entschädigt, lautet die verbreitete Meinung, aber trotzdem werde von »den Deutschen« weiterhin und womöglich in alle Ewigkeit verlangt, das Büßerhemd zu tragen. Die These der Kollektivschuld werde endlos aufrechterhalten, das Rachebedürfnis der ehemaligen Feinde und Opfer sei grenzenlos.

Siebentens. Dem müsse in neuem Selbstbewußtsein ein Ende gemacht werden, lautet jetzt die Forderung, die guten Tage der deutschen Geschichte müßten zur Stiftung nationaler Identität und des dringend nötigen Selbstbewußtseins halber ins Rampenlicht gerückt werden, man müsse endlich aus dem Schatten Hitlers heraustreten.

Den Bannkreis der zwölf nationalsozialistischen Jahre zu verlassen ist aber nicht nur aus ethischen Gründen, solange Verbrechen ungesühnt und Opfer immer noch nicht entschädigt sind, unmöglich. Als politische

Forderung ist das Ende der Beschäftigung mit dem leidigen Thema werbewirksam, und das Postulat wird also je länger desto stärker erhoben werden. Als Gegenstand wissenschaftlichen Bemühens wird die nationalsozialistische Zeit kaum an Faszinationskraft einbüßen, auch wenn die Gelehrten neue Fragestellungen entwickeln und dabei das Dritte Reich als einen Abschnitt der Geschichte wie andere auch betrachten. Wissenschaftlich, wenn es der Erkenntnis dient, ist das legitim; fatal wird es aber dann, wenn politisches Interesse mit quasi wissenschaftlichem Fragen verbrämt wird, das nur dazu dient abzulenken, aufzurechnen und das Geschehene zu relativieren oder zu verniedlichen.

Allgegenwärtig bleibt der Nationalsozialismus aber auch noch lange als psychisches Problem der deutschen Gesellschaft nach Hitler[24]. In der Generationenfolge sind die Spätgeborenen nicht begnadet, nicht einmal begünstigt; der Arbeit der Auseinandersetzung mit den Vätern kann niemand ohne Schaden zu leiden aus dem Weg gehen. Die »Unfähigkeit« zu trauern« ist es, die das Erbe heillos macht, der aussichtslose Versuch mindestens einer ganzen Generation, den Nationalsozialismus als politisches, historisches, juristisches Phänomen zu isolieren und die sozialpsychologische Dimension des Themas abzuspalten.

Man muß nicht so weit gehen und Hitlers Nationalsozialismus als Inkarnation aller unangenehmen und schrecklichen deutschen Eigenschaften definieren: »Woran das deutsche Volk immer wieder gescheitert ist: diese Unmäßigkeit in der Gewaltsamkeit, diese Unerträglichkeit im Glück und Verächtlichkeit in der Niederlage, dieser Mangel an Würde und Haltung, diese feige Brutalität, die nie zu ihren begangenen Greueln steht, diese Sentimentalität, die mit falschen Gefühlen die Spuren ihres Blutrausches verwischen möchte, diese bestialische Hemmungslosigkeit den Schwachen und winselnde Knechtseligkeit den Starken gegenüber, diese im tiefsten Wesensgrund verwurzelte Verlogenheit, die überhaupt nicht ahnt, was Wahrheit, Redlichkeit, moralische Tapferkeit ist, alles dies kehrt bis zur Perversität gesteigert wieder.«

Dies alles verdammende Urteil schrieb Ernst Niekisch, der als Gegner der Nationalsozialisten acht Jahre in Haft war. Er war ein entschiedener Feind des Nationalsozialismus aus extrem linker wie aus extrem nationaler Position. Seine Richtung hat man als nationalen Bolschewismus zu definieren versucht, weil sie vom marxistischen Internationalismus gleichweit entfernt war wie von Stresemanns vernunftrepublikanischer Annäherung an den Westen und in der vehementen Ablehnung des Versailler Vertrages Berührungspunkte bis hin zum Strasser-Flügel der NSDAP hatte. Ernst Niekisch, 1937 vom Volksgerichtshof zu lebenslanger Haft verurteilt, hat den zitierten Satz nicht nach, sondern während der Katastrophe, in den Jahren 1935 und 1936[25] geschrieben. In jener Zeit stand die rauschhafte Zustimmung so überwältigend vieler Deutscher zum Hitlerstaat noch vor dem Zenit.

Für das Bewußtsein nicht weniger folgenreich als die freudige Zustimmung war die psychische Korruption derjenigen, die unter beträchtlichem Verlust an Selbstachtung sich dem Regime anpaßten, obwohl sie es ablehnten. Bruno Bettelheim hat diesen Vorgang, den Verlust an Selbstachtung und innerer Autonomie am Beispiel des Hitlergrußes anschaulich beschrieben: »Diesen Gruß hat man damals mit Vorbedacht eingeführt, um überall dort, wo Leute zusammenkamen – sei es nun im privaten Bereich oder im öffentlichen Rahmen von Restaurants, Omnibussen, Büros, Fabriken oder auch auf der Straße – sofort zu erkennen, ob jemand seine Freunde oder Bekannte auf alte ›demokratische‹ Weise begrüßte. Den Anhängern Hitlers vermittelte der oftmals am Tag abgegebene Hitlergruß das Gefühl der Selbstbestätigung und der Macht. Der überzeugte Nazi wurde jedesmal, wenn er den Gruß ausführte, in seinem Ich bestärkt. Für den Regimegegner sah die Sache genau umgekehrt aus. Er machte jedesmal, wenn er jemanden in aller Öffentlichkeit auf diese Weise begrüßte, die Erfahrung, daß sein Ich erschüttert und seine Integration geschwächt wurde. Wäre es lediglich das Über-Ich gewesen, das sich gegen den Gruß sträubte, die Sache hätte sich einfacher angelassen; doch dieser Gruß spaltete den Regimegegner mittendurch.«[26]

Die über den Untergang des NS-Regimes hinaus wirkende Spaltung des Bewußtseins ist aber nur ein Ansatz zur Erklärung der Schwierigkeiten in der individuellen wie der kollektiven Ablösung vom Nationalsozialismus. Ein weiteres Hemmnis besteht in den unterdrückten Schuldgefühlen, in dem Vorgang, den die Mitscherlichs Derealisierung der Wirklichkeit nannten: »Wir haben keine kleinliche Wiedergutmachungsleistung an jenen Überrest europäischer Juden bezahlt, die wir verfolgten und noch nicht töten konnten. Aber die wirklichen Menschen, die wir da unserer Herrenrasse zu opfern bereit waren, sind immer noch nicht vor unserer sinnlichen Wahrnehmung aufgetaucht. Sie sind ein Teil der derealisierten Wirklichkeit geblieben.«[27]

Es ist ja keineswegs so, wie die Propagandisten einer Tendenzwende im Umgang mit dem Nationalsozialismus glauben machen wollen, daß nämlich ein großer Teil der Deutschen im Büßerhemd pausenlos Selbstanklage triebe. Ganz im Gegenteil rühren die Schwierigkeiten ja daher, daß die Gefühle von Schuld und Scham nicht artikuliert werden, daß die Arbeit an der Erinnerung verweigert wird. Die Reaktionen auf den ebenso mutigen wie beispiellosen Versuch des Niklas Frank, Erinnerungsarbeit öffentlich zu machen, schonungslos der eigenen Person gegenüber wie dem Vater, dem berüchtigten Generalgouverneur Hitlers im besetzten Polen, sind ein Lehrstück für sich. Kostproben wurden im »stern«, der die Serie des Sohns brachte, abgedruckt. Die einen hielten es nur für Nestbeschmutzung, die anderen fanden die Auseinandersetzung mit dem Vater obszön, etliche plädierten schlicht dafür, den Schreiber aufzuhängen[28].

Unbefangener Umgang und die nur wissenschaftlichem Interesse sich hingebende Beschäftigung mit dem Nationalsozialismus als einer Ära deutscher Geschichte unter anderen scheint also doch noch nicht so leicht möglich. Nur der Abstand von 40 oder 50 Jahren macht die NS-Zeit noch nicht historisch.

Saul Friedländer

Überlegungen zur Historisierung des Nationalsozialismus *

Der »Historikerstreit«, der in der deutschen Öffentlichkeit wie auch außerhalb Deutschlands beträchtliche Aufmerksamkeit erregt hat, stellte im Kern eine politisch-ideologische Auseinandersetzung dar, eine Auseinandersetzung, die sich um das Problem der Darstellung bzw. des Umschreibens der Geschichte der Nazizeit kristallisierte. Eine solche Debatte kann auf der politisch-ideologischen Ebene analysiert werden; sie kann aber auch in bezug auf divergierende Haltungen hinsichtlich der Frage der deutschen Identität gesehen werden – eine Ebene, die weitgehend der ersteren entspricht, letztlich aber mit ihr nicht ganz übereinstimmt. Schließlich ist sie vom historiographischen Standpunkt aus zu sehen, das heißt im Hinblick auf den spezifischen oder als wenig spezifisch erachteten Charakter des Nazismus und seiner Verbrechen – vor allem die Vernichtung der Juden.

Unabhängig von diesem Streit, aber mit ihm durchaus in Beziehung stehend, fand ein Begriff Verwendung, dem der Münchener Zeithistoriker Martin Broszat in einem Beitrag in der Mai-Nummer des Jahres 1985 der Zeitschrift Merkur zu einer breiteren Aufmerksamkeit verholfen hatte: die »Historisierung des Nationalsozialismus«.[1] Tatsächlich stellt Martin Broszats Aufsatz eine Zusammenführung einiger konvergierender Aspekte deutscher Geschichtsschreibung über den Nationalsozialismus dar, die sich teilweise schon in den späten sechziger Jahren und dann, sehr viel signifikanter, in den späten siebziger und achtziger Jahren entwickelten und die, *als Ganzes betrachtet*, wichtige Veränderungen in der historischen Auffassung über die Nazi-Epoche nach sich ziehen. Dabei finden zwei zu unterscheidende Neubearbeitungen der Geschichte des Nationalsozialismus gleichzeitig statt: Es gilt sie klar voneinander zu trennen.

Es handelt sich einerseits um solche historiographischen Argumente, wie sie von Ernst Nolte und jenen, die seine Ansichten teilen, verwandt werden, die, um das Bild des Nazismus und seiner Verbrechen neu zu arran-

* Übersetzt aus dem Englischen von Nele Löw Beer

gieren, von einer Art sind, die für eine echte wissenschaftliche Auseinandersetzung wenig hergibt. Als »Between Myth and Revisionism: National-Socialism from the Perspective of the 1980s« im Jahre 1985 und »Eine Vergangenheit, die nicht vergehen will« 1986[2] veröffentlicht wurden, waren die Argumente, die Nolte in diesen Aufsätzen vorbrachte, für viele absolut unannehmbar. Jene Argumente können inzwischen als bekannt vorausgesetzt werden und bedürfen hier keiner Wiederholung.

Das Problem der Historisierung, wie es Martin Broszat in seinem Merkur-Artikel und in anderen Schriften darstellte, gehört hingegen in den Bereich eines grundsätzlich wissenschaftlichen Dialogs, eines Dialogs zwischen Historikern, die unterschiedliche wissenschaftliche Anschauungen vertreten mögen – in ihrer Haltung zum Nazismus und seiner Verbrechen aber einige fundamentale Grundannahmen teilen.

Als Martin Broszat etwa 1977 »Hitler und die Genesis der ›Endlösung‹: Aus Anlaß der Thesen von David Irving« publizierte und als 1983 Hans Mommsen mit »Die Realisierung des Utopischen: Die ›Endlösung der Judenfrage› im ›Dritten Reich‹«[3] diese Tendenz fortführte, hatten diese beiden Beiträge – die sicherlich zum Ziel hatten, die traditionelle Darstellung der Genese der »Endlösung« zu verändern – erhebliche Auseinandersetzungen nach sich gezogen. Aber für alle Beteiligten waren diese Kontroversen genuiner Bestandteil des historiographischen Diskurses.

Martin Broszats Beitrag im »Merkur« konfroniert den Historiker der nationalsozialistischen Zeit mit einem der theoretisch wie methodisch bedeutendsten Probleme, die hierzu bislang gestellt worden sind – und dies ist auch sein unbestrittenes Verdienst. Insofern kann meine Behandlung dieses Themas nur vorläufiger und versuchsweiser Natur sein; aber diese Debatte ist schon allein deshalb nötig, weil in der gegenwärtigen Diskussion der Begriff Historisierung des öfteren benutzt und – mehr noch – mißbraucht worden ist.[4]

Gleich zu Anfang möchte ich den Kern der These, die hier entwickelt werden soll, so klar wie möglich herausstellen: Für jeden Historiker ist Historisierung – und in diesem Falle die Historisierung der Naziperiode, wenn sie als Geschichtsschreibung mit allen zur Verfügung stehenden Methoden verstanden wird – selbstverständlich. Ein Problem kann aber möglicherweise doch entstehen, nämlich dann, wenn der Ausgang des Forschungsprozesses offenbleibt, ohne dabei gleichzeitig ein klares alternatives Konzept anbieten zu können. Wie wir sehen werden, kann ein solcher Prozeß, *insbesondere in der gegenwärtigen vorherrschenden ideologischen Kontextuierung*, zu unerwarteten und ungewollten Ergebnissen führen.

Zunächst will ich versuchen, die Bedeutung von Historisierung an sich zu analysieren, und dies auf einer rein begrifflichen Ebene; dann soll aufgezeigt werden, wie die unklare Bedeutung von Historisierung, vor allem ihres Kontexts wegen, zu verschiedenen Bedeutungsverschiebungen führen kann; und schließlich sollen einige Gedanken zum kritischen Diskurs gewagt werden, der den Ansatz der Historisierung der Geschichte des Nationalsozialismus begleiten könnte, ebenso wie sich zu seinen Grenzen geäußert werden soll.

I.

Martin Broszat bietet weder in seinem »Plädoyer« noch in anderen Schriften eine präzise Definition dessen an, was unter Historisierung verstanden werden soll. Gleichwohl weist er zum einen auf jene Zugänge in der Geschichtswissenschaft hinsichtlich der Nazivergangenheit hin, die neu zu überdenken Ziel der Historisierung ist; zum anderen, was die neuen Wege historischen Verstehens jener Zeit sein sollen und die durch Historisierung zu erreichen wären. Jene traditionellen Haltungen zur Nazizeit, die durch Historisierung in Frage zu stellen seien, lassen sich leicht definieren:
»Je größer der historische Abstand wird«, schreibt Martin Broszat in »Nach Hitler. Der schwierige Umgang mit unserer Geschichte«, »um so dringlicher (ist es), zu begreifen, daß Ausgrenzung der Hitler-Zeit aus der Geschichte und geschichtlichem Denken in gewisser Weise auch dann schon stattfindet, wenn diese fast nur politisch-moralisch aufgearbeitet wird, nicht mit der gleichen differenziert angewandten historischen Methodik wie andere Geschichtsepochen, mit weniger gründlich abwägender Beurteilung und auch in einer gröberen, pauschalen Sprache, wenn wir der Geschichtsdarstellung der nationalsozialistischen Zeit aus gut gemeinten didaktischen Gründen eine Art methodischer Sonderbehandlung angedeihen lassen.«
Ob sich heute noch die Hauptentwicklung der Geschichtsschreibung über den Nazismus auf jenem von Martin Broszat beschriebenen Stand befindet, ist fraglich. Seine Äußerung impliziert jedenfalls die Auffassung, traditionelle Paradigmata belasteten in gewisser Weise immer noch die Vorstellung des Historikers von der Vergangenheit. Die charakteristischen Merkmale dieser Vorstellung seien – so jedenfalls läßt sich schließen – die dauernde Betonung der ideologischen, politischen und kriminellen Aspekte des Naziphänomens, d. h. die Zerstörung des demokratischen Systems, die Ausweitung staatlicher Kontrolle über die Gesellschaft und die Terrorisierung jener, die als Feinde galten oder als Außenseiter stigmatisiert wurden. Hinzu kommen die Betonung der »Eroberung von Lebensraum«, die rassistische Politik und der globale Kampf gegen die Ju-

den neben anderen gewichtigen Ausdrucks- und Erscheinungsformen der Kriminalität des Systems. Dieses Paradigma, das in der Tat fundamentale moralische Distanzierung von jener Epoche impliziert und das – wegen der politischen, ideologischen und moralischen Fragen, die die Naziperiode aufwirft – die Zeit zwischen 1933 und 1945 als klar bestimmbares Forschungsfeld betrachtet, ließe sich etwa anhand Karl-Dietrich Brachers klassischer Darstellung »Die deutsche Diktatur: Entstehung, Struktur, Folgen des Nationalsozialismus« exemplifizieren. Welche Fortschritte hinsichtlich der Historisierung des Gegenstandes seit den sechziger Jahren auch gemacht wurden – die implizite Annahme dieses Paradigmas führt nach Broszat immer noch zu einer fast rituellen Haltung des Historikers: »Das Besondere an unserer Situation ist die Notwendigkeit und Schwierigkeit, den Nationalsozialismus in die deutsche Geschichte einzuordnen. Vierzig Jahre Abstand haben dabei, so scheint es auf den ersten Blick, nicht viel bewirkt. Welches Geschichtsbuch man auch aufschlägt: Wenn das Dritte Reich beginnt, geht der Autor auf Distanz. Das Einfühlen in historische Zusammenhänge bricht ebenso ab wie die Lust am geschichtlichen Erzählen. Die Geschichte des Nationalsozialismus wird nicht mehr verdrängt, aber sie verkümmert zur Pflichtlektion.«
Die Definition dessen, was Historisierung heißen soll, ist weit weniger faßbar als die Bestimmung dessen, auf welche Veränderungen der Zugang der Historisierung abzielt. Dennoch scheint es möglich, seine Absichten in vier Hauptpunkten zusammenzufassen:

1. Das Studium der Naziperiode sollte dem Studium jedes anderen historischen Phänomens gleich sein: es muß jegliche Einschränkung von Fragestellung und methodischem Ansatz vermeiden.
2. Der politisch-moralische Rahmen, der noch immer die Interpretation jener Epoche beherrscht, sollte durch ein wesentlich komplexeres Bild ersetzt werden, ein Bild, in dem der Bedeutung sozialer Kontinuität ein angemessener Platz einzuräumen wäre; und das Schwarzweißbild von der Nazizeit sollte durch die Darstellung aller widersprüchlichen Aspekte abgelöst werden. Es soll klargemacht werden, daß der Nationalsozialismus nicht nur von seinem katastrophalen Ende her zu beurteilen ist, und daß viele Aspekte von Leben und gesellschaftlicher Entwicklung zu jener Periode nicht notwendigerweise dem Regime und seinen Zielen zugute kommen mußten.
3. Die beiden vorangegangenen Punkte und die Minderung der zentralen Bedeutung einer ausgesprochen politischen Perspektive bedeuten eine erhebliche Relativierung des zeitlichen Rahmens »1933–1945« und eine Einpassung der Naziepoche in die größeren Trends historischer Entwicklung, die sowohl der deutschen Geschichte wie der Geschichte der westlichen Welt gemeinsam ist.

4. Die selbstauferlegte Distanzierung des Historikers von der Naziepoche in ihrer Gesamtheit, d. h. das Syndrom der »Pflichtlektion«, das durch moralisches Urteil über jene Zeit in ihrer Totalität getroffen wurde, gelte es zu beseitigen. Die umfassende Darstellung der komplexen und widersprüchlichen Aspekte jener Ära werde so zur einzig möglichen Grundlage für die Verankerung einer erneuten moralischen Bewertung von Geschichte allgemein, und dies im Lichte jener Lehren, die aus der Historisierung des Nationalsozialismus gezogen werden. So heißt es bei Martin Broszat: »Auch die Pauschaldistanzierung von der NS-Vergangenheit ist noch eine Form der Verdrängung und Tabuisierung... Auflösung dieser Blockade zugunsten einer moralischen Sensibilisierung der Historie überhaupt, gerade aufgrund der Erfahrung des Nationalsozialismus – das ist der Sinn dieses Plädoyers für seine Historisierung.«

II.

Differenzierung und Nuancierung sind dem Handwerk des Historikers genuin. Jedoch könnte die Einführung einer ständig wachsenden Anzahl von Details, immer subtilerer Unterscheidungen in die Darstellung – und dies ohne gleichsam auf einen Wechsel des Paradigmas abzuzielen – von sich aus schon grundlegende Veränderungen im Geschichtsbild nach sich ziehen, insoweit jedenfalls, als die beherrschenden Elemente des tradierten und traditionellen Bildes in einer Art unscharfer Gegenüberstellung widersprüchlicher Züge verschwinden. Allein dies könnte für Historiker jener Ära schon erhebliche Probleme nach sich ziehen. Ich möchte das dadurch illustrieren, indem ich mich auf genau umrissene Dilemmata konzentriere, die in direkter Beziehung zu einigen wesentlichen Charakteristika von Historisierung stehen, wie oben definiert.
Das erste Dilemma ergibt sich schon aus der Fragestellung, ob die Periodenspanne »1933–1945« aufrechterhalten oder zugunsten viel weitreichenderer Zeiträume und damit anderer Perspektiven aufgegeben wird. Die Relativierung des Rahmens »1933–1945« impliziert fast schon definitionshalber eine Relativierung des wesentlich politisch-moralischen Rahmens, wie er mit dem traditionellen Zugang in Verbindung gebracht wird.
Seit den sechziger Jahren bestehen vor allem links orientierte Historiker auf die Hervorhebung des Aspekts der Kontinuität jener gesellschaftlichen Strukturen und Institutionen, die in Deutschland mindestens seit dem 19. Jahrhundert bestimmend waren, den Aufstieg der Nazis zur Macht direkt beeinflußten, den Nazismus mit der nötigen Unterstützung und Dynamik ausstatteten und mit der Niederlage des Dritten Reiches

nicht verschwunden waren. Wäre dem anders, so argumentierten sie, so wäre es für konservative Historiker ein leichtes, den Nazismus als ein bloß temporäres, ja zufälliges Phänomen anzusehen, das Deutschland durch Hitler und seine Partei aufgezwungen worden war. Der nationale Schaden wäre begrenzt und die deutsche Geschichte sowohl vor 1933 wie nach 1945 von allem Übel frei. Dagegen läßt sich vorbringen, daß solche Dichotomie nicht völlig überzeugt: Man kann Kontinuitäten, besonders im Hinblick auf die Zeit vor 1933 und das Dritte Reich klar anerkennen, ohne dabei gleich die entscheidende und einschneidende Bedeutung des Wendepunktes von 1933 und jenen von 1945 beiseite zu schieben. Das neue Regime hatte eine derart mobilisierende und »potentialisierende« Wirkung des Vorgegebenen nach sich gezogen, daß dies einen Unterschied ums Ganze macht. Die zuvor schon bestandenen Faktoren und gesellschaftlichen Strukturen waren zwar notwendiger Nährboden; aber neue politische, soziale und psychologische Umstände trugen zu dem bei, was die Besonderheit des Dritten Reiches ausmachte.

Die Historisierung, von der hier die Rede ist, geht nun einen Schritt weiter. Sie lenkt die Aufmerksamkeit des Historikers auf die Notwendigkeit, in das Bild der Naziperiode hinein eine umfängliche Anzahl viel allgemeinerer und auf Langfristigkeit gerichteter historischer Prozesse einzubeziehen. Viele »normale« soziale Entwicklungen konnten in der Tat unmöglich nur den zwölf Jahren des Dritten Reiches entsprungen sein: solche Trends hatten ihren Ursprung lange vor 1933 und hinterließen noch lange nach 1945 ihre Spuren in der deutschen Gesellschaft. Martin Broszat führt das interessante Beispiel der Planung einer allgemeinen Sozialversicherung an, die zu Ende des Ersten Weltkrieges, in den zwanziger und dreißiger Jahren, entwickelt wurde, von der Forschungsgruppe der Deutschen Arbeitsfront 1941/42 als fertig ausgearbeitetes Projekt präsentiert und schließlich zu großen Teilen in das Sozialversicherungssystem der Bundesrepublik integriert wurde. Überdies waren jene Pläne, die 1942 vorgestellt wurden, dem Beveridge-Plan sehr ähnlich, der etwa zur selben Zeit vorbereitet wurde, um zur Grundlage des britischen Wohlfahrtsstaates zu werden. Wir treffen im Dritten Reich also ein Beispiel für eine solche Langfristigkeit an, ein Beispiel, das in einem anderen Land, einem Land mit einer vorbildlichen Demokratie freilich, ähnlich nachzuweisen ist. Ich möchte noch auf ein anderes Exempel hinweisen: Der langsame Prozeß der Emanzipation der Frau in Deutschland während der wilhelminischen und der Weimarer Zeit wurde in der Naziepoche beträchtlich beschleunigt – gegen alle Glaubenssätze des Regimes; und ohne Zweifel wurde die noch schnellere Entwicklung in ebendiese Richtung, wie sie seit Kriegsende in der westdeutschen Gesellschaft festzustellen ist, davon erheblich beeinflußt.

Man könnte eine beliebige Anzahl ähnlich langfristiger Entwicklungsprozesse hinzufügen, die in der Nazizeit beschleunigt oder auf verschiedenste Weise verändert wurden, und dies ganz unabhängig von der für das Regime charakteristischen Politik und Ideologie. Diese verschiedenen Veränderungen fallen wesentlich in den größeren Zusammenhang von Modernisierungsprozessen, wie sie auch im nationalsozialistischen Deutschland nachzuweisen sind.

In den letzten beiden Jahrzehnten brachte eine beträchtliche Anzahl von Untersuchungen die unterschiedlichsten Aspekte solcher Modernisierungen ans Licht: Betrachtet man sie in ihrer Gesamtheit, dann zeigt sich, daß die Aufmerksamkeit der Forscher sich von den Besonderheiten des Nationalsozialismus abwendet, um sich dafür den allgemeineren Problemen der Modernisierung zuzuwenden. Damit wird freilich die Frage der Relevanz, oder genauer: der relativen Relevanz von Entwicklungen solcher Art für eine umfassende geschichtliche Darstellung der Nazizeit gestellt.

Der spezifische Charakter der Epoche scheint nämlich genau von jenen neuen Elementen abhängig zu sein, die mit Hitlers Machtantritt in laufende Prozesse erst eingebracht wurden. Viele Trends, die für die Zeit lange vor 1933 nachweislich sind, wurden damals politischen Zwecken dienstbar und für die Umwandlung der Gesellschaft wirksam gemacht; sie wurden konkretisiert und instrumentalisiert.

Im Bereich des Ideologischen bestanden ohne Frage Antisemitismus oder Rassenhygiene bereits vor 1933 ebenso, wie Theorien über die Vertreibung oder gar Vernichtung der Juden oder Theorien über die mögliche Vernichtung der Träger von Erbkrankheiten usw. nachweislich sind. Jedoch ist das Aufkommen politischer Bedingungen, die zur Konkretisierung solcher Theorien, ihre Umwandlung in politisches Handeln möglich machten – wobei es in unserem Zusammenhang nicht wesentlich ist, wie die Dynamik dieser Umwandlungen vor sich gegangen sein mag – das, was als wesentlich zu gelten hat: Was potentiell möglich war, wird wirklich. Schließlich wurden weder in England noch in den Vereinigten Staaten geisteskranke Menschen ausgelöscht, obwohl eugenisches Denken weit verbreitet war; auch in der Weimarer Republik schwebten diese Menschen ebenfalls nicht in Lebensgefahr.

Eine ausschließliche Konzentration auf die spezifisch verbrecherische Dimension, die in der Tat durch die Machtübernahme der Nazis wirksam wurde, scheint aber gleichzeitig das zu sein, was das traditionelle Bild vom Nationalsozialismus allzu simpel macht. Es gilt deshalb, die langfristigen, »neutralen« Prozesse ebenso zu berücksichtigen, wie die traditionelle Sichtweise aufrechtzuerhalten. In einer solchen Kombination kommt es selbstverständlich auf das jeweilige Gewicht der unterschiedlichen Anteile an. Wie ein jeder langfristig orientierter Prozeß in das Bild eingefügt werden kann, so bleibt für den Historiker – ungeachtet der Komplexität der dadurch hinzugefügten Schichten – die Bestimmung des Brennpunktes wesentlich. Eine Aufrechterhaltung des Brennpunktes scheint praktisch dann unmöglich, wenn der politische Rahmen »1933–1945« mit seinem implizit »potentialisierenden« Effekt und den spezifischen Elementen, die er enthält, zu sehr relativiert wird.

Wenn man sich von der Ebene der Monographie hin zur allgemeinen Darstellung bewegt, auf die die Historisierung explizit abhebt, dann gilt es sich zu fragen, ob das »Ermächtigungsgesetz« oder das »Gesetz zur Wiederherstellung des Berufsbeamtentums«, d. h. das formale Ende des demokratischen Systems und der Beginn legaler antisemitischer Maßnahmen – zwei Marksteine des Jahres 1933 – nicht notwendig beherrschende Elemente einer historischen Landschaft bleiben sollten, in der es viele Hügel gibt, in der sich aber auch eine Reihe von Vulkanen auftürmen. Kurz: wie weit kann die neue politische Dimension, die durch Hitlers Machtantritt eingeführt wurde, relativiert werden, ohne daß sich die gesamte Landschaft verändert?

Das zweite Dilemma ist das der »Distanz«. Wie erwähnt, zielt die Historisierung auf die Abschaffung des »Pflichtlektion«-Syndroms, auf jene automatische Distanzierung des Historikers von seinem Gegenstand, sobald er sich der Nazizeit nähert. Ohne Zweifel ist dabei nicht beabsichtigt, sich verstärkt den verbrecherischen Anteilen dieser Zeit zu widmen, sondern eher, sich aus jener Quarantäne zu begeben, die angeblich bis heute der Epoche im Ganzen auferlegt ist.

Obwohl die generelle Stoßrichtung eines solchen Plädoyers ganz verständlich ist und obwohl – wie angenommen werden kann – es sich dem Ziel verschrieben hat, eine gewisse Differenzierung zwischen dem Einhalten einer Distanz einigen Aspekten jener Zeit gegenüber einerseits und der Beseitigung der Distanz anderen Aspekten jener Periode gegenüber andererseits herzustellen, kann dies in Wirklichkeit zu unlösbaren Problemen führen – wird die Ebene der Monographie zugunsten globaler Darstellung verlassen. Nur wenige Bereiche der Zeit können – mit Ausnahme der unmittelbar verbrecherischen – als gänzlich verwerflich angesehen werden. Andererseits sind nur wenige Bereiche von den unerfreulichen oder gar verbrecherischen Aspekten des Kernbereichs unberührt geblieben. Es fallen einem sofort die verschiedensten Beispiele für diese Verflechtung von Normalität und Kriminalität ein: die Industrie etwa, die staatliche Verwaltung, das Militär etc. Die historische Bedeutung dieser Institutionen im Rahmen des Nationalsozialismus ist zuerst und vor allem ihre systemstabilisierende Rolle. Wenn man Institutionen in solcher Weise beurteilt, dann konnten nur sehr wenige vom Regime unabhängig oder an seiner immer radikaleren Entwicklung völlig unbeteiligt gewesen sein.

In einem System, dessen innerer Kern von Anfang an verbrecherisch war, ist sogar Nichtbeteiligung, Passivität als solche schon systemstabilisierend. Dies kann ganz selbstverständlich dazu führen, daß Distanz sogar dem gegenüber, was als normal, als nicht involviert gilt, eingehalten wird. Die örtliche Kirchengemeinde etwa, die unter Umständen zwar ideologisch unvergiftet geblieben war, aber ihre nicht-arischen Mitglieder ausschloß, um sich nicht zu schädigen, und es ohne jeden Protest geschehen ließ, daß sie abtransportiert wurden, kann kaum ohne eine jede Distanzierung betrachtet werden... Überdies impliziert der Drang, die *pauschale Distanzierung* von einer solchen Epoche wie die des Nationalsozialismus aufzuheben und zwischen verschiedenen Bereichen zu unterscheiden, eine Haltung, die davon ausgeht, Geschichte lasse sich von einem »neutralen«, »objektiven« Standort aus schreiben, einem Standort, der es erlaubt, klare Kriterien für das Maß der Distanzierung oder Nicht-Distanzierung zu benennen. Mir scheint, Distanzierung bedeutet die Realisierung eines subjektiven Werturteils, ein Werturteil, das mit anderen nicht beliebig geteilt zu werden vermag. Für die Opfer des Regimes etwa – wer immer auch zu ihnen gehört haben mag – zieht die Zeitspanne zwischen 1933 und 1945 sicherlich eine pauschale Distanzierung nach sich, weil für sie mit Hitlers Machtantritt die Mißhandlung auf allen Ebenen anhob. Aber nehmen wir hier einen generellen Standpunkt ein: denn wie wir weiter unten sehen werden, kann die Relativierung durch Distanzierung unerwartete Folgen nach sich ziehen.

Das führt schließlich zum dritten Dilemma, einem Dilemma, das in gewissem Sinne die meisten der anderen Aspekte der Historisierung einschließt und eine hierzu fast notwendige Begleiterscheinung darstellt.

Es kann nicht Absicht der Historisierung sein, nochmals die Diskussion der letzten drei Jahrzehnte über doch vertraute Interpretationen des Nationalsozialismus wieder aufzunehmen. Wenn die gewünschten Veränderungen nur innerhalb wohlbekannter Parameter erwogen würden, dann wären wir wieder bei der Diskussion »Totalitarismus« versus »Faschismus«, »Hitler-Zentrismus« versus »Polykratie« etc. sowie ihren jeweiligen Vorzügen und Nachteilen angelangt. Aber die Historisierung zielt ganz deutlich auf mehr, sie zielt auf etwas, was sich nicht in der neuerlichen Aufnahme von Argumenten erschöpft, die uns inzwischen vertraut und wohlbekannt sind. Entscheidend vielmehr ist die Aussage, man sollte jetzt, vier Jahrzehnte nach Kriegsende, endlich in der Lage sein, die Naziperiode im Hinblick auf das Problem historischer Darstellung *wie jede andere Epoche auch*, zu behandeln. *Die Relativierung, die in der zeitlichen Entgrenzung der Phase 1933–1945 angelegt ist, und die Relativierung, die*

mit dem Problem der Distanzierung von jener Epoche verbunden ist, stellen die Schlüsselelemente jenes Zugangs dar, die Epoche des Nationalsozialismus wie eine jede andere zu behandeln.
Zwar ist davon die Rede, welches Bild der Geschichte wir zu verwerfen haben, welchen Rahmen es aufzubrechen gilt; nicht aufgezeigt wird, zu welchen Ergebnissen der Zugang des *offenen Ausgangs* führen kann, als ob die neuen Ansätze die Fakten besser für sich sprechen ließen, als ob die sogenannte »Rückkehr zur Geschichte« nicht für alle möglichen Interpretationen und Bedeutungsverschiebungen offen wäre, sollte erst einmal die »pauschale Distanzierung« und die »moralische Blockade« hinsichtlich jener Jahre aufgehoben werden. In diesem Zusammenhang wurde in der Bundesrepublik Deutschland vor kurzem erst deutlich, welche mannigfaltigen Interpretationen Historisierung möglich machen kann.

III.

Betrachtet man die Historisierung abstrakt, d. h. rein begrifflich, jenseits jedes konkreten ideologisch-politischen Zusammenhangs, dann geht es in der Tat nur darum, diese oder jene theoretische Frage zu klären. Aber de facto läßt sich kein historischer Begriff völlig außerhalb des Kontexts diskutieren, in dem er formuliert wird. Martin Broszat plädiert für Historisierung angesichts des Volumens abgelaufener Zeit. Er geht von der Annahme aus, daß die zeitliche Distanz inzwischen einen neuen Blick auf die Epoche der Naziherrschaft gestatte. Was dies im Kontext der achtziger Jahre in der Bundesrepublik bedeutet, machte Karl-Heinz Janssen in »Die Zeit« deutlich. Janssen stellt fest: »Broszat hofft durch ›stärker differenzierende Einsicht‹ könne jene Epoche ›auch moralisch neu erschlossen werden‹. War er sich klar darüber, auf welche Gratwanderung er sich da einließ?« Und er fügt hinzu: »Denn inzwischen wehten die Bonner Wende-Winde den Aufklärern ins Gesicht. Historisieren verstehen viele nur noch als Relativieren. Die Epoche des Nationalsozialismus soll für sie eine Epoche unter anderen werden...«[5]
Karl-Heinz Janssen hätte zum Beispiel Klaus Hildebrands Kommentar zu Ernst Noltes »Between Myth and Revisionism: National Socialism from the Perspective of the 1980s« zitieren können: »... Der Artikel von Ernst Nolte (verdient) besondere Beachtung. Denn er unternimmt es, in außerordentlich anregender und weiterführender Art und Weise das für die Geschichte des Nationalsozialismus und des ›Dritten Reiches‹ zentrale Element der Vernichtungskapazität der Weltanschauung und des Regimes *historisierend einzuordnen* und diesen totalitären Tatbestand in den

aufeinander bezogenen Zusammenhang russischer und deutscher Geschichte zu begreifen.«[6] Wir wollen uns jede Untersuchung der Historisierung nach der Art Ernst Noltes ersparen, zumal sich durchaus begründen läßt, daß seine Fragestellungen und Konstrukte in keiner Weise jener Historisierung eigen sind, die hier dargestellt wird. Daher wollen wir einen anderen Fall von Historisierung heranziehen, einen Fall, der meiner Ansicht nach einen Aspekt ideologischer Kontextualisierung dessen ganz deutlich illustriert, was durch Historisierung kaum vermieden werden kann: den möglichen Übergang von der Historisierung zu einer Art von »Historismus«, vor allem dann, wenn das Narrative Verwendung finden soll.

Martin Broszat lehnt die Rückkehr zum »Historismus« strikt ab. Tatsächlich könnten gute Gründe dafür angeführt werden, daß der Zug der Historisierung an jeder Station zum Stillstand gebracht werden kann; das Ende des Schienenstrangs muß nicht unbedingt erreicht werden. Aber der Kontext, in dem Historisierung sich heute anbietet, kann durchaus dazu ermutigen, die Reise bis zur Endstation des »Historismus« durchzuführen, und dies wesentlich aus folgenden Gründen:

- der Relativierung von Distanz und allgemeiner moralischer Quarantäne in bezug auf die Naziepoche als Ganzes wegen;
- aus Gründen der Betonung der nicht-kriminellen, nicht-ideologischen und nicht-politischen Aspekte der Epoche, was sich unter anderem in Alltagsgeschichte und der Darstellung von Alltäglichkeiten im Dritten Reich niederschlägt. Obwohl im Bereich des alltagsgeschichtlichen Zuganges unterschiedliche Varianten bestehen und obwohl manche Forschergruppen sich des Problems der Distanzierung sehr wohl bewußt sind, muß die alltagsgeschichtliche Perspektive auf das Dritte Reich fast schon definitionsgemäß die Aufmerksamkeit auf die nichtpolitischen Dimensionen der Epoche und auf immer feiner darstellbare Abstufungen in der Haltung der Bevölkerung lenken. Dadurch wird eine Art von Kontinuum geschaffen, in dem sich die Kriminalität des Alltagslebens betonen lassen kann – aber auch das erhebliche Maß an Normalität im allumfassenden kriminellen System.

In einem Kontext, in dem die relativierenden und normalisierenden Anteile der Nazizeit betont werden, mit dem Ziel, das traditionelle Bild jener Epoche neu zu formen, kann die Tendenz, dem Kontinuum eher in die eine als in die andere Richtung zu folgen, nicht einfach von der Hand gewiesen werden. Solcher Hinweis bedeutet nicht etwa, daß irgendein Fragenkomplex zu meiden wäre; aber gleichzeitig gilt es, nicht zu unterschlagen, daß dadurch einige Bedeutungsverschiebungen gefördert werden können. Nehmen wir ein Beispiel:

Die vielbändige Untersuchung zur Alltagsgeschichte in Bayern während des Nationalsozialismus brachte einen seither viel diskutierten Begriff hervor: den der »Resistenz«. Es handelt sich hierbei um die Konzeptualisierung einer Zwischenkategorie von Verhaltensweisen, einem Verhalten im Zwischenbereich aktiver Opposition und gänzlicher Anpassung. Insofern illustriert der neue Ansatz als Alltagsgeschichte eines der Hauptziele von Historisierung, weil er zu erheblichen Differenzierungen führen kann.

Geht man von Hartmut Mehringers Definition der »Resistenz« aus (– Mehringer war einer der wichtigsten Mitautoren des Projekts *Bayern in der NS-Zeit*, durch den dieser Begriff stark in den Vordergrund gerückt wurde –), so wird darin eine Verständniskategorie vorgestellt, nach der die Grundhaltung der Mehrheit der Bevölkerung in Bereichen widerstreitender Loyalitäten von einer Mischung aus Konformität und Nonkonformität charakterisiert war: »... Die Nahsicht der gesellschaftlichen und politischen Konfliktzonen des Dritten Reiches zeigt jedoch, daß Teilopposition, ihre Verbindung mit zeitweiliger oder partieller Regimebejahung, daß das Neben- und Miteinander von Konformität und Nonkonformität die Regel darstellt ...«[7] Nun ließe sich argumentieren – und dies ist auch geschehen –, »Resistenz« sei ein viel zu amorpher Begriff, um sinnvoll angewandt werden zu können. So ergibt sich etwa kein ernstzunehmender Grund, jemanden, der den Völkischen Beobachter aus opportunistischen Gründen abonniert und die Zeitung dann aber ungelesen wegwirft, aus dem umfassenden Bereich verwaschener Nonkonformität auszuschließen. Man könnte das Konzept der »Resistenz« mit jenem Verhalten stillschweigender Hinnahme oder passivem Akzeptierens der schlimmsten Verbrechen des Regimes, trotz geflüsterter Mißbilligung etc., identifizieren. Wie auch immer; da die Mischung von Konformität und Nichtkonformität für viele die Regel war, stellt sie jedenfalls eine begriffliche Brücke dar, die es nunmehr erlaubt, mit widersprüchlichen Haltungen einzelner, die zwar manches am Regime nicht guthießen, jedoch als aktiver Bestandteil innerhalb von Institutionen wirkten, die das Regime stärkten, umzugehen. Mit anderen Worten: Obwohl die Wehrmacht stärker als jede andere Institution im Sinne des Regimes systemstabilisierend wirkte, waren trotzdem viele kämpfende Einheiten ideologischen Anmaßungen der Nazis gegenüber mehr oder weniger immun. Sie taten bloß ihr Bestes, die Front zu halten – wie Soldaten jeder anderen Armee auch. In diesem Sinne könnte die Haltung dieser Einheiten, und das heißt auch, der meisten Soldaten, als eine Mischung aus Konformität und Nichtkonformität angesehen und mithin als »Resistenz« ausgelegt werden.

Solche Art von »Resistenz«, die sich mit einem Kampf gegen eine Bedrohung verband, die moralisch als verdammenswert galt und aus einer deutschen nationalen Perspektive heraus als katastrophal angesehen wurde – nämlich die Sowjetunion –, kann den Historiker von einem neutralen Standpunkt weg zu einem der Einfühlung führen. In seinem Buch »Zweierlei Untergang: Die Zerschlagung des Deutschen Reiches und das Ende des Europäischen Judentums« nimmt Andreas Hillgruber mehr oder weniger diese Stellung ein. Wie inzwischen als bekannt vorauszusetzen ist, muß nach Hillgruber der Historiker einen Punkt der Identifikation in seinem Gegenstand ausmachen. Er selbst ist geneigt, sich mit den kämpfenden Wehrmachtseinheiten und den Leiden der deutschen Bevölkerung im Osten zu identifizieren, und dies ungeachtet der Tatsache, daß das militärische Standhalten der Wehrmacht es überhaupt ermöglichte, hinter den Linien den Vernichtungsprozeß fortzusetzen. In einem Interview mit der Zeitung »Rheinischer Merkur« verglich Andreas Hillgruber seine Beschreibung des Schicksals der Wehrmacht an der Ostfront mit dem der alltagsgeschichtlichen Ansätze:

»Ich habe in meinem Aufsatz über den Untergang im Osten 1944/45 einleitend das Geschehen aus der Perspektive der Bevölkerung, der kämpfenden deutschen Armee skizziert, also nicht von der Warte Hitlers oder der siegreichen Roten Armee... Der Versuch, das Geschehen aus der Sicht der Betroffenen darzustellen, fügt sich ein in Anstrengungen von Kollegen (zum Beispiel H. Mommsen oder M. Broszat) auf anderen Feldern der Geschichte des ›Dritten Reiches‹ ebenfalls die Dinge von dem Gros der erleidenden Bevölkerung aus zu erleben.«[8]

Andreas Hillgrubers Argument ist nicht völlig von der Hand zu weisen. Darauf hat bereits Hermann Rudolph in seinem Beitrag »Falsche Fronten?« hingewiesen: man könne nicht – so schrieb Rudolph – auf der einen Seite einen Prozeß der Historisierung befürworten, einen Prozeß, den er selbst gutheißt, und auf der anderen Seite eine Art von moralischer Blokkade über den Kampf von Wehrmachtseinheiten an der Ostfront verhängen, weil er die Fortsetzung der Vernichtung hinter den Linien ermöglichte: »Man kann diesen Prozeß der Differenzierung nicht vorantreiben«, fügte er hinzu, »und zugleich den Blick zurück in Abscheu unbefangen behalten.«[9]

Zum Abschluß seines »Plädoyers« fordert Martin Broszat auf, die Blokkade, die der Zeit von 1933–1945 auferlegt wurde, aufzuheben; dies, um unter anderem die Rückkehr zu einer Art traditionellem »Historismus« zu vermeiden, d. h. einer Art traditioneller Identifikation und Empathie mit den Zeiten, die vor und nach der Naziära liegen und die als »gesund« gelten. Ironischerweise könnte aber die Suche nach »gesunden« Bereichen während der nationalsozialistischen Zeit und die Außerkraftsetzung der Distanz zwischen dem Historiker und jener Epoche gerade zu einer Rückkehr einer Art von »Historismus« führen, und dies nicht nur im Hinblick auf die Phasen, die dem Dritten Reich vorausgingen und ihm folgten, sondern auf das Dritte Reich selbst. Das ständige Gegenüberstellen und Differenzieren zwischen dem Normalen und Alltäglichen und dem Abnormen und Kriminellen im Dritten Reich selbst kann im neuen ideologischen Kontext den Historiker, der die Historisierung als einen »objektiveren« Ansatz für das Studium der Naziepoche ansieht, mit unerwarteten Ergebnissen konfrontieren, werden jene nicht von zureichend präzisen Differenzierungskategorien begleitet.

IV.

Kurzum, Historisierung umfaßt Unterschiedliches, und im heutigen Kontext werden einige Interpretationen sich eher als andere bestärkt finden. Zum Abschluß sollten drei sehr allgemeine Probleme aufgeworfen werden. Zuallererst läßt sich mit gewisser Plausibilität die Auffassung vertreten, daß die Historisierung als solche Teil eines umfassenderen und kontinuierlichen Konstruktions- (oder Rekonstruktions)-prozesses deutscher Erinnerung an die Nazizeit ist. Neben Historikern sind auch andere an der Konstruktion oder Rekonstruktion kollektiver Erinnerung hinsichtlich jener Epoche beteiligt. Obwohl die Geschichtsschreibung im Prinzip das kritische Auge ist, das die Konstrukte der Erinnerung überprüft, ist sie in vieler Hinsicht auch Teil dieses generellen Prozesses selbst, weil sie sich mit einer Vergangenheit befaßt, die nicht vergehen will... Kurz: meiner Ansicht nach ist diese Vergangenheit immer noch viel zu gegenwärtig, als daß es den heute tätigen Historikern – handelt es sich vor allem um Deutsche oder Juden, handelt es sich um Zeitgenossen der Nazizeit oder Angehörige der zweiten oder vielleicht gar der dritten Generation – ein leichtes wäre, sich ihrer Vorannahmen und ihrer a-priori-Positionen bewußt zu werden.
Es ist anzunehmen, daß der Historiker des Nationalsozialismus sich oft kaum ganz darüber im klaren ist, auf welch spezifischer Grundlage, aus welchen Motiven und in welch besonderem ideologischen Kontext er sich mit dem Gegenstand seiner Forschung befaßt. Daher ist für jede Art historischer Analyse ein tiefgreifender Prozeß der Selbstreflexion nötig, durch den es dem Historiker bewußt bleibt, daß er – für wie objektiv auch immer er sich halten mag – er doch derjenige ist, der den Ansatz wählt, die Methode festlegt und das Material nach einem gewissen Plan organisiert. Was für eine jede Geschichtsschreibung zutrifft, ist für das Studium der besagten Epoche freilich entscheidend. Über den Nazismus schreiben ist jedenfalls etwas völlig anderes, als eine Geschichte Frankreichs im sechzehnten Jahrhundert zu verfassen. Der mögliche Irrtum der hier ana-

lysierten Historisierungsabsicht liegt darin begründet, daß man sich vierzig Jahre nach dem Ende des Dritten Reiches mit dem Nazismus auf eine ähnliche Art zu befassen beabsichtigt wie mit dem Frankreich des sechzehnten Jahrhunderts.

Ein weiteres Problem – und dies ergibt sich direkt aus dem vorausgehenden – ist das der jeweils unterschiedlichen Relevanz. Die Geschichte des Nazismus ist die Geschichte aller. Für Deutsche ist sie im Hinblick auf ihr nationales Selbstverständnis und ihre Identität, für das Verstehen nicht nur ihrer Vergangenheit, sondern auch ihrer heutigen Gesellschaft, von essentieller Bedeutung. Daher kann die Historisierung des Nationalsozialismus für verschiedene Gruppen in der Bundesrepublik Unterschiedliches bedeuten, je nach ideologischem und politischem Standort. Aber dieselbe Vergangenheit kann auch für die Opfer des Nazismus, wer immer sie auch sein mögen, erst recht etwas anderes bedeuten. Daraus ergeben sich für sie ebenso unterschiedliche, aber nicht weniger legitime Wege, diese Epoche zu historisieren. Spielt zum Beispiel die Erforschung der Alltagsgeschichte im Dritten Reich sowohl für konservative wie für eher links orientierte deutsche Historiker – wenn auch aus entgegengesetzten Gründen – im Prozeß der Historisierung eine zunehmend zentrale Rolle, so kann es durchaus sein, daß eben jener Aspekt der Geschichte des Dritten Reiches einigen Historikern außerhalb Deutschlands weniger unmittelbar relevant erscheint. Letztere könnten davon ausgehen, daß die politischen und ideologischen Aspekte des Dritten Reiches einer noch viel detaillierteren Erforschung bedürfen, zumal die Beziehung zwischen Ideologie und praktischer Politik noch immer äußerst nebulös ist – etwa im Hinblick auf die Endlösung.

Schließlich gilt es auch die möglichen Grenzen der Historisierung des Nationalsozialismus zu bedenken, Grenzen, die durchaus nicht irgendeinem Tabu geschuldet sind, sondern dem Phänomen selbst innewohnen. Diese Grenzen sind in Verbindung damit zu sehen, wie die Besonderheit oder umgekehrt: das Nicht-Besondere der Naziverbrechen angegangen wird. Obwohl man seine eigene Interpretation der Fakten in unterschiedlicher Weise darzulegen vermag, steht man dabei fraglos nicht vor einer Wahl zwischen Fakten und Fakten, sondern zwischen unterschiedlichen Interpretationen, die in verschiedenen Werturteilen verankert sind, und damit außerhalb von Beweis und Gegenbeweis stehen.

Mit der Bewertung der Nazi-Verbrechen als spezifische oder als nichtspezifische wird über das Wesen des Nationalsozialismus befunden. Da die Wahl, die der Historiker trifft, das Gesamtbild bestimmt, und da die Art solcher Bewertung sich historischer Analyse im engeren Sinne entzieht, *kann die Historisierung nur dann als vollbracht gelten, wenn die Verbrechen des Naziregimes in einen komplexen historischen Rahmen inte-*

griert werden. Wenn eine solche Integrierung nicht erfolgt, bleibt ein einschneidendes Element in der Historisierung jener Epoche schwer faßbar.
1972 publizierte Geoffrey Barraclough in der New York Review of Books eine Serie von zwei Artikeln, die bereits einige Argumente hinsichtlich der Historisierung des Nationalsozialismus einschloß. Unter anderem kritisiert Barraclough das, was er den liberalen Zugang zur modernen deutschen Geschichte nennt. Er zitiert dann den Faschismus-Historiker Gilbert Allardyce wie folgt: »Unser Wissen darüber, was in Auschwitz geschah, ist enorm gewachsen, aber nicht unser Verstehen.« Warum ist das so? fragt Barraclough. Seine Antwort ist wert, zitiert zu werden: »Wenn die Antwort sich uns noch immer entzieht, dann scheint die Annahme nahezuliegen, es würden noch mehr Fakten benötigt, mehr Informationen, weiteres Graben nach den ›Wurzeln‹ des Nationalsozialismus. Dies ist eine Antwort, die auf der Hand liegt – aber sie ist nicht notwendigerweise die richtige. Wenn das Puzzle nicht aufgeht, liegt es vielleicht nicht daran, daß einige Teile fehlen, sondern daß wir es falsch zusammengesetzt haben. Mit anderen Worten: Es geht um die Gültigkeit von Annahme und Methodologie des vorherrschenden liberalen Zugangs zur deutschen Zeitgeschichte.«[10]
Etwa 15 Jahre sind seit der Publikation von Barracloughs Zeilen vergangen, und der liberale Zugang zur deutschen Zeitgeschichte ist ernstlich in Frage gestellt worden, genau gesprochen von Historikern wie Martin Broszat, Hans Mommsen und vielen anderen. Die Teile des Puzzles sind auf jede nur erdenkliche Weise bewegt, eine unermeßliche Anzahl neuer Details ist hinzugefügt worden. Trotzdem plädiert Martin Broszat 1985 für die Historisierung des Nationalsozialismus. Ein Jahr darauf brach zwischen deutschen Historikern der Streit über den spezifischen bzw. den nicht spezifischen Charakter der Naziverbrechen aus. Man muß sich die verschiedenen Phasen der Diskussion in Erinnerung rufen, um aufzeigen zu können, daß das scheinbar stetig wiederkehrende Hindernis zur Vervollständigung des Puzzles immer wieder die Frage nach dem spezifischen Charakter und dem historischen Ort der Vernichtungspolitik des Dritten Reiches ist. Darin liegt das Problem – und vermutlich auch die Grenze der Historisierung.

V.

Hannah Arendt könnte uns auf den letzten Zeilen ihres Buches »Eichmann in Jerusalem« unbeabsichtigt einen Hinweis darauf gegeben haben, was die Naziverbrechen von anderen unterscheidet. Die Nazis – so argumentiert Hannah Arendt – versuchten »zu entscheiden, wer die Welt bewohnen dürfe und wer nicht«. *Dies hat tatsächlich kein anderes Regime unternommen zu tun, wie verbrecherisch es auch war.* In diesem Sinne erreichte das Naziregime meiner Ansicht nach gewissermaßen eine theoretisch äußerste Grenze: Man kann sich eine noch größere Zahl von Opfern und eine technologisch noch effizientere Tötungsart vorstellen; aber sobald ein Regime beschließt, daß Gruppen, nach welchen Merkmalen auch immer, ausgesondert und auf der Stelle zu vernichten seien und daß sie nie mehr auf Erden leben dürfen, ist tatsächlich das Äußerste überschritten. Diese Grenze ist meiner Auffassung nach in der modernen Geschichte nur ein einziges Mal, und zwar durch die Nazis erreicht worden. Es bedarf keiner besonderen Erwähnung, daß versucht werden kann, die Menschenvernichtung der Nazis mit anderen Fällen von Vernichtung zu vergleichen, daß man nach einer beliebigen Anzahl vergleichbarer Ereignisse Ausschau halten kann. Doch all das schließt die Anerkennung einiger erheblicher Unterschiede nicht aus. Durch den oben erwähnten Aspekt wird meiner Meinung nach der spezifische Charakter des Naziregimes bestimmt; und meinen eigenen Kriterien nach gehört solche Argumentation in den Bereich von Werturteilen.

In der gegenwärtig vorherrschenden Kontextuierung können jene Historiker, die die Bedeutung des Nazismus relativieren und seinen Vernichtungscharakter zu historisieren beabsichtigen, eben jenen Begriff der »Historisierung« instrumentalisieren und das »Offene« im Prozeß der Darstellung sowie das Defizit an Klarheit, das einigen zentralen Aspekten des Nationalsozialismus innewohnt, benutzen, um zu jener nur scheinbar lange Zeit hinausgeschobenen »objektiven« Sicht der Vergangenheit zu gelangen. Historisierung als Form genauerer historischer Analyse verstanden, benennt nur einen ohnehin fortlaufenden und darüber hinaus notwendigen Prozeß. Das Bewußtmachen einiger der hier angesprochenen Probleme soll jedoch dazu beitragen helfen, eine solche Art von Historisierung mit zu ermöglichen, die sich nicht leichterhand für eine Relativierung der Nazivergangenheit mißbrauchen läßt, für ihre Banalisierung und letztlich dafür, jene Verbrechen aus dem Gedächtnis der Menschen auszulöschen.

Detlev J. K. Peukert

Alltag und Barbarei

Zur Normalität des Dritten Reiches

Das Erfordernis einer kritischen Historisierung des Nationalsozialismus

Im gegenwärtigen Historikerstreit ist beinahe untergegangen, daß die Forderung nach Historisierung der NS-Zeit keineswegs von konservativen Historikern oder der deutschnationalen »Stahlhelm-Fraktion« im Regierungslager ausging, sondern von eher sozialliberalen Historikern wie Martin Broszat und Hans Mommsen, und daß diese von konservativen Kollegen dafür Prügel bezogen haben. So jedenfalls war die Konstellation bei den älteren Debatten um die Urheberschaft des Reichstagsbrandes, um die Genesis der »Endlösung« sowie um die Gewichtung zwischen der persönlichen Rolle Hitlers und der Rolle des Gesellschaftssystems samt seiner Eliten im Dritten Reich.[1]

Wer in diesen Debatten für eine stärkere Historisierung des Nationalsozialismus eintrat, dem ging es gerade darum, die Verantwortung für Terror, Krieg und Massenmord nicht bei einzelnen führenden Persönlichkeiten, dem »Führer« zumal, abzuladen, sondern zu fragen, welche gesellschaftliche und geistige Verfassung dies alles zugelassen und begünstigt hat.

Historisierung meinte in diesem Sinne, sich weder mit individueller Schuldzuschreibung noch mit bloßer Kollektivschuldbehauptung gegenüber der Generation der damals Erwachsenen zufriedenzugeben.

Heute ist solche kritische Historisierung dringlicher denn je; denn heute sind es die Enkel und Urenkel, die in der Schule vom Nationalsozialismus erfahren. Damit verringert sich die Möglichkeit, daß sich diese Jugendlichen ganz persönlich betroffen fühlen. Solche Betroffenheit muß durch historisches Wissen, Vergleichen und Verallgemeinern vermittelt werden. Zugleich entfällt aber auch der persönliche Zwang zur Rechtfertigung oder Verdrängung, den die Zeitgenossen des Dritten Reiches seit dessen unrühmlichem Ende gespürt hatten. Nur eine kritische Historisierung kann die geschichtliche Erfahrung der NS-Zeit für zukünftige Generationen wachhalten.

Die sozialgeschichtliche Forschung der sechziger und siebziger Jahre hatte zur Erklärung des Nationalsozialismus auf ein kritisches Deutungsmuster der Geschichte zurückgegriffen, das einen »deutschen Sonderweg« der industriegesellschaftlichen Modernisierung annimmt.[2] Demnach hätte das Scheitern der bürgerlichen Revolution und die Reichseinigung von oben im 19. Jahrhundert ein Übermaß politischer Illiberalität und Autoritätsfixierung erzeugt, das die fortgesetzt an der Macht befindlichen alten gesellschaftlichen Eliten genährt hätten. Aus dieser Traditionslastigkeit heraus sei die Weimarer Republik gescheitert und der Nationalsozialismus im Kartell mit den alten Eliten an die Macht getragen worden. Die kritischen Sozialhistoriker, die auf diese Weise für eine Historisierung des Nationalsozialismus plädierten, besaßen also durchaus ein Interpretationssystem, das die »Einzigartigkeit« des Nationalsozialismus und seiner Verbrechen erklären konnte. Zugleich aber konnten sie strukturelle Entwicklungsdefizite der modernen deutschen Gesellschaft benennen und damit einen Transfer in die Problematiken der Gegenwart ziehen.

Über die innere Logik dieser Sonderwegstheorie und ihre historische Angemessenheit ist viel diskutiert worden. Hier sei nur ein Aspekt hervorgehoben, der die jeweiligen Bezüge zur aktuellen politischen Diskussion betrifft.

In den fünfziger und sechziger Jahren hatte der Verweis auf die Verantwortung der alten gesellschaftlichen Eliten in Deutschland für den Machtantritt des Nationalsozialismus und für das Funktionieren seines Systems bis zum Ende eine unmittelbare aufklärerische und gesellschaftskritische Funktion. Sie stellte die Restaurationsmythen der Adenauer-Ära in Frage und nahm der fortgesetzten Leitungstätigkeit der alten Funktionseliten die sittliche Legitimation. Doch schon die gewalttätige Modernisierung während der nationalsozialistischen Herrschaft und dann deren friedliche Fortführung während des Wirtschaftswunders beendete die Zeit der traditionsverbundenen und autoritätsfixierten alten Eliten. Der gesellschaftliche Reformschub der Großen Koalition und der darauf folgenden sozialliberalen Ära brachte endgültig eine Modernität hervor, die mit den Vorrechten von Adel, alten Generalsgeschlechtern und altem Großbesitz zugunsten von Management- und Leistungseliten aufräumte. Der »deutsche Sonderweg« war endgültig beendet und auf die breite Normalspur des »american way of life« bzw. der nordatlantischen Zivilisation eingebogen.[3]

Genauere Analysen der Gesellschaftsgeschichte des Dritten Reiches ergaben nun mehr und mehr Hinweise darauf, daß dieser wirtschaftswunderliche Modernisierungsschub in den dreißiger Jahren seinen Ausgang genommen hatte. Damit bestand die Gefahr, daß die ursprünglich gesell-

schaftskritisch gemeinte Sonderwegstheorie gleich doppelt apologetisch wurde: Wenn nämlich die Ursache des Nationalsozialismus in Modernisierungsdefiziten gelegen hatte, dann hatten wir Bundesdeutsche inzwischen gründlich aufgeholt. Selbst das äußere Aussehen der deutschen Städte und Landschaften erinnerte mehr an Amerika als an die unseligen Blut-und-Boden-Traditionen. Mochte es einen Sonderweg gegeben haben. Wir hatten ihn, von gewissen Restbeständen Unbelehrbarer abgesehen, aufgegeben. Noch problematischer war, daß das »Wirtschaftswunder« und der Modernisierungsschub bereits aus den dreißiger Jahren und der unfreiwilligen Mobilität der Kriegszeit herrührten.[4] War daraus die Schlußfolgerung zu ziehen, daß die Beurteilung des Dritten Reiches zu spalten war: in die schreckliche Seite der nationalsozialistischen Verbrechen und die anerkennenswerte Seite der Modernisierung, der Autobahnen, des Volkswagens und der Massenunterhaltung?
Diese Kontinuitätsperspektiven, die die Forschung zu Recht aufdeckte, konnten nun so behandelt werden, daß man einer weitverbreiteten Spaltung der Erinnerungen an das Dritte Reich folgte, die nach den »guten Zeiten« und den »schlechten Zeiten« unterschied, oder auch nach der positiv gesehenen Normallage des Lebens und den zugegebenermaßen schrecklichen Dingen, die »andernorts« passierten.[5] Man konnte aber auch versuchen, die Kontinuitätsperspektive selbst für die Anerkennung fortdauernder Widersprüche der gesellschaftlichen Modernität offenzuhalten und die vorschnelle Koppelung von Modernität und Fortschritt in der Modernisierungstheorie aufzugeben. Die verbrecherische wie die scheinbar harmlose Seite der Gesellschaftsgeschichte des Dritten Reiches würden dann auf die fortwirkende Doppelgesichtigkeit technischer und gesellschaftlicher Prozesse verweisen. Produktionsfortschritte und Leistungsverbesserungen würden dann auch in ihrer destruktiven und desorganisierenden Bedrohlichkeit gesehen.[6]

Alltagserfahrungen von »Normalität« im Dritten Reich

Damit verknüpft sich die Frage nach den Alltagserfahrungen von »Normalität« im Dritten Reich.
In den Erinnerungen von Zeitgenossen, aber auch schon in den für Historiker inzwischen zugänglichen Quellen zum Alltag und zur Volksmeinung im Dritten Reich stößt man immer wieder auf das Phantom der alltäglichen »Normalität«. Man erinnert sich an die »normalen Zeiten« des Wirtschaftswunders Mitte der dreißiger Jahre zwischen der Arbeitslosigkeit der Weltwirtschaftskrise und den Bombardierungen der Kriegsjahre. Schon die von Goebbels kontrollierten Massenmedien hatten ja neben

der direkten politischen Propaganda eine durchaus unpolitische heile Welt mittels Revuefilm und Familienidylle vorgegaukelt. Oft verdrängt jedoch die Erinnerung, daß es sich um ein »gespaltenes Bewußtsein« (H. D. Schäfer) handelte, das sich an der Arbeitsbeschaffung in der Rüstungsindustrie freute und doch den heraufziehenden Krieg fürchtete, das seichtes Kino-Vergnügen genoß und doch die Furcht vor den Folgen eines unbedachten Wortes verinnerlicht hatte.

Nach 1945 ist diese Doppelexistenz der Deutschen dadurch bewältigt worden, daß der millionenfache Judenmord als unbegreifliches und irgendwie einzigartiges Schrecknis isoliert wurde von der alltäglichen Geschichte des Dritten Reiches. Man klammerte sich an die vermeintliche Normalität des Alltags des »kleinen Mannes«, um sich der Frage nach dem Wissen über die oder gar der Mitverantwortung an der Massenvernichtung im »Osten« entziehen zu können.

Im öffentlichen Leben der fünfziger Jahre spiegelte sich diese gespaltene Erinnerung in zwei charakteristischen Verdrängungsformen wider. Auf der einen Seite stand ein Konzept christlich-jüdischer »Versöhnung«, das vom aufrichtigen Bemühen um historisches Lernen bis zu manchmal peinlichen Manifestationen des Philosemitismus reichte (die ihren Höhepunkt in der Identifikation mit den »Wüstenfüchsen« des israelisch-ägyptischen Krieges von 1967 hatten). Daneben entwickelte das kollektive Gedächtnis sozusagen eine erneute Selektion der Opfer. Millionen ermordeter Russen und Polen, Zigeuner, körperlich und geistig Kranke, asoziale und schwule KZ-Häftlinge verschwanden aus der Erinnerung. Zeitweise, auf dem Höhepunkt des kalten Krieges, widerfuhr dasselbe Kommunisten und Emigranten.

Die These von der »Einzigartigkeit« des »Holocaust« ist auch deshalb abzulehnen, weil sie, gewollt oder ungewollt, die Opfer der nationalsozialistischen Vernichtungsmaschinerie hierarchisiert. Vernichtungsmaßnahmen wie Vernichtungsziele der Nationalsozialisten waren vielgestaltig und beschränkten sich niemals auf das Ziel, das jüdische Volk auszulöschen. In der Zahl der Opfer, der Konsequenz der Verfolgung und der Gnadenlosigkeit der Stigmatisierung sticht der Leidensgang des jüdischen Volkes besonders hervor. Aber die Zigeuner wurden ebenso unerbittlich verfolgt. Und die uneingeschränkte serielle Tötung begann beim sogenannten »lebensunwerten« Leben geistig oder körperlich Behinderter.

Die Konzentration des öffentlichen Bewußtseins in den fünfziger Jahren auf die »Einzigartigkeit« der Vernichtung der jüdischen Menschen trug dazu bei, daß die meisten anderen Opfer darüber verdrängt wurden. Die deutsche Öffentlichkeit der Nachkriegszeit machte es sich leicht. Sie bekundete »Buße« gegenüber einer Opfergruppe, die in der Folge eben dieser NS-Verbrechen aus dem Gesichtsfeld der Deutschen entfernt worden war. Die Verbrechen an Russen, Polen und Kommunisten dagegen – als den Teileinheiten des offiziellen Nato-Feindbildes – oder an Zigeunern, Homosexuellen, geistig und körperlich Schwerkranken, Zwangssterilisierten und Asozialen als weiterhin stigmatisierten Gruppen, wurden »vergessen«.

Die Erinnerung an eine unpolitische »Normalität« in den dreißiger Jahren konnte insofern auch deshalb das kollektive Gedächtnis besetzt halten, weil gewisse strukturelle Parallelitäten zwischen der »Normalität« des ersten deutschen Wirtschaftswunders in den dreißiger Jahren und der Wirtschaftswundergesellschaft der fünfziger Jahre bestanden. Das galt nicht nur für so etwas Harmloses wie zum Beispiel die Freude an den gleichen Filmen und Filmstars, sondern auch für einen vergleichbaren Verdrängungsvorgang: In den dreißiger Jahren wurde die Gegenwart des NS-Terrors verdrängt, in den fünfziger Jahren wurde die vergangene Gegenwärtigkeit des NS-Terrors »vergessen«. Das gespaltene Bewußtsein[7] gehört zur deutschen Kontinuität über die angebliche »Stunde Null« hinweg.

Erst in den letzten Jahren hat ein genaueres Studium der Erinnerungen von Zeitgenossen und der Fülle von Dokumenten zum »alltäglichen Faschismus« dazu geführt, daß diese apologetische Unterscheidung zwischen dem »anständigen Alltag« des »kleinen Mannes« in schwerer Zeit und den »unbegreiflichen« Massenmorden auf Befehl Hitlers aufgebrochen werden konnte.[8] Die Ergebnisse dieser Forschungen lassen sich thesenhaft so skizzieren:

- Der NS-Terror war nicht nur in den Verfolgungswellen während der »Machtergreifung« 1933 und anläßlich der »Reichskristallnacht« 1938 erkennbar, sondern er war einschließlich der Massenmorde »im Osten«, in den Konzentrationslagern, für jeden, der sehen konnte und wollte, erfahrbar. Nur wer die Augen schloß, »wußte von nichts«.
- In nahezu jeder Stadt, jeder Gemeinde, gab es Lager während des Krieges für ausländische Zwangsarbeiter, für Kriegsgefangene und KZ-Häftlinge. Ohne gelegentliche Hilfeleistungen durch Deutsche unterbewerten zu wollen, blieb doch der Alltag der meisten Menschen befremdlich unberührt von diesem offensichtlichen Leid vor der eigenen Tür.[9]
- Es ist bekannt, daß etwa die Pogrome der »Reichskristallnacht« von der deutschen Bevölkerung nahezu einhellig und relativ offen abgelehnt wurden.[10] Ähnliches gilt hinsichtlich der sogenannten »Euthanasie« für viele gläubige Christen vor allem katholischer Konfession.[11] In beiden Fällen zeigten die Nazis Wirkung gegenüber der öffentlichen Meinung. Um so schwerer wiegt das Schweigen in den anderen Fällen.

Zu den angeblich positiven Erinnerungen an den Alltag des »kleinen Mannes« während des Dritten Reiches gehören immer wieder Sprüche wie: Damals habe es keine Kriminalität gegeben, damals seien die Arbeitsscheuen von der Straße gebracht worden, damals habe man unbesorgt seine Wäsche auf der Leine hängen lassen können und überhaupt habe es damals noch Ordnung und Disziplin gegeben.[12] An solche Art von Erinnerungen knüpft auch die heute von konservativer Seite gelegentlich aufgestellte Behauptung an, daß die »deutsche Werthaltung« nicht belastet sei, »nur weil sie durch das Dritte Reich hindurch auf uns überkommen ist«.[13]

Die erwähnten Erinnerungen legen jedoch eigentlich eine andere Schlußfolgerung nahe, beziehen sie sich doch alle auf bestimmte gewalttätige Maßnahmen der Nationalsozialisten im Alltag: auf die KZ-Einweisungen sogenannter Arbeitsscheuer und Krimineller; auf die fortgesetzte Inhaftierung sogenannter Gewohnheitsverbrecher; auf die »Säuberung« der Straßen von Landstreichern, Landfahrern und Zigeunern; auf eine Ordnung, die den Einsatz von Terror nicht verbarg; auf eine Disziplin, die dem einzelnen oft genug das Rückgrat brach. »Normalität« und Terror gingen hier zusammen.

Das verweist auf die verschwiegene Alltagsgeschichte des Rassismus.[14] Der nationalsozialistische Rassismus beschränkte sich keineswegs auf den Antisemitismus, auch wenn sich im Haßbild des »Juden« die Aggressionen der Nazis besonders bündelten und das jüdische Volk weitaus die meisten Opfer zählte. Da gab es die Zwangssterilisierungen hunderttausender angeblich Erbkranker, bei denen der Tod Tausender von Frauen bewußt in Kauf genommen wurde;[15] da war die Inhaftnahme vieler Tausender, die durch Krieg, Inflation und Arbeitslosigkeit aus der Bahn geworfen worden waren und jetzt als »Asoziale« in die »Konzentrationslager« geschickt wurden,[16] da wurden jene verfolgt, die einen gleichgeschlechtlichen Partner liebten,[17] da wurden angeblich »Arbeitsscheue« inhaftiert, weil Himmlers KZ-Kosmos Insassen brauchte;[18] da wurden Millionen Ausländer der »Vernichtung durch Arbeit« ausgeliefert.[19] In all diesen Fällen gewannen die Nationalsozialisten und die zahlreichen mitbeteiligten Beamten, Pfleger, Wärter und begutachtenden Wissenschaftler ihr gutes Gewissen aus der Behauptung, abweichendes Verhalten sei im Grunde erblich, also durch Rassenhygiene ausmerzbar.

»Sozialer« Rassismus gegen alle irgendwie »Gemeinschaftsfremden« im eigenen Volk[20] und »ethnischer« Rassismus gegen sogenannte »Fremdvölkische« gehörten im Nationalsozialismus zusammen, wie besonders die Zigeunerverfolgung belegt.[21] Ihr Chefideologe, ein dem Reichssicherheitshauptamt Himmlers zugeordneter Professor Dr. Robert Ritter, vertrat die rassebiologische These, daß Asozialität und Kriminalität durch die Beimischung von Zigeunerblut entstünden. Damit lieferte er sowohl die Begründung für die »Ausmerze« von »sozial auffälligen Individuen« wie auch für die Verfolgung der Zigeuner insgesamt.

Der Name Professor Ritters steht hier nur stellvertretend für eine große Zahl von Wissenschaftlern und Verwaltungsbeamten, die mit Hilfe der Rassedoktrin auf wissenschaftlich begründete und technologisch fortgeschrittene Weise die »Endlösung« aller sie irritierenden sozialen und ethnischen Probleme anstrebten; eine »Endlösung«, die durch Selektion, Aussonderung also der »Unwerten«, über Inhaftierung und Sterilisation bis zur »Vernichtung durch Arbeit« und bis zur industriemäßigen seriellen Ermordung bewirkt werden sollte.

Zwischen dem ungeheuerlichen und trotz aller historischen Erklärungsversuche dem vernünftigen Verstehen letztlich unzugänglichen Faktum des millionenfachen »Holocaust« und der in apologetischer Absicht immer wieder beschworenen Alltagsnormalität jenseits des Nationalsozialismus erstreckt sich also in Wirklichkeit ein fatales Kontinuum von Diskriminierung, Selektion und Ausmerze, dessen ungeheuerliche Konsequenzen vielleicht in ihrer Gesamtheit den meisten Zeitgenossen verborgen blieben, dessen menschenverachtender alltäglicher Rassismus aber nicht nur ständig und überall präsent war, sondern auch bis heute nicht kritisch aufgearbeitet worden ist. Noch immer sind es eher Außenseiter der Zunft, die die Verstrickungen der Mediziner und Sozialarbeiter, der Juristen, Verwaltungsbeamten und einfachen Bürger in diese rassistischen Vorstufen der »Endlösung« aufdecken. Noch immer ist auch die Entschädigung dieser Opfer nicht zufriedenstellend geregelt.

Der Schlüssel zur »Endlösung«: die Verknüpfung von modernster Technik und Rassebiologie

Der rassistische Vernichtungsfeldzug im Dritten Reich hat eine noch immer weitgehend ungeschriebene Vorgeschichte und eine noch weniger aufgearbeitete Nachgeschichte.

Die Vorgeschichte reicht bis in das wissenschaftsgläubige 19. Jahrhundert zurück.[22] Sie entspringt dort auch einigen eher obskuren Traktaten, was lange zu ihrer Unterschätzung bei seriösen Historikern geführt hat. Zugleich entfaltet sich aber im Zentrum des gesellschaftlichen Fortschritts, in den Humanwissenschaften und unter den Sozialreformern ein merkwürdiger und folgenschwerer diskursiver Widerspruch: Wenn allen die Segnungen der Bildung zuteil werden sollen, wohin dann mit den Unerziehbaren? Wenn allen durch soziale Sicherungen ein normales Leben garantiert werden soll, wohin dann mit jenen, die sich den gesellschaft-

lichen Normalitätsstandards nicht anpassen können oder wollen? Wenn die Medizin nach ihren großen praktischen Erfolgen in der Hygiene und Seuchenbekämpfung um die Jahrhundertwende dazu antrat, die Menschen gesund zu machen, wohin dann mit den unheilbar Kranken? Wenn die verbesserte Erziehung die Straftäter resozialisieren wollte, wohin dann mit den unverbesserlichen Gewohnheitsverbrechern?
Aus der Medizin und der erbbiologischen Forschung kamen zur gleichen Zeit Nachrichten, die solche etwas ratlosen Ausgrenzungsdiskurse beflügelten: Man glaubte, der Vererbung hartnäckiger Unverbesserlichkeit und Anormalität auf der Spur zu sein. Heute würde man von der Vermutung sprechen, Anormalität lasse sich auf bestimmte genetische Defekte zurückführen. In diesem Falle wären sie zwar nicht beim betroffenen Individuum heilbar. Aber die übrige Menschheit könnte von diesen Erbübeln befreit werden, wenn die vollständige Erfassung, Ausgrenzung und Abschließung dieser biologisch definierten Störpopulation gelänge, so daß sie ihre Erbanlagen nicht an die nächste Generation weitergeben könnte und mit ihren anormalen Eigenschaften die Zeitgenossen weder belästigten noch gefährdeten.
Im Dritten Reich wurde dieser rassebiologische Grundgedanke zur Tat; die verstreuten Einzelaktivitäten, die es schon zuvor gegeben hatte, wurden systematisiert und mit der Autorität der nationalsozialistischen Staatsdoktrin legitimiert. Damit endet die Vorgeschichte. Nun beginnt eine im einzelnen ebenfalls noch weitgehend unerforschte Geschichte der rassistischen Eskalation im Nationalsozialismus. Sie reichte von der Inkaufnahme eines hohen Sterberisikos bei den routinemäßig angewandten Sterilisationsmethoden über makabre Diskussionen unter Fachleuten, wie die Kostenbelastung durch die Anstaltspopulationen der verschiedenen Gruppen »Abnormer« bis zur Reduzierung von deren Versorgung auf das Existenzminimum gesenkt werden könnte, bis zu der fatal folgerichtigen Überlegung, daß mit Beginn des Krieges Anstaltsbetten und Pflegepersonal für die Versorgung wertvoller Krieger und Zivilopfer des Krieges gebraucht würden, deshalb also die bisherigen Insassen als »lebensunwerte« Geisteskranke und Krüppel kostengünstig und schnell zu beseitigen wären. Mit der Entscheidung zur ersten systematischen Massentötung unter dem Zeichen der »Euthanasie« verknüpften sich die beiden dynamischen Elemente im nationalsozialistischen Rassismus zur seriellen Tötungspraxis.
Es gab die ideologische und durch die Rassebiologie mit dem Segen der Wissenschaft versehene Absicht der »Endlösung« der genetischen Gefährdung des deutschen Volkes durch Fremdrassige und durch genetisch Anormale. Zugleich gab es die unideologische, aber eben fatale kumulative Radikalisierung von Sachzwängen, die in der rassistischen Ausgren-

zungspraxis zusammenliefen, und die unter dem Schutz der durch den Krieg herabgesetzten Tötungshemmungen aus der systematischen Erfassung und Ausgrenzung in die serielle Tötung übergingen.
Erst in der Verknüpfung dieser beiden Dynamiken zum Massenmord unter Einsatz modernster Technik und im Zeichen der Rassebiologie liegt der Schlüssel zur »Endlösung«. Hier liegt auch der Schlüssel zur Erklärung des »Holocaust« an den Juden. Der traditionelle Antisemitismus hatte es erlaubt, Juden furchtbarer Verfolgung auszusetzen, aber er konnte nicht daran denken, ein ganzes Volk als Träger eines unauslöschlichen und noch dazu unsichtbaren Merkmals zur Vernichtung vorzusehen. Dazu bedurfte es der Vermischung des Antisemitismus mit dem rassebiologischen Denken.
Erst in diesem Zusammenhang wurde die tödliche gedankliche Kette geknüpft, die von der Ausgrenzung der »Anormalität« zu deren rassebiologischer Stigmatisierung und dann zur Bestimmung von »lebensunwertem Leben« führte. Der Theorie folgte im Nationalsozialismus die Praxis und im Zuge der Behandlung von Menschen als »lebensunwert«, als »Ballastexistenzen« gewann das Konzept einer »Endlösung« durch Massentötung an Bedeutung. »Hadamar« liegt also vor »Auschwitz«. Das Menschenbild und die Techniken der massenhaften Ermordung wurden in den Euthanasieanstalten seit 1939 zur »Serienreife« entwickelt und fanden dann ihre millionenfache Anwendung.

Barbarei – untergründiger Bestandteil des Zivilisationsprozesses?

Die deutsche Gesellschaft hat sich auch Jahrzehnte nach der Zerstörung der letzten Gaskammer mit der Verstrickung breitester Kreise von Funktionsträgern, von Wissenschaftlern und Pflegern, von Beamten und Soldaten, KZ-Wärtern und Eisenbahnern, die die Viehwagen mit Menschenfracht begleiteten, noch nicht angemessen auseinandergesetzt. Es war zwar möglich, sadistische KZ-Ärzte als Vertreter einer »Medizin ohne Menschlichkeit« anzuklagen. Aber auch dabei blieb der Blick davon abgelenkt, daß die Verantwortung für die meisten Menschenversuche und für die Klassifizierung und Verdammung ganzer Populationen auf »normaler« wissenschaftlicher Arbeit im Horizont ihrer Zeit basierte.[23]
Der Umgang mit dieser belastenden Vergangenheit mag auch deshalb so schwierig sein, weil auf diesem Felde die Maßstäbe ins Schwimmen geraten sind. Wo hört der in jeder Gesellschaft legitime schützende Umgang mit Menschen, die andere Menschen gefährden auf, und wo beginnt der abschüssige Pfad ins KZ-System? Wo stoßen das wissenschaftliche Er-

kenntnisinteresse bei Tierversuchen und das wissenschaftlich-technische Leistungsvermögen in der Behandlung von Menschen auf ihre Grenzen, und wo beginnt eine Inhumanität, die in die Nachbarschaft eines Dr. Mengele führt? Nur wenn diese Fragen aus den eingefahrenen Gewißheiten alltäglicher Normalitäten herausgehoben und problematisiert werden, wird man sich den Verstrickungen und tödlichen Eskalationen im vergessenen alltäglichen Rassismus des Dritten Reiches verstehend nähern können.

Wenn ein Grundzug der alltäglichen Normalität in der »Volksgemeinschaft« des Dritten Reiches darin bestand, alle sogenannten Gemeinschaftsfremden auszugrenzen, zu verfolgen und zu vernichten, so wird man die Ursache für dieses Streben nach einer rassistischen Endlösung aller inneren und äußeren Probleme in den Entstehungsbedingungen der nationalsozialistischen Herrschaft aus der tiefen sozialen, politischen und geistigen Orientierungskrise der deutschen Gesellschaft Anfang der dreißiger Jahre suchen müssen. Die Widersprüche und die Unübersichtlichkeit der modernen Industriegesellschaft wurden damals in solcher krisenhaften Zuspitzung erfahren, daß die Nazis wie ein großer Teil der mit ihnen kooperierenden übrigen Deutschen, auf eine gewaltsame »Endlösung« aller Probleme der modernen Welt setzten, die die Utopie eines »volksgemeinschaftlichen« Neuanfangs erzwingen sollte. Was auf diesem Wege störte, real oder vermeintlich, wurde zum Gegentand ihres Vernichtungswillens. Je mehr sich dann der Nationalsozialismus an der Macht selbst in die Widersprüche der Gesellschaft verstrickte, ja die Undurchsichtigkeit der öffentlichen Ordnung selbst noch vervielfältigte, um so radikaler suchte man die Identität der Volksgemeinschaftsutopie durch die Selektion und Vernichtung der »Gemeinschaftsfremden« und »Fremdvölker« im Sinne der Rassedoktrin zu garantieren. War dieser Ausgrenzungs- und Ausmerzungsmechanismus aber erst einmal in Gang gesetzt, so steigerte er sich gleichsam im Selbstlauf zur ungeheuerlichen Konsequenz des millionenfachen Massenmords.

Übrigens besitzt die hier entwickelte Argumentation durchaus bestimmte Parallelen zu manchen Gedanken Ernst Noltes, die nicht schon deshalb zurückgewiesen werden sollten, weil andere von ihm im »Historikerstreit« gebrauchte Argumente abgelehnt werden. Auch Nolte sieht die totalitären Vernichtungsmaschinerien des 20. Jahrhunderts im Zusammenhang mit utopischen Endlösungsentwürfen, die die Widersprüche der modernen Industriegesellschaften terroristisch hinwegsäubern wollten[24]. Bis dahin kann man ihm auch dann zustimmen, wenn man seine Meinung nicht teilt, daß es hier um die Revolte von Traditionalismus und Kollektivismus gegen industrielle Bürgerlichkeit und Individualismus gehe. Damit geht Nolte letztlich auf die Frontstellung von Liberalismus und Konservatismus im 19. Jahrhundert zurück. Schon Thomas Mann hat jedoch in »Zauberberg« im großen Streit von Naphta und Settembrini ironisch gebrochen gezeigt, daß beide Leitideologien des 19. Jahrhunderts an dessen Ende in eine tiefe Krise geraten, die beiden den Rekurs auf totalitäre Ansprüche, terroristische Methoden nahelegt und sie in die technische Massenvernichtung treibt.

Diese literarische Abschweifung mag daran erinnern, daß es beim »Historikerstreit« im Kern um Deutungen, nicht so sehr um neue Tatsachen geht. Allerdings kann ein solches, auf Deutungen versessenes Fragen auch bisher vernachlässigte historische Tatbestände aufdecken.

Die Erforschung der bisher völlig verdrängten Alltagsgeschichte des Rassismus hat gerade erst begonnen. Sie hat jedoch schon eine bestürzende Dimension von »Normalität«, die in Terror umschlägt, bloßgelegt. Die Ergebnisse solcher Forschungen lassen die apologetische Parole von der »Rückkehr zur Normalität« noch beunruhigender erscheinen. Denn sie zwingen zu der Frage: Wie dünn ist eigentlich das Eis der modernen Zivilisation? Wie sicher können wir sein, nicht erneut in die Barbarei einzubrechen? Können wir überhaupt sicher sein, daß solche Barbarei nicht ein untergründiger Bestandteil des Zivilisationsprozesses ist? Vor 50 Jahren wie heute? In Deutschland oder anderswo?

Dan Diner

Zwischen Aporie und Apologie

Über Grenzen der Historisierbarkeit des Nationalsozialismus

Der Formel vom Nationalsozialismus als Geschichte ist umstandslos zuzustimmen; dies, insofern von Geschichte als bloßem vergangenen Ereigniszusammenhang die Rede ist. Geschichte als Historie ist aber mehr als ein Bündel zurückliegender Ereignisse – erzählte Chronologie. Historie stellt eine aus wissenschaftlicher Distanziertheit bearbeitete und gedeutete Geschichtlichkeit dar. Sie wird einem Zugriff unterworfen, der für alle Epochen gleichermaßen Geltung beansprucht. Hier wiederum sind Zweifel geboten. Der Volksmund etwa hat jenen zwölf Jahren eine besondere Stellung, einen geradezu absoluten Status zugewiesen: er spricht von *der* Vergangenheit, wenn von der NS-Zeit die Rede ist. Andere Perioden, andere Vergangenheiten scheinen angesichts einer derart absolut gesetzten Zeit in ihrer Bedeutung gänzlich aufgesogen – annulliert. Allein die Heftigkeit, mit der jener notorische Historikerstreit ausgetragen wurde, indiziert aufs neue, daß es sich beim Nationalsozialismus um eine alle anderen Epochen überragende Periode handeln dürfte, um eine Periode, die in der Historie eine Sonderstellung einnimmt und eine ebensolche von der Historik einfordert. Gegen einen solchen Sonderstatus der NS-Zeit richtet sich bereits seit längerem fachliches Bemühen; ein Bemühen, das zur Historisierung jener Zeit führen soll, ihre Einpassung in den Fluß der Geschichte, ihre Relativierung als Historie. So verbirgt sich hinter der politisch eingefärbten Frontbildung im Historikerstreit eine weitere, zur öffentlichen Debatte querliegende Fragestellung, die nicht nur Historiker, vor allem aber Historiker umtreibt: Ist, kann der Nationalsozialismus wirklich Geschichte werden?

Im Hinblick auf die deutsche Nachkriegsentwicklung ist dies zu bezweifeln. In keinem europäischen Land spielt die Interpretation des Nationalsozialismus eine solch existenzielle und politisch höchst wirksame Rolle wie in beiden deutschen Staaten. Beide Staaten haben gar ihr ursprünglich bürgerkriegsähnliches Gegeneinander mit Geschichtstheorien gedeckt, die sich unmittelbar auf *die Vergangenheit* beziehen. Für das Verfassungsverständnis des Grundgesetzes der Bundesrepublik etwa war die

Totalitarismustheorie grundlegend insofern, als sie als eine Art suprakonstitutionelle Präambel wirkt. Der Nationalsozialismus wurde dieser Theorie nach als eine Variante totalitärer Herrschaft bewertet, die Vergleichbarkeit zwischen Hitler und Stalin auf das Element politischer Zwangsverhältnisse beschränkt. Andererseits macht man sich kaum einer Übertreibung schuldig mit der Behauptung, für die Legitimation besonderer Staatlichkeit der DDR sei der im traditionellen marxistischen Faschismusverständnis organische Zusammenhang von Kapitalismus und faschistischer Herrschaft begründend. Die DDR koppelte sich von der deutschen Geschichte ab und erscheint in ihrem Selbstverständnis als kopfgeborene Territorialisierung offiziell-idealisierter KPD-Geschichte. Doch trotz aller Gegensätzlichkeit haben jene system- bzw. existenzbegründenden Theorien beider deutscher Staaten eines gemeinsam: Sowohl die auf Elemente der *Zwangsherrschaft* abhebende Theorie des Totalitarismus als auch die von besonderen Bedingungen der *Ausbeutung* ausgehende Faschismustheorie ignorieren zumindest ein Ereignis im Nationalsozialismus: den millionenfachen Massenmord, bzw. die Vernichtung der Vernichtung wegen.

In Deutschland ist *die* Vergangenheit Kern politischer Symbolik – sei es in verleugnender oder bekennender Weise. Kein Zufall, daß die feierlich inszenierte historische Wendemarke mit der Bezeichnung »Bitburg« von daher ihre tiefere Bedeutung schöpft. Wie in einem Brennglas bündelten sich in diesem Ereignis symbolischer Politik die exkulpierende Wahrnehmung von Vergangenheit mit der Exkulpation einklagenden Vorbereitung einer zukünftigen aktiven deutschen Politik in Europa. An den Gräbern von Wehrmacht- und SS-Soldaten wurde der Zweite Weltkrieg in Analogie zum Ersten Weltkrieg zu einem zwar beklagenswerten, aber letztendlich doch normalen historischen Ereignis verfälscht. Obendrein wurden die Fronten des Zweiten Weltkrieges insofern verschoben, als die aus dem Nationalsozialismus gezogene Lehre in der gemeinsamen Bekämpfung des Totalitarismus mündet. »Bitburg« war sozusagen eine antitotalitäre Aussöhnung, die dabei *notwendig* auf Kosten und unter Ausschluß der Erinnerung an die Opfer der Massenvernichtung erfolgen mußte. Gleichzeitig war diese Inszenierung von Erinnerung auf Zukünftiges gerichtet. Indem man die US-Amerikaner auf eine solche Interpretation der Ereignisse des Zweiten Weltkrieges symbolträchtig einschwor, befreite man sich längerfristig von einer Verpflichtung, die aus dem Ereignis »Auschwitz« herrührt. Nach einer solchen gemeinsam praktizierten Geschichtsdeutung wäre Deutschland nunmehr frei, sich einer nationalorientierten Perspektive zuzuwenden, einer Perspektive, die nicht mehr von der Monstrosität »Auschwitz« versperrt wäre. Die feierlich zelebrierte Versöhnung auf den Gräbern von Bitburg täuschte eine Bestäti-

gung der Westbindung allenfalls optisch vor, betrieb sie doch längerfristig eher ihr Gegenteil: Eine sukzessive Verschiebung hin zur Rekonstruktion »nationaler Identität« und zur »Mitte Europas«.
Die Wende hin zur Nation ist eine zutiefst überparteiliche Erscheinung. Anfänglich Ende der 70er und zu Beginn der 80er Jahre durch die sicherheitspolitische Kritik der Friedensbewegung angestoßen und durch die stärker auf Selbstbezogenheit gerichteten Anteile der Ökologiebewegung verstärkt,[1] sind anti-westliche Ressentiments gewachsen, die sich inzwischen Konservative und Rechte wieder zu eigen gemacht haben. Die unverhohlene Kritik am praktisch werdenden Abrüstungsbegehren der Supermächte ermöglicht es dieser Richtung, wieder Ansichten zu vertreten, wie sie bis vor einigen Jahren noch undenkbar gewesen wären: Das sicherheitspolitische Revirement verstärkt die unterschiedlichsten Spielarten von Nationalismus, auf der Suche nach neuen Koordinaten deutscher und immer deutscher werdenden Politik.
Erst in diesem Kontext erfährt der Historikerstreit seine zeitgeschichtliche Einordnung: Die professionelle Relativierung von »Auschwitz« ist Bedingung für den Prozeß zunehmender Renationalisierung deutschen Bewußtseins und zukünftiger deutscher Politik. Damit wäre der Resonanzboden benannt, auf dem der aktuelle Streit um die Deutung der Vergangenheit in politische Schwingungen versetzt wird. Der Weg in die Nation verläuft entlang den Wendemarken der Geschichtsdeutung. Eine solche Entwicklung ist keineswegs dem Zufall geschuldet, denn die Rekonstruktion partikularen Selbstverständnisses koinzidiert mit der Wiederkehr Mitteleuropas, eine Entwicklung, die nicht zuletzt auch als Begleiterscheinung der Reformpolitik Gorbatschows anzusehen ist. Aber Koinzidenz oder Kausalität: die Wiederherstellung einer positiven nationalen Identität stellt sich dar als Bedingung für die Wiedereinnahme einer zentralen Stellung in Europa. Und dabei ist noch nicht einmal von einem ganzen, einem wiedervereinigten Deutschland in der »Mitte Europas« die Rede. Allein von der Bundesrepublik geht schon eine Gravitationskraft aus, der andere Staaten – auch und vor allem in Mittel- und Ostmitteleuropa – nicht gewachsen sein können. Das Geschichtsbewußtsein in Europa wiederum ist trotz der emphatisch verkündeten und im Saale abgefeierten suprastaatlichen, kulturell-abendländischen Gemeinschaft national geblieben. Und es nationalisiert sich zunehmend. Dennoch: Der Rückkehr Deutschlands zu sich selbst, zu einer positiv besetzten »nationalen Identität«, wird von einem Ereignis der Weg verstellt, das sich jeglicher Integration versperrt: »Auschwitz.« Es scheint der Geschichtswissenschaft übertragen, solche Sperren in Richtung Normalisierung beiseite zu räumen. Die Forderung selbst kommt aus der Politik.
Alfred Dregger, Fraktionsvorsitzender der regierenden Christdemokra-

ten, hat seit Jahren auf eine solche Normalisierung hingewirkt. Sein *ceterum censio* im Bundestag und bei Gedenktagen zielte immer darauf ab, die Nationalgeschichte aus »Auschwitz« herauszulösen. Es klang oft wie eine Drohung, wenn er davon sprach, daß »Geschichtslosigkeit« und »Rücksichtslosigkeit« der eigenen Nation gegenüber ihn besorgt mache. Er klagt einen elementaren Patriotismus ein, der anderen Völkern selbstverständlich sei und ohne den das deutsche Volk nicht überleben könne. Vor allem bezichtigte er die »sogenannte Vergangenheitsbewältigung«, Deutschland zukunftsunfähig zu machen. Dagegen versprach er Abhilfe. Jüngst hat Dregger sein zukunftsträchtiges Projekt nationaler Rekonstitution weiter zugespitzt, indem er es wagte, die identifikationsträchtigen Anteile im Zweiten Weltkrieg zu betonen: Da die Soldaten im Felde nicht wußten, was sich hinter ihrem Rücken ereignete, tragen sie an der Vernichtungspolitik der Nazis keine Schuld. Hier äußert der CDU-Fraktionsvorsitzende den tiefen Wunsch des dilettierenden Historikers an die professionelle Geschichtsschreibung, von folgendem Paradigma auszugehen: Von der im besten Wissen und Gewissen handelnden Wehrmacht, im tragischen Konflikt verstrickt, entweder Hitler und dabei auch Deutschland untergehen zu lassen, oder Deutschland und dabei auch Hitler zu verteidigen. Mit diesem Paradigma ist untrennbar eine weitere Tatsache verbunden: Die »Verteidigung Deutschlands« war gleichzeitig auch Bedingung des Weiterbrennens der Krematorien. Nur solange die Front hielt, konnte die Maschinerie der Massenvernichtung ungestört funktionieren. Diese tatsächliche Verschränkung des Nationalsozialismus mit dem Nationalen macht auch deren nachträgliche Entzerrung kaum möglich und läßt Differenzierungsversuche scheitern. So kommt es, daß jegliches Ansinnen, das Nationale durch den Nationalsozialismus hindurch im nachhinein retten zu wollen, nolens volens mit einer Relativierung oder Reduzierung der Massenvernichtung enden muß. Dies ist der Preis für die Wiederherstellung des Nationalen in Deutschland – und zugleich doch seine Unmöglichkeit.

Die Forderungen des Politikers Dregger wurden alsbald von Historikern aufgenommen. Andreas Hillgruber – und das ist das eigentlich Problematische an seinem Zugang – sucht jene nationale, identifikationsträchtige Perspektive zu implementieren, die sich zwar in erklärter Gegnerschaft zum Regime der Nazis stellt, gleichzeitig aber nationale Identifizierung und damit nationale Kontinuität durch den Nationalsozialismus hindurch zu wahren trachtet. So hält er nicht nur die Verteidigung des deutschen Reiches, den Erhalt seiner territorialen Integrität in der Endphase des Zweiten Weltkrieges zumindest im Osten für gerechtfertigt; indem er den Gegensatz zwischen verbissenem Abwehrkampf im Osten, dem Aufrechterhalten der Front gegen die Sowjetarmee *und* dem dadurch erst möglichen Weitermahlen der Todesmühlen von Auschwitz durchaus anerkennt, ihn aber historiographisch als tragisches historisches Dilemma bewertet wissen will, affirmiert er durch eine solch subjektive, in diesem Fall *nationale* Perspektivenwahl eine *damals* vermeintlich bestandene ausweglose Lage auch im *nachhinein* – ganz ohne Not. Eine solche Perspektivenwahl enthält – eingestandenermaßen oder nicht – eine eindeutige historiographische Wertung: der Historiker nimmt – um der Nation willen – im historiographischen »Dilemma« Partei – gegen die Opfer des Nationalsozialismus.

Indem Hillgruber von den Erfahrungen und subjektiv empfundenen Befindlichkeiten des überwiegenden Teils der deutschen Bevölkerung ausgeht und so zu seinem Paradigma nationaler Identifikation gelangt, rückt er in der Beurteilung des Nationalsozialismus notwendig von der Zentralität des Ereignisses »Auschwitz« ab. Dabei rechtfertigt der konservative Hillgruber seinen Zugang paradoxerweise mit sich eher links verstehenden alltagsgeschichtlichen Ansätzen, bzw. der als lokal orientiert zu bezeichnenden *Nahsicht* auf das Phänomen des Nationalsozialismus.

Es mag verwundern – aber in der Beschäftigung mit dem Nationalsozialismus zieht der methodische Zugriff der alltagsgeschichtlich orientierten Nahsicht eine höchst entpolitisierende, d. h. entsubstantialisierende und als strukturalistischer eine entsubjektivisierende Wirkung nach sich. Eine solche Bewertung methodischer Nahsicht auf den Nationalsozialismus wird dann überzeugend, wenn vom besonderen Charakter der Massenvernichtung bzw. ihrer Bedingungen ausgegangen wird. Bei der Massenvernichtung handelte es sich um eine auf gesellschaftlicher *Arbeitsteilung* beruhende und durch die institutionellen Vernebelungen totaler politischer Herrschaft ermöglichte bürokratisch-industrielle kollektive Tathandlung. Nur in eben dieser Kombination war das Regime in der Lage, die Massenvernichtung herbeizuführen – und dies, ohne den einzelnen hierfür unbedingt speziell abordnen zu *müssen*. Die Tathandlung bewegte sich in einem Zwielicht faktischer Beteiligung bei einer gleichzeitig wirksamen subjektiven Fiktion von Nichtbeteiligung. Die Auflösung der doch wesentlich *arbeitsteilig* herbeigeführten Gesamthandlung in historisch kleingearbeitete Einzelaspekte, wie sie einer solch mikrologischen *Nahsicht* entsprechen, kann aber – argumentativ auf die Spitze getrieben – am für das Regime Substantiellen: an der industriellen Massenvernichtung, völlig vorbeigehen. In eine ebensolche Richtung kann gerade die einem emanzipatorischen Selbstverständnis verpflichtete methodische Variante alltagsgeschichtlicher Rekonstruktion des Nationalsozialismus treiben.

Alltagsgeschichte, den Haupt- und Staatsaktionen und damit den Zentralvorgängen des Regimes entrückt, wird – da lokal orientiert und auf

Selbstgefühl und -erfahrung der Zeitgenossen beruhend – zur Verwunderung des Historikers und der am zentralen Ereignis »Auschwitz« sich orientierenden Nachgeborenen, im großen und ganzen eine höchst banale und triviale Wirklichkeit zutage fördern, und zwar eine Wirklichkeit, die sich durchaus so abgespielt zu haben scheint. So wird ein Zugang, der sich am deutschen Alltag während des Nationalsozialismus orientiert, jenes Bild von Realität zurückspiegeln, das der gelebten Erfahrung der überwiegenden Bevölkerungsmehrheit entsprach: die Normalität des ein ›normales‹ Leben lebenden, ›normalen‹ Deutschen. Durch die lokalverortete Nahsicht wird ein solcher Zugang dem Historiker obendrein eine Periodisierung nahelegen, die sich mit den bislang wirksamen Grenzpfählen historischer Wahrnehmung und historiographischer Markierung – symbolisiert etwa durch die Jahreszahlen 1933/45 – nicht zu decken vermag. Die historische Forschung hat tatsächlich offenbart, daß jene selbstverständlich erscheinenden Marksteine zeitlicher Eingrenzung in der privaten Erinnerung der Bevölkerung so nicht gesetzt werden. Die von gelebter Erfahrung geleitete Erinnerung wird sich eher an Eckdaten orientieren, die ›gute‹ und ›schlechte Zeiten‹ voneinander trennen.[2] Dabei werden die ›schlechten Zeiten‹ nicht etwa jener Einschnitte entlang markiert, für die die Jahreszahlen 1933/1935/1938/1941 stehen und die für die Opfer des Regimes entscheidend wurden, sondern ihre symbolischen Anbindungen eher dort finden, wo sich Übergänge fließenderen Charakters finden lassen, etwa vom Beginn des Bombenkrieges 1942 bis zum beginnenden wirtschaftlichen Aufschwung der Nachkriegszeit, also von der Währungsreform 1948 an.

Die von der Lokalerfahrung und vom Lebensgefühl geleitete alltagsgeschichtliche Perspektive, d. h. eine von den Großdaten entkoppelte Nahsicht, macht es nunmehr möglich, daß in der Fokussierung auf den sozialen Kontext die im allgemeinen Bewußtsein verankerten Stichdaten der zeitlich eng begrenzten Periode des Nationalsozialismus nach vorne wie nach hinten ausgeweitet werden. Ein solcher Zugang wird aller Voraussicht nach – gemessen am charakteristischen Großereignis der Epoche – eine erhebliche Banalisierung der NS-Zeit nach sich ziehen. Alltagsgeschichte stellt notwendig die langen Bewegungen »normaler« gesellschaftlicher Zusammenhänge in den Vordergrund. Für die zur Vernichtung ausersehenen Opfer stellt die NS-Zeit aber umgekehrt einen absoluten Ausnahmezustand dar, einen Zustand, der sich von der alltäglichen Normalität und Kontinuität gerade durch seinen einbruch- und einschnitthaften Charakter abhebt. Insofern lassen sich erlebter *Alltag* und existentielle *Ausnahme* als *eine* Geschichte theoretisch nicht mehr erzählen. Historiographisch folgt daraus, daß zwei Welten nebeneinander existieren und eine wirklich synthetisierende Geschichtsschreibung nicht mehr möglich wird.

Die Gefahr, die von den Nazis erstellte Welt nur noch abzubilden, rückt damit näher.
Methodische Bedenken hinsichtlich der alltagsgeschichtlichen Perspektive und ihrer entpolitisierenden bzw. entsubstantialisierenden Folgen sind von Historikern des öfteren erhoben worden. Dies vor allem dann, wenn es sich um die Rekonstruktion des Nationalsozialismus handelt. Dabei wurde nicht zuletzt an Bemerkungen von Norbert Elias angeknüpft, der Alltag bedürfe schon qua definitionem der Gegenüberstellung zu einem spezifischen Besonderen[3] – oder: kein »Alltag« ohne »Festtag«. Übertragen auf den alltagsgeschichtlichen Zugang zum Nationalsozialismus hieße dies, sich jeweils kritisch der notwendigen Entgegensetzung zur alltäglichen Normalität zu vergewissern. Und die Entgegensetzung zur alltagsgeschichtlichen Konstruktion von Wirklichkeit im Nationalsozialismus ist der über Alltagsgeschichte nicht mehr faßbare Zentralvorgang der Massenvernichtung.
Es gelte sich also einer »dritten Dimension« von »gleichzeitiger Ungleichzeitigkeit«[4], die für Opfer wie Täter gleichermaßen zu gelten hätte und sich der narrativen Technik alltagsgeschichtlicher Konstruktion entziehe, durch Methodenkritik wieder bewußt zu machen. Vor allem sei darauf zu achten, in der Rekonstruktion nicht Opfer der Erfahrung anderer zu werden. Erfahrungen sind subjektiv; sie haben ihren jeweiligen sozialen und psychischen Kontext, sie haben ihre Begriffe, deren Richtigkeit zu überprüfen sei. Da der alltagsgeschichtlichen Perspektive die Tendenz eigen ist, die altgewohnten Vorstellungen von den Ereignissen der Politik in Frage zu stellen[5], könnte dies soweit führen, daß der »Überschwang an Normalem, Banalem, schlicht Alltäglichem dereinst Hitler aus der Gesellschaftsgeschichte der NS-Zeit eskamotiert«[6]. Eine Verabsolutierung der alltagsgeschichtlichen Perspektive laufe schlicht auf eine Apologie hinaus, und zwar je nach Milieu und Standort auf eine »rechte« oder »linke«.[7]
Befürworter des alltagsgeschichtlichen Zugangs wiederum sehen in einer solchen Perspektivenwahl die Möglichkeit, die Periode des Nationalsozialismus zu historisieren, sie bloßer moralischer Beurteilung zu entziehen und sie statt dessen historischer Hermeneutik zuzuführen.[8] Hierfür sei es nötig, stärker die gesellschaftlichen Veränderungen, die sich unter der NS-Herrschaft abspielten, in den Vordergrund zu rücken und sie – wie immer im einzelnen pervertiert – als Teilstücke des gesellschaftlichen Modernisierungsprozesses im 20. Jahrhundert zu begreifen.[9] Darüber hinaus wird dem alltagsgeschichtlichen Zugang die Auflösung von Extremen in der Wahrnehmung jener Zeit zugute gehalten.[10] Dies kann und soll auch für die gegenwärtige politische Kultur im Lande nicht folgenlos bleiben. Vor allem eröffnen sich mittels einer solchen entpolarisierenden Nahsicht

Möglichkeiten der Überwindung der »Sprach- und Verständigungsprobleme« jener Generation, die 1945 oder unmittelbar danach geboren wurde und kurz vor oder nach 1968 ins Universitätsleben eintrat, gegenüber der Generation ihrer Eltern, die im Dritten Reich groß geworden war oder es zum Teil mitgetragen hatte. Auch didaktisch biete der Zugang der Alltagsgeschichte innovative Perspektiven der Überwindung einer nur moralischen Betrachtungsweise des Dritten Reiches und ermögliche damit ein historisches Verständnis dieser Zeit.[11] Die alltagsgeschichtliche Perspektive ist mithin nicht nur ein beliebiger Durchschuß im Gewebe des Methodenpluralismus, sondern das Weberschiffchen der Historisierung. Es handelt sich demnach um eine Konstruktion der Erinnerung, die vom Primat gesellschaftlicher Kontinuität und kontinuierlicher Befindlichkeiten der deutschen Bevölkerung ausgeht; eine Perspektive also, die eine methodische Entscheidung dahingehend getroffen hat, die Normalität jener Zeit in den Vordergrund zu rücken.

Um der Besonderheit der NS-Periode nicht auszuweichen, bedarf die Nahsicht des alltagsgeschichtlichen Zuganges der gleichzeitigen Aufrechterhaltung einer »Fernsicht« auf das zentrale Merkmal des Nationalsozialismus – ausgehend vom industriell durchgeführten Massenmord, wie es sich in der durchaus verobjektivierbaren Erfahrung der Opfer niederschlägt; und dies, *ohne* in der Geschichtsschreibung eine ausschließliche Opferperspektive einzunehmen. Damit wäre auch die Absicht der Historisierung hinsichtlich der nationalsozialistischen Epoche aufs neue dem Dreh- und Angelpunkt »Auschwitz« zugeführt, um von diesem extremsten Pol nationalsozialistischer Wirklichkeit aus die gesamte »Normalität« jener Jahre zu erschließen, um sie von daher auch besser oder überhaupt »verstehen « zu lernen.

Der Begriff »Verstehen« ist doppeldeutig; vor allem dann, wenn es sich um den Nationalsozialismus handelt. Mit »Verstehen« kann das historische Einfühlen in die Handelnden gemeint sein – jener Vorgang, den Hillgruber am Ostheer und vor allem der deutschen Bevölkerung im Osten zu explizieren meint, die er als dankbares Objekt seiner Empathie erwählt hat. Ernst Nolte scheint hier insofern weiterzugehen, als er diesen Zugang an Adolf Hitlers Entschlußbildung zur Judenvernichtung erprobt. »Verstehen« kann aber mehr als bloßes Einfühlen in die vergangene Situation bedeuten. In bezug auf »Auschwitz«, angesichts des bürokratisch organisierten und industriell durchgeführten Massenmordes kann mit »Verstehen« nur die Anstrengung bezeichnet werden, diesen Vorgang intellektuell begreifbar machen zu wollen. Der Versuch, »Auschwitz« zu »verstehen«, wäre demnach theoretische Voraussetzung von Historisierungsversuchen des Nationalsozialismus. Wer jener extremen Lage aber ausweicht, wer »Auschwitz« nicht »zu verstehen« bemüht ist, um sich von dort der Vielfältigkeit und meinetwegen auch der Differenziertheit der nationalsozialistischen Realität zu nähern, wird in der Rekonstruktion nur jenen Gegensatz bewußtlos abbilden, den die Nazis selbst konstituiert haben: Er verdoppelt die Geschichte des Nationalsozialismus in eine der Täter und in eine der Opfer. Vor diesem Hintergrund ließe sich der Hillgrubersche Titel »Zweierlei Untergang« programmatisch deuten: zweierlei Perspektive.

»Auschwitz« zu verstehen – in einem rekonstruierend-erklärenden wie in einem intellektuell-begreifenden Sinne verstehen –, dieses ist eine der wesentlichen Intentionen intellektueller Anstrengung nach 1945. Die säkulare Dimensionen annehmende Frage nach Möglichkeit und Wirklichkeit des Ereignisses »Auschwitz« hat keine befriedigenden Antworten gefunden. Im Gegenteil: die Fronten scheinen sich um so mehr zu verhärten, je weiter die Forschung führt, je tiefer die historischen Befunde reichen. Ein historiographischer Konsens ist nicht in Sicht. Sogenannte intentionale Deutungszugänge, die einen direkten, ja kausalen Zusammenhang zwischen rassischer und antisemitischer Ideologie, erklärtem Vernichtungswillen und vollbrachter Tat herzustellen vermeinen, vermögen den realen und höchst chaotischen Realisierungszusammenhang, der sich über mehrere Stufen radikalisierend vollzog und bis zum Jahre 1941 noch eine gewisse, sich freilich zunehmend verengende Offenheit aufzuweisen scheint, nicht zu fassen. Dieser Zugang, der Absicht und Vollzug kausalisierend zusammenzieht und damit auch die Entschlußbildung verkürzt, eignet sich methodisch ex negativo freilich zur Ortung einer sich intentionalistischem Verständnis entziehenden »blackbox«. In dieser vermischen und verdichten sich – kaum rekonstruierbar – Beabsichtigtes und Unbeabsichtigtes, Latentes und Virulentes zu einer Tat, deren abstrakte Monstrosität und Grauen weit über die Schrecken exekutierten biologistischen Vorurteils und Antisemitismus hinausgehen.

Diese »black-box« auszuleuchten vermögen eher die sich funktionalistischer Paradigmata bedienenden Historiker. Gleichzeitig kann aber ein Zugang, der Entschlußbildung und Umsetzung der kollektiv und in Arbeitsteilung durchgeführten Tathandlung fokussiert, zu einem paradoxen Ergebnis führen, ein Ergebnis, das in seiner Konsequenz dem des alltagsgeschichtlichen Zugriffes nicht unähnlich ist: Der vom Ergebnis sich herleitende Schrecken wird durch den methodischen Zugang der Nahsicht, der das Gesamtbild auflöst, in höchstem Maße banalisiert; banalisiert insofern, als eine durch gesellschaftliche Arbeitsteilung, institutionelles Chaos, egoistische Ignoranz und moralische Abstumpfung bestimmte Tathandlung, in ihre Einzelheiten zerlegt, tatsächlich banal *ist*. Die der absoluten Tat vorgeschalteten und sie vorbereitenden Umstände werden damit zwar für die Beurteilung ebensowenig obsolet wie die voraussetz-

bare ideologische Imprägnierung der Bevölkerung oder auch klare und auf Personen und Programme rückführbare Absichten und Absichtshandlungen. Dennoch werden diese intentionalen Bedingungen angesichts dessen, was die »black-box« an – in doppeltem Sinne – Unfaßbarem zu offenbaren hat, in ihrer Bedeutung derart reduziert, daß sie zur vollzogenen Tat in keinem relevanten Verhältnis mehr zu stehen vermeinen.
Dennoch: so viel der funktionalistische Zugang zur Erklärung – vor allem im Sinne der Beschreibung des Zusammenhanges von ideologischem Vorhaben, Teilentscheidungen und sich radikalisierendem Selbstlauf – auch beizutragen vermag – er erweist sich nicht nur als ethisch problematisch, sondern auch im Sinne des Anspruchs übergreifenden »Verstehens« als in höchstem Maße unbefriedigend, läuft er doch im Ergebnis darauf hinaus, die umfassende Gesamttathandlung durch Zerlegung in mannigfaltige Teilhandlungen zu entsubjektivieren. So nahe eine solche Rekonstruktion dem Ereignis selbst auch kommen mag – an seiner wahren Bedeutung zielt sie vorbei. Es ergeht ihr wie den Debatten um seine Erfassung als strafgesetzlicher Tatbestand, dessen Erfüllung zu beweisen an einem solchen Verbrechen in vieler Hinsicht scheitert.
Wie verhält es sich aber mit einer Tat, die zwar Millionen sich eindeutig als Opfer *erfahren* ließ, sich aber der Arbeitsteiligkeit ihrer Durchführung wegen einer *entsprechenden* subjektiven und personell rückführbaren Täterschaft entzieht? Der methodische Zugang der funktionalistisch oder strukturalistisch geleiteten Nahsicht entspricht ihr von der Form her durchaus. In ihr nehmen die banalen Anteile des monströsen Menschheitsverbrechens aber notwendig derart überhand, daß eine von den Opfern her rekonstruierte Wahrnehmung nolens volens zunehmend ausgeblendet wird.
Der Zugang, der sich an der Opferperspektive orientiert, stellt keineswegs eine bloß subjektive oder gar komplementierende Sichtweise dar. Vielmehr ist sie die umfassendere, der Totalität des Ereignisses angemessenere Perspektive, und dies, weil sie vom *absoluten Extremfall* ausgeht. Und nur wer von diesem Extremfall ausgeht, könnte jene in der Nahsicht auf Alltagsgeschichte und Massenmorde aufgespaltene Gleichzeitigkeit von der Banalität des unwirklich gestalteten wirklichen Normalzustands einerseits und seinem monströsen Ausgang andererseits annähernd begreifbar machen.
Ein methodischer Zugriff, der vom Extremfall ausgeht, stellt – vor dem Hintergrund westlicher Zivilisation – das Element von Sinn- und Zwecklosigkeit, wie es sich in der Vernichtung um der Vernichtung willen in Auschwitz realisierte, ins Zentrum. Der in Auschwitz verwirklichte Zivilisationsbruch wird zum eigentlichen *universalistischen* Ausgangspunkt, von dem aus die weltgeschichtliche Bedeutung des Nationalsozialismus

zu ermessen wäre. Bemühungen um Historisierung dieser Epoche hätten hier anzuknüpfen – wollen sie dem verengenden Blick partikularer Perspektivenwahl entgehen. Der nationalsozialistische Zivilisationsbruch, wie er in praktischer Widerlegung der Prinzipien von Zweckrationalität und Selbsterhaltung durch die Tat »Auschwitz« wirklich wurde, erhebt die *partikulare* Perspektive der zur Vernichtung ausersehenen Opfer paradoxerweise zum *allgemeinen* Maß, weil die Radikalität des *erfahrenen* Opferseins mit jenem *universellen kognitiven* Unvermögen in eins zusammenfällt, sich vor dem Hintergrund westlich-zweckrationaler Zivilisation eine – und vor allem die eigene – zweck-lose Vernichtung überhaupt vorstellbar zu machen. Jedes Denken, das auf ein interessengeleitetes, zumindest auf Selbsterhaltungsmotive des anderen gerichtetes Handeln spekuliert und sie im eigenen Handeln antizipierend aufnimmt, wird durch die Sinnlosigkeit der Vernichtung dementiert.

Dies gilt vor allen Dingen für die gelebte Erfahrung der Opfer. Auf eigenes Überleben gerichtetes Tätigwerden wurde durch die von den Nazis konstruierte Gegenlogik im Keime erstickt – wie von den Juden im Osten erfahren. Jegliche auf gesundem Menschenverstand beruhende rationale Annahme wurde letztendlich in ihr todbringendes Gegenteil verkehrt. Die Überlebensabsicht der Opfer wurde zum willfährigen Instrument der Nazis; jede Handlung, und war sie aller menschlichen und gesellschaftlichen Erfahrung nach noch so rational und erfolgversprechend aufs Überleben gerichtet, führte notwendig in die Vernichtung. So war der Erfolg des Überlebens fast ausschließlich dem Zufall geschuldet und keiner wie auch immer gearteten Rationalität. Dies ist der eigentliche zivilisationszerstörende Kern von »Auschwitz«, und dies ist der Angelpunkt extremster Radikalität, von der aus die Massenvernichtung zu denken wäre.

Ausgehend von diesem *Gegenrationalen* der Nazis und nicht – wie fälschlicherweise gemeinhin angenommen – vom Irrationalen her, ist es nicht verwunderlich, daß die historiographischen Rekonstruktions- und Verstehensbemühungen sich immer wieder aufs neue dementieren müssen – etwa in Gestalt methodischer Zuflucht in die »normalen« und gesellschaftlich kontigenten Anteile der NS-Zeit. Dabei müssen Bemühungen, die Massenvernichtung begreifbar und universalisierend vergleichbar zu machen, gar nicht unbedingt von nationalem Exkulpationsdruck angetrieben sein. Es ist ein ganz natürlicher Grundzug menschlicher Existenz, ihrer verwirklichten Widerlegung auszuweichen; und es ist narzißtisch kränkend, einem Ereignis ausgesetzt zu sein, das sich menschlicher Vorstellungs- und Fassungskraft entzieht. Eine solche Negation ist schwer zu ertragen, wird geradezu als Zumutung empfunden. So ist es nicht verwunderlich, daß in verborgen bleibender teleologischer Absicht gegen die

Dimension eines solchen Geschehens rebelliert wird: Verstehen wird eingeklagt – auch um den Preis der Relativierung und Banalisierung; Deutungszusammenhänge werden bemüht, die sich in Rationalisierungen erschöpfen. Schlagworte von »Industriegesellschaft«, »Kapitalismus« oder neuerdings auch die »Moderne« eignen sich schlecht zur Erklärung des Rätsels »Auschwitz«. Oft genug dienen sie letztendlich als Ausflucht ins historisch Triviale. Sie mögen dort legitim sein, wo die *Möglichkeit* unserer Zivilisation zur Selbst- und Fremdvernichtung ermessen werden soll; sie können dort noch Wahrheitsgehalt für sich beanspruchen, wo pauschal auf zukünftige *Wahrscheinlichkeiten* spekuliert wird; aber sie verstummen dort, wo es um jene vergangene *Wirklichkeit* geht. Und für den Historiker ist nur die vergangene Wirklichkeit legitimes Objekt der Forschung. Auschwitz ist ein Niemandsland des Verstehens, ein schwarzer Kasten des Erklärens, ein historiographische Deutungsversuche aufsaugendes, ja, *außerhistorische* Bedeutung annehmendes Vakuum. Nur ex negativo, nur durch den ständigen Versuch, die Vergeblichkeit des Verstehens zu verstehen, kann ermessen werden, um welches Ereignis es sich bei diesem Zivilisationsbruch gehandelt haben könnte. Als äußerster Extremfall und damit als absolutes Maß von Geschichte ist dieses Ereignis wohl kaum historisierbar. Ernst gemeinte Historisierungsbemühungen endeten bislang in geschichtstheoretischen Aporien. Anders gemeinte, relativierende und das Ereignis einebnende Historisierungsversuche enden hingegen notwendig in einer Apologie. Auch dies ist eine Lehre aus dem Historikerstreit.

Hans Mommsen

Aufarbeitung und Verdrängung

Das Dritte Reich im westdeutschen Geschichtsbewußtsein

I.

Die jüngst in der Bundesrepublik aufgebrochene Debatte über den Stellenwert der nationalsozialistischen Periode für das politische Selbstverständnis der Deutschen deutet darauf hin, daß die jahrelang betriebene Verdrängung dieses unbequemen historischen Erbes grundsätzliche historisch-politische Kontroversen nur hinausgeschoben, nicht aber gegenstandslos gemacht hat. Das in Bitburg und anläßlich der Konflikte über das Bonner Mahnmal anschaulich gewordene Bestreben der Bundesregierung, die Bundesrepublik in eine historisch-politische »Normallage« zurückzuführen und die individuelle und gesellschaftliche Verantwortung für die Verbrechen des Dritten Reiches unter dem Mantel einer allseitigen Versöhnung zu verbergen, schlug in sein Gegenteil um. Stärker als je zuvor tritt die Frage in den Vordergrund, welche grundsätzlichen Konsequenzen aus der Erfahrung des Nationalsozialismus und des Zweiten Weltkrieges für die innere Verfassung und die internationale Rolle der Bundesrepublik zu ziehen sind. Damit löst sich auch der bislang im wesentlichen unbestrittene gesellschaftliche Konsens über die Verwerflichkeit des nationalsozialistischen Regimes in allen seinen Facetten zunehmend auf. Was bisher primär als methodologisch bedingter Flügelstreit innerhalb der Fachhistorie erschien, gewinnt unmittelbare politische Relevanz.

Daß die Historie plötzlich wieder Stellenwert in der politischen Öffentlichkeit erlangt, ist Resultat eines schleichenden Wertewandels, der in den letzten Jahren unter dem Begriff der »Wende« eine deutliche Förderung durch die in der Bundesregierung vertretenen politischen Kräfte gefunden hat. Grundlegend neue wissenschaftliche Einsichten oder Positionen treten in der Auseinandersetzung über die Bedeutung, die die Erfahrungen der nationalsozialistischen Epoche für das Selbstverständnis der Bundesrepublik haben, eigentlich nirgendwo hervor. Der Berliner Historiker Ernst Nolte hat die in seinem provozierenden Artikel in der

»Frankfurter Allgemeinen Zeitung« vom 6. Juni 1986 zusammengefaßten Ansichten, die darauf hinauslaufen, die Ermordung von knapp fünf Millionen europäischer Juden im wesentlichen als Reflex der begründeten Bolschewismus-Furcht Hitlers hinzustellen, bereits vor Jahren vertreten, ohne daß Presse und Fachliteratur davon besonderes Aufheben gemacht hätten. Auch die in der Studie »Zweierlei Untergang« zusammengefaßten Aufsätze Andreas Hillgrubers waren bereits zuvor veröffentlicht; Michael Stürmers Theorie der deutschen Mittellage gehörte beinahe schon zum Repertoire der Diskussion um die deutsche Frage.

Äußerer Anlaß zum »Historikerstreit« war die vehemente Attacke, die Jürgen Habermas in der »Zeit« vom 11. Juli 1985 gegen Nolte, Hillgruber und Stürmer, aber auch gegen Klaus Hildebrand richtete, der sich in einer Rezension in der »Historischen Zeitschrift« auf die Seite Noltes geschlagen hatte. Den Hintergrund für die Schärfe der Auseinandersetzung, zugleich für ihre Publizität, stellte die Parteinahme der »Frankfurter Allgemeinen Zeitung« für Ernst Nolte und gegen eine angebliche Instrumentalisierung der nationalsozialistischen Vergangenheit durch Linksintellektuelle dar. Ihnen wurde vorgeworfen, die Absicht der Bundesregierung, der 40 Jahre nach der deutschen Kapitulation überfälligen historischen Normalisierung zum Durchbruch zu verhelfen, bewußt zu torpedieren. Der »Neo-Revisionismus«, wie Habermas die in der Fachwissenschaft durchbrechende Tendenz bezeichnete, die Verbrechen des Dritten Reiches zu relativieren und diesem letztlich episodischen Charakter im Verlauf der deutschen Geschichte zuzuweisen, bildet jedoch nur eine flankierende Tendenz zu der Beschwörung nationaler Werthaltungen durch konservative Gruppierungen innerhalb und außerhalb des Regierungslagers, für die sich inzwischen der Begriff des »neuen Nationalismus« eingebürgert hat.

Der historiographische Kern der Auseinandersetzung betrifft die historisch-politische Bewertung des »Holocaust«, doch steht dieser nur als Chiffre für die Gesamtheit der nationalsozialistischen Politik. Allerdings ist es bemerkenswert, daß die Endlösungspolitik, die lange Jahre von der Forschung vernachlässigt wurde, nunmehr als genuines Merkmal nationalsozialistischer Gewalt und Menschenverachtung in den Vordergrund tritt. Dies mag damit zusammenhängen, daß die Frage der Verantwortung für die nationalsozialistische Machtergreifung aufgrund des Generationswechsels an Bedeutung verliert und die langfristigen Auswirkungen des nationalsozialistischen Gewaltsystems im Zusammenhang mit dem Zweiten Weltkrieg stärker ins Bewußtsein rücken. Im Prinzip aber geht es um die Gewichtung der nationalsozialistischen Periode innerhalb der nationalen wie der europäischen geschichtlichen Kontinuität. Gerade mit anwachsender zeitlicher Distanz und der daraus sich ergebenden Veränderung der perspektivischen Fluchtpunkte historischen Denkens gewinnt dieses Problem eine neuartige Dimension.

II.

Im Fortgang der zeitgeschichtlichen Forschung formierten sich charakteristisch erscheinende Frontbildungen. Die Ausgangslage von 1945 bestand in dem Bemühen, gegenüber alliierten Kriegsschuldhypothesen den spezifisch terroristischen Charakter der nationalsozialistischen Diktatur, zugleich aber die Rolle des Widerstands zu betonen. Die zeitgeschichtliche Forschung akzentuierte daher einerseits die Bedeutung des SS-Staats, andererseits die unter dem Begriff des »anderen Deutschland« zum Repräsentanten der Gesamtnation stilisierte Opposition gegen Hitler. Demgegenüber traten die innere Politik des Regimes, aber auch die Judenverfolgung in den Hintergrund. Ursprünglich überwog eine geistesgeschichtliche Herleitung der nationalsozialistischen Herrschaft aus dem übersteigerten integralen Nationalismus der imperialistischen Periode. Nach und nach setzte sich jedoch die Theorie der totalitären Diktatur als gültiges Erklärungsmodell durch, in dem die nationalsozialistische Ideologie als kalkuliert eingesetztes Manipulationsinstrument weitgehend formalisiert wurde.
Bei zahlreichen Varianten im einzelnen ging die Totalitarismustheorie von der Annahme einer wesentlich monolithischen Struktur des NS-Herrschaftssystems aus; dies entsprach der propagandistischen Selbststilisierung des Regimes. Mit dem Fortgang der Forschung, der insbesondere durch die Rückgabe und die Öffnung der von den westlichen Alliierten beschlagnahmten Aktenbestände seit 1961 nachhaltig beflügelt wurde, ließen sich die Grundannahmen des Totalitarismus-Modells nur noch begrenzt aufrechterhalten. Die politische Fragmentierung und die Instabilität nicht nur der übernommenen, sondern auch der neugeschaffenen Institutionen widersprach der ursprünglichen Vorstellung eines unter Gesichtspunkten des Machtkalküls voll durchstrukturierten Systems. Das Totalitarismus-Axiom wurde deshalb dahingegend angepaßt, daß die Antagonismen des Systems als Ausfluß eines bewußten Herrschaftskalküls Hitlers gedeutet wurden, welches seine unbeschränkte Vetomacht sicherte. Im Zusammenhang damit tendierte die Zeitgeschichtsforschung dazu, Hitler trotz der offenkundigen Schwächen seiner privaten Biographie als den maßgebenden Urheber der nationalsozialistischen Politik zu betrachten und die innere Konsequenz seines Handelns seit den frühen programmatischen Äußerungen zu betonen, ihm sogar ein geschlossenes, weltanschaulich abgestütztes Handlungskonzept zu unterstellen, das erst stufenhaft von ihm aufgedeckt worden sei.

Die Hitler-zentristische Deutung des NS-Regimes und seiner Ursprünge bietet sich als personalistisches Erklärungsmuster geradezu an, weil es den verwirrenden und häufig widerspruchsvollen Abläufen einen einleuchtenden Zusammenhang zu verleihen scheint. Aus dem Tatbestand, daß sich gegen Hitler, der das entscheidende Integrationssymbol des NS-Herrschaftssystems war, keinerlei wirksame Opposition ausbildete und ausdrücklichen Befehlen des Diktators kein effektiver Widerstand entgegengesetzt wurde, ist indessen nicht der Rückschluß zu ziehen, daß die Politik des Systems durch ihn in einem kalkulierten Sinne vorgeformt und stufenhaft in die Wirklichkeit umgesetzt worden ist. Erst in dem letzten Jahrzehnt hat sich die Forschung von der Fixiertheit auf Hitler als alleinigem Entscheidungszentrum freigemacht und diejenigen Politikfelder und Zusammenhänge aufgedeckt, die durch relativ autonome Willensbildung der jeweiligen nachgeordneten Positionsinhaber bestimmt waren und auf die Hitler nur mittels häufig zufälliger Intervention und keineswegs systematisch Einfluß nahm. Immer stärker entpuppte sich das Regime als ein im Rahmen bestimmter genereller ideologischer Vorgaben durchaus offenes politisches System.

Die Kontroverse zwischen den sich an der Einschätzung der Persönlichkeit und der Rolle Hitlers scheidenden Historikern, die Tim Mason mit dem Gegensatz zwischen Intentionalisten und Strukturalisten umschrieben hat, ist innerwissenschaftlich unter dem Gesichtspunkt der Reichweite der jeweiligen Erklärungsmodelle zu entscheiden, wobei je nach der zugrunde liegenden Fragestellung unterschiedliche Antworten legitim sind. Indessen fällt die hochgradige Emotionalität auf, mit der diese Debatte, namentlich in der Bundesrepublik, ausgetragen zu werden pflegt. Dies ist sozialpsychologisch wohl damit zu erklären, daß die Person Hitlers im Zuge der Konsolidierung seiner Diktatur zum Inbegriff der nationalen Identifikation schlechthin wurde. Folgerichtig entstand nach dem Zusammenbruch das umgekehrte Bedürfnis, den Diktator als Endursache des nationalen Unglücks zu betrachten und durch die tendenzielle Personalisierung des Geschehens zugleich eine relative Rechtfertigung der Angehörigen der Nation vorzunehmen, die demzufolge einer raffinierten Mischung aus propagandistischer Verführung, zynischer Ausnützung nationaler Tugenden und terroristischer Unterdrückung zum Opfer fielen.

Dieser Perspektive entsprach das Bestreben, die Zäsur des 30. Januar 1933 besonders stark zu akzentuieren und die Periode von 1933 bis 1945 weitgehend aus der Kontinuität der nationalen Geschichte auszuklammern. Folgerichtig wurde die äußere und innere Politik des Nationalsozialismus als revolutionärer Bruch zur vorausgehenden Entwicklung hingestellt. Diese Bestrebung fand ihre Krönung in Karl Dietrich Brachers

Lehre von den pseudolegalen totalitären Revolutionen, die sich durch skrupellose Machtmanipulation von ihren bürgerlichen Vorläufern grundsätzlich unterschieden. Die damit implizierte Gleichsetzung der Oktoberrevolution und der Machtergreifung sieht von grundlegenden Unterschieden zwischen der Leninschen Machteroberung und der Machtübertragung an die Nationalsozialisten ab. In dieser Umstilisierung der Bildung des Kabinetts der nationalen Konzentration vom 30. Januar 1933 spiegelt sich das Bedürfnis nach einer nachträglichen Quarantäne jener verhängnisvollen 12 Jahre nationalsozialistischer Herrschaft, die, wie es jüngst von Eberhard Jäckel formuliert wurde, aus der deutschen Geschichte herausführte und in bis dahin unvorstellbare Abgründe hintrieb.[1]

Aus diesen Gründen drängte es sich auf, der nationalsozialistischen Periode historische »Singularität« beizulegen, für die einerseits die destruktive Rolle Hitlers, andererseits das Ausmaß der nationalsozialistischen Verbrechen, das bei sonst vergleichbaren faschistischen oder autoritären Systemen kein adäquates Gegenstück findet, angeführt werden. Die Betonung der Einzigartigkeit des Nationalsozialismus richtete sich insbesondere gegen diejenigen Historiker, die Ernst Noltes vergleichende Faschismus-Theorie ihres phänomenologisch-ideologiekritischen Ansatzes entkleideten und auf marxistische Faschismus-Theorien zurückgriffen. Während ökonomistische und auf Agententheorien beruhende Erklärungsmodelle weithin auf Widerstand gestoßen sind, hat ein stärker strukturalistischer Ansatz, der auf die Gemeinsamkeiten im Stil und bei den Umsetzungsformen faschistischer Politik abstellt, zu einer wesentlich differenzierteren Sicht der NSDAP und ihrer inneren Mechanik beigetragen. Von Vertretern des »Hitlerismus« – ein ursprünglich von Hans Buchheim vorgeschlagener Terminus – wurde dieses Vorgehen als Beschönigung und »Verharmlosung« des Nationalsozialismus gerügt. Das eigentliche Motiv für die pauschale Zurückweisung des Vergleichs zwischen faschistischen Bewegungen und Systemen und dem Nationalsozialismus lag jedoch in der Tatsache begründet, daß die gewohnte Parallelisierung von Kommunismus und Nationalsozialismus durch diesen methodischen Zugang in Frage gestellt war.

Die Betonung der »Singularität« des Nationalsozialismus negierte zugleich die Bemühungen der zeitgeschichtlichen Forschung, dessen Wurzeln in früheren historischen Phasen aufzusuchen und einen engen Zusammenhang zu der nationalistischen bürgerlichen Rechten, der neokonservativen Bewegung sowie den völkischen Gruppierungen nachzuweisen. Dabei lag der Akzent naturgemäß auf den Entsprechungen, die im Antikommunismus und Antisozialismus der betont antiliberalen und antiparlamentarischen Bestrebungen breiter bürgerlicher Gruppen seit dem Ersten Weltkrieg anzutreffen sind. Bezeichnend für die historiographische Gegenbewegung zu diesen gelegentlich viel zu weit ausgreifenden Kontinuitätspostulaten erscheint jedoch, daß gerade im Feld der historischen Wahlforschung größte Mühe auf den Nachweis verwandt worden ist, daß die NSDAP einen beträchtlichen Anteil proletarischer Mitglieder und Sympathisanten gehabt und daß insbesondere ein Austausch zwischen KPD und NSDAP vor allem nach dem 30. Januar 1933 stattgefunden habe. Dazu gehört auch die verbreitete Tendenz, aus dem gelegentlichen taktischen Zusammengehen der sich ansonsten erbittert bekämpfenden KPD und NSDAP die Schlußfolgerung zu ziehen, daß die republikanische Mitte der Weimarer Republik durch die Bürgerkriegsparteien von rechts und links stranguliert worden sei.

Dieses in der Öffentlichkeit allzu gern angeführte Argument, das der zeitgenössischen Denunzierung der NSDAP als »braunem Bolschewismus« entsprach, wird von ernsthaften Forschern schwerlich aufrechterhalten, wenngleich dem Antibolschewismus eine wichtige Funktion für den propagandistischen Erfolg des Nationalsozialismus zugeschrieben werden muß. Es verdeckt die zentrale Rolle der konservativen Eliten, die aus der Frontstellung nicht nur gegen die als marxistisch denunzierte SPD, sondern auch gegen die Beibehaltung des ohnehin autoritär überformten parlamentarischen Systems für die Regierungsbeteiligung Hitlers optierten, wenngleich diese im Vergleich zu der von ihnen zunächst angestrebten reinen autoritären Herrschaft als Notlösung erschien. Insbesondere nach der Neubewertung der Rolle Heinrich Brünings besteht in der Forschung ein weitgehender Konsens über die beträchtliche sachliche und personelle Kontinuität von den Präsidialkabinetten zur »Regierung der nationalen Konzentration«. Ebenso ist es unstrittig, daß es nach 1933 keinen signifikanten Austausch der funktionalen Eliten, abgesehen von der mehrheitlich gebilligten Ausschaltung von Juden, gegeben hat und daß das Regime seine relative Stabilität vornehmlich der Unterstützung durch die Armee, die Bürokratie und das Personal des Auswärtigen Dienstes verdankte.

Zugleich ergab sich eine weitgehende Identität der machtpolitischen Zielsetzungen zwischen den traditionellen Eliten und der engeren nationalsozialistischen Führungsgruppe, wenngleich sie sich in der Wahl der Methoden und dem Grad der Risikobereitschaft deutlich unterschieden. Gerade die Erforschung der Außenpolitik des Dritten Reiches, die zunächst überwiegend unter der Perspektive der stufenhaften Umsetzung von Hitlers »Weltanschauung« erfolgte, deckte das hohe Maß außenpolitischer Kontinuitäten auf, die bis in die imperialistischen Epochen zurückreichen, und brachte die intentionalistische Schule, die sich primär innenpolitischen Fragen zugewandt hatte, gleichsam in Zugzwang, ihrerseits die spezifischen Elemente des NS-Herrschaftssystems im Vergleich zu imperialistischen Vorformen herauszuarbeiten. Die für faschistische Politik typische Vertauschung der Zweck-Mittel-Relation, die Simulation des Bewegungscharakters der hochorganisierten faschistischen Partei und der Verzicht auf programmatische Festlegungen zugunsten bloßer propagandistischer Mobilisierung gehören zu diesen Merkmalen. Tatsächlich deutet diese gelegentlich auftauchende Verkehrung der methodologischen Positionen darauf hin, daß die Kontinuitätsdebatte keine weiteren Erkenntnisse bringt und unfruchtbar geworden ist.

III.

Vor diesem historiographischen Hintergrund mutet der Paradigmenwechsel, für den eine Gruppe prominenter deutscher Fachhistoriker eintritt, einigermaßen paradox an. Klaus Hildebrand, der sonst stets auf der Einzigartigkeit des NS-Regimes bestand, leugnet nun dessen von intentionalistischer Seite übrigens niemals verfochtenen singulären Charakter und plädiert mit Ernst Nolte für eine relativierende universalhistorische Sicht, die den Nationalsozialismus zwar nicht als bedauerlichen Betriebsunfall am Ausgang der Weimarer Republik, wohl aber als tragische welthistorische Verstrickung erscheinen läßt. Die Josef Stalin zugeschriebene Wendung: »Die Hitler kommen und gehen, aber das deutsche Volk bleibt«, wird nun gleichsam von konservativer Seite in Anspruch genommen, um die traumatische Belastung, die die nationalsozialistische Erfahrung auch zwischen den Generationen bedeutet, psychologisch abzubauen. Der US-Botschafter Richard Burt trägt mit wohlmeinenden Kommentaren zu der damit angestrebten »nationalen Selbstfindung« bei.

Bei Ernst Nolte wird eine solche Sicht jedoch direkt in den Antibolschewismus überführt, der die Konstante seiner geschichtsphilosophischen Überschau darstellt, in welcher er der Entstehung des »ideologischen Vernichtungspostulats« seit der Periode der industriellen Revolution und dessen Übersteigerung durch den Bolschewismus nachgeht, für die es nichts historisch Vergleichbares gebe. Noltes Konstruktion zufolge ist der »Holocaust« letztendlich nur ein Reflex der bolschewistischen Klassenvernichtung, der sich bei Hitler auf Grund der Kenntnis der bolschewistischen Verbrechen, die in der Ausrottung der Kulaken gipfelten, zur Zwangsvorstellung verdichtet habe. Noltes überfliegender Konstruktivismus, der Unzusammengehöriges assoziativ verknüpft und unüberprüfte Analogien als Kausalitäten ausgibt, wobei er zugleich aus der Liebe zur Zuspitzung einer längst aus der Übung gekommenen monokausalen

Interpretation folgt, ist von der Fachwissenschaft bislang allenfalls als anregende Herausforderung, nicht als überzeugender Beitrag zur Erklärung der Krise der kapitalistischen Gesellschaft in Europa seit der Phase des Imperialismus betrachtet worden. Daß Nolte nun innerhalb und außerhalb des Faches beredte Fürsprecher findet, hat nichts mit dem Forschungsprozeß, viel mit den politischen Implikationen zu tun, die der von ihm mit Nachdruck und seit langem geforderten Relativierung des »Holocaust« entspringen.

Wenn Nolte formuliert, Hitlers ›Judenvernichtung‹ sei in ihrer Wurzel nicht ›Völkermord‹, sondern »die radikalste und zugleich verzweifelte Gestalt des Antimarxismus«, und er damit eine psychologische Erklärung für die biologistische Umsetzung des »Vernichtungspostulats« zu liefern versucht, muß dies schon deshalb Widerspruch auslösen, weil für ihn »Antimarxismus« dem Wortlaut und dem gesamten Kontext zufolge eine positive, ja allein freiheitsbewahrende Funktion besitzt, Hitler folglich einer bedauerlichen Sinnestäuschung bei einer von der Zielsetzung her begreiflichen Politik zum Opfer gefallen ist. In der Sache trifft die Identität von Antibolschewismus und Rassenantisemitismus durchaus zu; sie beschränkt sich nicht auf Hitler, der den Antisemitismus der frühen Nachkriegsjahre nur radikaler zuspitzte. In der Tat erscheint das Dritte Reich in den historischen Skizzen Noltes als eine unglückselige Gegenbewegung zur Bedrohung der deutschen Gesellschaft durch den Bolschewismus, der, ungeachtet der Überschätzung seines faktischen politischen Gewichts in Deutschland während der revolutionären Periode von 1917 bis 1921, ein psychologisch berechtigtes Angstgefühl hervorgerufen habe, das in der Person Hitlers gleichsam seine stärkste Bündelung und seine größte Fehlleitung erfuhr. Das apologetische Grundmuster der Nolteschen Argumentation tritt eindrücklich hervor, wenn er aus der angeblichen Kriegserklärung des jüdischen Weltkongresses an Hitler dessen Recht zur Deportierung, allerdings nicht zur Liquidierung der Juden im deutschen Herrschaftsbereich ableitet oder die Tätigkeit der Einsatzgruppen als bloße Partisanenbekämpfung mindestens nach der subjektiven Seite hin rechtfertigt.

IV.

Ernst Nolte ist jedoch nicht das Problem, um das es geht. Als an sich nonkonformistischer Vordenker läuft er freilich Gefahr, mit den zunehmend selbstbewußter auftretenden neofaschistischen Strömungen in der Bundesrepublik identifiziert zu werden. Wichtiger ist, daß die neue Botschaft von der »Ursächlichkeit« des Bolschewismus für den Nationalsozialismus begierig von denjenigen Gruppierungen aufgegriffen wird, die seit Jahren über das Fehlen eines ausgeglichenen deutschen Nationalbewußtseins lamentieren und darin eine bedauerliche Schwäche, ja mangelnde Überlebensfähigkeit des deutschen Volkes erblicken, welche sie durch die Überwindung der Einflüsse der Reorientation und die Entfaltung eines aggressiven Nationalgefühls, das sich auch der deutschen Leistungen im Zweiten Weltkrieg nicht zu schämen brauche, wettzumachen hoffen. Was in dieser Beziehung vor Jahren noch eine überwiegend neokonservativ gefärbte Außenseiterphilosophie darstellte, gewinnt in der Gegenwart infolge der nachdrücklichen Unterstützung derartiger Tendenzen durch prominente Sprecher der CDU/CSU ernsthafte politische Relevanz, wenngleich die Empfänglichkeit der jüngeren Altersgruppen in der Bundesrepublik für derartige Parolen eher niedrig einzuschätzen ist.

Die Geschichtswissenschaft fungiert in diesen Fragen der Wertorientierung überwiegend als Indikator einer veränderten historisch-politischen Bewußtseinslage. Daß der 40. Jahrestag der deutschen Kapitulation zum Ausgangspunkt einer lebhaften öffentlichen Auseinandersetzung wurde, ist äußerlich durch das mißlungene Bitburg-Spektakel hervorgerufen worden, das wiederum einen Reflex der alliierten D-Day-Feiern darstellte. Die Herausforderung, die in der Bitburger Beschwörung der gemeinsamen antikommunistischen Zielsetzungen für die republikanischen Kräfte in der Bundesrepublik lag, löste ganz unerwartet eine breite historisch-politische Reaktion im linken politischen Spektrum der Bundesrepublik aus. Das deutet darauf hin, daß eine Neubestimmung des Verhältnisses zur nationalsozialistischen Periode überfällig war. Sie ergab sich auch daraus, daß infolge des Einflusses deutschnationaler und revisionistischer Gruppen auf die Regierungskoalition, sosehr sie auch generationsmäßig als ewiggestrig anmuten, eine stillschweigende Aufkündigung des von den demokratischen Parteien bislang formell eingehaltenen antifaschistischen Konsensus eintrat. Sie war im rechtsextremen und neokonservativen Schrifttum ohnehin vorbereitet.

Aufgrund der schleichenden Legitimitätskrise des parlamentarischen Systems, das sich nicht mehr glaubwürdig auf die Erfolge der demokratischen Rekonstruktionsperiode berufen kann und sich tendenziell von den primären politischen Interessen der Bevölkerung ablöst, verstärkte sich die Tendenz, den abbröckelnden politischen Grundkonsens durch den Rekurs auf ein »nationales« Geschichtsbild abzustützen. Geschichtliche Orientierungsfragen wurden wieder, wie in Weimar, zum Kampffeld der in politischen Sachproblemen weitgehend unbeweglich gewordenen politischen Parteien. Dabei erwies sich das ohnehin von der Fachhistorie zunehmend ausgehöhlte Modell der totalitären Diktatur als ungeeignet, die

Kritik von links an der unzureichenden juristischen und politischen Auseinandersetzung mit dem Nationalsozialismus aufzufangen. Die Analogie, die insbesondere die Friedensbewegung mit Strukturen des Dritten Reiches herstellte, indem sie das in den fünfziger Jahren verbal allgemein akzeptierte Widerstandsrecht reaktualisierte, wurde, wie die heftigen und über das Ziel hinausschießenden Kritiken daran erkennen ließen, als äußerst unbequem empfunden. Andererseits scheuten sich die Regierungsparteien nicht, politische Sachverhalte der dreißiger Jahre zur Denunziation der Linken zu benützen.

Das zuvor relativ homogene Bild des Dritten Reiches und der vorausgehenden Periode begann sich daher richtungspolitisch zunehmend aufzuspalten. Charakteristisch dafür war die Tendenz regierungsnaher Fachhistoriker, als Wesensmerkmal der nationalsozialistischen Diktatur die bewußt angestrebte Zerstörung des Bürgertums und die Ausschaltung der angestammten Oberschicht herauszustellen. Damit kündigte sich eine Rückkehr zur älteren konservativen Deutung des Nationalsozialismus als Ausfluß der »Massendemokratie« und als unvermeidliche Reaktion auf die drohende Diktatur der Linksparteien an. Gleichzeitig wurde den übertriebenen Lohnforderungen der Arbeiterschaft die Hauptverantwortung für die Auflösung des Weimarer politischen Systems angelastet. Demgegenüber hoben Historiker, die mit linksrepublikanischen Positionen sympathisierten, die Verantwortung der Schwerindustrie für die Zerschlagung des sozialpolitischen Kompromisses der Anfangsjahre der Republik hervor, welche mit einer wachsenden Funktionsunfähigkeit des parlamentarischen Systems bewußt erkauft wurde. Die entscheidende Veränderung der nahezu kanonisierten »totalitären« Sicht des Dritten Reiches bestand indessen darin, daß die bis in die siebziger Jahre sorgsam gehegte Vorstellung, daß die verbrecherische Politik des NS-Regimes im wesentlichen von einer kleinen Clique fanatischer Nationalsozialisten getragen war, sich angesichts der tiefgreifenden Verstrickung weiter Kreise des höheren Offizierskorps, der Diplomatie und der Industrie in die Ausraubung Osteuropas, die Ausbeutung von Zwangsarbeitern und KZ-Häftlingen und damit auch in den Holocaust nicht mehr länger aufrechterhalten ließ.

Ein Zeugnis für die richtungspolitische Polarisierung der Sicht des Nationalsozialismus ist die Rede, die der Vorsitzende der CDU/CSU-Bundestagsfraktion, Alfred Dregger, anläßlich des Volkstrauertags am 11. November 1986 gehalten hat. Dregger beschwört darin das Nichtwissen der meisten deutschen Soldaten und implizit der Volksmehrheit von den NS-Verbrechen im Unterschied »zu den politischen Instanzen« und »einigen der höheren Wehrmachtsstäbe und der rückwärtigen Dienste, die in Aktionen verwickelt wurden, die gegen jede soldatische Tradition verstießen«. Daß der auf totale Unterdrückung des Gegners zielende Ostkrieg soldatische Maßstäbe a priori gegenstandslos machte, verschweigt der Fraktionsvorsitzende; er beklagt sich statt dessen, daß sich die Forderung nach bedingungsloser Kapitulation nicht gegen Hitler, sondern gegen Deutschland als Ganzes gerichtet habe. Er greift damit Argumente auf, die bei Hillgruber vorgeformt sind. Er spricht von dem unauflöslichen Zwiespalt zwischen Bewahrung des Vaterlandes und der indirekten Ermöglichung von Verbrechen, vor dem der deutsche Soldat ohne eigenes Dazutun gestanden habe. Daß dies jedoch die vorhersehbare Folge einer von der militärischen Führung zunächst ausnahmslos gebilligten Politik darstellte, sieht Dregger nicht ein. Er erblickt vielmehr im Dritten Reich eine aufgezwungene Herrschaft Hitlers und einer kleinen verbrecherischen Gruppe.

Auch in der »Konzeption« für das geplante Deutsche Historische Museum in Berlin taucht mit dem Stichwort der »Verführung« erneut die Vorstellung auf, als sei das Dritte Reich nicht die Konsequenz aus einer langfristig verfehlten Politik, sondern einer irreführenden Propaganda. Indessen kann die aktive Mitwirkung der Armee und der Bürokratie, aber auch der Industrie an der schon im Ansatz verbrecherischen Politik des Regimes nach innen und nach außen weder durch den Vergleich mit anderen Ländern noch durch die Beschwörung des »Diktatfriedens« von Versailles aus der Welt geschafft werden. Stilisierungen dieser Art kommen begreiflicherweise dem Rechtfertigungsbedürfnis vieler älterer Deutschen entgegen, die es begrüßen, endlich aus der Aschenbrödelrolle heraustreten zu können, in die sie durch Schuldzumessungen von innen und außen gedrängt wurden. Einstellungen dieser Art sind jedoch überwiegend Reflex einer bloß moralischen, nicht einer politisch-analytischen Bewältigung der deutschen Geschichte im 20. Jahrhundert, die zwar Betroffenheit, aber nicht Rechenschaftslegung auszulösen pflegt. Letztere kommt nicht in den Verdacht, apologetisch zu sein, wenn sie die Rolle der Kollaborateure in den von Deutschland okkupierten Gebieten und der ethnischen Randgruppen in der Sowjetunion in die Analyse einbezieht. Der Vorwurf der »deutschen Schuldbesessenheit« und die Unterstellung, die alliierte Reeducation sei für die Verleugnung nationaler Werte verantwortlich, lenken hingegen von der für das NS-Regime kennzeichnenden kumulativen Zersetzung traditioneller Werthaltungen ab, die zur vollständigen Korrumpierung und schließlich zur Auflösung des sozialen Gefüges schlechthin führte.

Das Mißverständnis, das sich bei Repräsentanten der Rechten, zugleich bei Fachhistorikern wie Michael Stürmer vorfindet, als ginge es ihren Kontrahenten um die Aufrechterhaltung kollektiver Schuldgefühle, bedarf der Korrektur. Die Verengung der Reaktion auf die nationalsozialistische Vergangenheit im Sinne bloßer Betroffenheit und moralisierender Selbstkritik, wie sie in der Bundesrepublik allzu häufig anzutreffen war, ging weithin mit einer Verdrängung gerade der sensitiven Probleme einher, darunter der Frage nach der Mitverantwortung der nicht unmittelbar beteiligten Bevölkerung und namentlich der Funktionseliten am Genozid. Das Ausbleiben von Protesten bei der übergroßen Mehrheit der deutschen Bevölkerung gegen die Mißhandlung und gewaltsame Deportierung der Juden stellte nur beschränkt eine durch Sanktionen erzwungene Unterwerfung dar. Die Beschäftigung mit der Geschichte des Dritten Reiches kann nicht in der Absicht erfolgen, bloße Betroffenheit auszulösen; sie muß vielmehr zu Handlungsanleitungen führen, die zum Ziel haben, die Wiederkehr analoger Konstellationen der Eskalierung der Inhumanität zu verhindern. Es geht darum, die Mechanismen aufzudecken, die die fortschreitende moralische Indifferenz gerade in Kreisen der Oberschicht seit dem Ersten Weltkrieg erklären, und die Komplexität der Bedingungen zu erschließen, unter denen Völkermord und Rassenvernichtungskrieg nicht nur konzipiert, sondern auch praktiziert werden konnten.

V.

Wenn Martin Broszat in seinem bekannten Aufsatz im »Merkur« für eine »Historisierung« des Nationalsozialismus plädierte, zielte er darauf ab, sich von einer kontingenten Interpretation des Regimes zu lösen, die vielfach in monokausaler Weise die Eskalation von Gewalt und Terror auf das planende Kalkül Hitlers und auf ideologische Zusammenhänge zurückführt und die Handlungsbedingungen außer acht läßt, unter denen sich Individuen, die nicht notwendig primär aus ideologischen Antrieben kooperierten und die vielfach nicht zum engeren Kern der NSDAP gehörten, an dem Mordhandwerk direkt oder indirekt beteiligten oder die Voraussetzungen dafür schufen. Historisierung heißt die Vielfältigkeit, die Widersprüchlichkeit und die relative Offenheit des NS-Systems ernstzunehmen und statt einer vorweggenommenen Pauschalablehnung des Nationalsozialismus dessen verschiedenste Erscheinungsformen, dessen destruktive Züge, aber auch dessen in den Augen vieler Zeitgenossen verheißungsvollen Momente herauszuarbeiten und damit die Motivationen aufzudecken, die dazu führten, daß eine Persönlichkeit wie Adolf Hitler, dessen pathologische Realitätsverweigerung unbestreitbar ist, sich einer freilich niemals unbegrenzten Popularität erfreuen und auf Grund der systematischen Propagierung des Führer-Mythos bis in das Frühjahr 1945 hinein als über den Insteressenkonflikten von Partei und Staat stehende nationale Symbolfigur fungieren konnte.
Historisierung im Sinne bloßer Relativierung, d. h. der Hinnahme der Er-

eignisse von 1933 bis 1945 als unabwendbarem geschichtlich verhängtem Fatum bis hin zur Benützung von Personen und Vorgängen des Dritten Reiches als bloßer Metapher bleibt hingegen ein Ärgernis. Wo dies geschieht, etwa mit Helmut Kohls Vergleich von Gorbatschow und Goebbels, ist die tiefe Herausforderung, die die nationalsozialistische Erfahrung auch vier Jahrzehnte später für eine sich zu individueller Freiheit und Wahrung der Menschenwürde bekennende Gesellschaft darstellt, nicht begriffen worden und unbewältigt geblieben. Das gilt nicht minder für die in der Bundesrepublik um sich greifende Technik der Aufrechnung, die auch in die Gesetzgebung Eingang gefunden hat. Daß es allenthalben politische Verbrechen gab und geben wird, ändert nichts an der spezifischen Konstellation, unter denen sie in Deutschland ins Werk gesetzt wurden. Diese bezog sich, und das läßt sich im Denken der Satrapen des Regimes, darunter bei Himmler und Goebbels, aber doch auch bei den konservativen Kabinettspartnern Hitlers nachweisen, auf eine planmäßig angestrebte zeitweilige oder räumlich begrenzte Außerkraftsetzung von sonst unbestrittenen normativen Grundlagen und auf die Billigung des außergesetzlichen Notstandes als normalem Staatshandeln. Vorwände, wie eine angebliche Bedrohung der Nation oder Gefährdung im Kriege, waren eindeutig aufgesetzt und hinlänglich durchschaubar. Sofern es psychotische Zwänge waren, aus denen heraus die Vollstrecker ihr Handwerk verrichteten, handelte es sich um selbstgeschaffene und politisch seit langem bewußt instrumentalisierte Ängste. Dies gilt insbesondere für den hybriden Antibolschewismus, der schon 1917 in keinem Verhältnis zu der tatsächlichen Bedrohung stand, die von dem weltrevolutionären Programm Lenins ausging.

Es ist deshalb eine fatale Verzeichnung, wenn Ernst Nolte eben das von Angehörigen des alldeutschen Verbands und des rechten DNVP-Flügels bewußt erzeugte Syndrom von Antibolschewismus und rassischem Antisemitismus, an dessen Ende die Vernichtungslager standen, den Bolschewiki und deren »Klassenmord« zum Vorwurf macht, als sei der angestaute Haß des Bürgerkriegs allein auf das Konto der Bolschewiki zu schieben und seien die zaristische Autokratie und deren Unterdrückungsmethoden dafür bedeutungslos gewesen. Problematischer ist, daß er (einige seiner Kritiker, darunter Eberhard Jäckel, haben dies nicht hinreichend erkannt) die Kausalität auf die Person Hitlers als Endursache begrenzt. Nolte verkennt, daß der Weg zur Endlösung auf einer komplexen Interaktion ideologischer Motive und technokratischer Antriebe beruht und nur in enger Verbindung mit der inneren und äußeren Entwicklung des Regimes zu erklären ist, in der Hitlers fanatischer Antisemitismus nur einen und möglicherweise nicht einmal den bedeutendsten Faktor darstellte.

Gleichwohl könnte man derartige Interpretationen, denen intellektuelle Esoterik und politisches Vorurteil anhaftet, auf sich beruhen lassen, würden dadurch die Einsichten nicht verdunkelt, die die übergroße Mehrheit der Deutschen auf Grund des nationalsozialistischen Erbes sich zu eigen gemacht hat und die in einer nüchternen Skepsis gegen nationale Parolen und die Errichtung ideologischer Feindbilder gipfeln. Die Rückerinnerung an Kriegszerstörung und Bombennächte steht der Anfälligkeit für politische Mobilisierungsstrategien und Sympathien für die Anwendung militärischen Zwangs im Wege. In der Skepsis gegenüber patriotisch deklarierten Gemeinschaftsappellen und der Lösung auch innenpolitischer Konflikte durch Gewaltanwendung ist die deutsche Nation in mancher Beziehung den benachbarten Völkern voraus. Es ist eine Schimäre zu glauben, daß der gedämpfte oder fehlende Nationalismus mit einer pathologischen Gefährdung der Deutschen gegenüber demokratiefeindlichen Parolen einhergeht. Diejenigen, die immer wieder warnend auf die »deutsche Neurose« hinzuweisen pflegen, übersehen durchweg, daß für die jüngeren Generationen die Bruchlinie mit dem Bismarckschen Nationalstaat und die nationalen Loyalitätskonflikte unter dem NS-Regime keine prägende Bedeutung mehr besitzen.

Überhaupt steht im Hintergrund des »Historikerstreits«, der in vieler Hinsicht einen bloßen Stellvertreterkrieg für die Bruchlinien in der westdeutschen politischen Kultur und für den Konflikt zwischen autoritären Demokratiepostulaten und reformistischem Republikanertum darstellt, die ungeklärte politische Identität der Angehörigen jener Generation, die noch im Dritten Reich sozialisiert wurde. Wenn Alfred Dregger in seiner Rede zum Volkstrauertag die Auflösung der Weimarer Demokratie dem »Versailler Diktat« zuschrieb, erinnert dies an die Wahlkämpfe der DNVP von 1928, in denen sie den Großadmiral von Tirpitz für die eigene Wahlwerbung bemühte, obwohl weniger als ein Drittel der Wähler sich an dessen Rolle in der Vorkriegszeit erinnern konnten. Auch die Bemühungen um die Gründung sowohl des »Hauses der Geschichte« in Bonn wie des »Deutschen Historischen Museums« in Berlin erwecken den Eindruck, daß sie mehr der Selbstrechtfertigung dieser Zwischengeneration als der Aufgabe dienen, der jüngeren Generation zu einem eigenen Zugang zur deutschen Geschichte zu verhelfen. Michael Stürmer hat die politische Intention, die den Museumsplänen der Bundesregierung zugrunde liegt, dahingehend beschrieben, daß demjenigen die Zukunft gehöre, der über die Geschichte bestimme, und daß es darauf ankomme, den Deutschen vermittels eines balancierten Geschichtsbilds größere »Berechenbarkeit« im außen- wie innenpolitischen Sinne zu verschaffen. Geschichte in verdeckt manipulatorischer Absicht vermitteln zu wollen, ist jedoch schwerlich mit der politischen Mündigkeit zu vereinbaren, die sich die Deutschen durch bittere Ernüchterung und die Erkenntnis ihrer politischen Verstrickung in die kriminelle Energie des Dritten Reiches erworben haben.

Gleichwohl ist die mit dem »Historikerstreit« neu entfachte Debatte über den historischen Stellenwert der nationalsozialistischen Epoche mehr als eine bloße Episode. Sie dürfte vielmehr den Endpunkt der Bestrebungen bezeichnen, neo- und postfaschistische Deutungen mit gesetzlichen Sanktionen zu belegen oder gesellschaftlich zu tabuisieren. Denn es ist der neofaschistischen Publizistik kaum zu verwehren, die Schlußfolgerungen aus den Äußerungen der »Neorevisionisten« zu ziehen, nicht allein was die Relativierung des Holocaust angeht, sondern auch die von Hillgruber aufgeworfene Frage, ob das Attentat des 20. Juli 1944 angesichts der andrängenden »Roten Armee« und deren an der deutschen Zivilbevölkerung begangenen Verbrechen 1944 noch gerechtfertigt gewesen sei. An der Frage, ob der Sturz des Regimes und das Ende der Selektion in Auschwitz die Priorität gegenüber der militärischen Stabilisierung der deutschen Ostgrenze verdiente, werden sich die Geister scheiden.

Die subjektive Motivation der deutschen Soldaten, die das Vaterland vor dem sowjetischen Zugriff zu verteidigen bemüht waren, auch nachträglich anzuerkennen, entbindet nicht von der notwendigen Einsicht, daß sie objektiv dazu verhalf, die Herrschaft des Verbrechens und der Zerstörung zu verlängern. Wenn die zeitgeschichtliche Erfahrung die Deutschen eines gelehrt hat, dann ist es die Fähigkeit, diesen Widerspruch zu erkennen und daraus Konsequenzen für ihr künftiges politisches Verhalten zu ziehen. Margret Boveri hat auch diesen Sachverhalt unter dem Begriff des »Verrats im 20. Jahrhundert« nüchtern herausgestellt und damit deutlich gemacht, warum es dem deutschen Volk psychologisch unmöglich ist, eine einmal zerstörte und moralisch pervertierte Nationalstaatstradition als Medium der Selbstfindung zu benützen. Darüber vermögen alle Beschwörungen des »neuen Nationalismus«, welcher Terminologie sie sich auch immer bedienen, nicht hinwegzuhelfen. Es bedarf daher weder der »Rekonstruktion der europäischen Mitte« noch einer der Exkulpierung dienenden Theorie der »deutschen Mittellage«.

Hagen Schulze

Die »Deutsche Katastrophe« erklären

Von Nutzen und Nachteil historischer Erklärungsmodelle

I.

Ist der Nationalsozialismus, ist Hitler, ist Auschwitz Teil der deutschen Geschichte? Die Frage scheint auf den ersten Blick absurd – sie ist es aber keineswegs, sie steht vielmehr im Hintergrund der derzeitigen von Jürgen Habermas angestoßenen Debatte, und sie besitzt eine Anzahl überraschender Facetten, faßt man sie näher ins Auge. Habermas selbst beantwortet diese Frage sonderbar zweideutig: Zum einen ist ihm Auschwitz die Chiffre für die heutige Identität der Bundesrepublik als demokratischer Verfassungsstaat westlicher Prägung; der historische Bezug zwischen den Verbrechen des Hitler-Regimes und den Tugenden des freiheitlich-demokratischen Verfassungsstaats ist direkt und nicht allein geschichtlich, sondern, und dies in erster Linie, politisch und moralisch zwingend. Gerade deswegen aber gibt es für die deutsche historische Reflexion in gegenwartsbestimmender Absicht kein Zurück hinter Auschwitz; die von Habermas postulierte Singularität des Faschismus deutscher Provenienz verträgt keinen Bezug auf größere historische Zusammenhänge, wenn nicht der Hitlerstaat relativiert und dessen ausschlaggebende Bedeutung für den westdeutschen Verfassungspatriotismus unserer Gegenwart aufgeweicht werden soll.
Es scheint Habermas nicht zu kümmern, wie problematisch sein Postulat für seine eigene politisch-pädagogische Absicht ist; denn wer ein historisches Ereignis derartig verabsolutiert, löst es in Wirklichkeit aus der Geschichte heraus. Hier ergeben sich merkwürdige Parallelen zu ganz anderen Interpretationen des »Dritten Reichs«, wie sie unmittelbar nach dem Zweiten Weltkrieg eine Zeitlang im Schwange waren und längst überholt zu sein schienen: Die Idee vom Hitlerreich als dem Einbruch des Satanischen in die Geschichte, als ein Heraustreten aus dem au fond vernünftigen, fortschrittsgesteuerten Geschichtsprozeß – man denke an Friedrich Meinecke, an Michael Freund, an Gerhard Ritter.
Dagegen ist zu sagen, daß das Singuläre in diesem emphatischen Sinne

nicht nur unhistorisch, sondern auch gegenwartspolitisch irrelevant ist: Es ist nicht erklärbar, denn jedes historische Ereignis bedarf der Einbettung in seine geschichtlichen Zusammenhänge, um hinreichend begriffen werden zu können. Und das Singuläre lehrt nichts für die Zukunft, denn es ist seiner Natur nach nicht wiederholbar. Gerade die dringende Erklärungsbedürftigkeit wie auch das erstrangige politische Postulat, Ähnliches unter allen Umständen für die Zukunft zu vermeiden, erfordern die entschlossene Historisierung des Nationalsozialismus und seiner Verbrechen. Zu fragen ist also nach den Kontinuitäten der deutschen Geschichte, die auf die Ermöglichung Hitlers hinführen, und zu fragen ist nach dem methodischen Instrumentarium der Geschichtswissenschaft, das die Feststellung dieser Kontinuitäten möglich macht.

II.

30. Januar 1933: Unter diesem Datum findet sich im Tagebuch einer im übrigen unberühmten Hamburger Lehrerin der folgende Eintrag: »Hitler ist Reichskanzler! Und was für ein Kabinett! Wie wir es im Juli nicht zu erträumen wagten. Hitler, Hugenberg, Seldte, Papen!!!
An jedem hängt ein großes Stück meiner deutschen Hoffnung. Nationalsozialistischer Schwung, deutschnationale Vernunft, der unpolitische ›Stahlhelm‹ und der von uns unvergessene Papen. Es ist so unausdenkbar schön... Was Hindenburg da geleistet hat!«[1]
Was Reichspräsident v. Hindenburg da zum Jubel jener unbekannten Bürgerin und von Millionen anderer deutscher Bürger geleistet hat, das hat eine lange Vorgeschichte, die jetzt nicht zu erzählen ist. Es ist die Geschichte von der Geburt einer Demokratie aus Kriegsniederlage und Revolution, von endlosen Demütigungen einer Nation durch Waffenstillstand, Friedensvertrag, Reparationsforderungen und langdauernder außenpolitischer Diskriminierung, die Geschichte einer chronisch kranken Wirtschaft zwischen Inflation und Weltwirtschaftskrise, die Geschichte von einer Republik ohne Republikaner, von mächtigen Verbandsinteressen, die alles daransetzten, die Grundlagen dieser Republik zu erschüttern, und von demokratischen Parteien, die dem kategorischen Imperativ der parlamentarischen Demokratie, der Forderung nach dem Ausgleich zwischen entgegengesetzten Interessen, nicht nachzukommen befähigt waren, und die deshalb schließlich die Flinte ins Korn warfen. Es ist die Geschichte von einem Bürgerkrieg, der als latenter Ernstfall dauernd hinter der Wirklichkeit des Weimarer Staats stand, von den schließlich fruchtlosen Versuchen einer am Geist des aufgeklärten Absolutismus orientierten bürokratischen Obrigkeit, mit Hilfe von Notverordnungen

das Unregierbare zu regieren, eine Geschichte schließlich von Personen, von politisierenden Militärs, ostelbischen Junkern, sozialdemokratischen Arbeiterführern, von Prälaten, Konservativen, Reaktionären und Revolutionären, und inmitten eines zunehmend überschaubarer werdenden Feldes von Handelnden ein Reichspräsident voll des besten Willens, ein königlich-preußischer Generalfeldmarschall, der von der Mehrheit des deutschen Volkes als Ersatzkaiser gewählt worden ist, der auf die Verfassung geschworen hat und sie deshalb hochhält wie die preußische Felddienstordnung, unter dem undurchdringlichen Einfluß unverantwortlicher agrarisch-konservativer Kräfte, zudem ein Greis, der spätestens nach fünf Uhr nachmittags unter geistigen Ausfällen zu leiden hat. Diese vor allem bemitleidenswerte Figur sucht seit Jahresfrist einen Ausweg aus dem Desaster, aus dem Karussell der Kanzler, Notverordnungen und Parlamentsauflösungen, und er ernennt deshalb nach langem und respektablem Widerstand am 30. Januar 1933 den Führer der weitaus größten parlamentarischen Partei zum Reichskanzler, weil dieser der einzige ist, der ihm eine parlamentarische Mehrheit und ein Ende des Notverordnungsregimes versprechen kann.

Man soll sich nichts vormachen: die Ernennung des neuen Kabinetts wird von der Mehrheit der Bevölkerung begrüßt, die Hoffnungen, die sich auf einen Neubeginn richten, überwiegen die Befürchtungen bei weitem. Daß Reichskanzler Hitler und zwei weitere nationalsozialistische Minister von einem Kabinett konservativer Couleur eingerahmt sind, beruhigt viele, denn das scheint die Garantie dafür, daß die unheimliche neue Kraft in der deutschen Politik von bewährten, konservativen, jedenfalls berechenbaren Kräften kontrolliert und domestiziert wird. Daß es ganz anders kommen wird, ahnen nur wenige, neben den herkömmlichen politischen Parteien und ihren rapide geringer werdenden Anhängern auch einzelne wie der alte General Ludendorff, im Weltkrieg Stabschef Hindenburgs, hinterher ein paar Jahre lang Verbündeter Hitlers, der am 1. Februar 1933 an seinen alten Vorgesetzten und jetzigen Reichspräsidenten schreibt:

»Sie haben durch die Ernennung Hitlers zum Reichskanzler unser heiliges deutsches Vaterland einem der größten Demagogen aller Zeiten ausgeliefert. Ich prophezeie Ihnen feierlich, daß dieser unselige Mann unser Reich in den Abgrund stürzen und unsere Nation in unfaßbares Elend bringen wird. Kommende Geschlechter werden Sie wegen dieser Handlung in Ihrem Grabe verfluchen.«[2]

Unsere eingangs zitierte Lehrerin sollte sich wie das deutsche Volk insgesamt getäuscht sehen; ihr Tagebuch wurde in den Trümmern ihres durch alliierte Bomber zerstörten Hauses neben ihren sterblichen Überresten gefunden. »Die deutsche Katastrophe« – der Titel dieser 1945 entstandenen Schrift Friedrich Meineckes gibt etwas von dem Schock wieder, unter dem eine ganze Generation stand. Die Nähe zu den Ereignissen, verbunden mit einem kollektiven Schuldkomplex, begünstigte die schlichten Formeln: das Erlebte schien einzigartig, die Suche nach Apologie und Entlastung trat hinzu, und so waren die Erklärungsversuche der Nachkriegsära vorwiegend in den Kategorien des Schicksalhaften angesiedelt: Hitler als Emanation des satanischen Prinzips, das Dritte Reich als Austritt aus der Geschichte, die Katastrophe als Verhängnis. Das war das eine Deutungsmodell, dessen offensichtliche Unfruchtbarkeit jedoch dazu führte, daß es nach und nach obsolet wurde und heute jedenfalls keine Rolle spielt.

Anders steht es mit einem anderen Erklärungsmodus, der schon früher entstand und der in vielen Abwandlungen, Variationen und Einschränkungen bis heute die Bühne beherrscht: der These von der totalen Diskontinuität wurde die von der totalen Kontinuität entgegengestellt: die nationalsozialistische Diktatur erscheint als notwendiges Endstadium einer verfehlten deutschen Geschichte, eines »deutschen Sonderwegs«. Den Deutschen und ihrer Geschichte eignet danach zumindest seit der Geburt des deutschen Nationalstaats, womöglich aber auch seit längerem etwas Besonderes, das sich vom allgemeinen Weg der europäischen Geschichte wesentlich unterscheidet, woraus sich Großes wie Schreckliches zwanglos erklärt.

Die Theorie des »deutschen Sonderwegs« existiert in zwei Spielarten, die sich gegenseitig radikal ausschließen und dennoch zwei Seiten desselben Gedankens darstellen. Ursprünglich war sie ins Positive gewendet: da war die Behauptung von der preußischen Sendung in Deutschland, von der deutschen in der Welt, die von einer metaphysischen Überhöhung des preußisch-deutschen Staatswesens und seinen überlegenen sittlichen Qualitäten ausgeht und die westlichen Demokratien dazu in mehr oder minder polemischen Kontrast zu stellen pflegt. Das führt sich auf Hegel und auf die geschichtswissenschaftliche Tradition eines Teils des deutschen Historismus zurück, findet in den Kathederprophetien eines Heinrich v. Treitschke seinen berühmtesten Ausdruck, übersteht den Ersten Weltkrieg unbeschädigt und bestimmt das Selbstbild der Deutschen bis zum Zusammenbruch von 1945 weitgehend. Gewisse Neufassungen dieser Idee sind neuerdings in der deutschen Ideenlandschaft wieder virulent.

Dieser legenda aurea folgte eine legenda nigra, und sie ist es, mit der wir uns zu befassen haben. Sie besitzt verschiedene Ausgangspunkte: der französische Historiker Edmond Vermeil z. B. geht bis auf die Romzüge der Stauferkaiser zurück, um die nationalistische Sendungsidee der Deutschen zu erklären; ein anderer Autor macht die Hermannsschlacht dafür verantwortlich, daß Deutschland nicht romanisiert wurde und so für alle Zeit der Barbarei verhaftet blieb. Der britische Historiker A. J. P. Taylor geht immerhin noch bis Luther zurück, von dem er die Mischung von Innerlichkeit und Autoritätsgläubigkeit bei den Deutschen bis heutigentags ableitet, während andere seiner Kollegen alles Übel im preußischen Militarismus seit dem Großen Kurfürsten erblicken. Die Kontinuität ist klar: wo auch immer sie ansetzt, sie besteht in einem für die Deutschen besonders kennzeichnenden Hang zum Autoritären; in ihrer Geschichte haben sie infolgedessen das Unglück, keine bürgerliche Revolution durchgemacht zu haben, wodurch sie sich immer weiter vom westlichen Normalweg zur Freiheit und Gleichheit entfernen, Europa in Kriege stürzen und schließlich dem Nationalsozialismus anheimfallen. Dieser Gedanke geht ursprünglich auf die Tradition der englischen Whig-Historiographie zurück, die die britische Verfassungsgeschichte als Maßstab für freiheitliche Geschichte schlechthin anzusehen pflegt, wurde im Laufe des Ersten Weltkriegs von Oxford-Historikern als Instrument zur Legitimierung alliierter Kriegführung weiterentwickelt und fand, wenn auch wohl nicht bewußt in dieser Verbindung, Eingang in die Geschichtsinterpretation einer Generation junger, nonkonformistischer Zwischenkriegs-Historiker wie Alfred Vagts und Eckard Kehr, die zur weiterhin an nationalen Mythen orientierten deutschen Historiker-Zunft in scharfer Opposition standen. Nach dem Zweiten Weltkrieg war damit der Weg für eine vernichtende Fundamentalkritik bereitet, die in beispielhafter Weise von Hans-Ulrich Wehler mit der Forderung an die Geschichtswissenschaft verknüpft wurde:

»Immer wieder wird es... um die Frage nach den eigentümlichen Belastungen der deutschen Geschichte gehen, nach den schweren Hemmnissen, die der Entwicklung zu einer Gesellschaft mündiger, verantwortlicher Staatsbürger entgegengestellt worden sind – oder sich ihr entgegengestellt haben –, nach dem zielstrebigen und nur zu erfolgreichen Widerstand erst gegen eine liberale, dann gegen eine demokratische Gesellschaft, einen Widerstand mit fatalen Folgen... Ohne eine kritische Analyse dieser historischen Bürde... läßt sich der Weg in die Katastrophe des deutschen Faschismus nicht erhellen.«[3]

So werde ich also im folgenden die Frage nach der Kontinuität stellen, die zur Erklärung des 30. Januar 1933 beiträgt, und dabei Offenkundiges wie Zweifelhaftes diskutieren, um dann mit einigen Bemerkungen zur Fragwürdigkeit meiner eigenen Fragestellung zu schließen. Dafür, daß sich hierbei Ausführungen theoretischer Art nicht ganz vermeiden lassen, bitte ich im voraus um Ihr Verständnis.

III.

Reden wir von historischen Kontinuitäten, dann stehen wir sogleich vor einem ernsthaften Problem: in der Geschichte steht offenbar alles irgendwie mit allem in Verbindung. Wir müssen also eine Auswahl treffen. Aber nicht nur die Auswahl der Aspekte spielt für uns eine Rolle – das ist bei jeder geschichtswissenschaftlichen Fragestellung der Fall –, sondern auch die Logik: abgesehen von den besonderen Problemen, die sich hier im Zusammenhang mit den Minimalanforderungen an eine wissenschaftliche Erklärung ergeben, und die ich jetzt mangels Zeit nicht erörtern kann, stellt sich die Frage der Spezifik, anders gesagt: es muß einen Maßstab geben, der dafür sorgt, daß die von uns gesuchte Kontinuität in direkter ursächlicher Beziehung zu dem Ereignis steht, damit wir Trivialbezüge wie den vorhin genannten Romzug der mittelalterlichen Kaiser ausschalten können. Das heißt: wir müssen auf solche Beziehungen verzichten, die lediglich assoziativ sind, und dürfen nur solche zulassen, die mit Hilfe von Quellen belegbare Kausalbezüge aufweisen. Und zum zweiten können nur solche Kontinuitäten zugelassen werden, die nicht nachweislich in parallelen Fällen zu anderen Ergebnissen führen. Das bedeutet für uns, daß wir alles ausklammern müssen, was als deutsche Geschichte Teil allgemeiner europäischer historischer Entwicklungen ist, denn eine faschistische Revolution hat es eben bei unseren westeuropäischen Nachbarn nicht gegeben.

Aus diesem Grund fallen einige Erklärungsmodelle, die im Zusammenhang mit unserer Frage genannt zu werden pflegen, tatsächlich aus: der moderne Staat als Inhaber des innen- wie außenpolitischen Gewaltmonopols z. B. ist ebenso ein universales europäisches Phänomen wie die Bürokratisierung von Staat und Parteien; was Max Weber den »okzidentalen Rationalisierungsprozeß« genannt hat, trifft auf die ganze atlantische Welt zu, bis hin zur Verwissenschaftlichung und Entzauberung des Weltbildes. Und dasselbe gilt für die industrielle Revolution mit ihren Begleiterscheinungen und Folgen: die soziale Schichtung des deutschen Volkes unterscheidet sich nicht erheblich von der seiner Nachbarn, das industrielle und ökonomische System Deutschlands im 20. Jahrhundert funktioniert in der Hauptsache wie in Frankreich oder den USA, und Verschränkungen zwischen Staat und Wirtschaft, »organisiertem Kapitalismus«, »Staatsinterventionismus«, »militärisch-industriellem Komplex« lassen sich in der gesamten westlichen Welt der Zeitgeschichte auffinden. Die Mehrheit der kapitalistischen Systeme ist aber gerade nicht faschistisch geworden, Italien stand noch ganz am Beginn der Industrialisierung, und Kroatien und Rumänien waren kaum aus dem agrarwirtschaftlichen Stadium herausgekommen. Sowenig das Stichwort »Kapitalismus« also für unsere Fragestellung hergibt, so wenig gilt das auch für andere gesamteuropäische Kontinuitäten wie Sozialdarwinismus, Antisemitismus, Imperialismus und Entchristianisierung, alles Momente, die notwendige Teile zur Erklärung des nationalsozialistischen Erfolgs darstellen, aber aus den genannten Gründen für diese Erklärung nicht hinreichend sein können. Ähnliches gilt auch für die nach 1945 sehr erfolgreiche, namentlich von der Frankfurter Schule favorisierte Theorie von der »autoritären Persönlichkeit«, die angeblich eine deutsche Besonderheit darstelle, ein Modell, das ja bekanntlich in erster Linie an der Kontinuität deutscher Kindererziehungs-Normen orientiert ist. Wer seinen Blick unter diesem Gesichtspunkt beispielsweise nach Frankreich richtet und das dortige Erziehungs- und Schulsystem im Vergleich untersucht, dem müssen Zweifel ob der Tragfähigkeit dieses sozialpsychologischen Erklärungsmodus kommen.

Festeren Boden bekommt man unter die Füße, wenn man nach langwirkenden Besonderheiten der deutschen Geschichte fragt und sich von dorther dem Jahr 1933 nähert. Folgen wir dem französischen Historiker Fernand Braudel, der in seiner grandiosen Theorie der Zeitschichten zwischen der kurzen Zeit der Ereignisgeschichte, der mittleren der sozialen und wirtschaftlichen Konjunkturen und der langen Zeit der kaum veränderlichen Strukturen unterscheidet. Als festeste Struktur, als »longue durée« par exemple benennt Braudel die Kontinuität der Geographie; er schlägt vor, die gesamte Geschichte auf solche Schichten kaum veränderlicher Strukturen zu beziehen, um sie »wie von einer Infrastruktur aus neu zu überdenken«.[4]

Das ist gewiß keine deutsche Besonderheit; ähnliches gilt beispielsweise für Polen, Ungarn, Österreich oder die Schweiz. Für alle diese Länder ergeben sich im Laufe der jeweiligen Geschichten typische Verläufe und Entscheidungslagen, die mit der besonderen geographischen Position zusammenhängen, und die, allerdings im Zusammenhang mit den individuellen historischen Bedingungen jedes Landes und deshalb in den verschiedensten Ausprägungen, charakteristischen innen- wie außenpolitischen Rahmenbedingungen entspringen, wie sie etwa im Fall von Inselstaaten nicht gegeben sind. Das Besondere im deutschen Fall liegt unter anderem in der eigentümlichen Spannung zwischen Reichs- und Nationalgeschichte: die transnationale raison d'être des Reichs stand quer zu den Erfordernissen eines modernen, sprachlich wie territorial vereinfachten und zentralisierten Staatsgebildes. Daraus ergab sich die frühe Emanzipation der Regionen und Territorien, was wiederum zum charakteristischen Ergebnis von Reformation und Gegenreformation führte, der konfessionellen Spaltung des Reichs, während der Gegensatz in fast allen übrigen europäischen Staaten so oder so ausgekämpft und entschieden wurde. Weiterhin ist die amorphe landschaftliche Gestalt zu bedenken: ein Land ohne natürlichen Mittelpunkt, ohne natürliche Grenzen, in seiner Verkehrsgeographie durch Flüsse und Gebirge zerhackt. Und schließlich ist an die gegensätzlichen Rechts-, Kultur- und Bodenbesitzformen zu denken, Ergebnisse der Limes- wie der Elbgrenze.

Entscheidend im deutschen Fall ist aber, daß diese vielfältige Zersplitterung Mitteleuropas eine gesamteuropäische Funktion besaß: Denn nur auf diese Weise ließ sich die Balance des Kontinents bewahren, und jeder Blick auf die Landkarte zeigt, weshalb – Wer die europäische Mitte beherrschte, sei es eine der Großmächte von der Peripherie oder aber eine Macht, die mitten in Europa entstand, brauchte nur das Bündnis mit einer anderen europäischen Macht zu suchen, um gemeinsam mit ihr den Kontinent zu beherrschen. »Deutschland, formlos von Natur«, so Ludwig Dehio, »lag auf dem Schnittpunkt der Drucklinien der großen festländischen Politik, und seine Desorganisation war seit drei Jahrhunderten mit der Organisation des Staatensystems fest verknüpft.«[5]

Aus diesem Grund galt den europäischen Nachbarn die weitgehende völkerrechtliche Selbständigkeit der mehr als dreihundert deutschen Territorialstaaten und Reichsstädte als Garantie der europäischen Freiheit, des Gleichgewichts und des Überlebens der Staatenwelt, und deshalb waren die deutschen »Libertäten« durch einen internationalen Vertrag, den Westfälischen Frieden von 1648, garantiert – seitdem war die Verfassung des Reichs Bestandteil des internationalen Rechts, Sache aller europäischen Mächte.

Dieses System wird seit dem 18. Jahrhundert gestört, erst durch den Aufstieg Preußens und dann, seit Beginn des 19. Jahrhunderts, durch die Entwicklung zum deutschen Nationalstaat. Das Diktat der geographischen Lage führt nun dazu, daß Preußen und dessen Nachfolger, das Deutsche Reich, mit ihren offenen Grenzen sich jedem Druck ausgesetzt fühlen. Aus dieser Situation führen zwei Auswege: man kann sich wie der andere große Staat der Mittellage, Polen, den politischen Einwirkungen seiner Nachbarn öffnen und es ihnen gestatten, die eigene innere Politik zu beeinflussen. Das beruhigt die europäischen Nachbarn, aber die Folgen für Polens Geschichte sind bekannt. Oder aber man organisiert sich und rüstet soweit auf, daß man imstande ist, jeden Krieg an den weit auseinanderliegenden Grenzen zu führen und auch gegen feindliche Bündnisse zu gewinnen. Was darauf folgt, ist ein Staatswesen, das außerordentlich effektiv verwaltet wird und in dem das Militär eine größere Rolle als in jedem anderen europäischen Staat spielt. Das Gesicht Preußens, das uns seit den Tagen Friedrich Wilhelms I. entgegenblickt, jene militärisch-bürokratische Überkonzentration, jenes Übergewicht des Soldatischen auch im zivilen Leben, jener Zug von Angestrengtheit und Ernst und

jener Mangel an Urbanität, Lebensfreude und bürgerlicher Zivilcourage, die das deutsche Wesen bei den Nachbarn so unbeliebt macht – dieser ganze Komplex von Verfassung und politischer Kultur, der bis in das 20. Jahrhundert hinein wirken soll, ist also Ausfluß einer gewaltigen Anstrengung, die verhindert, daß dieser Staat der Mitte frühzeitig, wie viele andere aufstrebende mitteleuropäische Territorialstaaten, wieder zur Bedeutungslosigkeit zurücksinkt: eine permanente Anstrengung gegen die Ratio des Mächtegleichgewichts, gegen die Logik der Geographie.
Die innere Verfassung Preußens und dann Deutschlands hing also immer eng mit der äußeren Lage zusammen; der Versuch, 1848 ein liberal verfaßtes Großdeutschland auf der Grundlage der Volkssouveränität und Menschenrechten zu begründen, scheiterte vor allem anderen an der Interventionsdrohung dreier Großmächte, die diese Revolutionierung der europäischen Landkarte fürchteten. Und der nächste Anlauf zur Reichseinigung, diesmal gestützt auf die preußischen Waffen und als Bündnis der Fürsten, gelang nur, weil Europa sich im Wellental der Krim-Krise befand, weil England und Rußland weit auseinandergerückt waren und Frankreich geschlagen war. Und es liegt auf der Hand, daß das Deutsche Reich sich äußerstes Wohlverhalten aufzuerlegen hatte, wenn es auf die Dauer inmitten Europas bestehenbleiben wollte. Dazu genügte nicht die Versicherung Bismarcks, das Reich sei saturiert; dazu gehörte vor allem die glaubwürdige Fähigkeit des neuen Staatswesens, die unruhigen Kräfte in seinem Inneren zu bändigen, ihren Expansionsdrang über die Reichsgrenzen hinaus zu dämpfen und zu beherrschen. Das galt vor allem für den gärenden bürgerlich-liberalen Nationalismus, dem das kleindeutsche Reich nur eine Abschlagszahlung auf die Verwirklichung der Utopie vom Nationalstaat aller Deutschen war, das galt für die wirtschaftlichen Interessen, die mächtig über das Gebiet des einstigen Zollvereins nach außen drängten und nach Kolonien und Einflußzonen riefen, und das galt nicht zuletzt für den vierten Stand und dessen immer lauter werdende Drohung der sozialen Revolution – nicht umsonst galt die deutsche Sozialdemokratie als Vorreiterin der sozialistischen Internationale.
Das war die Dialektik von Außen- und Innenpolitik, die Deutschland notwendigerweise beherrschte: Eine schnelle und durchgreifende Liberalisierung und Demokratisierung des Reiches, die Freisetzung der politischen und gesellschaftlichen Triebkräfte stieß an die Grenzen der deutschen Daseinsfähigkeit im Mächtegleichgewicht Europas; selten paßte jene Sentenz John Robert Seeleys so präzise wie auf den Fall der deutschen Mittellage, wonach das Maß innerer Freiheit eines Staates in umgekehrtem Verhältnis zum äußeren Druck auf seine Grenzen stehe. Das Deutsche Reich blieb daher mitten im rasanten wirtschaftlichen und sozialen Wandel des 19. Jahrhunderts ein Staat mit herkömmlichen, vorin-

dustriellen Macht- und Herrschaftsstrukturen, und es war ganz folgerichtig, daß Bismarck nach innen eine Politik sozialer und polizeilicher Repression, nach außen eine solche des Ausgleichs und der Kriegsverhütung betrieb: Deutschland wurde von seinen Nachbarn nur solange und gerade eben noch ertragen, wie der Deckel fest auf seinem brodelnden Inneren saß, und die Unfähigkeit der Nachfolger Bismarcks, dieses komplizierte innen- und außenpolitische Kompensationssystem gegen den Druck der industriellen Interessen und des Massennationalismus beizubehalten, mußte ebenso zum europäischen Krieg wie zur Niederlage führen.

Dies ist also der rote Faden jener Kontinuität, die mit den Ereignissen von 1933 in Verbindung steht (und die, nebenbei bemerkt, mit der Kriegsniederlage von 1945, mit der Teilung Europas und Deutschlands unterbrochen ist, denn die beiden deutschen Teilstaaten befinden sich jetzt nicht mehr in der Mitte, sondern jeweils an der Peripherie der großen Machtsysteme). Wir erblicken als ständig wirkende Grundstruktur eine geographische Positionsproblematik, die unentrinnbare politische Zwänge schafft. Daraus ergeben sich Folgerungen für die innere Verfassung Deutschlands, die die autoritäre Herrschaftsausübung ebenso begünstigen wie das Überleben alter Machteliten, jener konservativ-agrarischen Gruppierungen, die den Reichspräsidenten in der Krise seit 1930 noch effektiver beeinflußten und abschotteten, als ihnen das früher mit Wilhelm II. gelungen war. Dazu gehört ein bürgerlich-liberaler Parlamentarismus, dessen Selbstgefühl und Machtbewußtsein stark unterentwickelt ist, und der in schwierigen Situationen leicht geneigt ist, zugunsten der scheinbar höheren Einsicht bürokratischer und autoritärer Herrschaft zu resignieren. Und aus dieser Tendenz staatlicher Verfassung im weitesten Sinne ergibt sich weiterhin, gewissermaßen auf der zweiten Stufe der Ableitung, ein ganzes Bündel komplexer kollektiver Einstellungen, Ideologien und Mentalitäten, das wir unter dem etwas schwammigen Begriff der »politischen Kultur« zusammenzufassen pflegen. Dazu gehört eine gereizt-neurotische Einstellung zur Nationalstaatsidee, der die politische Gegenwart nie genügt, die utopisch und maximalistisch ist und durch immer neue Enttäuschungen, vom Scheitern des großdeutschen Traums 1849 bis zum Versailler Vertrag, immer neue Frustrationsschübe erlebt. Da ist eine positive Einstellung zu militärischen Normen und Verhaltensweisen, die weit in zivile Lebensbereiche hineinreicht. Da ist die obrigkeitsstaatliche Gläubigkeit, da sind zudem sozialpsychologische Verunsicherungen durch die »Gleichzeitigkeit des Ungleichzeitigen«, durch die rasante soziale und ökonomische Veränderung Deutschlands seit der Mitte des 19. Jahrhunderts bei gleichgebliebenen älteren politischen Strukturen, ein innerer Widerstand gegen Modernität und Technizität, denen man dennoch angehören möchte. Da sind antiparlamentarische und antiliberale Residuen, und da ist die große Sehnsucht nach der inneren Geschlossenheit, nach politischer Harmonie, die einhergeht mit einem grundsätzlichen Unbehagen an Klassendifferenzen und gesellschaftlicher Pluralität. Kein deutscher »Sonderweg« also, denn entscheidende Strukturen, Wirtschaft, gesellschaftliche Schichtung, der Grad der sozialen Konflikte, das vielbeschworene »Bündnis der Eliten« gegen liberale und soziale Reformen entfernen sich nicht erheblich vom Hauptstrom europäischer Tendenzen, und der liberal-parlamentarische Verfassungsstaat ist am Vorabend des Ersten Weltkriegs in ganz Europa selten anzutreffen. Die besondere deutsche Kontinuität läßt sich vielmehr, mit Karl Dietrich Bracher, als »Sonderbewußtsein« kennzeichnen, und dieses »Sonderbewußtsein« wird durch die große Krise seit 1929/30 virulent. Niemandem gelingt es so wie Hitler, die spezifisch deutschen Frustrationen, Hoffnungen und Ängste zu bündeln, auf Begriffe zu bringen und großen Massen bewußt zu machen, um schließlich selbst als Vollstrecker und Vollender jener großen Strömung der deutschen Geschichte dazustehen.

IV.

Soviel also zur Kontinuität der deutschen Geschichte, die freilich auch dann, wenn man sie im wesentlichen auf jene geographischen Grundlagen zurückbindet, viel komplizierter ist, als hier dargestellt werden kann; dazu gehört neben anderem auch die besondere konfessionelle Problematik Deutschlands, wie auch der besondere Verlauf der deutschen Industrialisierung. Aber ein solches Kontinuitätsmodell, so schön und geschlossen es erscheint, ist für uns dennoch nur von begrenztem Nutzen, und das aus mehreren Gründen.
Zunächst gibt es da einen theoretischen Einwand: Langdauernde Prozesse, Strukturen, Kontinuitäten sind nur von eng begrenzter Realität. Ich gehe nicht ganz soweit wie Thomas Nipperdey, der solche Zusammenhänge a priori als »Konstrukte« bezeichnet;[6] es gibt materielle Kontinuitäten wie die Geographie, wie die Klimate, wie biologische und anthropologische Konstanten. Aber bei jeder Art von Ableitung sind wir bereits in Beweisnot. Das liegt daran, daß geschichtswissenschaftliche Aussagen nicht im Laboratoriumsexperiment überprüfbar sind, und daß darüber hinaus die Fülle der einwirkenden Faktoren sichere Kausalitätszuordnungen in der Geschichte unmöglich machen. Keiner der vielfältigen Zusammenhänge, die ich soeben mit dem Problem der deutschen Mittellage verknüpft habe, steht in einer zwingenden und nachweisbaren Kausalität; wir Historiker befinden uns bei komplexen Aussagen dieser Art in der

Verlegenheit, mit Plausibilitäts- und Wahrscheinlichkeitsaussagen operieren zu müssen, die um so ungewisser werden, je weiter auseinanderliegende Realitätsebenen aufeinander bezogen werden sollen; die Ableitung der staatlichen Organisation und Verfassungsordnung aus der geopolitischen Lage ist bereits nicht ohne Probleme, und das gilt noch weit mehr für die Begründung von Mentalitätsstrukturen und politische Kulturphänomene aus solchen Zusammenhängen. Dies ist ein grundsätzlicher Einwand gegen jede Kontinuitätstheorie, ob sie nun historisch-materialistisch begründet wird oder anders.

Hinzu kommt, daß wir bei der Konstruktion von Kontinuitäten, genaugenommen, ahistorisch verfahren – wir benennen sie nämlich von einem Ereignis her, das am Ende der Entwicklungslinie steht, in unserem Fall aus der Perspektive des Jahres 1933. So ist beispielsweise das Jahr 1848 auf dieser Linie nicht unterzubringen – wollen wir die Revolution jenes Jahres durch Kontinuitätshypothesen erklären, müßten wir andere Zusammenhänge aufsuchen. Überdies wechselt die Perspektive im Laufe der Geschichte; die Zeitgenossen der Reichseinigung von 1871 sahen sich in vollkommen anderen langwirkenden geschichtlichen Verbindungslinien stehend, und auch Hitler selbst verfügte bekanntlich über eine sehr genaue Vorstellung über seinen eigenen Standort in der Kontinuität deutscher Geschichte, die aber von der unsrigen bedeutend abwich. Im Grunde betreiben wir Teleologie – um die strukturellen Zusammenhänge der Geschichte aufzudecken, tun wir so, *als ob* die Geschichte linear und unausweichlich auf bestimmte Ereignisse und Ergebnisse zulaufe; die Grenzlinie zur Geschichtsphilosophie und damit zur Metaphysik wird hier sehr schmal.

Wir sollten uns deshalb davor hüten, unsere Interpretation historischer Ereignisse allzu fest auf Kontinuitätsthesen zu gründen. Die großen Strukturen können vielmehr lediglich einen weiten Rahmen bilden, innerhalb dessen gewisse Entwicklungen wahrscheinlicher sind als andere. Kurzfristige Einflüsse besitzen daneben ihren eigenen Erklärungswert, in unserem Fall Kriegsniederlage, Versailler Vertrag, Inflation, Weltwirtschaftskrise, der Aufstieg des Sowjetkommunismus auf der einen und der Vereinigten Staaten auf der anderen Seite zu welthistorischen Mächten und ihr jeweiliger Einfluß auf den Fortgang der europäischen und deutschen Politik, um nur einige Momente zu nennen. Hinzu kommen Kontingenzen, zufällige Gleichzeitigkeiten, die erst in ihrer Ballung wirksam werden – etwa die binnenwirtschaftliche Flaute Deutschlands mit der Weltwirtschaftskrise, und diese Ballung wiederum mit der Schwäche der republiktragenden parlamentarischen Kräfte. Und nicht zuletzt ist auch der freie Handlungsspielraum verantwortlicher Personen in Entscheidungslagen zu ermessen – ohne die schließliche, widerstrebende Bereitschaft Hindenburgs, Hitler zum Reichskanzler zu ernennen, hätte es jedenfalls *diesen* Weg des nationalsozialistischen Führers zur Macht nicht gegeben. Alles das sind gewiß keine ausschließlichen Argumente gegen die Betrachtung der langen Dauer, der großen Struktur, der interepochalen Zusammenhänge. Die »longue durée« besitzt ihre unabweisbare Rechtfertigung darin, daß sie Rahmenbedingungen sichtbar macht, die bei der ereignisgeschichtlichen Untersuchung undeutlich bleiben, und in denen sich die Einheit der Geschichte jenseits der Geschichten überhaupt erst konstituiert. Aber je weiter unsere Betrachtung gefaßt ist, um so mehr entfernt sie sich notwendigerweise von den Phänomenen, und das heißt: von den Quellen, die ja die einzigen »Tatsachen« darstellen, auf die unsere Wissenschaft rekurrieren kann, und die unlösbar an den Phänomenen haften.

Unter Berücksichtigung dieser Einwände können wir nun schlußfolgern: die Ereignisse der Jahre seit 1930 standen im Rahmen einer starken, breit gebündelten geschichtlichen Kontinuität, die einen bestimmten Zeitgeist ermöglichten, der einen Verfassungswandel in Deutschland in Richtung auf autoritäre Staatsmodelle nachdrücklich begünstigte. Es ist aber darauf zu beharren, daß die Weimarer Republik nicht auf die Weise scheitern *mußte*, in der sie tatsächlich scheiterte. Hitler war vielfach vermeidbar, Alternativen bestanden bis in die letzten Tage der sogenannten »Machtergreifung«. Auch die dichteste Kontinuität, auch die zwingendsten strukturellen Belastungen heben nicht jenen Entscheidungsmoment auf, in dem angesichts einer dunklen Zukunft einzelne Verantwortliche zwischen Alternativen wählen und so die geschichtlichen Entscheidungen herbeiführen. Bei allem Reiz des historischen Kontinuitätsdenkens sollten wir an der letztlichen Verantwortung der Handelnden festhalten, um der Gefahr des geschichtsphilosophisch grundierten Fatalismus zu entgehen, und um die Schuldfähigkeit der Politiker – und Politiker ist jeder von uns – als ethisch-moralische Grundvoraussetzung für unser Handeln beizubehalten und zu begründen.

Gian Enrico Rusconi
Italien und der deutsche »Historikerstreit«*

1. Der Historikerstreit des Jahres 1986 hat in der italienischen Öffentlichkeit und auch bei Wissenschaftlern erhebliches Befremden ausgelöst. Nach ersten überraschten Reaktionen auf die sogenannten »revisionistischen« Thesen, die von der Presse kurz wiedergegeben wurden, folgten überlegtere Einschätzungen. Das Staunen darüber, daß man »noch« über die durch Auschwitz emblematisch zusammengefaßten Ereignisse diskutiert, ist der Frage nach dem »Warum« hinsichtlich einer derart heftigen Diskussion gewichen. In Italien gehen die Meinungen zu diesem Thema stark auseinander, doch ist es wichtig festzustellen, daß die Öffentlichkeit durchaus Ernsthaftigkeit und Authentizität des Problems erkannte; und daß es dabei um die »deutsche Identität« geht, wird nicht nur von Sozial- und Politikwissenschaftlern zur Kenntnis genommen.
Über vierzig Jahre nach Kriegsende kann die Rekonstruktion einer entwickelten deutschen Identität nur durch eine angemessene Erinnerung an die nazistische Vergangenheit erfolgen. Nach einer Periode kollektiver Verdrängung oder Vermeidung scheint die Zeit einer schonungslosen Verbalisierung gekommen. Im übrigen ist der Historikerstreit neuester Gerinnungsfaktor vieler bruchstückhafter Elemente, die in den vergangenen Jahren auf der deutschen politisch-kulturellen Bühne erschienen sind und die in der Heimat-Thematik gipfelten. Wir haben es mit anderen Worten nicht mit einem Problem zu tun, das als Nebenprodukt einer politischen Konjunktur abgetan werden sollte.
Von dieser grundsätzlichen Feststellung abgesehen gehen die Meinungen jedoch auseinander, je nach Bedeutung, die dem einen oder dem anderen Moment in der Debatte zugemessen wird. Das heißt, daß von den zahlreichen, mit dem Historikerstreit angesprochenen Themen einige klar dominieren und sich von den anderen losgelöst haben. So war es – wie auch immer begründet – die »Einzigartigkeit« oder die »Einmaligkeit« von Auschwitz, die öffentliche Aufmerksamkeit auf sich gezogen hat; ebenso

* Aus dem Italienischen von Rainer Spiss

die von Nolte vorgebrachte Aufforderung, die epochale und ursächliche Bedeutung der vom Ersten Weltkrieg ausgelösten Gewalttaten, insbesondere die des bolschewistischen, dann des stalinistischen Regimes anzuerkennen. Etwas im Schatten geblieben ist dabei die Polemik über die angebliche Sinnstiftung der Geschichtschreibung und damit der Versuch des historiographischen »Revisionismus«, die gesamte deutsche Geschichte seit Bismarck unter dem Gesichtspunkt der »Macht der Mitte« neu zu durchdenken – mit allen damit verbundenen Implikationen für die Gegenwart.

2. Es ist nicht Aufgabe dieses Beitrages, alle in Italien vorfindlichen Positionen aufzuführen. Ich werde vielmehr jene Überlegungen vorstellen, die sich im Lauf der Diskussionen entwickelt haben, an denen ich teilgenommen habe und die während meiner Herausgebertätigkeit der wichtisten Beiträge des deutschen Historikerstreits in Italien offenkundig geworden sind.[1]

(a) An erster Stelle ist die empörte Reaktion auf die These von der Nicht-Einmaligkeit und damit der Vergleichbarkeit der Ausrottung der Juden mit anderen Völkermorden zu nennen, aber auch mit den Verbrechen in den stalinistischen Gulags. Diese These wurde als unerträgliche Relativierung des jüdischen Holocaust begriffen. Durch den Beitrag eines großen Schriftstellers und Zeitzeugen wie Primo Levi hat die Empörung über diese These einen hohen Grad an Eindringlichkeit erlangt.[2] Das tragische Ereignis seines Selbstmords, den er zur Zeit dieser Polemik beging, hat seiner Stellungnahme ein nicht zu unterschätzendes Gewicht verliehen.

Es muß hinzugefügt werden, daß diese Position in toto von der Linken eingenommen wurde, vor allem seitens der Kulturorganisationen, die in der Tradition des antifaschistischen Widerstands stehen. Um den Sturm der Entrüstung zu verstehen, den die »revisionistischen« Thesen, unabhängig von der geschichtswissenschaftlichen Argumentation, ausgelöst haben, muß man sich klar vor Augen halten, daß in der politischen Kultur und dem historischen Gedächtnis der Linken eine enge Verknüpfung zwischen Resistenza und Holocaust besteht, wobei letzterer nicht nur auf die Juden, sondern auf alle ethnischen und politischen Opfer des Nazismus bezogen wird.

Es wäre jedoch ein Irrtum anzunehmen, diese Einstellung würde auf die These von der »Kollektivschuld« der Deutschen hinauslaufen. Die Bereitschaft der in der Tradition der Resistenza stehenden politischen Kultur, die nachgeborenen Deutschen von heute nicht in geschichtliche Verantwortungen zu nehmen und den Begriff der »Kollektivschuld« abzulehnen, setzt jedoch gleichzeitig voraus, daß die Bedeutung dessen, was geschehen ist, nicht in Zweifel gezogen wird. In anderen Worten:

Selbst wenn man die Legitimität des Anliegens von Nolte anerkennen würde, die Gegenwart zu »normalisieren« und die Deutschen von heute von dem (angeblichen) Stigma der »Kollektivschuld« freizusprechen, könnte ein solches Vorhaben nicht etwa durch eine Relativierung der deutschen Vergangenheit mittels Vergleich, sondern im Gegenteil nur durch die Anerkennung ihrer Unvergleichbarkeit gelingen. Wie erwähnt, haben neben dieser psychologischen Dimension die geschichtswissenschaftlichen Überlegungen zum Unterschied zwischen der Politik der Ausrottung, die zu Auschwitz und derjenigen, die zu anderen historischen Völkermorden geführt hat, in der Debatte einen sehr breiten Raum eingenommen. In dieser Hinsicht wurden in Italien ähnliche Überlegungen angestellt, wie sie in Deutschland in den Beiträgen von Jäckel, Hans Mommsen, Wolfgang Mommsen, Kocka, Broszat und anderen formuliert worden waren.

Darüber hinaus kann nicht behauptet werden, der deutsche Historikerstreit habe die im Vergleich mit dem italienischen Faschismus herausgearbeitete Vorstellung vom Nazismus verändert. Sowohl die verbrecherische Dimension als auch die Politik der Ausrottung, wie sie von den Nazis durchgeführt wurde, bleiben wesentliche Unterschiede zwischen den beiden totalitären Regimen. Italienische Historiker und andere Sozialwissenschaftler haben wiederholt wichtige und originäre Beiträge zur Erforschung des Nationalsozialismus geliefert; dabei sind hinsichtlich der unterschiedlichen politischen Phasen und den verschiedensten sozio-kulturellen Aspekten Analogien, Konvergenzen und Divergenzen festgestellt worden.[3] Auch zum Thema der Verfolgung und Deportation ethnischer Bevölkerungsgruppen sind in jüngster Vergangenheit wichtige Untersuchungen veröffentlicht worden.[4] Über die Opfer und das Leid hinaus, das den Italienern (Juden und anderen) durch die Politik der Nazis zugefügt wurde, tritt der Unterschied zwischen den beiden Regimen also äußerst deutlich hervor.

(b) Anders verhält es sich bei der Frage hinsichtlich des Verhältnisses von Archipel Gulag und Auschwitz. Ein Teil der Presse hat die Möglichkeit, wenn nicht gar die Notwendigkeit eines Vergleichs aller Gewalttaten des 20. Jahrhunderts betont. Diese (vor allem von der »gemäßigten« Presse verfolgte) Absicht des Vergleichs besteht dabei weniger darin, die Nazi-Verbrechen zu mindern, als vielmehr darin, die stalinistischen Verbrechen (im Sinne eines nicht Vergessens) stärker zu betonen. Das damit verbundene politische Ziel ist offensichtlich: Es richtet sich vor allem darauf, die innerhalb der italienischen Linken, insbesondere in der kommunistischen Partei in bezug auf die Sowjetunion geäußerte Selbstkritik weiterzutreiben und zuzuspitzen. In einem derartigen Kontext ist jedoch das vorrangige Anliegen des Revisionismus Noltes, nämlich die Behauptung eines »kausalen Nexus« zwischen Gulag und Auschwitz entweder verlorengegangen, ignoriert oder ausdrücklich abgelehnt worden. Diese These Noltes hat – zumindest in ihrer ursprünglichen Formulierung – in Italien keine nennenswerte Zustimmung gefunden.

Allerdings fehlte es in diesem Zusammenhang nicht an Stimmen, die die Haltung, die die Westmächte 1945 der Sowjetunion gegenüber eingenommen hätten, kritisierten. Die Westmächte hätten zu den von der Sowjetunion begangenen Gewalttaten opportunistischerweise geschwiegen – vor allem Gewalttaten gegenüber, die nicht notwendig mit den Kriegsereignissen in Verbindung standen. Auschwitz sei so zu einem großen, die Siegermächte von Verantwortlichkeiten entbindenden Alibi geworden.

(c) Relativ geringe Aufmerksamkeit (außer bei Historikern) wurde hingegen den von Andreas Hillgruber in seinem Buch »Zweierlei Untergang« entwickelten Überlegungen und seinen politischen, implizit auf die heutige Situation Westdeutschlands bezogenen Forderungen, zuteil. Dies ist Ausdruck mangelnder Aufmerksamkeit gegenüber den mit der Teilung Deutschlands verbundenen, historischen Problemen gegenüber – einer in Italien nur sehr abstrakt realisierten Frage.

Besonders zu erwähnen ist die äußerst kritische Reaktion auf den historiographischen »Revisionismus« seitens der linken Presse, die ihn explizit politisch interpretiert. Die von Jürgen Habermas diagnostizierte »apologetische« Intention des gesamten, mit der neo-konservativen Wende in der Bundesrepublik auf das engste verbundenen historiographischen Vorhabens, wird dabei gänzlich geteilt. In wissenschaftlicher Hinsicht wird der »Revisionismus« als eine schlechte Neuauflage der alten Totalitarismustheorien bewertet, bei einigen Exponenten (wie bei Nolte) wird außerdem eine Regression in der Interpretation des Nazismus in Richtung Hitlerismus, ja, sogar bis hin zur Psychopathologie Hitlers festgestellt. Beide Positionen wiederum werden als wissenschaftlich unhaltbar zurückgewiesen. Der Vollständigkeit halber gilt es hinzuzufügen, daß die antirevisionistische Polemik in Italien – sofern sie sich ausschließlich auf die spezifischen Merkmale und Verbrechen des Nationalsozialismus konzentriert hat – nicht das ganze Ausmaß der gegenwärtig von einigen deutschen Historikern unternommenen historiographischen Revitalisierungsversuche dessen erkannt hat, was von Michael Stürmer als »das ruhelose Reich« benannt wurde.

Um den »Revisionismus« wirklich verstehen zu können, gilt es davon auszugehen, daß hier die traditionelle liberal-konservative These vom Nazismus als einer degenerierten Zwischenphase deutscher nationaler Geschichte nun durch eine eher »kontinuitätsorientierte«, pessimistische Sicht abgelöst und in der deutschen Geschichte als Abfolge von im

Grunde ungelösten Problemen gesehen wird, die vom Nazismus in eine unerträgliche Extremität getrieben wurde. Es handelt sich dabei um die These von der Kontinuität der geopolitischen Lage einer »Macht der Mitte«, »bedroht und bedrohlich«, im Herzen des europäischen Kontinents gelegen, verfangen in objektive, in der Rivalität der Großmächte und der Besinnungslosigkeit der Modernität begründeten expansionistischen Dynamiken. »Hitlers Aufstieg kam aus den Krisen und Katastrophen einer säkularisierten, von Aufbruch zu Aufbruch stürzenden Zivilisation, deren Signum Orientierungsverlust und vergebliche Suche nach Sicherheit war.«[5]

3. Vor diesem Hintergrund möchte ich nun einige Gedanken darlegen. Ziel meiner Überlegungen ist aus der Sicht eines italienischen Beobachters, der, wenngleich »außenstehend«, so doch davon überzeugt ist, daß die Debatte jeden Europäer angeht, zur Deutung der Ziele des Historikerstreits und der in ihm geführten Argumente beizutragen.
Ich möchte mit zwei Elementen beginnen, die von Nolte eingeführt wurden: dem des »kausalen Nexus« und dem des »Vergleichs« der nazistischen mit den bolschewistisch-stalinistischen Verbrechen. Beides meint nicht dasselbe. Im ersten wird eine Beziehung zwischen Ereignissen zum Zeitpunkt ihres Geschehens, bzw. ihrer Verbindung in der Vorstellung Hitlers behauptet; das zweite Element bezeichnet einen heute von uns hergestellten Vergleich, der einen solchen Zusammenhang im nachhinein überprüft.
Die Debatte entzündet sich gerade an der Frage nach dem Sinn des letzteren Vorhabens. In ihm sind zwei Aspekte klar zu unterscheiden: ein analytisch-erkenntnisbezogener sowie ein ethischer und therapeutischer. Auch wenn Nolte nicht gradlinig argumentiert, so ist es doch seine Absicht, alle erwähnten Elemente positiv miteinander zu verbinden.
Seine Besorgnis angesichts der »Vergangenheit, die nicht vergehen will«, ist keine Strategie des Vergessens, sondern eine Art Psychotherapie. Er ist gänzlich davon überzeugt, daß die Deutschen heute unter dem Stigma der »Kollektivschuld« leiden. Indem die Deutschen begreifen lernen, daß Hitler seine Verbrechen in einer Art antizipatorischer Reaktion auf die stalinistischen Verbrechen begangen hat, wären sie nicht nur vom Stigma, sondern auch davon befreit, in einer »kollektivistischen« oder totalisierenden Weise zu denken, ein Denken, das nicht zuletzt auch die Wurzel der kognitiven Pathologie Hitlers bildete. Durch die Einfügung der nazistischen Gewalttaten in die mit dem Ersten Weltkrieg anhebende Folge von Gewalttätigkeiten und Völkermorden würden sich sowohl das Element der »Singularität« der Nazi-Verbrechen als auch die psychische Blockierung, die diese Vergangenheit am Vergehen hindert, reduzieren.

Hier unterscheiden sich die Positionen von Nolte und Habermas grundsätzlich. Abgesehen von der Frage der Haltbarkeit der Thesen schlägt der eine den Weg des Vergleichs der Verbrechen ein, um die Gegenwart über die Vergangenheit zu »normalisieren«, während der andere das Besondere der Vergangenheit festhält, um sie damit zu einem Kriterium der Beurteilung der Gegenwart werden zu lassen.

Für Habermas ist die Frage der Einmaligkeit oder der Vergleichbarkeit der Nazi-Verbrechen eine ethische Frage und kein historisch-analytisches Problem. Im Gegensatz dazu soll das analytisch-vergleichende Vorgehen für Nolte eine ethische Funktion erfüllen.

Um zu einer eigenen Beurteilung zu kommen, gilt es, sich mit diesen Überlegungen genauer zu befassen. Trägt es zu einem besseren Verständnis bei, wenn die Nazi-Verbrechen in die Folge der Völkermorde des 20. Jahrhunderts eingereiht werden, angefangen mit dem von den Türken an den Armeniern begangenen Verbrechen bis hin zu den Massakern Pol Pots? Als Erkenntnisinteresse formuliert, kann eine solche Frage nur positiv beantwortet werden. Jene Frage, ob und wie das Verhalten Hitlers von dem der Bolschewiki beeinflußt worden ist (das logische und faktische »Prius« der Gewalt der Klasse gegenüber der Gewalt der Rasse), geht darüber jedoch weit hinaus. Sie erfordert eine klare Antwort. Der Historikerstreit hat sie in einer überzeugenden Weise nicht geben können.

Bei den »revisionistischen« Historikern finden sich recht unterschiedliche Versuche, die Nazi-Verbrechen historisch zu erklären und einzuordnen. In seiner vergleichenden Vorgehensweise, die von der Frage ausgeht: »Rührte Auschwitz vielleicht in seinen Ursprüngen aus einer Vergangenheit her, die nicht vergehen wollte?«[6], ist Nolte weit isolierter, als es scheinen mag. Der Ausdruck »Vergangenheit, die nicht vergehen will«, enthält nicht nur eine eindrucksvolle Definition eines kollektiven psychologischen Zustands; er bezeichnet auch eine Denksperre, die der Historiker nun mit Hilfe seines vergleichenden Vorgehens aufzulösen versucht, um die Vergangenheit freizugeben und der »kollektiven Schuldzuschreibung« ein Ende zu setzen.

In seiner Replik auf Habermas besteht Nolte auf der Zurückweisung der »Ungeheuerlichkeit der kollektiven Schuldzuschreibung«, die er auch bei Habermas zu erkennen glaubt. Es ist nicht mehr davon die Rede, daß Hitler die bolschewistischen Handlungen und Vorhaben »falsch interpretiert« habe; vielmehr wird apodiktisch behauptet: »Hitler als deutschen Politiker und nicht als Anti-Lenin aufzufassen, scheint mir ein Beweis von beklagenswerter Kurzsichtigkeit und Enge zu sein.«[7]

Während in der Gesamtdebatte sich die wesentlichsten Gegensätze abzuschwächen schienen, stellen diese Thesen eine erneute Provokation dar. Für den Leser wird überhaupt nicht deutlich, welche Beziehung zwischen dem Anti-Kommunismus, ein für die Hitler-Bewegung zweifellos konstitutives Moment im Vergleich mit den Gewalttaten totalitärer Regime, sowie den Gründen für den Völkermord an den Juden besteht. Der Schatten von Aufrechnung taucht wieder auf, eine Aufrechnung, die Nolte nicht zu wollen vorgibt, die aber seiner Argumentation eingeschrieben ist.

Es ist sicher richtig, den generalisierten Vorwurf der »Kollektivschuld« zurückzuweisen, der auch heute an Generationen unbeteiligter Deutscher gerichtet zu sein scheint. Dann sollte aber anders argumentiert werden, als Nolte dies tut.

4. Betrachten wir die Argumente von Habermas genauer: Der Frankfurter Philosoph ist der Meinung, von einer »kollektiven Verantwortung« auch gegenwärtiger Generationen sprechen zu können. Damit geht er über die von Karl Jaspers zum Kriegsende geäußerten Überlegungen hinaus. Die Mitverantwortung dieser Generationen, von der die Rede ist, soll die Form der Erinnerung an die Opfer annehmen. Es handelt sich dabei nicht um eine zum Ritual erstarrte, »geschuldete Erinnerung«, sondern um eine Erinnerung, die sich jenes »Lebenszusammenhangs«, der Auschwitz möglich machte und mit dem man innerlich verbunden bleibt, schmerzhaft bewußt ist. »Kann man für den Entstehungszusammenhang solcher Verbrechen, mit dem die eigene Existenz geschichtlich verwoben ist, auf eine andere Weise haften als durch die solidarische Erinnerung an das nicht Wiedergutzumachende, anders als durch eine reflexive, prüfende Einstellung gegenüber der eigenen, identitätsstiftenden Tradition?«[8] Die Frage der Einzigartigkeit der Nazi-Verbrechen wird so zu einem Problem, das die eigene Tradition betrifft. Die Vergangenheit ist nicht länger eine geistige Sperre, sondern ein Filter, durch den ein neues historisches und kollektives Bewußtsein dringt.

Aus der Sicht von Habermas ist die Einmaligkeit des Holocaust nicht objektiv, d. h. mit Hilfe eines Vergleichs der Zahl der Opfer, der Techniken der Vernichtung oder der subjektiven Beweggründe der Ausführenden feststellbar. Es handelt sich aber auch nicht um eine Frage, die unter Berufung auf ein moralisches, universalistisches Urteil, demgegenüber jedes Verbrechen einzigartig und unvergleichbar ist, gelöst werden kann. Die Einmaligkeit ist vielmehr durch den Umstand gegeben, daß der Holocaust Teil der geschichtlichen Identität der Deutschen, auch der nachgeborenen geworden ist. Es bleibt nurmehr die »solidarische Erinnerung« an die Opfer eines nicht mehr rückgängig zu machenden Vorgangs.

Diese Überlegung von Habermas ist zwar überzeugend, jedoch nicht ohne Schwächen. Die Frage von Einmaligkeit oder Vergleichbarkeit der Verbrechen wird faktisch der Wahrnehmung und der Sensibilität der unmittelbar Beteiligten mithin den Opfern und ihren Peinigern überlassen. Wird damit nicht einer fragwürdigen Subjektivierung des Problems Vorschub geleistet? Letztendlich ist es so, als überantworte man den Opfern die Entscheidung, ob der über sie verhängte Holocaust ein geschichtliches Unikum ist oder nicht. Angenommen, die nachgeborenen Deutschen würden in ihrer subjektiven Orientierung Nolte folgen, mit welchen Argumenten wären sie von ihrem Irrtum zu überzeugen? Wie sollen peinliche Auseinandersetzungen um ethische Kriterien vermieden werden, wenn nicht durch historisch-vergleichende Erklärungen? Welchen konkreten Stellenwert nimmt im Ansatz von Habermas dann die unabhängige historische Forschung ein?

Es gehört zu den Aufgaben des Historikers, kollektive Verbrechen, die »Geschichte gemacht« haben, unbeirrt auf Unterschiede und Ähnlichkeiten hin zu untersuchen, und dies unter besonderer Berücksichtigung der Rolle, die dabei legale und staatliche Autoritäten sowie Verwaltungsapparate gespielt haben und ohne dabei den Bedeutungsgehalt der Techniken der Gewalt zu vernachlässigen – wurden sie nun im Namen der Rasse, der Klasse, der Nation oder der Religion verübt.

Was die Faschismen und Kommunismen angeht, so sind der Geschichts- und Politikwissenschaft sowohl die jeweiligen Unterschiede in geschichtlicher, struktureller und kultureller Hinsicht bekannt; als ebenso bekannt sind auch ihre strukturellen und phänomenalen Affinitäten vorauszusetzen, die sich an ihren Funktionsweisen und ihren Pathologien ablesen lassen. Auch wissen wir, daß die organisierte Gewalt in totalitären Regimen nicht unbedingt Ausdruck von Degeneration ist, sondern funktionalen Kriterien des Systemerhalts entspricht. In Anbetracht dieser verschiedenen Momente wäre es grotesk, allein auf Grundlage der begangenen Verbrechen Analogien zwischen den Systemen herstellen zu wollen. Um darüber hinaus eine Untersuchung der dem sowjetischen Regime vorgeworfenen Gewalttaten durchführen zu können, müßten die Anfangsphase des revolutionären Terrors, die stalinistische Phase der Einrichtung der Gulags und der Verfolgung der Kulaken sowie die mit dem Zweiten Weltkrieg verbundene Phase der gewalttätigen Vergeltung gegenüber den Deutschen voneinander unterschieden werden. Jede von ihnen erfordert eine eigene analytische Anstrengung und ein differenziertes politisches Urteil.

Was das moralische Urteil anbelangt, so hängt es letztendlich allein von Sensibilität und Wertvorstellungen des Wissenschaftlers ab, die Systemunterschiede, die unterschiedlichen Motivationen und die jeweiligen Umstände der kriminellen Handlungen zu analysieren sowie zwischen eventuellen früheren Fällen, Nachahmungen oder Vergeltungen zu unterscheiden, ohne dabei unterschiedliche moralische Kriterien anzusetzen.

Die schwierigste Aufgabe besteht jedoch darin, die konstante, anthropologische, allgemeine Dimension der Gewalt herauszuarbeiten, ohne dabei die Verbrechen selbst – durch ihre Verlagerung auf eine metahistorische und metapolitische Ebene – zu relativieren.
Genau das wird Andreas Hillgruber vorgeworfen, der seinen Essay »Der geschichtliche Ort der Judenvernichtung« mit den Sätzen beendet: »Hier wird ein zentrales Problem der Gegenwart und der Zukunft berührt und die Aufgabe des Historikers transzendiert. Hier geht es um eine fundamentale Herausforderung an jedermann.«[9]
Daß dies alles sein soll, was von der Kompetenz des Historikers gegenüber einem derart gewaltigen Problem übrigbleibt, muß jemandem, der wie Habermas der Meinung ist, daß die Frage der Einzigartigkeit des Nazismus, die geschichtswissenschaftliche Methode selbst berührt, als unakzeptabel erscheinen. Zur Debatte steht die Identifizierung des Historikers mit dem Ereignis und damit die Qualität seines wissenschaftlichen Instrumentariums. Der Frankfurter Philosoph befürwortet eine solche methodische Annäherung an die Nazi-Verbrechen, in der sich die distanzierte Beobachtung »aus der dritten Person« mit der Anteilnahme »in erster Person« verbindet: »Mit jenem Lebenszusammenhang, in dem Auschwitz möglich war, ist unser eigenes Leben nicht etwa durch kontingente Umstände, sondern innerlich verknüpft.«[10]
Doch damit endet schon der von Habermas unternommene Versuch, den Zugang zum Nationalsozialismus zu bestimmen. Aus der Debatte geht keine neue Form historisch-politischer Analyse hervor, die den dargelegten Erfordernissen entspräche. Die hervorragenden Beiträge von Hans Mommsen, Jürgen Kocka, Eberhard Jäckel, Wolfgang Mommsen und anderen bewegen sich im großen und ganzen auf einer eher »traditionellen« methodischen Ebene, auf der sie sich mit ihren Gegnern treffen.

5. Im Vorwort zu seinem Buch »Zweierlei Untergang« deutet Hillgruber knapp an, wie er mit der Frage umzugehen trachtet: »Beide Katastrophen gehören zusammen und haben dennoch eine unterschiedliche Vorgeschichte. Auch die Verantwortung ist verschieden: Der Mord an den Juden war ausschließlich eine Konsequenz aus der radikalen Rassendoktrin, die in Hitlers Deutschland 1933 Staatsideologie wurde. Die Vertreibung der Deutschen aus dem Osten und die Zerschlagung des Deutschen Reichs hingegen waren nicht nur eine ›Antwort‹ auf die – ja während des Krieges noch gar nicht in vollem Maße bekannt gewordenen – Verbrechen der nationalsozialistischen Gewaltherrschaft, sondern entsprachen lange erwogenen Zielen der gegnerischen Großmächte.«[11]
Hillgruber verwendet viel Raum für die Schilderung der englischen Vorhaben zur territorialen Verkleinerung des Reichs, die in der Abtrennung

der Ostgebiete kulminierten – und die von einem »extrem negativen, klischeehaften Preußen-Bild« diktiert wurden.
Der Leser fragt sich natürlich, ob das »anti-preußische Klischee«, das der Autor den westlichen Mächten (und der zeitgenössischen Linken) vorwirft, nicht seine guten geschichtlichen und politischen Gründe hatte. Hillgruber nimmt ohne Zögern eine Perspektive ein, in der Machtpolitik zum alleinigen Beweggrund der europäischen Mächte wird. Er kümmert sich nicht um die Interpretationsschwierigkeiten, die dabei entstehen, wenn diese Machtpolitik vom Nazismus betrieben wird und unerbittlich zu den Verbrechen führte, vor denen der Autor ja nicht die Augen verschließt.
Hillgruber setzt sich leicht dem Einwand der unkritischen Identifizierung mit dem Schicksal der deutschen Bevölkerung in den östlichen Gebieten und den Kämpfern an dieser Front aus – als ob dieses Schicksal nicht der deutschen Politik entsprungen wäre. Indem die Gesinnungsethik der antinazistischen Opposition des 20. Juli einer Verantwortungsethik der Ostfront-Kämpfer gegenübergestellt wird, kommen die Ursachen, also die nationalsozialistische Aggression, die doch zum Kriege geführt hat und damit zum Verlust der Ostgebiete, gar nicht mehr zum Tragen.
Hillgruber ist ein entschiedener Kritiker des Nazismus und seiner Verbrechen. Sein analytischer Zugang jedoch, der ausschließlich auf der Logik der Machtpolitik und der sie zwangsläufig begleitenden Gewalttaten aufbaut, hindert ihn daran, eine unmißverständliche Verbindung zwischen den von ihm so genannten »zwei nationalen Katastrophen«, der deutschen und der jüdischen, herzustellen. Unklar bleibt daher die Wiederaufnahme der Beobachtung Norbert Blüms, daß die Verbrechen in den Konzentrationslagern so lange anhalten konnten, solange die deutschen Fronten standen. »Diese These«, fährt Hillgruber fort, »ließ nur die Schlußfolgerung zu, daß es wünschenswert gewesen wäre, die Fronten, und das hieß auch die deutsche Ostfront – die bis zum Winter 1944/45 die Bevölkerung im Osten des Reiches vor der Überflutung der Heimat durch die Rote Armee schützte – möglichst schnell einstürzen zu lassen, um dem Schrecken in den Konzentrationslagern ein Ende zu setzen.«[12]
Hier bleibt Hillgruber stehen. Zwar deutet er an, daß die von ihm benannten historischen Subjekte gar nicht vor einem solchen Dilemma stehen konnten, womit die Frage historiographisch gesehen gegenstandslos wäre. Seine Art, beide Ereignisse einander anzunähern, gibt jedoch Anlaß genug, ihm eine Suche nach moralischen Gegengewichten zum Ausgleich deutscher Schuld vorzuhalten.
Was an den Überlegungen Hillgrubers verblüfft, ist die Einordnung des Völkermords an den Juden in ein Kontinuum oder Krescendo tragischer oder verbrecherischer Ereignisse, ohne daß deren Natur benannt würde.

Handelt es sich um intentional-kausale Zusammenhänge? Um unvorhergesehene und unvorhersehbare Kettenreaktionen? Oder um einfache Begleiterscheinungen? Es sind diese Kernpunkte, einschließlich ihrer methodologischen Implikationen, die die Debatte bislang kaum erfaßt hat.

Die Ausschließlichkeit und Beharrlichkeit, mit der Hillgruber auf dem geopolitischen Thema der ›Zerstörung der europäischen Mitte‹ besteht, innerhalb derer die deutsche Tragödie anzusiedeln sei, rechtfertigt jedoch nicht die ihm gegenüber erhobene Beschuldigung, damit die Nazi-Verbrechen relativieren zu wollen. Man kann aber nicht leugnen, daß sich seine historiographischen Neu-Betrachtungen in voller Übereinstimmung mit dem neo-konservativen (oder vielleicht nur neo-traditionellen) politischen Anliegen befinden, das »Problem der Mitte« in Europa wieder aufzuwerfen und folgerichtig die gegenwärtige Rolle Deutschlands in Europa als »Macht der Mitte« neu zu bedenken. Diese Problematik macht eine erneute Aneignung einer derart weitgespannten geschichtlichen Periode deutscher Geschichte erforderlich, daß sich ihr gegenüber die Nazizeit tatsächlich redimensioniert. Wenn wir den Sinn dieser neuerlichen Zuwendung zur deutschen Geschichte in einem Satz zusammenfassen müßten, könnten wir zum Ergebnis gelangen, daß dabei folgende Intention verfolgt wird: Der Nationalsozialismus als die falsche und kriminelle Antwort auf ein tatsächlich bestehendes geopolitisches Problem, das ihm sowohl voranging, wie auch weiterhin besteht. In diesem Licht gesehen geht die Kontroverse über die »Identifizierung« mit den Ostfront-Kämpfern im Winter 1944/45 weit über die Grenzen einer historiographischen Methodenfrage hinaus. Insgesamt liefert die Studie Hillgrubers eine geschichtswissenschaftliche Stützung des Bedürfnisses der Vergewisserung neuer deutscher Identität in der eigenen Geschichte – jenseits der und durch die Tragödie des Nazismus hindurch –, ein Bedürfnis, das von der gegenwärtigen westdeutschen Regierung mit Nachdruck vertreten wird.

Es ist legitim (und entspricht den Traditionen deutscher Geschichtsschreibung), daß der Historiker seine politische Position vertritt und sie in seine geschichtliche Rekonstruktion einbringt. Deshalb ist es unverständlich, warum Hillgruber voller Entrüstung darauf reagiert, wenn man ihm diese Haltung vorhält und vor allen Dingen: warum beschuldigt er seine Gegner zu politisieren, anstatt sich wissenschaftlicher Argumente zu bedienen.

6. Sehen wir nun, wie sich diese breit angelegte historiographische Neubetrachtung darstellt, die auf indirekte, aber recht wirkungsvolle Weise auf eine Revision der geschichtlichen Bedeutung des Nationalsozialismus

abzielt. Wir beziehen uns auf den bereits zitierten Michael Stürmer. Seiner Meinung nach enthält das Schicksal des »ruhelosen Reichs« bereits in seinem Kern, gewissermaßen als Vorwegnahme, die Krise der folgenden Jahrzehnte bis 1945. Es handelt sich um eine Krise, die gleichermaßen materiellen und geopolitischen Gründen, als auch den ideellen Widersprüchen der Modernität und dem daraus folgenden Sinnverlust zuzuschreiben ist. »Am Ende stand, da die Industriegesellschaft Antwort auf die Sinnfrage verweigerte, die Hoffnung auf Einheit und Ziel im Kriegerstaat.«[13]

Es ist merkwürdig, wie es Stürmer unter dem Etikett von Sinnverlust oder Krise des sozialen Konsens gelingt, viele Beobachtungen neu zu kodifizieren, die durch die kritische Geschichtsschreibung oder die neue Sozialgeschichte als Topos der Unregierbarkeit des Kaiserreichs herausgearbeitet worden waren. Ihr versuchte sich die wilhelminische herrschende Klasse vermittels der ›Flucht nach vorne‹ in den Weltkrieg zu entziehen. Was sich für die kritische Geschichtsschreibung als Zeichen der Rückständigkeit und Unfähigkeit der deutschen Herrschenden darstellte, wird nun zu einem Milderungsumstand gewendet: Weltmachtpolitik wird zur Bedingung des Erhalts des »Massenkonsens« in einer fortgeschrittenen Industriegesellschaft umgemünzt. Zwar verteidigt Stürmer die Herrschenden des Wilhelminismus nicht ausdrücklich; dies war vielmehr Ziel der alten konservativen Geschichtsschreibung, die den Krieg von 1914 als Verteidigungskrieg in einem imperialistischen Konkurrenzsystem betrachtete. Dennoch ist es Kern seiner Überlegungen, daß die traditionelle Idee von der Notwendigkeit, Deutschland habe sich als »Macht der Mitte« zu behaupten gehabt mit all den damit verbundenen Gefahren. In Wahrheit wird dem Leser an keiner Stelle erklärt, warum die Mittellage strukturell »von außen bedroht und den Nachbarn bedrohlich« war. Vor allen Dingen wird nie geklärt, warum die Alternative zur Perspektive weltweiter Hegemonie – d. h. die friedliche Regelung in einem Gleichgewichtssystem – für die Existenz des deutschen Staates eine Bedrohung dargestellt haben soll. Dies war zwar Überzeugung der wilhelminischen herrschenden Klasse, und vor allem die des Militärs. Der zeitgenössische Historiker vertritt nunmehr dieselbe Meinung. Was sind seine Gründe? Identifiziert er sich nur auf unkritische Weise mit der Meinung der historischen Subjekte jener Zeit? Befinden wir uns nicht wieder in derselben Schwierigkeit wie zuvor bei Hillgruber?

»Deutsche Staatsräson, auf Stabilität der Industriegesellschaft gerichtet und auf Sicherung des Machtstaats in Europas Mitte, verlangte, wie immer man es wendet, das Undenkbare zu denken: Selbstbeschränkung des souveränen Machtstaats, Verzicht auf politische Ausbeutung des industriellen Vorrangs, Disziplin der Realpolitik. Aber eine auf Selbstbeschränkung gestellte Politik, wie war sie zu begründen? Wie war sie durchzusetzen in der pluralistischen Massengesellschaft? Wie sollte die politische Führung symbolische Grenzen anerkennen, wo alles auf Entgrenzung drängte, in der Gesellschaft, in der Wirtschaft, im geistigen Leben?«[14]

Schon die hier zitierten wenigen Zeilen enthüllen die »revisionistische« politische Philosophie Stürmers. Die deutsche politische Klasse erscheint als Gefangene unbezwingbarer innerer und äußerer Kräfte. Die Verantwortung für das katastrophale Ergebnis der deutschen Macht erhält unter Verweis auf die Unkontrollierbarkeit der »Katarakte der Modernität« ein Alibi.

Der Stil Stürmers offenbart sein Vorurteil gegen die industrielle, pluralistische und säkularisierte Modernität, und dies ungeachtet der Anerkennung ihrer unleugbar positiven Seiten. Daher die Ambivalenz seiner Annäherung: ein Gemisch aus guten liberal-demokratischen Absichten und nostalgischen Erinnerungen an traditionalistische Lebensstile, eine Verbindung von rationalen Erwartungen und dem Beharren auf alten Topoi der Logik von Machtpolitik. Bei seinem Versuch, jene Unmöglichkeit zu beschreiben, die für die Herrschenden des Wilhelminismus bestanden habe, sich in ihrem parallel ökonomisch-industriell erfolgenden politisch-imperialen Expansionismus selbst zu beschränken, findet bei Stürmer die Formulierung »das Undenkbare denken« Verwendung, die im zeitgenössischen Politologen-Jargon (nach Herman Kahn) mit dem nuklearen Konflikt assoziiert wird. Damit wird den Problemen des Kaiserreiches eine Konfliktlogik unterstellt, die den heutigen Supermächten zukommt.

Diese Thesen Stürmers wurden von anderen Historikern, die in der Debatte intervenierten (Broszat, Hans Mommsen, Wolfgang Mommsen, Jürgen Kocka[15]), heftig kritisiert. Was die Politik des Kaiserreichs und die Krise von 1914 anlangt, so überzeugt Stürmers Versuch nicht, die autoritäre wilhelminische Struktur als unabwendbaren Garanten der durch die Mittellage bedrohten inneren und äußeren Ordnung nachzuweisen. Andererseits unterschätzen die linksliberalen Historiker, die »1914« aus den inneren Widersprüchen des Reichs zu erklären versuchen, die dem europäischen Gleichgewicht der Mächte von 1914 innewohnende geopolitische Eigendynamik. Denn dieses Gleichgewicht wurde durch die konkurrierenden Interessen der Großmächte (einschließlich der liberal verfaßten) und durch das Auftauchen ethnisch-nationalistischer Bewegungen mit destabilisierenden Effekten gefährdet. Wir beschäftigen uns hier nicht weiter mit diesem entscheidenden Kapitel der deutschen und europäischen Geschichte, das nach wie vor Gegenstand heftiger Kontroversen ist.[16] Es genügt daran zu erinnern, daß es sich nicht einfach um ein bedeutendes »Stück Geschichte« handelt, sondern um den Punkt, von dem jeder Versuch der Revision oder der Neubewertung auszugehen hat.

7. Gegenwärtig leugnet niemand, daß sich in Deutschland ein »Bedürfnis nach Geschichte« einstellt und das mit der Frage nach einer »deutschen Identität« in Verbindung steht. Dies wiederum wirft das Problem eines neuen deutschen »Nationalbewußtseins« auf.
Für die Wiederkehr von »Nationalbewußtsein« in der BRD, ein Umstand, der vor einigen Jahren noch undenkbar schien, gibt es viele Gründe. In den ersten Jahrzehnten nach dem Krieg wurde die verständliche Ablehnung von Nationalismus, der mit zur Katastrophe beigetragen hatte, vom Bemühen begleitet, sich in die Perspektive eines geeinten Europa einzufühlen; die Idee von der deutschen Nation wurde mit Hilfe der ebenso feierlich erklärten wie offensichtlich irrealen Perspektive der Wiedervereinigung sublimiert. Der ausgebliebene politische Aufschwung Europas, die Abschwächung des Kalten Kriegs und die damit verbundene Verringerung seiner, den inneren Zusammenhalt der BRD stärkenden Wirkung, die veränderten Beziehungen zu den Ländern des Ostens, insbesondere zur DDR – all diese Phänomene haben in traditionalistischen Kreisen den Ruf nach einer wieder mit der Geschichte verbundenen Identität wach werden lassen.
Nach Meinung der Kritiker des Revisionismus wird dieses »ursprüngliche Bedürfnis nach historischer Vergewisserung des eigenen Selbst« (W. Mommsen) von der von den Revisionisten selbst angebotenen Geschichtsauffassung nur unkritisch-affirmativ und in verzerrter Weise befriedigt. Auf diesem Weg gibt es unüberwindliche Hindernisse, die nur zu umgehen sind, wenn gegen das Prinzip intellektueller Redlichkeit verstoßen wird.
Zunächst gibt es die irreversible Tatsache zweier deutscher Staaten, die nicht nur von der Kultur und der politischen Struktur her verschieden sind, sondern sich darüber hinaus, in Hinblick auf die Wiederaneignung derselben, ursprünglich gemeinsamen Tradition, in einem Konkurrenz-Verhältnis befinden. Damit wird es äußerst problematisch, eine gemeinsame »nationale Identität« zu konstruieren, ohne daß sich diese in ein Instrument des ideologischen Kampfs verwandelt. Dieses Moment tritt dort am schärfsten hervor, wo es in Verbindung mit dem Jahr 1945 um »Kapitulation« oder »Befreiung« geht – ein Thema, das uns wieder zur Frage der Beurteilung des Nazismus zurückführt.
Hillgruber, geopolitisch und national denkend, hat einen überaus engen Begriff von »Befreiung«. Er impliziert eine Identifizierung mit den Siegern und hat selbstverständlich seine volle Berechtigung für die aus den Konzentrationslagern und Gefängnissen befreiten Opfer des national-

sozialistischen Regimes. Aber auf das Schicksal der deutschen Nation als Ganzes bezogen, ist er unangebracht.[17] Gegen diese Stellungnahme wendet Wolfgang Mommsen polemisch ein, »daß die Niederlage des nationalsozialistischen Deutschland nicht nur im Interesse der von Hitler mit Krieg überzogenen Völker und der von seinen Schergen zur Vernichtung oder Unterdrückung und Ausbeutung ausgesonderten Bevölkerungsgruppen lag, sondern auch im Interesse der Deutschen selbst«.[18] So gesehen erscheint die Verteidigung des nationalen Territoriums im Winter 1944/45 im negativen Licht. Auch als Beobachter können wir uns nicht nur darauf beschränken, die Verschiedenheit der beiden hier dargelegten Positionen festzustellen. Wir stellen fest, daß die von Hillgruber vertretene Auffassung weit über die Grenzen begründeter Pluralität der in der geschichtlichen Bewertung des Nazismus und seiner Folgen hinausgeht. Unverständlich ist, warum sich ein Historiker vom Format eines Hillgruber nicht darüber im klaren ist, daß die territoriale Integrität des Reichs nicht als zentrales Kriterium zur Einschätzung des Schicksals der deutschen Nation als Ganzer herangezogen werden kann. Die Verbrechen des Nazismus, die auch von Hillgruber nicht geleugnet werden, müssen als Ursache des historischen Elends Deutschlands, einschließlich seiner Teilung, anerkannt werden. Man kann nicht die »Rekonstruktion« der europäischen »Mitte« auf die Tagesordnung setzen, ohne die Hauptverantwortung der nationalsozialistischen Politik für ihre Zerstörung anzuerkennen.

8. Wir haben einige der mit dem Historikerstreit verbundenen Probleme umrissen. Das Thema der Nazi-Verbrechen hat Fragen aufgeworfen, die zum Kern der Identität der Deutschen heute führen. Natürlich wurde das Thema nicht zufällig aufgegriffen. Die Haltung zum Nazismus, insbesondere zu seiner verbrecherischen Dimension, bleibt ein fester Bestandteil der deutschen historischen Identität. Der Sinn des revisionistischen Unterfangens besteht nicht darin, das Trauma einfach auszulöschen, sondern es mit Hilfe historisch-politischer Vergleiche und Einordnungen umzuformen. Daß diese Umgestaltung letzten Endes zu keinem überzeugenden Ergebnis führt, rechtfertigt nicht, ihr Absichten zu unterstellen, die sie nicht hat. Sicher: Die Revisionisten verbergen nicht das politisch-kulturelle Ziel einer Neugründung des Nationalbewußtseins. Auch gehen sie dabei oft aggressiv vor: Sie verschärfen die zur Debatte stehende Frage bis hin zum Vorwurf der »Schuldbesessenheit«. Damit machen sie es ihren Gegnern leicht, in all dem eine verdeckte politische Operation zu sehen. Sieht man von den unwesentlicheren Aspekten der Polemik ab, kann nicht behauptet werden, die Revisionisten hätten bloß Scheinprobleme aufgeworfen. Schon die Gegenprobe zeigt, daß die theoretisch ge-

wichtigsten Passagen von Habermas ja Reformulierungen realer Probleme sind, Probleme, die von den Revisionisten seiner Meinung nach nur falsch gestellt worden sind.
Dort, wo seine Polemik in dem an die Revisionisten gerichteten Vorwurf gipfelt, »eine deutsch-national eingefärbte Nato-Philosophie« zu kultivieren, die mit ihrem patriotischen geopolitischen Tamtam auf die Restauration Deutschlands als »Macht der Mitte« zielt – in eben diesem Zusammenhang spricht Habermas von der Notwendigkeit einer »postkonventionellen« Identität der Deutschen, und dies in Verbindung mit einer bedingungslosen Zustimmung zu den ethisch-politischen Werten des Westens. »Der einzige Patriotismus, der uns dem Westen nicht entfremdet, ist ein Verfassungspatriotismus. Eine in Überzeugungen verankerte Bindung an universalistische Verfassungsprinzipien hat sich leider in der Kulturnation der Deutschen erst nach – und durch – Auschwitz bilden können.«[19]
Den Verweis auf den »Geist des okzidentalen Verständnisses von Freiheit, Verantwortlichkeit und Selbstbestimmung«, der durch den geschichtswissenschaftlichen Revisionismus gefährdet werden könnte, aus dem Munde von Habermas zu vernehmen, eines linken Kritikers der massendemokratischen Systeme im fortgeschrittenen Kapitalismus, mag manchem paradox erscheinen. Die Absicht eines solchen Hinweises ist jedoch nicht darin zu sehen, sich noch westlicher als die Revisionisten zu gebärden, wohl aber darin, die »konventionelle« Vorstellung von Staat und Nation als Hauptquelle kollektiver Identifizierung für veraltet zu erklären. Die Internationalisierung der kulturellen, sozialen und ökonomischen Beziehungen einerseits sowie das Wiederauftauchen von Lokalismen, Regionalismen und anderen Identifikationsquellen andererseits, haben Staat und Nation den Anspruch entzogen, herausragender Pol kollektiver Identität zu sein. Dies gilt insbesondere für ein Land wie Deutschland, dessen Name auf das entsetzlichste mit den radikalsten Formen von Nationalismus und Rassismus verbunden wurde. Gerade deshalb befinden sich die Deutschen paradoxerweise in einer privilegierten Position, die es ihnen erlaubt, eine »post-konventionelle« Identität zu entwickeln – eine Identität, die sie in die Lage versetzt, eine Vielzahl persönlicher und kollektiver Bezüge und Zugehörigkeiten in einem kritischen und reflektierten Verhältnis zur eigenen Tradition und Geschichte zusammenzuführen. Insbesondere gegenüber der jüngsten Vergangenheit sei ein ambigiöses Verhältnis notwendig, das von einem Vergessen ebenso weit entfernt ist wie von einer bloß affirmativen Wiederaneignung.
Diese Vorstellung von Habermas trifft. Sie geht von einer geschichtlichen Identität aus, die in vollem Bewußtsein Mitverantwortung für die Vergan-

genheit übernimmt, zugleich jede Art von Reaktion, die jener »Schuldneurose« entsprechen könnte, die von den Revisionisten behauptet wird, zurückweist. Die Überlegung zur »postkonventionellen« Identität klingt jedoch etwas unverständlich, vor allem für jene, die die Denk- und Argumentationsweise des Frankfurter Philosophen nicht kennen. Zwar sind seine Antworten intellektuell stichhaltig, aber sie verfügen noch nicht über jene politische Schlagkräftigkeit, die eine solche Herausforderung, wie sie von den »Revisionisten« vorgetragen wird, nötig macht.

Wenn man das Problem des historischen Bewußtseins der Deutschen und ihrer kollektiven Identität als ein wirkliches anerkennt, jedoch die von den Revisionisten und Traditionalisten angebotene Lösung gleichzeitig als mystisch ablehnt, dann bleibt der Linken viel Arbeit. Die Strategie der Revisionisten bringt die Linke in die Defensive, da sie diese mit Fragen konfrontiert, die nur sehr schwer auf die alten Orte anti-demokratischen Denkens zurückzuführen sind. Diese Entwicklung läßt sich seit nunmehr einigen Jahren verfolgen, vor allem seit die politisch-kulturelle Auseinandersetzung die Paradigmen der »alten Ideologien« zugunsten neuer Themen wie die Sinnfrage sowie das Problem von Geschichte und Identität hinter sich gelassen hat.

Insofern bildet die hier vorgestellte Debatte ein bedeutendes Moment im kulturellen Leben der Bundesrepublik. Da es sich mehr um eine »öffentliche« Auseinandersetzung als um eine Diskussion unter Experten handelt, wird ihre Fruchtbarkeit auch von der Klarheit der benutzten Sprache abhängen. Nehmen wir zum Beispiel den Begriff der »Schuld« – Gegenstand zahlreicher Mißverständnisse. Der Begriff der »Kollektivschuld« wird von Nolte als Ursache moralischer und erkenntnismäßiger Verzerrungen energisch zurückgewiesen. Umgekehrt wird er von Habermas – beinahe demonstrativ – akzeptiert. Gerade in der Argumentation des Frankfurter Philosophen vermischt sich jedoch der Schuldbegriff mit der gleichfalls überzeugenden Vorstellung von »solidarischer Erinnerung«. Es handelt sich dabei sicherlich nicht um einen nominalistischen Vorgang, wenn der so bedeutungsschwangere Begriff der »Schuld« durch den der »Erinnerung« ersetzt wird – und dies gerade nicht im üblichen, sondern in dem von Habermas vorgeschlagenen Sinn.

An diesem Punkt wird allerdings klar, daß die Frage der Einzigartigkeit oder Vergleichbarkeit der Nazi-Verbrechen nicht so gestellt werden darf, daß daraus gleich die definitive Schlußfolgerung gezogen wird, wer historische Vergleiche (oder sogar Zusammenhänge) herstelle, suche automatisch Alibis für die Nazi-Verbrechen; oder umgekehrt: wer die Bedeutung solcher Vergleiche abstreite, sei ein Feind der Geschichtswissenschaft. Das Problem ist nicht dadurch zu lösen, indem historisch-vergleichende Erfordernisse, universale ethische Kriterien und Prozesse kritischer

Selbstreflexion derjenigen Subjekte, die sich berührt fühlen, gegeneinander ausgespielt werden. Notwendig dagegen ist eine Darstellung, in der sowohl die »solidarische Erinnerung an das nicht Wiedergutzumachende«, als auch die Untersuchung der Konstanten, der Umstände und der Zyklen kollektiver Gewalt Platz finden. An beiden Dimensionen festzuhalten, ist Teil jener kritischen Aufklärung, der wir trotz allem treu bleiben.

Claus Leggewie

Frankreichs kollektives Gedächtnis und der Nationalsozialismus

Der »Historikerstreit« über die Singularität der NS-Verbrechen – hierzulande eine der bedeutendsten ideologie-politischen Debatten der letzten Jahre –, hat in Frankreich (noch) nicht stattgefunden. Gleichwohl sind auch dort die Gründe und Abgründe einer »Historisierung des Nationalsozialismus« akut und die Kalamitäten der »Vergangenheitsbewältigung« präsent. Frankreich ist seit langem eine Hochburg des zeitgeschichtlichen »Revisionismus«; zugleich hat es dort zumindest ansatzweise eine seriöse Faschismus-Debatte gegeben und einige wichtige Vorgaben sind erfolgt, die Erinnerung an die »Shoah« zu bewahren – vor allem von seiten jüdischer Historiker und Publizisten. Aktualisiert wurde all dies jüngst durch den spektakulären Prozeß gegen Klaus Barbie, den einstigen Gestapo-Chef von Lyon. Damit mußte sich erstmals ein NS-Täter wegen »Verbrechen gegen die Menschheit« vor einem Zivilgericht in Frankreich verantworten; zugleich stand die »jüdische Katastrophe« im Mittelpunkt eines solchen strafrechtlichen »Bewältigungsversuchs«. Exemplarisch ging es hier um die Deportation von einigen hundert jüdischen Kindern und Erwachsenen aus Frankreich nach Auschwitz und in andere Vernichtungslager – ein Vorgang, der nicht ohne Mitwirkung und Komplizenschaft französischer Politiker, Verwaltungsbeamter, Polizisten und Milizionäre möglich gewesen wäre. Es ging also *auch* um die französische Verstrikkung in den Holocaust bzw. die »Endlösung der Judenfrage«.
Der folgende Essay nimmt den Barbie-Prozeß[1] zum Anlaß einer weitergehenden Reflexion. Es soll also weniger um die Person des Gestapo-Chefs und »Schlächters von Lyon« gehen, um den eigentlich nur so lange Aufhebens gemacht wurde, wie er leibhaftig auf der Anklagebank saß und ein paar dürre Angaben zur Person machte. Sein maliziöses Schweigen und seine später fast durchgängige Absenz werfen bereits ein Licht auf eine kommende Epoche, in der NS-Prozesse schon aus biologischen Gründen nicht mehr stattfinden werden können, das Problem der »Vergangenheitsbewältigung« aber bestehenbleibt: Wie mit der zunehmenden Präsenz von Auschwitz umgehen, wenn Akteure und Überlebende

für die Nachgeborenen nicht mehr zur Verfügung stehen, um uns ein »Verstehen« wie auch immer zu ermöglichen.
Erst in der Abstraktion erschließt sich die Besonderheit der Shoah, und heute erst muß die »exemplarische«, die angestrebte »historisch-pädagogische« Behandlung der Vergangenheit sich bewähren.[2]

Frankreich und der Nationalsozialismus[3]

Als Sieger- und Besatzungsmacht saß Frankreich in Nürnberg auf der Seite der Anklage. Auf den ersten Blick scheinen das Land und seine Menschen ein ganz klares Verhältnis dem Nationalsozialismus gegenüber eingenommen zu haben: das eines überfallenen, okkupierten und ausgeplünderten Landes mit einem über Jahre hinweg drangsalierten und zu Tausenden zwangsdeportierten Volkes. In Wahrheit ist das französische Selbstbewußtsein aus den »dunklen Jahren« zwischen 1940 und 1944 weniger hell und eindeutig hervorgegangen. Denn Frankreich nahm Hitlerdeutschland, dem europäischen »Faschismus in seiner Epoche« und der »Neuordnung Europas« im Zweiten Weltkrieg gegenüber eine merkwürdige, fast einzigartige Zwischen- und Zwitterstellung ein. Diese Zwitterstellung ermöglichte sowohl freiwillige Kollaboration wie erbitterten Widerstand, ergebenes Mitläufertum ebenso wie einen autochthonen Faschismus »à la française«. Diese vielfältigen Reaktionsformen hingen mit der Rolle zusammen, die Hitler und der Nationalsozialismus Frankreich nach der raschen Kapitulation als einer nur noch »fünftrangigen Macht« zugedacht hatten. Aus der Tatsache, daß das Land zunächst geteilt wurde und eine nationale Regierung unter dem Marschall Philippe Pétain behielt – die Vichy-Regierung –, ergaben sich sowohl bescheidene Handlungsspielräume wie auch dubiose Steigerungen der Unterwerfung.
Beide Perspektiven – Résistance wie Kollaboration – radikalisierten sich im Laufe der Besatzungszeit. Einerseits führte das »Leben mit dem Feind« zu einem nicht mehr bloß literarischen, bedingungslosen und untergangsbereiten »Kampf gegen den Bolschewismus«, getragen von ebenso willfährigen Mitarbeitern des administrativen Verbrechens gegen die Menschheit wie von entschlossenen faschistischen Milizionären und Legionären; andererseits formierte sich der zunächst minoritäre Widerstand kleiner Zirkel und Zellen zu para-militärischen Bataillonen, die nach der Signalwirkung der deutschen Niederlage in Stalingrad und unter der Androhung massenhafter Zwangsdeportationen tausender junger Franzosen ins Reich anschwollen und letztlich an der Befreiung Frankreichs vom fremden wie einheimischen Faschismus durch alliierte Trup-

pen mitwirkten. Frankreich konnte auf diese Weise 1944/5 sowohl als besiegt wie als siegreich gelten.
In dem Maß, in dem die Konfrontation der widerständigen französischen Nation mit dem deutschen Okkupanten Geschichte wurde (und damit auch Vorgeschichte eines historisch fast einzigartigen Freundschaftspaktes zwischen »Erbfeinden«), enthüllte sich der tradierte Dualismus von Freund und Feind als Mythos; gelegentlich wurde Frankreich selbst auf die moralische Anklagebank gesetzt. Auch hier stand »Vergangenheitsbewältigung« an. Dies geschah zuletzt allerdings auf einer verdächtigen Weise, im Umfeld des Barbie-Prozesses zu Lyon, der zwischen dem 8. Mai und dem 14. Juli angesetzt war, zwischen zwei Nationalfeiertagen also, die die Intaktheit nationaler Identität zwar suggerieren mögen, sie aber nicht (mehr) garantieren können. Barbies Verteidiger Jacques Vergès hatte angekündigt, er werde »den Spieß herumdrehen« und seinerseits die französischen Ankläger seines Mandanten anklagen. Teile der westdeutschen Presse folgten dieser verführerischen Ankündigung in ihren Vorberichten, was bei den deutschen Lesern ein merkwürdiges und ganz und gar unangebrachtes Gefühl vermeintlicher deutscher Teilnahmslosigkeit hinsichtlich »Bruder Barbie« erzeugen mochte, so als handele es sich hier um ein rein innerfranzösisches Schauerdrama, in dem peinliche Enthüllungen über die angebliche Schwäche, die innere Zerrissenheit und die moralischen Desaster des Widerstands zu erwarten seien, die bislang unentdeckten Denunzianten französischer Zunge schlaflose Nächte bereiten und die Legenden und Lebenslügen selbsternannter Résistance-Helden in der *classe politique* zu zerstören fähig sein sollten.[4]
Nichts davon ist wahr geworden. Deutsche Übererwartungen entpuppten sich als Über*reaktionen*, die eher mit hiesiger »Vergangenheitsbewältigung«, unterschwelligen oder ganz offenen Entschuldungs- und Entsorgungsabsichten zu tun haben – und nebenbei auch mit einer guten Portion enttäuschter Frankophilie. Gleichwohl besitzen sie einen wahren Kern: die Versäumnisse und Auslassungen französischer »Vergangenheitsbewältigung«. Mit diesem ambivalenten und zum politischen Schlagwort verfallenen polemischen Begriff werden Versuche bezeichnet, Prozesse und Ereignisse aus der Vergangenheit, die ein Volk teilweise oder auch kollektiv moralisch bzw. auch strafrechtlich belasten, zu rekonstruieren, zu interpretieren und daraus Schlußfolgerungen zu ziehen. Sowohl kritische als auch apologetische Absichten können ein solches Unterfangen anleiten; Ziel einer Historisierung der Vergangenheit, hier also des Nationalsozialismus und des europäischen Faschismus, kann sowohl der »Schlußstrich« wie auch das Aufspüren ihrer »Gegenwärtigkeit« sein, und beides geht ein in Programme der »Sinnstiftung« durch historisch-nationale Identitätsvergewisserung oder Wappnung eines zeitgemäßen,

»antifaschistischen« Bewußtseins nachgeborener Generationen. In der Bundesrepublik Deutschland bot der Historikerstreit 1986 ein Lehrstück der verschiedenen Dimensionen eines solchen Prozesses.[5] Auch in Frankreich vollzieht sich ein solcher Prozeß, wenn auch in der bereits skizzierten Perspektive des »besiegten Siegers«, und verbunden mit anderen »unbewältigten« Verstrickungen, vor allem aus der Zeit des französischen Kolonialismus und der Dekolonisationszeit.

Blau-weiß-rote Gelassenheit – oder Gefährdung des nationalen Konsens durch »Vergangenheitsbewältigung«?

Als Barbie unerwartet von Bolivien nach Frankreich gebracht wurde,[6] erhoben sich mahnende Stimmen, die diesen Triumph unermüdlicher »Nazi-Jäger« als Danaergeschenk verstanden. Sie sahen den nationalen Konsens der Franzosen hinsichtlich der jüngsten Vergangenheit gefährdet und befürchteten, eine »Barbie-Debatte« über Kollaboration und Verrat in der Résistance sei dazu angetan, von den brennenden Problemen und Frontstellungen der Gegenwart, vor allem vom modernen, d. h. »roten« Totalitarismus abzulenken. Diese Warnungen kamen keineswegs nur von Persönlichkeiten, die von den ominösen Enthüllungen eines Gestapo-Chefs oder von »zehn Tonnen Aktenmaterial« etwas zu befürchten hätten, sondern auch von jenen, die unter den Barbies ihr Leben riskiert hatten.[7] Nicht wenig überrascht war ich selbst, als ich wenige Tage nach der unfreiwilligen Rückkehr Barbies am Ort seiner Verbrechen die liberale Europa-Politikerin Simone Veil, eine der wenigen überlebenden französischen Juden, nach ihrer Reaktion fragte. Sie und der gaullistische Résistance-Kämpfer und Dachau-Häftling Joseph Rovan gingen so weit, die Legitimation eines Strafprozesses gegen Barbie generell in Frage zu stellen. Unverhohlen drückten sie ihr Bedauern darüber aus, daß der französische Geheimdienst etwa den Inhaftierten nicht »im Flugzeug abgespritzt« (Rovan) oder auf andere Weise zur Strecke gebracht hätte, bevor er einen Fuß auf den Boden des französischen Hexagons zu setzen vermochte.

Woher kommen solche extremen Reaktionen, die nichts mit der Verwischung persönlicher Schuld zu tun haben können? Sie entstammen einem soliden, jahrhundertealten Konsensdenken der politischen Klasse Frankreichs, der es – um ein Wort von Hermann Lübbe zu paraphrasieren – weniger darauf ankam, woher einer kam, als wohin er ging. Diese großzügige Praxis von Vergeben und Vergessen um einer gemeinsamen Zukunftsgestaltung willen erlaubte es der französischen Nation, ihre

zahlreichen Schismen, Bürgerkriege und Revolutionen ohne bleibenden tiefen Riß zu überstehen. Paradigma eines solchen politischen »Blockdenkens« war die historiographische, publizistische und bildungspolitische »Bewältigung« der Französischen Revolution, die das Selbstverständnis der folgenden Republiken prägte und die Konfliktparteien – jenseits der Guillotine und der Rachegelüste der Vendée – versöhnte. »La Révolution française est un bloc.« (Clemenceau)[8]
Eine solche Fähigkeit zur nationalen Konsensstiftung hat westdeutsche Beobachter beeindruckt und zur Nachahmung angeregt: Hermann Lübbe feierte das »kommunikative Beschweigen« der NS-Vergangenheit und die »Verhältnisse nicht-symmetrischer Diskretion«, die in der Adenauer-Ära (angeblich) noch zwischen Tätern, Mitläufern und Opfern des Dritten Reichs herrschten, bevor sich die Protestbewegung konsenszertrümmernd und »vergangenheitsbewältigend« ans Werk machte. Schon Jahrzehnte früher hatte Armin Mohler den französischen »Nationaljakobinismus« als Modell einer Historisierung präsentiert, welches einer Nation nur gerade so viel an »Bewältigung« zumutet, daß die innere Legitimität einer Staatsordnung und ihre internationale Handlungsfähigkeit und Selbstbehauptung nicht unterminiert werden. Und zuletzt hat Michael Stürmer uns »zerrissenen Deutschen« das französische Exempel einer mit sich selbst identischen Nation anempfohlen: »Auf französischer Seite der blau-weiß-rote Konsens über Vergangenheit und Zukunft, selbstbewußter Patriotismus und die Gelassenheit der Latinität.«[9]
Auch hier irrt Herr Stürmer. Sein Bild muß entweder einer grandiosen Unkenntnis französischer »Historikerdebatten« entspringen, die hinter sein Urteil ein dickes Fragezeichen setzen, oder aber einem Wunschdenken, um eigene Vorstellungen über die sinnstiftende Gratwanderung des Historikers nicht immer nur dem unpassenden Vorbild DDR entlehnen zu müssen. Neuerdings hat die Infragestellung des »Blockdenkens« sogar das Zentrum historischer Legitimation erreicht: termingerecht zu den 1989 anstehenden Jubiläumsfeierlichkeiten wird nun auch die »Errungenschaft« und Konsensfähigkeit der Großen Französischen Revolution angetastet. Stürzt nach dem 8. Mai nun auch noch der 14. Juli?[10]
Dieser neuere »Revisionismus« ist ein Nebenprodukt des zerfallenden Geschichts- und Nationalbewußtseins Frankreichs, das mit und nach der Befreiung vom Faschismus und dem Sturz des Pétain-Regimes von Vichy noch einmal neu und grandios zusammengefügt worden war. Damals war es von einer objektiven Allianz aus Anhängern des Generals de Gaulle und der damals noch »stärksten aller Parteien«, der national-kommunistischen Partei des Maurice Thorez, getragen worden, die zunächst auch als Koalition ein paar Jahre Bestand hatte. Diese Koalition beruhte auf

den beiden Hauptsäulen des französischen Widerstands, die in ihrem Konsens-Bewußtsein auch die Jahre des Kalten Kriegs überstanden und noch als feindliche Brüder die Nachkriegsrepubliken IV und V in ihrem Bann gehalten hatten. Aus dieser Sicht der Vergangenheit gibt es nichts zu bewältigen, weil »alles bekannt und bewältigt« ist (Joseph Rovan) oder, wie ein Zeuge der Anklage im Barbie-Prozeß, der gaullistische »Baron« Chaban-Delmas, erklärte: »Die Franzosen brauchen über ihre Ahnen nicht zu erröten.«

Seit den 70er Jahren ist freilich eine Differenzierung in der politischen Kultur Frankreichs eingetreten, die ein solches Blockdenken als »französische Ideologie« bezeichnete (B. H. Levy). Die alten, in der zentralen Forderung nach »nationaler Unabhängigkeit« und in ihrem etatozentrischen Politikverständnis einige Koalition des »Gaullokommunismus« verblaßte und machte Raum für eine Art »sozialen Liberalismus« zwischen den schrumpfenden Extrempolen des politischen Systems.[11] In diesem Zusammenhang vollzog sich die Abkehr der meisten Intellektuellen vom Geschichtsbild des PCF, und damit auch vom ihr zuzuschreibenden Résistance-Mythos, der u. a. die Funktion hatte, das Drama des Hitler-Stalin-Pakts und das halb überzeugte, halb freiwillige Stillhalten der kommunistischen Parteimitglieder bis zum Juni 1941 vergessen zu machen.[12] In diesem Ablösungsprozeß spielte die Aufklärung über den französischen Antisemitismus (auch den der Linken), den hausgemachten Faschismus, die bereitwillige Kollaboration und auch die Verstrickung des Vichy-Regimes in die »Endlösung« eine bedeutende und klärende Rolle. Man besann sich wieder auf die intellektuelle Opposition gegen die französischen Kolonialkriege nach 1945, vor allem auf den Algerienkrieg, man erinnerte sich einer Opposition, die seinerzeit nicht von der traditionellen Partei-Linken getragen worden war. Hierzu paßt, was ein französischer Publizist aus gegebenem Anlaß 1977 sagte:

> »Die Person des Täters ist unwichtig – außer, er handelte immer noch kriminell, außer, er rechtfertigt seine vergangenen Taten. Wichtig ist jedoch die Erinnerung, die Besinnung auf die Vergangenheit. Um den jungen Generationen von heute verständlich zu machen, was und woran ihre Eltern litten. Um nicht erneut jene Zustände aufkommen zu lassen, unter denen die Scheußlichkeiten der Vergangenheit möglich wurden. Um ähnliche Zustände rechtzeitig zu erkennen und nicht mitschuldig zu werden an neuen Verbrechen, sei's durch bewußte Verdrängung oder durch Schweigen. So gab es immerhin auch bei uns ein paar Leute (leider waren wir nur sehr wenige), die sich einmischten in die Affären von Indochina und später Algerien, eben weil sie sich der Unterlassungssünden erinnerten, die sie den Deutschen vorwarfen.« (A. Grosser)

Damit war das »Dreieck« Okkupation – Kollaboration – Algerienkrieg ohne Vergewaltigung der Geschichte und ohne dubiose Aufrechnungsmanöver hergestellt. Weder ist die These Rovans zutreffend, daß »alles bewältigt« und »nichts zu bewältigen« sei, noch sind die Übertreibungen westdeutscher Blätter zu rechtfertigen, die von einem »Alptraum« der unbewältigten Vergangenheit schrieben und behaupteten, daß

> »eine fromme Lebenslüge Frankreichs...
> bisher eine kritische Aufarbeitung der Geschichte behindert hat und Millionen biederer Franzosen vorgaukelt, die Zeit des deutschen Besatzungsregimes und der nationalsozialistischen Massenverbrechen fleckenlos überstanden zu haben«. (H. Höhne, Spiegel 19/1987)

»Vergessen« seien die Tage der Kollaboration und die Komplizenschaft Vichys, »verdrängt« die »Mitwirkung französischer Behörden bei der Enteignung, Verhaftung und Deportation der Juden des Landes«; um so heller erstrahle hingegen das »Heldenbild der Résistance, in die flinke Legendenschreiber fast alle Franzosen integriert haben«. Die flinken Rechercheure sind dem Barbie-Anwalt auf den Leim gegangen, der den Deutschen vorgaukelte, in Frankreich dürfen bis heute »keine Fragen über die Zeit zwischen 1940 und 1944« gestellt werden. (taz-Interview 12.5.87).

Aufarbeitung der Vergangenheit in Frankreich

Wenn man unter Historisierung die Öffnung der Archive und die sachgerechte Aufarbeitung der Dokumente, aber auch die strafrechtliche Ahndung von Delikten und die moralische Bewertung des Vergangenen als Problem der Gegenwart versteht, dann hat die Historisierung des Nationalsozialismus in Frankreich längst begonnen.

1. Was die *juristische Seite* anbelangt, so sind die NS-Prozesse gegen Angeklagte der deutschen Staatsführung, Wehrmacht und SS zu nennen, an der französische Ankläger und Militärgerichte beteiligt waren. In Deutschland wurden nach 1945 2107 Personen angeklagt, davon 194 zum Tode verurteilt, in Frankreich und dem damaligen Französisch-Nordafrika mindestens 1918 deutsche Staatsangehörige. Hinzu kommen 956 Abwesenheitsurteile von französischen Militärgerichten gegen Deutsche; schließlich eine nicht quantifizierbare Zahl von NS-Prozessen vor deutschen Gerichten, an denen französische Zeugen und Juristen maßgeblichen Anteil hatten, wie in dem Kölner Verfahren gegen Lischka, Hagen und Heinrichsohn – ein Verfahren, das ohne die Aktivität des Ehepaars Serge und Beate Klarsfeld wohl kaum zustande gekommen wäre[13].

Die genaue Anzahl jener französischen Kollaborateure, die in deutschen Diensten Kriegsverbrechen oder Verbrechen gegen die Menschheit begangen haben, ist nicht festzustellen. Schätzungen belaufen sich auf 120000 Personen; die Zahl der vollstreckten Todesurteile auf 2000 bis 10000. Es gab viele Hinrichtungen ohne Gerichtsurteil, in Form von Lynchjustiz und summarischen Liquidationen. Die »Epuration« (politische Säuberung) fand auf mehreren Ebenen statt; Prozesse wurden gegen die Hauptrepräsentanten des Vichy-Regimes, allen voran Philippe Pétain und Pierre Laval, geführt, auch gegen eine Reihe prominenter literarisch-kultureller Kollaborateure und gegen bedeutende Vertreter der Industrie. Wobei angemerkt werden muß, daß das Ergebnis dieser Prozesse, die sehr diffus und eruptiv verliefen, jedoch keinesfalls befriedigend war.[14] Auch die Namen jener Vichy-Beamten, die maßgeblich an der Judendeportation mitgewirkt haben, sind weder unbekannt noch »verdrängt«.

2. Was die *historiographische* Seite anbelangt, so liegen seit langem und neuerdings verstärkt Standardwerke und Detailforschungen zur NS-Zeit in Frankreich vor, die den Widerstand und die Kollaboration in all ihren Facetten erhellen.[15] Viele Archive sind aber noch nicht für die Forschung freigegeben worden, so daß in einigen Jahren ein neuer »Schub« zu erwarten ist. Ein ausgesprochenes Defizit herrscht auf dem Gebiet der Erforschung der Umstände und Verantwortlichkeiten der »Endlösung« in Frankreich; hier kamen die wichtigsten Anstöße nicht aus der französischen Historikerzunft, sondern aus den jüdischen Dokumentationszentren und von seiten ausländischer Historiker.

3. Für die *Diskussion in der französischen Öffentlichkeit* waren neben diesen zum Teil in hohen Auflagen verbreiteten geschichtswissenschaftlichen Beiträgen und einigen »Enthüllungsstories« vor allem Dokumentar- und Spielfilme (etwa *Nuit et Brouillard* von Alain Resnais, oder *Le Chagrin et la Pitié* von Marcel Ophüls, die dreiteilige Serie *Français, si vous saviez*! von Harris/Sédouy oder *Lucien Lacombe* von Louis Malle) bedeutsam, und eine große kaum überschaubare Anzahl von Erinnerungen, Romanen und Erzählungen. Nicht mehr in der Optik deutsch-französischer Kollaboration, aber doch sehr bedeutend und viel beachtet wurde zuletzt Claude Lanzmanns Film *Shoah*. In den Schulbüchern herrschten lange Zeit die oben kritisierten beschönigenden Darstellungen der Jahre 1940 bis 1944/5 vor; in der Tat wurde oftmals der Mythos einer einhelligen Widerstandsbewegung im französischen Volk gehegt. Das Kapitel der Judendeportationen kam überhaupt erst auf Initiativen jüdischer Vertreter zur Geltung. Umfragen in Frankreich ergaben, daß der Kenntnisstand

über die NS-Zeit überwiegend sehr niedrig ist, aber gleichwohl ein großes Interesse an Informationen besteht und ein Großteil der Bevölkerung die Meinung vertritt, daß die Vergangenheit nicht abgeschlossen und vergessen werden soll.[16]

Historikerstreit in Frankreich – blau-weiß-roter Faschismus, »Vichy-Auschwitz« und radikaler Revisionismus

Auch wenn es in Frankreich keine Debatte gab, die mit dem westdeutschen Historikerstreit vergleichbar wäre und dieser in der dortigen Presse und in der Historikerzunft eher geringe Resonanz gefunden hat,[17] so gab es nichtsdestotrotz in letzter Zeit wichtige Auseinandersetzungen über grundsätzliche Fragen der nationalsozialistischen Zeit in Frankreich, die die »französische Ideologie«[18] eines homogenen und konsensorientierten Geschichtsbildes stark in Frage stellten. Im Mittelpunkt standen dabei die Fragen, ob *erstens* der Faschismus in Frankreich wirklich nur eine importierte Weltanschauung war oder ob es sich vielmehr um ein *hausgemachtes* Phänomen handelte wie in Italien oder Deutschland (wenn auch mit anderen ideologischen und herrschaftsstrukturellen Akzenten) und ob *zweitens* die Funktion des Vichy-Regimes bei der politischen und technischen Ausführung der »Endlösung« tatsächlich fremdem Zwang zugeschrieben werden kann oder ob nicht vielmehr doch eine *aktive* Kollaboration vorlag, die aus den Quellen eines persistenten und aggressiven französischen Antisemitismus schöpfen konnte.
Beides zusammen ergäbe ein gänzlich anderes Bild der französischen Rechten als das, was bislang in einschlägigen Standardwerken und im Bewußtsein der Öffentlichkeit vorherrscht.[19]

1. Eine französische Diskussion über den Faschismus ist langsam in Gang gekommen. Die Fachwelt war sich lange darin einig, daß es einige proto- und präfaschistische Ideengebäude in Frankreich gegeben habe, diese aber sehr schwach ausgebildet waren und bloß als Ausläufer der klassischen Rechten und des autoritären Bonapartismus zu bewerten seien. Einige monographische und konzeptionelle Darstellungen waren geeignet, die traditionelle Auffassung zu relativieren; doch gänzlich zusammengebrochen ist sie erst unter dem Eindruck der Werke eines Jerusalemer Historikers, Zeev Sternhell. In seinen Untersuchungen zur französischen Rechten wird Frankreich geradezu als Mutterland faschistischer Ideen dargestellt, in dem faschistisches Gedankengut in Reinform erdacht und von dort aus in andere europäische Länder verbreitet worden ist.[20] Als Konglomerat aus nationalistischen und sozialistischen

Ideen habe sich der französische Faschismus beinahe ideal-typisch zu einer eigenständigen Ideologie zwischen links und rechts entwickelt. Brisant waren (und auf entrüstete Ablehnung stießen) vor allem zwei Thesen Sternhells: die erste definierte den Faschismus insbesondere als Frucht eines *von links* kommenden Revisionismus, verkörpert in glühenden Syndikalisten wie Georges Sorel vor dem Ersten Weltkrieg, in »neo-sozialistischen« Theoretikern wie Henrik de Man, Marcel Déat oder linkskatholischen Protagonisten wie Emmanuel Mounier und seiner Zeitschrift »Esprit« in der Zwischenkriegszeit und schließlich den Renegaten der extremen Linken wie den früheren KP-Chef Doriot. Seine zweite These lautete, daß der französische Faschismus keineswegs von der Machtausübung ferngehalten worden sei, sondern in der *Nationalen Revolution* der Vichy-Regierung 1940/1941 zumindest teilweise realisiert worden ist. Der Nationalsozialismus der Deutschen, der im Kern kollaborationsfeindlich war, wäre demnach eher ein Hindernis als eine Voraussetzung für die Entfaltung eines originären blau-weiß-roten Faschismus gewesen.
Man hat Zeev Sternhell eine Reihe von methodischen Schwächen und Fehlern vorwerfen können, die seine im übrigen rein ideengeschichtlichen Darstellungen an manchen Stellen problematisch erscheinen lassen. Aber daran, daß der Faschismus in Frankreich eine eigenständige Existenz geführt hat, läßt sich heute kaum noch zweifeln. Interessant war die aufgeregte Reaktion der Sternhell-Kritiker vor allem dort, wo sie sich gegen die politischen Folgerungen des israelischen Autors stemmten: Sternhell konnte zahlreiche Überschneidungen in den antiliberalen, antikapitalistischen und antiparlamentarischen Überzeugungen der authentischen (oder übergelaufenen) Faschisten mit solchen der extremen Linken belegen, so daß sein Votum auf eine Verteidigung der Dritten Republik und damit der Tugenden der bürgerlichen Demokratie hinauslief. Dagegen glaubten auch geläuterte linke Autoren an den Propheten des Antiliberalismus wie Sorel festhalten zu müssen. Es schloß sich eine Diskussion zwischen liberaler Neo-Klassik und neusozialistischer Orthodoxie über die »Lehren«, die aus Vichy zu ziehen seien, an. Was folgt aus dem provozierten »Zusammenbruch« der parlamentarischen Regimes der Zwischenkriegszeit, wenn die seinerzeit propagierten Alternativen der Linken: Volksfront und sozialistische Revolution, sich heute als Illusionen oder Holzwege erweisen?

2. Wie »es« passieren konnte, d. h. die Frage, wie sich das Vichy-Regime von seiner Spitze bis in die Niederungen des Verwaltungs- und Polizeiapparates zum Transmissionsriemen des nationalsozialistischen Vernichtungsprogramms machen ließ, ist der zweite Komplex, der dank intensi-

ver Quellenforschung und mutiger Interpretationsansätze ebenfalls bestehende falsche Selbstgewißheiten in Frankreich zerstört hat: Die französische Beteiligung am Holocaust ist minutiös belegt und dokumentiert;[21] zugleich ist das Land aber bis heute die Hochburg eines radikalen Revisionismus, der Tatsache und Ausmaß von Deportationen und Vernichtung schlicht leugnet.[22] Dieses merkwürdige Mißverhältnis (das im übrigen deutlich macht, daß revisionistische Thesen nicht durch »Falsifizierung« empirisch-wissenschaftlich zu widerlegen sind) hat mit dem allgemeinen Klima der Indifferenz zu tun. Vor allem jüdische Überlebende und ausländische Historiker haben dazu beigetragen, die »Diskretion« und die Forschungsrückstände der Zunft offenzulegen und die Verantwortlichkeiten des französischen Volkes, der Vichy-Regierung und seiner exponierten und subalternen Funktionäre klar herauszustellen. Sie stellten die Lüge des Regimes von Hitlers Gnaden und von seiner angeblich schützenden und Schlimmeres abwendenden Rolle an den Pranger. Für bestimmte Gruppen französischer Staatsbürger (die die »Nationale Revolution« von 1940 nicht selbst als ihre Feinde betrachtete) mag die Beschreibung des Vichy-Regimes als schützende Macht vielleicht zutreffen; für die assimilierten und naturalisierten Juden jedoch oder gar für die Gruppe der staatenlosen Juden, von denen ein großer Teil hilfesuchend nach 1933 aus Deutschland und Osteuropa ins klassische Asylland geflohen und dort auf eine Welle der Xenophobie (und übrigens auch der Ablehnung durch die Mehrheit der assimilierten Juden selbst) gestoßen war, hatte Vichy nie diese Rolle gespielt. Diese Grundstimmung war im übrigen der Boden, auf dem dann die konkreten Schritte der »Endlösung« ab 1940/1942 in Frankreich erfolgten. Zur Tradition des »hausgemachten« Faschismus zählte traditionell ein virulenter Fremdenhaß und Antisemitismus, der Ideologie und Praxis des Ausschlusses aus der »Volksgemeinschaft« und dann der Selektion antizipierte. Zu erinnern ist hier nur kursorisch an die frühen Rassentheorien eines Gobineau, an die antijüdischen Tiraden in den Massenpublikationen eines Edouard Drumont (»La France juive«) und an den gewaltigen Zulauf zu antijüdischen Versammlungen und Organisationen im Umfeld der »Dreyfus-Affäre«; dies stellte die breiteste Kulmination vor-faschistischer Massenmobilisierung vor dem Ersten Weltkrieg überhaupt dar. Dieser Traditionsstrang blieb in der *France profonde* ebenso wie in den Köpfen brillanter Literaten und Publizisten lebendig, angereichert durch alle möglichen Revanche- und Rachegelüste für »Dreyfus«, für die sozialistisch-kommunistischen Revolutionsversuche nach dem Ersten Weltkrieg und ganz besonders für die für die Rechte traumatische Erfahrung der Volksfront.

Auf solchem Terrain wuchsen ab 1940 – ohne jedweden deutschen Druck – institutionelle Formen des Ausschlusses von Juden, die das bereits während der Dreyfus-Affäre geläufige »Schuldkriterium« der *Rasse* zu einem Zeitpunkt übernahm, als selbst die deutschen Besatzungsorgane noch verschämt von »Angehörigen der jüdischen Religionsgemeinschaft« sprachen. Zu erwähnen ist hier das früh dekretierte und 1941 verschärfte »Judenstatut«, das u. a. Juden aus dem öffentlichen Dienst, den Ausbildungsstätten, dem kulturellen Leben usw. entfernte und ausländischen Juden besondere Internierungslager und -bedingungen zuteilte. Ebenfalls auf Vichy-Initiative ging das Judenkommissariat zurück, dem die Plünderung des jüdischen Besitzes und die »Arisierung« der Ökonomie oblag und das in nuce bereits alle Elemente der allgemeinen Judenverfolgung enthielt. Die Revision der seit 1927 erfolgten Naturalisationen von Juden war ein ständiges Thema, das wie ein Damoklesschwert über den in Frankreich lebenden Betroffenen schwebte.

Die »Endlösung« war indessen weit mehr als eine Steigerungsform des Antisemitismus, den sie voraussetzte. Auch hier ist die Vichy-Regierung in der »freien Zone« aus freien Stücken und eigenständigen Initiativen mit ihrem Verwaltungs- und Polizeiapparat eingetreten, und zwar in einem typischen »Souveränitätshandel« mit den Deutschen. Führende Politiker wie Pierre Laval »erkauften« sich eine (höchst begrenzte) französische Rest-Souveränität gegen aktive Kooperation auf diesem Gebiet; zentral sind hier die Gespräche und Abkommen zwischen SS-Führung und hohen Vichy-Beamten im Juni/Juli 1942, nachdem Frankreich als erstes Land auserkoren war, um Europa von Westen aus »judenrein« zu machen, und eine besonders aktive Gruppe von »Judenjägern« der SS bekam. Anzumerken ist hier, daß die verantwortlichen Garanten der antijüdischen Doppelstruktur – René Bousquet, Jean Leguay, Louis Darquier de Pellepoix – nebst weiteren wichtigen Funktionären wie Maurice Papon zwar nach jahrzehntelanger Verzögerung auf Initiative der Klarsfelds wegen Verbrechen gegen die Menschheit angeklagt wurden, aber kein einziger von ihnen deswegen verurteilt ist[23].

Die Regierung in Vichy hatte also keinerlei *prinzipielle* Einwände gegen das Umschlagen eines traditionellen Antisemitismus in ein bürokratisch-industrielles Vernichtungsprogramm, dessen Konturen ihm wohl bekannt waren und für dessen Vorbereitung im Westen es zahlreiche Eisenbahn-Konvois zusammenstellte. Daß französische Juden dabei verhältnismäßig glimpflich davonkamen, entspringt weder humanitären Gründen noch einer revidierten Rassentheorie, sondern einzig dem erwähnten Rettungsversuch französischer Souveränitätszipfel – und das hieß: Durchführung der Razzien durch die *französische* Polizei. Als »Kompensationsangebote« schickten Vichy-Funktionäre kaltblütig mehrere tausend jüdische Kinder unter sechs Jahren in die Gaskammern, die ihnen die SS gar nicht abverlangt hatte. Einbezogen in dieses Kollaborationsnetz waren als dritter Akteur im übrigen die jüdischen Hilfsorganisationen (UGIF), die im November 1941 als Agentur zwischen jüdischen Repräsentanten und Nazis geschaffen worden waren und die sich bemühte, vor allem französische Juden zu retten, und dabei in hyper-legalistischer Manier noch kurz vor der Befreiung andere Juden auslieferte, die zu retten gewesen wären.

So läßt sich die grausame Bilanz der Vernichtung erklären, wie sie aus den Arbeiten Serge Klarsfelds und anderer Historiker hervorgeht:

Etwa 300000–350000 Juden lebten 1940 in Frankreich und waren von den Nazis zur Auslöschung vorgesehen, davon die Hälfte in der »zone libre«. Etwa 10 Prozent von ihnen wurden deportiert, darunter 11000 Kinder und knapp 10000 alte Menschen. 43000 wurden ohne Verzug in den Gaskammern ermordet; nur drei Prozent der Deportierten überlebten die Shoah. Die Gesamtzahl der jüdischen Todesopfer beträgt etwa 80000; von ihnen waren 24000 französischer Nationalität, die anderen stammten – wie die Geburtsorte in den »Memorials« und auf den SS-Listen zeigen – aus Deutschland, vor allem aber aus Polen und anderen (südost-)europäischen Ländern. Vom ersten Konvoi am 27. März 1942 bis zum letzten Ende 1944 gingen 74 Deportationszüge in der Regel über das Transitlager Drancy bei Paris nach Auschwitz, Sobibor und Kaunas, die meisten davon (43) bereits im Jahre 1942.

Diese für die Nazis enttäuschende und im Vergleich relativ geringe »Gesamtquote« und die spätere Verringerung der Frequenz der Transporte nach Osten hängt mit einer Modifizierung der Vichy-Politik zusammen, die es hier noch zu erwähnen gilt. Daß die Kollaborateure des administrativen Mords nach der Total-Besetzung Frankreichs zurückhaltender wurden und z. B. die angedrohten, von den Deutschen verlangten Revisionen der Einbürgerungen nicht verfügten, hängt weniger mit eigener Einsicht zusammen als vielmehr mit einer vorsichtigen Distanzierung nach den deutschen Niederlagen im Osten und in Nordafrika sowie insbesondere mit dem Druck aus der Bevölkerung, dem Klerus beider Kirchen und von seiten einflußreicher Vichy-Adepten (wie z. B. dem Schriftsteller Paul Claudel), den französischen Beitrag zur Endlösung zu reduzieren. Denn neben weitgehender Ungerührtheit und einer massenhaften Denunziationspraxis[24], die versteckte Juden ebenso traf wie im Maquis untergetauchte Widerständler, zeichnen sich die Jahre 1942 bis 1944 eben *auch* durch zahlreiche isolierte und kollektive Akte von Solidarität aus, die das Vichy-Regime zur Mäßigung zwangen und vielen (französischen wie ausländischen) Juden das Leben retteten. Auf diese Weise kam es, daß jenes Frankreich einerseits effektiv bei der Auslöschung von einem Viertel der Juden auf seinem Territorium mittat – andererseits aber Franzosen zur Rettung der anderen drei Viertel Erhebliches beigetragen haben.

Radikale revisionistische Apologeten tragen bis in die Gegenwart dazu bei, diese ehrenhafte Erinnerung zu trüben. Anläßlich des Barbie-Prozesses tauchten wieder massenhaft revisionistische Broschüren und Zeitschriften auf, die den Völkermord an den Juden in Abrede stellen. Bei der Tageszeitung »Libération« kam es zum Eklat, als die Redaktion einen einschlägigen Leserbrief abdruckte. Wenige Monate zuvor hatte ein obskurer Amateurhistoriker names Henri Roques an der Universität Nantes für eine Dissertation mit revisionistischen Thesen sogar den Doktorhut erhalten – eine Affäre, die sich in eine ganze Kette von Vorkommnissen einreiht, die dem radikalen Revisionismus gerade auf akademischer Ebene Raum gaben.
Daneben existiert eine Spielart des Revisionismus, der – zumeist unbewußt und »in bester Absicht« – nicht etwa die Existenz der Gaskammern und die vorliegenden Zahlen über die Judenvernichtung leugnet, diese historischen Vorgänge aber zu relativieren trachtet, indem er sie an späteren und früheren Massen- und Völkermorden mißt. Hier macht sich der Einfluß einer »antitotalitaristischen« Wende in der französischen Intelligenz bemerkbar, die nach jahrzehntelangen Sympathien für oder Weggenossenschaft mit dem französischen Stalinismus seit dem »Solschenizyn-Effekt« eine besondere Sensibilität für Grausamkeiten und Massaker im Namen des Sozialismus entwickelt und sich auf den »totalitären« Charakter vor allem der Sowjetunion und ihrer Satellitenstaaten konzentriert hat. Auch Simone Veil, die sich so stark gegen die Banalisierung von Auschwitz durch Vergleiche mit El Salvador, Sabra und Shatila oder gar der einheimischen C. R. S. ausgesprochen hat, zieht Parallelen zwischen der Judenvernichtung und der Ausrottung von zwei Millionen Khmer durch das Pol-Pot-Regime in Kambodscha.

»Einig bis zum letzten ...« – eine Hierarchie der Opfer?

Barbie war in Lyon der Beteiligung an einem Plan angeklagt, der die »Deportation und Vernichtung von Zivilpersonen oder Verfolgungen aus politischen, rassischen oder religiösen Motiven vorsah«. Solche Delikte sind nach französischem Recht »crimes contre l'humanité«,[25] die nicht verjähren und mit lebenslanger Haft bestraft werden. Die Barbie angelastete Beihilfe zum Massenmord war nicht *causa judicata*, weil sie bei den Abwesenheits-Todesurteilen vor französischen Militärtribunalen 1952 und 1954 nicht verhandelt worden war. Hatten damals Barbies »Feldzug« gegen die Résistance im Jura und die summarische Liquidation von Widerstandskämpfern in Lyon im Mittelpunkt gestanden, so waren es 1987 die Deportationen jüdischer Kinder und Erwachsener, an denen Barbie verantwortlich mitgewirkt und damit in vielen Fällen ihre Vernichtung in Auschwitz mitverursacht hatte. Dies entsprach keineswegs den Erwartungen der französischen (Medien-)Öffentlichkeit, die zum Zeitpunkt der Auslieferung Barbies und auch noch kurz vor Prozeßbeginn in ihm vorwiegend den Folterer und mutmaßlichen Mörder des Résistance-Führers Jean Moulin erblickte. Diese Unterteilung in jüdische und nicht-jüdische Opfer des Nationalsozialismus ist ebenso umstritten wie die Rechtmäßigkeit bzw. Reichweite einer Anklage wegen »Verbrechen gegen die Menschheit« überhaupt. Die darüber geführten Kontroversen und Debatten sind exemplarisch nicht bloß unter dem Gesichtspunkt der Fortentwicklung eines internationalen Strafrechts, sondern auch im Bezug auf die »Historisierung« des Nationalsozialismus. Damit soll keinesfalls einer Hierarchie der Opfer das Wort geredet werden – als sei es für sie in irgendeiner Weise bedeutsam, in welcher »Eigenschaft« sie dem NS-Regime zum Opfer fielen.

Und dennoch: sosehr nichtjüdische Menschen unter NS-Schreibtischtätern und Gestapo-Schergen vom Typ Barbies gelitten haben, so bemerkenswert bleibt doch der Unterschied zu der »Sonderbehandlung« der Juden. So berichtete ein Zeuge der Anklage, André Frossard, über seine Haftzeit in der sog. »Judenbaracke« des Lyoner Montluc-Gefängnisses:

> »Dort habe ich begonnen zu begreifen, was das heißt: Verbrechen gegen die Menschheit. Eines Tages habe ich gesehen, wie ein Großvater, ein Vater, Kinder im Alter von acht bis zehn Jahren, und am Schluß der Reihe, eine Frau, die Mutter, in einen Keller gestoßen wurden. Sie kamen dort an wie aus der grauen Vorzeit der babylonischen Gefangenschaft. Ich habe also diese Unterscheidung gesehen, die man zwischen den Juden und jenen machte, die es nicht waren. Ihre Bedingungen waren die härtesten. Sie wie die anderen zu behandeln, hätte bedeutet, ihnen eine Gleichheit zuzuerkennen, die ihnen sonst immer verweigert wurde. Wie man sie behandelte, waren sie nicht nur eine mindere Rasse, sie waren Schädlinge (der niedrigsten Art)... Bei ihnen reichte ein einziges Vergehen: als Jude geboren zu sein.«

Ähnlich ging es bei Deportationen zu. Davon betroffen waren Juden, Kommunisten, Gaullisten und »Terroristen« aller Couleur gleichermaßen. Aber die SS beharrte bis ins Chaos der letzten Kriegstage hinein auf unterschiedlichen Bestimmungsorten. Der »letzte Konvoi«, der Lyon vor den herannahenden alliierten Truppen am 11. August 1944 verließ und durch die Zuständigkeiten des in Auflösung begriffenen Besatzungsregimes irrte, umfaßte mehr als 600 in Montluc Inhaftierte. Für die ungefähr 300 Juden unter ihnen war die Vernichtung im Osten vorgesehen, für die Nicht-Juden der langsame Tod; letztere wurden in die KZ's Struthof bzw.

Ravensbrück gebracht (von wo sich gut einhundert retten konnten), für die überwiegende Zahl der jüdischen Deportierten aber endete der Weg in Auschwitz-Birkenau.[26]
Wie sollen Justiz und Geschichtsschreibung mit solch unterschiedlichen Behandlungen umgehen? Über diese Frage herrschte unter den Nebenklägern in Lyon, unter denen auch herausragende Historiker der NS-Verbrechen in Frankreich waren, offener Streit.

1. Die Ermittlungsinstanzen in Lyon hatten sich vorrangig auf jene Dokumente und Verdachtsmomente gegen den Angeklagten gestützt, die unter die Rubrik »Verbrechen gegen die Menschheit« fielen, d. h. in ihrer Interpretation vor allem auf die Deportation jüdischer Menschen nach Drancy und Auschwitz, die Klaus Barbie »ohne Vorgang«, d. h. eigenverantwortlich veranlaßt hatte. Paradigmatisch war hier die »Aushebung« des jüdischen Kinderheims von Izieu im Department Ain.[27] Als »crimes contre l'humanité« konnten und sollten sie aus der Reihe bereits abgeurteilter bzw. verjährter Kriegsverbrechen herausgehoben werden.

2. Dagegen wandten, aus prinzipiellen Erwägungen, eine Reihe von Kritikern die bekannten Argumente gegen die in der Tat nicht unproblematische Rechtsschöpfung der Nürnberger Prozesse ein: Joseph Rovan sah die Grundlagen der Rechtsstaatlichkeit angetastet und einen »späten Sieg des Hitlerismus« darin, wenn erstens die Verjährungsfrist von Verbrechen gleich welcher Art aufgehoben wird und zweitens Verbrechen retroaktiv geahndet würden: *nullum crimen, nulla poena sine lege*. Dagegen konnte ins Feld geführt werden, was bereits Hannah Arendt anläßlich der Nürnberger Prozesse und des Eichmann-Tribunals in Jerusalem eingewendet hatte: daß dieses Prinzip nämlich nur formal und nicht substantiell verletzt wird, da es nur »sinnvoll auf Taten anzuwenden ist, die dem Gesetzgeber bekannt sind; wenn plötzlich ein bis dahin unbekanntes Verbrechen wie Völkermord geschieht, verlangt gerade die Gerechtigkeit ein Urteil, das einem neuen Gesetz folgt«. (1986: 303) In diesem Sinne war die Einschätzung des Deliktcharakters und die Konzentration auf die Deportation jüdischer Menschen nur konsequent: hier handelte es sich um Maßnahmen der Gestapo, die »jeglicher militärischer Zweckmäßigkeit entbehrten, Verbrechen also, bei denen die einzige nachweisbare Absicht in ›Unmenschlichkeit‹ bestand«, die also, wie es der französische Ankläger im Nürnberger Prozeß ausgedrückt hat, »ein Verbrechen gegen Rang und Stand des Menschen« waren (François de Menthon). Das war auch das Ziel einer Strategie von Untersuchungsrichtern und Nebenklägern, die die jüdische Katastrophe in den Mittelpunkt dieses »exemplarischen« Strafverfahrens mit »historisch-pädagogischer« Absicht stellen wollten,

um zu zeigen, daß die jüdischen Opfer allein wegen ihnen zugeschriebenen rassisch-biologischen »Merkmalen« oder »Eigenschaften« als »Untermenschen« in den Tod geschickt worden waren. Dieses Selektionskriterium bestimmte noch die Handlungsweisen eines Folterers wie Barbie: »Er drehte die Gesichter der vor ihm liegenden Gefolterten mit der Stiefelspitze zu sich. Wenn es ein jüdisches Gesicht war, trat er mit dem Stiefel hinein« (so die Zeugin Lise Lesèvre). Es ist eine gigantische Fehlinterpretation des Autors der Spiegel-Serie zum Barbie-Prozeß, Heinz Höhne, die Heraushebung der Barbie-Verbrechen an Juden als richterliche Mission zu interpretieren, die sich bemüht, »alle Versuche abzublocken, aus dem Barbie-Prozeß eine öffentliche Abrechnung mit dem Frankreich der Vergangenheit zu machen«.

3. Die Anklage wegen »Verbrechen gegen die Menschheit« sollte erweitert werden. Darauf drängte die Vereinigungen der Deportierten, Widerstandskämpfer und Zwangsarbeiter, die eine korrigierende Entscheidung des Pariser Kassationshofes gegen die Lyoner Untersuchungsrichter und damit de facto eine Ausdehnung der Anklage auf Gestapo- und SS-Verbrechen an Résistance-Kämpfern durchsetzten. Dies entsprang einer durchaus verständlichen Empörung Überlebender über die Trennung, die Serge Klarsfeld u. a. zwischen »unschuldigen Juden« und anderen Opfern des NS-Systems machte.
»Unschuldige? Heißt das etwa, daß die anderen, alle anderen, vor dem Gesetz, vor unseren Gesetzen, schuldig waren? [...] Ist die Unschuld von Opfern das beste Kriterium, wenn es darum geht, den blutigen Wahnsinn, die unmenschliche Barbarei und die monströse Ideologie der Schlächter zu richten?«
Henri Nougères, früher Präsident der französischen Liga für Menschenrechte und Verfasser eines Standardwerks über den Widerstand, weist den Hinweis auf die Trennung der Insassen des »letzten Konvois« aus Lyon zurück, die für ihn eine absurde Wiederholung der nazistischen Selektionspraxis durch Richter eines demokratischen Verfassungsstaats darstellt. *Alle* Deportierten waren *gleichermaßen* Opfer einer Ideologie, die Verbrechen gegen die Menschheit institutionalisiert hatte – wie wichtig ist dann die Tatsache, daß eine Gruppe »sans bagages« (ohne Gepäck) zur Hinrichtung in ein Waldstück oder auf den Gefängnishof geführt wurde, und eine andere »avec bagages« in die Lager geschafft und dort in die Gaskammer geschickt oder zu Tode schikaniert wurde?!
In diesem Sinne wurde auch in der Entscheidung des Pariser Kassationsgerichts vom 20. Dezember 1985 argumentiert. In diesem Urteil wurde der Tatbestand des Delikts gegen die Menschheit auf alle Taten ausgedehnt, »die ein Staat in systematischer Weise begangen hat, der eine Poli-

tik der ideologischen Hegemonie betreibt – nicht nur gegen Personen, die einer rassischen oder religiösen Gemeinschaft angehören, sondern gegen alle Gegner dieser Politik, gleich welcher Art ihre Opposition war«.
Mit dieser umstrittenen Erweiterung wurde unter anderen Vorzeichen jene Frontstellung aufgebaut, die auch im westdeutschen »Historikerstreit« eine Rolle spielte: Wird durch solche Gleichsetzung, nicht die Qualität und Singularität planmäßiger bürokratischer und industrieller Vernichtung verkannt, die mit Auschwitz verbunden ist, wenn sie mit solchen Kriegsverbrechen auf eine Stufe gestellt wird, die – bei aller Monstrosität – schon immer und immer wieder auf allen möglichen Kriegsschauplätzen anzutreffen sind? Ist aber nicht andererseits eine Generalisierung erforderlich, um exemplarisch Akte des Völker- und Rassenmords zu sanktionieren, die der Menschheit *nach Auschwitz* drohen, sei es eine Kriegführungsstrategie, die den »nuklearen Holocaust« einschließt, die rassistische Politik des Apartheid-Regimes, oder staatlicher Terror gegen »Unschuldige«, die massenhaft »verschwinden« – um so zu einer Art »Weltstrafrecht« zu gelangen, wie es Yves Laurin, der Sekretär der Internationalen Menschenrechtsvereinigung, nach dem Pariser Urteil forderte?
Und ist es nicht auch aus der subjektiven Perspektive der Opfer und Überlebenden gerechtfertigt, eher ihre *Einheit* herauszustreichen, wie dies der »allgemeine Zeuge« im Lyoner Prozeß, der gaullistische Résistancekämpfer Jacques Chaban-Delmas mit den Worten tat: »Wir waren einig bis zum letzten«? In diesem Streit scheint es mir geboten, von einer Generalisierung der »Verbrechen gegen die Menschheit, begangen am jüdischen Volk« abzusehen, eine Absicht, die von besten Intentionen geleitet ist, sich aber gleichwohl um die Chance bringt, das Besondere der Judenvernichtung und der »Todesfabriken« auch nur ansatzweise zu begreifen. Die Diskussion über Faschismus hat sich immer wieder auf solche Wege führen lassen, in der Absicht, das »Unbegreifliche« auf gewohnte und faßbare Erklärungsmuster zurückzuführen bzw. die Wurzeln des Faschismus in kapitalistischer Ausbeutung zu suchen oder in der Vorgeschichte der kolonialen Unterdrückung oder gar in anthropologischen Konstanten zu sehen, oder in gänzlicher Verallgemeinerung: die Monstrosität des NS-Regimes als Ausdruck eines jahrhunderttypischen Totalitarismus zu orten.

4. Eine Erweiterung definitionsmäßiger Verbrechen gegen die Menschheit fordert und impliziert auch die Verteidigungsstrategie von Jacques Vergès, die hier als weitere französische Variante von »Entsingularisierung« vorgestellt werden soll. Maître Vergès führte das bekannte *tu quoque*-Argument ins Feld, das bereits das »Sieger-Tribunal« von Nürnberg

getroffen hat und regelmäßig angeführt wird, wo es die Legitimation (und Legalität) derjenigen in Zweifel zu ziehen gilt, die über andere zu Gericht sitzen: hat die Sowjetunion während des Krieges (Stichwort: Katyn) nicht ebensolche verbrecherischen Akte begangen, die sie Göring und anderen vorwarf, und haben nicht die anderen alliierten Richter-Nationen in der Dritten Welt Greuel und Massenmorde zu verantworten, die damit auf eine Stufe zu stellen wären? In diese Richtung zielte die Strategie des Verteidigers, der hier nicht etwa seinen Mandanten »instrumentalisierte«, sondern sich eher umgekehrt dessen Überzeugung anschloß, die er in früheren Interviews 1972 zu seiner Reinwaschung geäußert hatte. In einer solchen Argumentation vermischen sich die Entschuldungsabsichten des gemäßigten Revisionismus, wonach Auschwitz nicht eine unvergleichliche Tat, sondern »Signatur des 20. Jahrhunderts« war, mit antikolonialistischen bzw. antizionistischen Kritiken des »Eurozentrismus«, dessen Blick und Sensorium eben nur auf die Alte Welt gerichtet sei:

> »Ich weiß, daß die europäische Linke und selbst die europäischen Linksradikalen meine Verteidigung Barbies mißbilligen. Diese Linken sind rassistisch und europazentriert. Für sie sind die Morde, die in den arabischen Ländern, in Afrika oder in Asien begangen werden, bedauerliche Übergriffe. Das absolute Übel, unter dem Europa gelitten hat, ist für sie der Nazismus. Der Kolonialismus dagegen, unter dem andere Völker gelitten haben, ist nicht das absolute Übel. [...] Die großen Prozesse wegen Verbrechen gegen die Menschlichkeit begannen Anfang der sechziger Jahre, der Eichmann-Prozeß in Jerusalem, die ersten Prozesse gegen die Wachmannschaften von Auschwitz. Das war zur Zeit des englisch-französisch-israelischen Angriffs auf Ägypten, der amerikanischen Landung in der Schweinebucht und der schlimmsten Repression in Algerien. Es ist die Zeit, in der J. F. Kennedy, der große, von der westlichen Linken bewunderte Liberale, seinen Spezialkrieg in Vietnam beginnt. Durch die Prozesse [...] sollte der Westen und Israel für immer die Opferrolle einnehmen für das, was sie von 1940 bis 1945 erlitten haben.« (taz-Interview 12.5.87)

Diese Aufrechnung, die nur auf den ersten Blick ihre suggestive Berechtigung zu haben scheint, zielt letztlich auf Wiedergutmachung und Genugtuung für jene kolonialen Massaker und Greuel, die Frankreich als Kolonialmacht am algerischen Volk und an den Befreiungskämpfern des FLN begangen hat. Wie Vergès bereits seit den 50er Jahren im Sinne seiner Mandanten aus Algerien (und später analog Palästina) betont. In diesem Sinne – und in seiner Interpretation des Urteils des Pariser Kassationshofes ganz folgerichtig – hat Vergès im Lauf der Voruntersuchungen zum Barbie-Prozeß eine algerische Familie mit einer Klage wegen Verbrechen gegen die Menschheit gegen den französischen Staat vertreten, deren

Oberhaupt im Jahre 1957 nicht in seiner Eigenschaft als FLN-Partisan und Kombattant des Befreiungskrieges, sondern ausschließlich aufgrund seiner »rassischen« Eigenschaft als Araber liquidiert worden sei. (Die Klage wurde im Prinzip anerkannt, aber wegen einer in den 60er Jahren ausgesprochenen Generalamnestie abgewiesen!) Zur Stützung seiner Argumentations- und Aufrechnungskette verwies Vergès u. a. auf Kommentare und Leitartikel damaliger französischer Mitstreiter im Kampf gegen das koloniale Engagement; Le-Monde-Gründer Beuve-Méry notierte z. B. 1957 erschüttert, die Franzosen hätten, da sie selbst zu Folterern und Massenmördern in Algerien geworden seien, von nun an jedes Recht verloren, über jene zu urteilen, die Oradour dem Erdboden gleichgemacht oder in Gestapo-Kellern gefoltert hatten. Diese Parallelen fanden ein breites Echo in der algerischen Presse, in der Nazismus, Zionismus und Kolonialismus gleichgesetzt und Barbie sich mit dem französischen Folter-General Massu, dem Präsidentschaftsanwärter Le Pen und dem früheren israelischen Premier Begin auf einer imaginären Anklagebank wiederfand: »Frankreich sitzt über einen Kriminellen zu Gericht – aber wer wird seine eigenen Verbrecher verurteilen?« Zeugen der Anklage, die auch in der französischen Opposition gegen den Algerienkrieg aktiv waren, versuchten Vergès von seinem Vorhaben der Gleichsetzung abzubringen. Sie argumentierten gegen die Analogie:

> »Man kann das, was man die Repression in Algerien genannt hat, was im Kampffeuer und in einem Klima gegenseitiger Furcht stattgefunden hat [...], nicht mit Operationen gleichsetzen, die kaltblütig gegen ein ganzes Volk, eine ganze Rasse durchgeführt worden sind.« (André Frossard, ähnlich Yves Jouffa und Laurent Schwartz.)

Das Besondere an Auschwitz nicht durch unhistorische Vergleiche banalisieren und Unvergleichbares nicht durch dubiose Aufrechnungsmanöver gleichmachen – so lautet die Antwort auf die »revisionistische« Verteidigungsstrategie, die sich geschickt und nicht ohne Berufung auf ein historisches Gerechtigkeitsempfinden einer verdrängten Vergangenheit annahm. Die zwischen 1954 und 1962 im französischen Namen verübten Verbrechen liegen in der Tat weitgehend im dunkeln; über sie offen zu sprechen ist problematisch, weil sie unter eine Generalamnestie fallen und es deswegen kaum gelingt, »Roß und Reiter« beim Namen zu nennen, d. h. die Verantwortlichen von damals zu identifizieren.[28] Eine »Vergangenheitsbewältigung« im Bezug auf Algerien ist in Frankreich dringend geboten – wenn schon nicht juristisch, dann wenigstens historiographisch und in der öffentlichen Debatte. Und es ist auch an der Zeit, kolonialistische Verbrechen eindeutig zu qualifizieren, und sie unter Umständen als Verbrechen gegen die Menschheit zu bezeichnen, wenn sie einen solchen Charakter haben.

Die Gleichsetzung von Nationalsozialismus und Kolonialismus auszuschließen, entspringt jenem methodischen und intellektuellen Einwand, der sich bereits gegen den allgemeinen Charakter des Totalitarismus-Begriffs und die damit verbundenen »Aufrechnungen« richtete, die doch nur apologetischen Tendenzen entspringen oder letztendlich dorthin zu führen scheinen. *Alle* »Signaturen« des 20. Jahrhunderts müssen auf ihre Schriftzüge und Besonderheiten hin untersucht und erkannt werden.

Nur so wird es auch möglich sein, eine »Wiederkehr des Verdrängten« zu verhindern, die in Frankreich vor allem in Gestalt eines populären Führers der extremen Rechten, Jean Marie Le Pen, und von der Anhängerschaft des Front National droht. Wie die von ihm ausgehende Gefahr für eine freiheitliche Demokratie sowohl von der gemäßigten, liberal-konservativen Rechten wie von der nicht-kommunistischen Linken bewertet und beantwortet wird, wie also die von Le Pen vertretene Logik der Exklusion und Selektion bekämpft wird, ist eine Bewährungsprobe für die französische Vergangenheitsbewältigung, die sich von unhistorischen Parallelen und Analogien freimachen muß, aber auch nicht einer falschen Selbstgewißheit unterliegen darf.[29]

Gerhard Botz

Österreich und die NS-Vergangenheit

Verdrängung, Pflichterfüllung, Geschichtsklitterung

Es geschieht schon Merkwürdiges in Österreich. Der Artikel eines jungen englischen Historikers, Robert Knight, im angesehenen, hierzulande jedoch kaum gelesenen Times Literary Supplement[1] löst einen stärkeren Impuls zur Diskussion unserer verdrängten Vergangenheit aus als die ganze Affäre Waldheim, d. h. Waldheims Einstellung zu seiner Kriegsvergangenheit und zu den Verbrechen des NS-Regimes.[2] Erst nach dem Erscheinen von Knights Artikel jedenfalls kann man sagen, daß der Fall Waldheim vermutlich noch eine längerdauernde Debatte um Österreichs Zeitgeschichte auslösen wird. Denn schon jetzt wurde offengelegt, daß die seit den Historikerdebatten um das Jahr 1934 in den frühen 70er-Jahren[3] etwas erlahmten österreichischen Zeitgeschichtler, auch die auf einer günstigen Konjunktur reitenden »politischen Bildner« und Aufklärer über den Neonazismus, ganz zu schweigen von den hierzulande überwiegend unhistorisch ausgerichteten Sozialwissenschaftlern, bisher demokratiepolitisch (nicht gerade versagt, wohl aber) wenig Wirkung erzielt haben. In der weiteren Folge könnte es auch passieren, daß die geistige Erstarrung, die sich in den letzten Jahren wieder zunehmend ausgebreitet hatte, wohl oder übel aufgebrochen wird und viele, denen Worte wie Antifaschismus, Widerstand, kritische Wissenschaft, Demokratie und Liberalität Österreichs so leicht über die Lippen gekommen sind, werden Farbe bekennen müssen, auf welcher Seite sie stehen. Es bleibt nur zu hoffen, daß in dieser geistigen Auseinandersetzung kritische Rationalität und offene Liberalität gegenüber den Kräften eines konservativen Provinzialismus und blinder Staatsraison sich durchsetzen werden. Dann könnte der Fall Waldheim zu einer österreichischen Dreyfus-Affäre mit umgekehrten Vorzeichen, d. h. zu einem politisch-geistigen Klärungsprozeß und zu einem Sieg der Demokratien über die Kräfte der Restauration, werden.[4]

Geschichtsklitterung

Demgegenüber erhebt sich, in diesem Maße seit den 50er- und frühen 60er Jahren unbekannt, eine apologetische Hof(burg)-Historiographie, die einen neuen innen- und außenpolitischen Österreich-Chauvinismus, ohne Rücksicht auf wissenschaftlichen Anstand, mit allen ihr im Zeichen der eingeleiteten »Wende« zur Verfügung stehenden Mitteln durchdrükken will.

Begonnen hat das der vor kurzem aus dem Amt geschiedene sozialistische Außenminister, Peter Jankowitsch. Er hatte den Knight-Artikel Ende November 1986 zum Anlaß genommen, an einige österreichische Zeitgeschichtler einen persönlichen Brief zu schreiben, in dem er – wörtlich – aufrief, »sich mit den oft haarsträubenden Thesen auseinanderzusetzen, von denen der Artikel Knights geradezu wimmelt«.[5] So die Meinung des Ministers. Ebenso bezeichnete Jankowitsch bald darauf einen durchaus ausgewogenen Artikel des Doyens der amerikanischen Mitteleuropa-Historiker, Gordon A. Craig, in der »New York Review of Books«[6] als »wenig breitenwirksam« (!) und als »Österreich-Verriß«.[7] Solche Artikel seien geeignet, eine Neueinschätzung der österreichischen Vergangenheit zu bewirken und im nachhinein einen »Anschluß Österreichs an eine Vergangenheit« zu vollziehen, »von der sich unser Land und seine Menschen längst befreit wähnten«.[8]

Unerhört daran ist zunächst, daß ein angesehener österreichischer Politiker nichts daran gefunden hat, Wissenschaftlern eine bestimmte, sehr einseitige Meinung suggerieren zu wollen, daß er sie dazu auffordert, über einen ausländischen Kollegen herzufallen. Wer den Obrigkeitsglauben der Österreicher kennt, ihren sogar »vorauseilenden« Gehorsam und die Abhängigkeit vieler österreichischer Wissenschaftler von der Politik, der kann abschätzen, was eine solche Aufforderung bedeutet.

Unterdessen ist diese Kampagne angelaufen[9] und hat ihren Widerhall in der Öffentlichkeit gefunden. Ja, die überparteiliche »österreichische Widerstandsbewegung« – nicht zu verwechseln mit Einrichtungen wie dem Dokumentationsarchiv des österreichischen Widerstands – hat es nicht unter ihrer Würde gefunden, nach einem Antrittsbesuch bei Waldheim ein Pamphlet über »Englands verdrängte Vergangenheit« herauszugeben, das unter Hinweis auf die Appeasement-Politik des Jahres 1938 den Engländern das Recht abspricht, Österreichs (post)-nazistische Strukturen anzuprangern.[10]

Denkwürdig an diesen Manipulationsversuchen ist auch, daß sie nicht die ersten und einzigen sind, denen sich österreichische Wissenschaftler ausgesetzt sehen, die sich kritisch mit den Nachwirkungen der NS-Vergangenheit im heutigen Österreich auseinandersetzen. So hatte schon 1985 der in Österreich auch forschungspolitisch so einflußreiche Generaldirektor der Österreichischen Nationalbank, Heinz Kienzl, seine absurde These, daß heute in Österreich nur 0,1% Menschen der NS-Ideologie verhaftet seien, mit allen Mitteln der »Außenkulturpolitik« propagiert[11] und ausländischen Wissenschaftlern gegenüber angekündigt, er werde gegenteilige Meinungen, wie ich sie geäußert hatte, zu verhindern wissen. Hinter ihm stehe die – damals sozialistisch-freiheitliche – österreichische Bundesregierung. Denkwürdig sind vor allem solche Eingriffsversuche, weil sie von seiten der Mächtigen *aller* Couleurs kommen – auch von Sozialisten, die immerhin unter Kreisky in den 70er-Jahren zur Schaffung eines liberalen Österreich so viel beigetragen hatten. Merkwürdig ist erst recht der Inhalt, an dem sich die Aufregung der Obrigkeit entzündet hat.

Was haben Knight und Craig denn geschrieben? Im wesentlichen nichts anderes, als der allmählich zu posthumer Anerkennung gelangende Wiener Geistesgeschichtler Friedrich Heer seit Jahrzehnten gesagt hatte[12]: Was der Meinung der jüngeren Zeitgeschichtlergeneration Österreichs entspricht; und was auch die meisten angesehenen ausländischen Historiker Westeuropas und der USA über Österreich denken.[13] Ganz abgesehen von österreichischen Künstlern und Schriftstellern, deren politisch-zeitgeschichtliche Sensibilität ihnen wiederholt den Vorwurf von Nestbeschmutzung oder Geisteskrankheit eingetragen hat. Nur haben die Macher massenmedialer Zeitgeschichte, die Experten des Außenministeriums und die breite Öffentlichkeit davon kaum oder überhaupt nicht Notiz genommen.[14]

Robert Knight sagte in seinem durchaus ausgewogenen und sachlich weithin korrekten Artikel klipp und klar, daß die offiziösen Geschichtsdarstellungen der Zweiten Republik, wonach Österreicher wenig oder nichts mit dem Nationalsozialismus zu tun gehabt hätten, falsch sind. Die Älteren unter uns erinnern sich noch an das (ursprünglich wohl in deutschnationalen Kreisen in Anspielung auf Schuschniggs Diskussion mit Hitler auf dem Obersalzberg entstandene) Bonmot, wonach es die Österreicher nach 1945 bestens verstanden hätten, mit ihrer Vergangenheit fertig zu werden: Sie haben Beethoven zum Österreicher und Hitler zum Deutschen gemacht. Darüber hat sich schon jahrelang ein Großteil der westlichen Fachwelt amüsiert, jedoch den Selbstbeweihräucherungen österreichischer Politiker und Historiker bei Auslandsreisen aus Höflichkeit nicht widersprochen.

Die wirklich – im Sinne einer kritischen, weltoffenen Liberalität – Gebildeten, nicht nur der westlichen Welt, haben sich bisher – gelinde gesagt – gewundert über den Grundtenor der meisten österreichischen Kulturpräsentationen im Ausland: Sängerknaben, Skifahrer, Lipizzaner, Philharmoniker, gegen deren Spitzenqualität in ihrem jeweiligen Feld nichts gesagt werden soll, im Gegenteil. Das hat möglicherweise die Schallplattenindustrie einiger Stardirigenten, den Ski-Absatz und den Massentourismus, über dessen »halbgebildete Melkkühe« sich die Angehörigen der »Kulturnation« hinter vorgehaltener Hand lustig machen, angekurbelt, die wirtschaftlich-technologische Attraktivität und das wissenschaftliche Ansehen unseres Landes jedoch sicher nicht gefördert. Und alle Vertreter der Auslandskultur (einschließlich der »Wissenschaftsattachés«) wissen dies sehr genau. Trotzdem haben die Liebenswürdigkeit der Österreicher, die politische Stabilität Österreichs, seine wirtschaftlichen Erfolge und sein außenpolitisches Geschick, seine Menschen und Politiker weithin Achtung gefunden, allerdings eher bei Älteren als Jüngeren, eher bei den Mittel- als bei den Oberschichten, eher bei Konservativen als bei Fortschrittlichen.

All das ist durch Waldheims Verhalten und manche Erscheinungen in den Wahlkämpfen im vergangenen Jahr [1986] anders geworden. Nicht so sehr weil die Erklärungen des heutigen Bundespräsidenten weithin als plumpe Lügen gewertet wurden, sind die Österreicher ins Gerede gekommen. Man hat ihnen immer eine gewisse Lockerheit im Umgang mit der Wahrheit zugebilligt. Die Österreicher galten schon immer als Schlaumeier und »geborene Diplomaten«. Kurt Waldheims internationaler Erfolg beruhte ja zum Teil gerade darauf.[15]

Aber was man in der Welt, insbesondere in Westeuropa und Nordamerika, nicht mehr verstand, und wo so vielen Freunden Österreichs das Schmunzeln verging, war der – mindestens – leichtfertige Umgang Waldheims und einer Mehrheit von Österreichern mit unserer Nazi-Vergangenheit. Denn, anders als hierzulande, nimmt man den Nationalsozialismus, seine Aggressionskriege und die industrielle Massenvernichtung der Juden und anderer sogenannter »Minderrassiger« in den meisten Teilen der Welt sehr ernst. So ernst, wie eben dieses in welthistorischer Dimension unvergleichbare, ungeheuerliche Geschehen zu nehmen ist.

Mit einem Schlag kippte 1986 das bisher eher freundliche Österreichbild in sein Gegenteil um. Die bisher hingenommenen großen und kleinen »Lebenslügen« des heutigen Österreich werden nun in einem anderen historischen Zusammenhang gesehen.

Die offenkundig gewordene Verdrängung von Österreichs Nazi-Vergangenheit wird im Ausland oft als Bekenntnis zu Nationalsozialismus und Neonazismus interpretiert, was es in dieser direkten Form allerdings nicht ist.

Allerdings werden Erscheinungsformen des offenen und latenten Antisemitismus in Österreich bagatellisiert, weil sie hierzulande eben so selbstverständlich sind. Sicher gibt es heute auch in anderen Ländern Antise-

mitismus, aber dort sieht man sehr scharf den Zusammenhang der engen strukturellen Beziehung der Österreicher und ihrer Vorurteile zu dem historischen Nationalsozialismus. Nach dem Holocaust kann sich ein Volk, das derartige Verbrechen mitgetragen hat, nicht aus diesen Zusammenhängen fortstehlen. Denn dieselben kulturellen und gesellschaftlichen Voraussetzungen des österreichischen Nationalsozialismus und Antisemitismus bis 1945 wirken trotz aller offizieller Absagen an den Nationalsozialismus und der bekannten Stabilität der Demokratie in Österreich heute noch latent weiter[16], wie die zahlreichen einfach naiven oder wahltaktischen antisemitischen Äußerungen gerade des abgelaufenen Wahljahres [1986] neuerlich belegt haben.
So konnte sich auch ein »Beratungskomitee« des Außenministeriums[17] auf den Standpunkt stellen, daß die Ursachen für den Verlust des Ansehens unseres Landes überwiegend bei den anderen lägen, in der internationalen wirtschaftlichen Konkurrenz, in Kreiskys araberfreundlicher Außenpolitik, in Waldheims antiisraelischer UN-Amtstätigkeit etc. Der Image-Schaden solle nicht zuletzt auch durch eine plumpe wissenschaftliche und publizistische Manipulation behoben werden, durch die Schaffung eins »pools« williger österreichischer und ausländischer Wissenschaftler und Publizisten, durch eine – an Orwell oder Kafka erinnernde – ministerielle Koordinationsstelle und eine hochdotierte Österreich-Stiftung.
Der neue (von der ÖVP gestellte) Außenminister, Alois Mock, wäre besser beraten, nur die konstruktiven Vorschläge des Beraterteams seines Vorgängers ernst zu nehmen: großzügige und unbürokratische Wiedergutmachung von Schäden, die (Ex-)Österreicher durch die nationalsozialistische Verfolgung erlitten haben: intensive und aufrechte Bemühung um die österreichischen Emigranten und ihre Nachkommen, die ein großartiges, bisher vernachlässigtes, wissenschaftliches, kulturelles und wirtschaftliches Potential unseres Landes im Ausland darstellen[18]; Errichtung eines jüdischen Museums in Wien, wo auch der bedeutende Beitrag gewürdigt werden sollte, den Österreicher jüdischer Herkunft von Sigmund Freud bis Arnold Schönberg, Gustav Mahler bis Karl Kraus, von Otto Bauer bis Theodor Herzl usw. zur internationalen Kultur, Wissenschaft und Politik der Gegenwart geleistet haben – jenseits einer platten Ästhetisierung.

Verdrängung

Das Jahr 1986 hat gezeigt, daß sich eine Vergangenheit auf Dauer nicht verdrängen läßt, ohne daß dadurch schwerer Schaden entsteht. Die Sozialisten haben ihre Selbstaufgabe zugunsten kleinkoalitionärer »Ger-

manentreue« für Friedrich Peter und Frischenschlager durch eine nur im letzten Augenblick in ihrem vollen Ausmaß abgewendete Niederlage bezahlt; die ÖVP wird an ihrer Öffnung zu den Erben des deutschnationalistischen Protests vom Schlage Jörg Haiders noch zu tragen haben; alle Österreicher zahlen jetzt schon die Rechnung für ein nahezu in aller Welt diskreditiertes Staatsoberhaupt.
Mehr denn je ist nun eine offene, nüchterne und wissenschaftlich seriöse Aufarbeitung von Österreichs verdrängter NS-Vergangenheit vonnöten. Das Österreich- und Demokratiebewußtsein vieler Österreicher insbesondere der jüngeren Generationen ist heute gefestigt genug, ohne sich selbst in Frage zu stellen, um folgende Thesen über die Rolle Österreichs beim Zustandekommen und Funktionieren des Nationalsozialismus zu diskutieren:

1. Der *Nationalsozialismus* ist ein Produkt des alten Österreich, selbst wenn der vor-Hitlersche Nationalsozialismus nicht vollkommen identisch ist mit jenem Hitlers in München. Nur in den gemischtsprachigen Randzonen und Industriegebieten Nordböhmens konnte schon um die Jahrhundertwende entstehen[19], was nach dem Ersten Weltkrieg in vielen Regionen Mitteleuropas und in Norditalien so attraktiv wurde: eine wahrhaft explosive Kombination von Nationalsozialismus und sozialem Protektionsbedürfnis breiter, aufstrebender oder abstiegsbedrohter Mittelschichten einer Gesellschaft am Übergang in die Moderne. Für sie war in der Tat (deutscher) Nationalitätenkampf aussichtsreicher als der internationalistische Klassenkampf der Linken. Von Österreich sprang dieser Funke nach dem Ersten Weltkrieg auf München über.[20]

2. Auch *Hitler* war ein Exportprodukt Österreichs. Aus dem gemäßigt deutschnationalen Milieu der Provinzstadt Linz kommend[21], verbrachte er seine Lehrjahre in Wien. Dort wurde er zum Antisemiten und Rassegläubigen, dort entdeckte er den völkischen Radikalismus v. Schönerers und seiner Studenten (und Jungakademiker), dort lernte er bei Lueger und den Christlichsozialen die mobilisierende Wirkung einer aus dem Katholizismus abgeleiteten politischen Liturgie und eines demagogischen Antisemitismus kennen. Uns heute absurd erscheinende Ideen obskurer Sektierer und damals angesehener »nationaler Denker« Wiens[22] prägten seine Weltanschauung.[23] Schon wer in »Mein Kampf« nachschlägt, findet dafür erdrückende Beweise. Erst als politisch fertiger junger Mensch ging Hitler im Alter von 23 Jahren von Wien fort.

3. Der *Antisemitismus* war in Österreich im frühen 20. Jahrhundert besonders stark verankert, wahrscheinlich stärker als in jedem anderen

Land westlich unserer Grenzen. Die kulturelle Basis waren der Katholizismus und sein religiös begründeter Judenhaß. Die Spannungen des von der wirtschaftlichen Modernisierung verspätet erfaßten Landes hatten schon in den letzten Jahrzehnten des 19. Jahrhunderts zur Entstehung eines massiven »modernen« Antisemitismus, besonders in Wien, geführt. Hier gab es noch zahlenmäßig bedeutende Mittelschichten, die auf eine ständische Absicherung ihrer Lebenswelt hofften, sich jedoch von zwei Seiten bedroht sahen: vom kapitalistischen Großbürgertum und von der Arbeiterbewegung. Da Juden wie überall dort, wo der eigenständige Kapitalismus schwach war, im Großbürgertum stark vertreten waren und auch sonst als Träger von wirtschaftlicher Modernisierung und liberalen wie sozialistischen Ideen auftraten, richtete sich gerade gegen sie und besonders in Krisenzeiten die ganze Aggressivität der Sich-bedroht-Fühlenden. Die relativ große Zahl der jüdischen Zuwanderer aus Osteuropa um den Ersten Weltkrieg bestärkte nur noch die vorhandenen antisemitischen Vorurteile.[24]
In Krisenzeiten schlugen solche Ressentiments dann leicht in eine wüste Judenhetze um. So 1938 nach dem »Anschluß« und während der »Reichskristallnacht«, als sich selbst »reichsdeutsche« Nationalsozialisten und Gestapo-Beamte vom Ausmaß dieses spontanen Judenhasses überrascht zeigten.[25] Schließlich war es nicht zuletzt die »Volksmeinung« der NS-Funktionäre und ihrer zahlreichen Mitläufer, die die Judenverfolgung des Dritten Reichs von Wien aus anheizte. Österreicher waren es, die von der Beraubung der Juden, von der Übernahme der Posten und Geschäfte von Juden, von der Vertreibung der Juden aus ihren Wohnungen profitierten – und zwar zu Zehntausenden. Der nichtjüdischen Bevölkerung war es nur recht, daß die Juden schließlich »deportiert« wurden, irgendwohin, wo es ihnen beileibe nicht gut ging. Man fragte nicht weiter danach, man drängte sogar darauf, wie der »Völkische Beobachter« schrieb: »Darr Jud' muß weg, sein Gerschtl bleibt da!«[26]

4. Nach dem Zerfall des habsburgischen Vielvölkerstaates breitete sich unter den deutschsprachigen Österreichern ein überwältigendes Streben nach einer *Vereinigung mit Deutschland* aus, nur zurückgehalten zunächst vom Verbot der Siegermächte. Als die Österreicher allmählich begannen, sich in ihrer Eigenstaatlichkeit einzurichten, entfaltete Hitlers Machtübernahme in Deutschland einen neuen Sog auf die Österreicher. Der nationalsozialistische Antisemitismus störte wenige, ja zog viele geradezu an, und Hitler versprach die Überwindung der Wirtschaftskrise, mit der das autoritär-diktatorische Österreich Dollfuß' und Schuschniggs nicht fertig wurde. So ist es nicht verwunderlich, daß die NSDAP auch in Österreich schon vor 1933 massenhaften Zulauf fand, wenngleich zwei Jahre

verzögert gegenüber Deutschland; daß 1938 die Österreicher in ihrer großen Mehrheit dem »Anschluß« und Hitler zujubelten und in der Folge in einem Ausmaß in die NSDAP strömten wie nirgendwo im »Altreich«. 1942 gab es rund 688000 NS-Mitglieder in den »Alpen- und Donaugauen«[27], das heißt, etwa *jeder vierte* erwachsene männliche Österreicher war Nazi. (Vor diesem Hintergrund wird auch klar, warum nach 1945 jede schematisch-administrative Entnazifizierung scheitern mußte.)[28]

5. Die Österreicher waren jedoch nicht nur führend als einfache NSDAP-Mitglieder. Sie nahmen auch innerhalb des *nazistischen Besatzungs- und Vernichtungsapparats* eine prominente Rolle ein: Ernst Kaltenbrunner als »zweiter Mann« des SS-Apparates nach Himmler, Odilo Globocnik als übereifriger Leiter der »Aktion Reinhard« und Adolf Eichmann (wie Hitler politisch sozialisiert in Österreich) als Exekutor der »Endlösung«, unterstützt von Franz Novak, Anton und Alois Brunner, Erich Rajakowitsch, Franz Stangl, Hans Rauter, ganz abgesehen von den Besatzungschefs Seyß-Inquart, Glaise-Horstenau und Otto Wächter. Wohl dürften viele dieser Österreicher in erster Linie in Positionen, wo sie massenhafte Verbrechen begehen konnten, nur gekommen sein, weil die »Gleichschaltung« der »Ostmark« und »reichsdeutsche« Postenjäger sie in Ersatzkarrieren außerhalb Österreichs abgedrängt hatten. Die kriegerische Expansion des Dritten Reiches hatte genügend neue Spitzenpositionen geschaffen. Aber nur für »Volksgenossen«, die als voll verläßlich galten, konnte es solche Karrieren geben. Ihr Österreicher-Sein hinderte sie offensichtlich nicht, an den ärgsten Verbrechen des Nationalsozialismus mitzuwirken. Auch wenn noch nicht genügend einschlägige Forschungen durchgeführt wurden, so sollte schon jetzt Simon Wiesenthals erschütternde Bilanz ernst genommen werden: »Mindestens drei Millionen ermordete Juden gehen zu Lasten der an den Verbrechen beteiligten Österreicher.«

6. Wie die – selten direkt gewußte, wohl immer geahnte – Massenvernichtung von Juden, Zigeunern, unheilbar Kranken und anderen »Untermenschen« nicht hätte durchgeführt werden können ohne ihre mindestens passive Hinnahme seitens der breiten Bevölkerung, so hätten die Armeen des Deutschen Reichs im Zweiten Weltkrieg nicht räumlich so weit ausgreifen und bis zum Ende aushalten können, hätten die deutschen Soldaten, aber auch Arbeiter und Bauern nicht »ihre Pflicht« erfüllt und größte Anstrengungen und Opfer auf sich genommen. Pistolen im Nacken allein machen noch keine *»guten Soldaten«*. Und die Österreicher unterschieden sich in ihrer Kampfbereitschaft nur wenig von ihren »reichsdeutschen« Kameraden.[29]

Pflichterfüllung

Allein diese friktionsfreie Kriegsteilnahme und Pflichterfüllung der allermeisten damaligen Österreicher wäre nicht so überraschend. Denn diese Österreicher fühlten sich eben als Deutsche, der größte Teil stimmte mindestens partiell mit den Zielen des Nationalsozialismus überein, auch wenn er selbst nicht NSDAP-Mitglied war, und die Österreicher wußten, daß sie schwere Folgen für sich und ihre Familie im Falle von Befehlsverweigerung, politischer Opposition oder auch bloß passiver Resistenz zu gewärtigen hatten. Um so höher sind der Mut und die Opferbereitschaft all jener, immerhin auch Zehntausender, Österreicher zu bewerten, die sich in irgendeiner Form den Ansprüchen des Regimes widersetzten, sei es, indem sie politischen oder militärischen Widerstand vorbereiteten, die Wirtschaftsmaschinerie des Dritten Reiches störten, menschlich mit »Fremdarbeitern« und Kriegsgefangenen umgingen oder Juden versteckten.[30]

Aber die Kriege und Besatzungsregimes des Dritten Reichs waren keine »normalen« Kriege, mit all ihrem modernen Schrecken. Sie waren auch nicht bloß brutale Angriffskriege und Überfälle auf viele Nationen Europas und der Welt. Was noch viel mehr zählt, sie waren im Osten und auf dem Balkan *auch* Vernichtungskriege gegen die Zivilbevölkerung.[31] Denn es war nicht nur die SS (auch Waffen-SS), sondern auch die Wehrmacht, die den schon Ende 1942 vom »Führer« befohlenen Kampf gegen Partisanen »mit den allerbrutalsten Mitteln« führte. Die reguläre Truppe war ermächtigt, »in diesem Kampf ohne Einschränkung auch gegen Frauen und Kinder jedes Mittel anzuwenden, wenn es nur zum Erfolg führt«.[32] Oft operierte die deutsche Wehrmacht im Osten und Südosten Europas eindeutig jenseits der vom internationalen Kriegsrecht geforderten »Angemessenheit« von »Sühnemaßnahmen« gegen Freischärler, wenn für einen ermordeten deutschen Soldaten nicht etwa 10, sondern sogar 100 »Verdächtige« erschossen[33], ganze Dörfer und Kleinstädte ausgerottet und verbrannt wurden – von regulären Wehrmachtseinheiten wie im serbischen Kragujevac und im griechischen Kalavrita.

Es gibt sogar quellenmäßige Anhaltspunkte dafür, daß hinter den »Säuberungsaktionen« der SS, dem »Bandenkampf« des Heeres und der Behandlung der Zivilbevölkerung die Absicht einer systematischen Reduzierung der slawischen Bevölkerung um 30 Millionen (!) stand.[34] Dies bedeutet nicht mehr und nicht weniger, als daß der deutsche Nationalsozialismus nach und neben der »Endlösung der Judenfrage« noch eine andere, zahlenmäßig noch weitergehende »Endlösung« anstrebte und teilweise schon durchzuführen begonnen hatte (siehe auch »Generalplan Ost«). Die Wehrmacht, nicht bloß die SS, spielte dabei eine zentrale

Rolle. Die deutschen militärischen Akten und die Protokolle des Nürnberger Kriegsverbrecherprozesses enthalten entsprechende Belege[35] ebenso, wie andere Aktenbestände des Dritten Reichs, so etwa jene über Wien[36], wo nach einer Mitteilung Bormanns aus dem Jahre 1941 – nach den Juden – beim Eintreten des erwarteten »Endsiegs« auch 500000 Österreicher slawischer Abstammung zur »Deportation« vorgesehen waren, vielleicht auch die Watzlawiks, Borodajkewyczs und Rothstocks.[37] Die internationale und deutsche Geschichtsforschung hat dieser Frage bisher relativ wenig Augenmerk zugewandt, allerdings klare Aussagen gemacht.[38] Die breite Öffentlichkeit Österreichs hat davon de facto überhaupt nicht Kenntnis genommen. Anders wäre es auch nicht möglich, daß hierzulande praktisch alle Kriegsmaßnahmen des NS-Regimes gemäß dem Sprichwort »Wo gehobelt wird, fallen Späne« entschuldigt werden. Der Krieg auf dem Balkan und im Osten ging aber weit über das »normale« Kriegshandwerk hinaus und erst recht über bloße »Pflichterfüllung«.

Es war schon *damals* keine »Pflichterfüllung«, die auf eine Massenvernichtung der Zivilbevölkerung hinauslaufenden »allerbrutalsten Mittel« im Kampf gegen einen gewiß ebenfalls brutal kämpfenden Gegner anzuwenden. Um so weniger geht es aus heutiger Sicht und Einsicht an, diese Form von Vernichtungskrieg als Pflichterfüllung zu bezeichnen, erst recht nicht, wenn man nicht Nationalsozialist gewesen ist und patriotischer Österreicher sein möchte.

Erst wenn die österreichische Öffentlichkeit diese Dimension des NS-Regimes und seines Krieges verarbeitet hat, sind auch andere Differenzierungen möglich – daß etwa klar zwischen strafrechtlichen Tatbeständen, moralischer (Mit-)Schuld und historischer Verantwortung zu unterscheiden ist; daß nicht alle SS-Männer oder NSDAP-Mitglieder, nicht alle Soldaten oder Mitläufer gleichermaßen »Schuld« auf sich geladen haben.

Das eigentliche Problem von Österreichs »Vergangenheitsbewältigung« liegt nicht ausschließlich darin – in einem strafrechtlichen Sinn –, vermuteten Kriegsverbrechen nachzuspüren, sondern eher darin, bei jenen, die damals verbrecherischen Vorgängen nahestanden und auf die vielleicht nur ein Schimmer indirekter moralischer Mitschuld fällt, einen Denk- und Verarbeitungsprozeß in Gang zu setzen, der ihnen die Augen öffnet, in welchen Verstrickungen sie sich befunden hatten. Man sollte nicht – wie Waldheim – dabei stehenbleibend sagen, »ich habe im Krieg nichts anderes getan als Hunderttausende andere Österreicher, nämlich meine Pflicht als Soldat erfüllt«[39] sondern dazu kommen, etwa zu sagen: Heute sehen wir ein, daß der Staat, für den wir eine Pflicht erfüllt haben, nicht unser österreichischer Staat war, daß das Regime, das wir zu verteidigen wähnten, eine schlimme Diktatur war, daß der Krieg, den wir führten, mehr als nur ein »normaler« moderner Krieg war, sondern auch ein Vernichtungsfeldzug gegen Zivilbevölkerungen. Wir müssen verblendet gewesen sein, nicht früher den wahren Charakter des Nationalsozialismus erkannt zu haben. Es ist uns unbegreiflich, wie wir es als Journalisten, Wissenschaftler, Politiker, Diplomaten mehr als 40 Jahre lang versäumen konnten, uns durch das Überdenken unserer Erfahrungen und durch das Studium überall erhältlicher Bücher eine eigene, vielleicht andere, Meinung hierzu zu bilden. Wir sind bereit, dafür jene Trauerarbeit im Sinne Mitscherlichs zu leisten, die eine echte Überwindung des Vergangenen erst ermöglicht...

»Vergangenheitsbewältigung« kann dann nur heißen, das Geschehene *nicht* zu vergessen.

Dann erst wäre eine Historisierung des Nationalsozialismus und seiner Verbrechen möglich. Dann erst könnten diese ohne falsche Untertöne in einen längeren historischen und breiteren geographischen Zusammenhang gestellt werden, woran sich die laufende westdeutsche Historikerdebatte[40] entzündet hat. Dann erst wäre es für Deutsche und Österreicher, die auf seiten des NS-Regimes gestanden hatten, einigermaßen guten Gewissens möglich, darauf hinzuweisen, daß es in der Tat äußerst schwierig gewesen war, den Täuschungen und Verlockungen des Nationalsozialismus nicht zu erliegen, daß es noch schwieriger, ja wahrhaft heldenhaft gewesen wäre, den tödlich-gefährlichen Weg des offenen Widerstands zu gehen oder sich doch passiv-resistent den Herrschaftsansprüchen des Regimes gegenüber zu verhalten. Erst dann dürfte den Nachgeborenen von den Zeitgenossen und Trägern des Nationalsozialismus die ansonsten zynische Frage gestellt werden, wie sie sich selbst in ähnlicher Situation verhalten hätten.

Dann auch könnte von einer Geschichtsforschung, die von der Last des Moralische-Relationen-erst-herstellen-Müssens befreit wäre, ohne zu Mißverständnissen Anlaß zu geben, nüchtern untersucht werden, wie vielschichtig und ambivalent der Nationalsozialismus eben in vielen seiner Ursachen und Auswirkungen war, wie sehr seine Unmenschlichkeit schon strukturell von Anfang an festgelegt war, oder wie sehr sie sich erst im Laufe der Zeit in Wechselwirkung mit anderen, auch äußeren Faktoren entwickelte, so daß es die Zeitgenossen unvergleichlich schwerer hatten als die Nachwelt, sich von ihm äußerlich und innerlich zu befreien.

Ein solcher Selbstbesinnungsprozeß wäre für viele Österreicher der älteren Generationen sehr schmerzhaft. Um wieviel schwieriger wäre er für den amtierenden Bundespräsidenten!

Wenn Dr. Kurt Waldheim ein solch heroischer Sprung über seinen Schatten gelänge – was nicht nur aus Gründen, die in persönlichen Merkmalen liegen, sondern auch wegen der strukturellen Deformationen des

Verhältnisses der Mehrheit der Österreicher zu ihrer Vergangenheit nicht wahrscheinlich ist –, könnte es sein, daß er zu der Einsicht käme, es wäre im Interesse der raschen Wiederherstellung des internationalen Ansehens Österreichs und der innerösterreichischen »Vergangenheitsbewältigung« besser, seinen freiwilligen Rücktritt zu erklären, oder wenigstens eine klar und unzweideutig formulierte »Weizsäcker-Rede«[41] zu halten.

Lutz Niethammer

»Normalisierung« im Westen

Erinnerungsspuren in die 50er Jahre[1]

Seit dem Anfang dieses Jahrzehnts scheinen »die 50er Jahre« ein Revival zu erleben. Was Ernst Kästner einst das »motorisierte Biedermeier« nannte, zieht Sehnsüchte an eine gute alte Zeit an, nah genug, um die nach rückwärts gerichtete Selbstversicherung nicht noch einmal mit der deutschen Verantwortung für das Nazi-Regime zu belasten, entfernt und exotisch genug für mythische Qualitäten. Nicht nur die Enkel an der Regierung sehnen sich nach wachsendem Grundkonsens und unproblematischem Wachstum, nach vorgegebenen Aufgaben und dem Relief des Stalinismus zurück. Auch bei den Jugendlichen könnte das persiflierende Spiel mit Möbel- und Modezitaten aus den 50er Jahren eine oberflächliche Abwehr einer tieferen Anhänglichkeit ans Wunschland der »Wunderkinder« sein – wie eine Achtzehnjährige aus Mülheim an der Ruhr 1983 ihre Second-Hand-Fummel der »Quick« erklärte: »Moderne Sachen kommen für mich nicht in Frage [...] Das Leben war damals doch viel harmonischer als heute. Die Leute waren nicht so aggressiv. Sie hatten ein gemeinsames Ziel.«[2]

Der Stoff, aus dem diese Traumlandschaft zusammengesetzt wird, wird von selektiven Zusammenschnitten der Medien geliefert, die die Verkürzungen und Idolisierungen der seinerzeitigen Medien noch einmal verkürzen und ihres Zusammenhangs entkleiden. Genauere Wahrnehmungen sind selten.[3] Die 50er Jahre sind weithin ein Warenhaus der Projektionen.

Der zeitgeschichtlichen Erforschung der Gründungsphase der Bundesrepublik ist es bisher kaum gelungen, den Mythos der 50er Jahre aufzubrechen. Zwar wachsen Anzahl und Qualität der Hinweise auf Konfliktpotentiale dieser Zeit, z. B. auf die Arbeitslosigkeit nach der Währungsreform, die ungleiche Verteilung der Kriegsfolgen, die Auseinandersetzungen um die Betriebsverfassung, die Opposition gegen Wieder- und Atombewaffnung, und Versäumnisse z. B. in der Deutschlandpolitik, im Städtebau oder in der Grundlegung der Großtechnologie werden diskutiert. Aber diese Einsprüche versinken in den ungebrochenen Perspektiven des Wiederaufbaus, des Wirtschaftswunders, der Wohlstandsgesellschaft, der Westintegration, den Verknüpfungen von Stabilität mit einer freiheitlichen Ordnung. Dies gilt erst recht, wenn diese Perspektiven neuerdings im Rahmen der Kontinuitätssuche auf den deutschen Wachstumspfad, den deutschen Sonderweg, das Anknüpfen der Bundesrepublik an die Dynamik des Kaiserreichs ausgedehnt werden.[4] So zusammenhanglos, leer und schief wie der Restaurationsbegriff, gegen den sich ein Gutteil der neueren Traditionsbildung der Wende wendet, sind auch seine Gegenbegriffe wie Normalisierung und Modernisierung.[5] Solche Begriffe sind nicht nur deshalb problematisch, weil sie die Frage der Inhalte und Bezugspunkte scheinbar obsolet machen. Sie decken auch Prozesse des Umdenkens, der Einordnung, des Erlahmens, aber auch der Organisation von Widersprüchen zu, die doch erst aufzufinden, zu beschreiben, womöglich zu verstehen oder sogar zu erklären wären. Dazu soll hier anhand von Erinnerungsquellen aus dem Ruhrgebiet[6] ein Beitrag geleistet werden.

I. Erfahrungsgeschichtliche Voraussetzungen

Die Erfahrung des Volkes[7] ist eine wieder aufgegriffene hermeneutische Dimension, die von unterschiedlichen Seiten in Anspruch genommen und in Zweifel gezogen wird. Der Zweifel bezieht sich einmal auf die Relevanz des Erfahrungsaufbaus breiter Schichten, zweitens auf seinen unaufgeklärten, nicht von kritischen und sozialwissenschaftlich informierten Begriffen gebrochenen Charakter, und drittens auf die amorphe, herkömmlichen soziologischen Analysekategorien sich entziehende Identität des »Volkes«. Schließlich – und wohl am durchschlagendsten – unterliegt der Volksbegriff einer gewissen Tabuisierung, weil er im politischen Raum von allen Seiten zerschlissen und durch seine zentrale Rolle in der völkischen Tradition als faschistoid stigmatisiert erscheint.[8] In Anspruch genommen und zur Identifikation empfohlen wird »Volkserfahrung« aus geradezu entgegengesetzten Perspektiven. Die eine steht in der Tradition der Bündnispolitik der Arbeiterbewegung, deren Grenzen sie in der gesellschaftlichen Konkurrenz um kulturelle Hegemonie durch den Rückgriff auf plebejische Kulturtraditionen überwinden will. Die andere sieht das Volk als massenhafte Nachhut etablierter gesellschaftlicher Eliten, die Konfliktlinie läuft dann nicht zwischen Volk und Herrschaft, sondern zwischen einem Volk und ›seiner‹ Führung auf der einen Seite und anderen Völkern oder innergesellschaftlichen Outsidern auf der anderen. Der Faschismus ist für beide Positionen ein Prüfstein, weil die eine Mühe hat, eine progressive Traditionslinie (»People's History«) angesichts des

Massenanhangs der Nazis aufrechtzuerhalten[9], während die andere nicht weniger Mühe hat, die Masse der Mitläufer aus der Haftung für den Holocaust zu bergen[10]. Insofern aus beiden Perspektiven das Ziel in der Identifikation, also im propagandistischen Kurzschluß zwischen einst und jetzt besteht, haben Zweifler recht, wenn sie das Kurzschlüssige des Verfahrens und den manipulativen Charakter des jeweils verwendeten Volksbegriffs anmahnen.

Der wissenschaftliche Versuch, die Dimension der Erfahrung – sei es als zeitgenössisches Erlebnis, sei es als im Rückblick gewonnene Erfahrung – in die Geschichte zu holen, hat indessen nichts mit Identifikation zu tun, sondern mit der Operation, massenkulturelle Prägungen und Verarbeitungsweisen zu ermitteln und zu verstehen.[11] Für diese Operation sind zwei Momente konstitutiv: die Individualität des Zeugnisses und die Distanz des Interpreten.[12] Diese Momente schließen eine Identifikation des Interpreten mit einer wie auch immer als Untersuchungsobjekt bestimmten Großgruppe geradezu aus und werfen vielmehr Fragen der Verallgemeinerung (wofür steht das Zeugnis?) und des Interpretationshorizonts (was unterscheidet unseren Gesichtswinkel von demjenigen des Zeugen?) auf, also Grundfragen jeglicher überlieferungsabhängigen Forschung. Die historische Bearbeitung von Erfahrungszeugnissen führt deshalb nicht zu begrifflicher Reduktion der Erfahrung eines ganzen Volkes oder gar zu ihrem Transfer in die Gegenwart, sondern vor allem zur interpretativen Auslotung seiner jeweiligen Erfahrungsvielfalt und -voraussetzungen und schafft dadurch zunächst einmal ein kritisches Potential gegenüber ideologischen Zuschreibungen an das Volk. Erst durch sie kann die Individualität der Massen in ihrer jeweiligen sozio-kulturellen Prägung historisch konstituiert und die Perspektive des Interpreten von der Perspektive der Interpretierten mitbestimmt werden.

Das Bedürfnis nach einer Freisetzung der Erfahrung jenseits ideologischer Leitbegriffe läßt sich am Leitbegriff der 50er Jahre »Normalisierung« leicht erkennen. Er ist nicht nur eines der wichtigsten Codewörter zeitgenössischer Selbstverständigung, sondern auch der zeitgeschichtlichen Charakterisierung der 50er Jahre und wird sogar in wirtschaftshistorischen Debatten über die Rekonstruktionsperiode als unterschwellige Leitkategorie erkannt[13]. Aber was sagt er aus? Wurde nur als normal eingestuft, daß man aus den Kellern gekrochen war und nicht mehr aus Blechgeschirren aß, oder wurde nicht die ganze dramatische Veränderung der deutschen Gesellschaft nach dem Zweiten Weltkrieg zumindest im Westen als normal erklärt – eine pokergesichtige Normalisierung, hinter der sich die moralische Unglaublichkeit des Wirtschaftswunders verbarg? Nach welchen vorgängigen Normen wurden die 50er Jahre »wieder normal«?

Solche Fragen erfordern also einen mikrohistorischen Zugriff, der sich auf bestimmte Regionen[14], Gruppen, Individuen, deren allgemeine Erfahrung und erinnerte Geschichten einläßt. Diese Verengung muß nicht zur Beliebigkeit der Ergebnisse führen, sondern kann eine kritische Interpretation über die Explikation kommunikativer Implikationen der Texte zu tieferen und allgemeineren Einsichten und damit zu fruchtbaren heuristischen Hypothesen führen. Bei den Materialien des Projekts »Lebensgeschichte und Sozialkultur im Ruhrgebiet 1930 bis 1960« handelt es sich um über 300 lebens- und alltagsgeschichtliche Interviews mit Vertretern der Erwachsenengeneration der 50er Jahre aus dem Revier, also Frauen und Männer aus verschiedenen sozialen Gruppen, die damals zwischen 20 und 60 Jahre alt waren. Über die Hälfte kommt aus Arbeiterfamilien. Im folgenden möchte ich einige Perspektiven dieses Projekts, welche die Erfahrungsvoraussetzungen der Nachkriegszeit neu beleuchten, skizzieren, um dann auf zwei Ebenen Erinnerungsspuren in der Volkserfahrung der 50er Jahre nachzuspüren.

Beim Überblick über die Lebensgeschichten von Arbeitern aus diesen Generationen fällt ein vorherrschender Erzählrhythmus auf. Über die Jugendzeit, die Phase der Weltwirtschaftskrise, den Krieg und die ersten Nachkriegsjahre wurde wesentlich ausführlicher und dichter berichtet als über zwei andere Lebensphasen: die Jahre zwischen der Auflösung der Arbeitslosigkeit Mitte der 30er Jahre und dem Beginn der persönlichen Betroffenheit von den Kampfhandlungen des Krieges, was bei dieser Gruppe nicht selten erst 1943 eintrat, sowie die Zeit seit der Währungsreform, oft fast die zweite Lebenshälfte. Die Strecken des Schweigens erwiesen sich als »gute Jahre«, Zeiten der »Normalität« eines geregelten Arbeits- und Familienlebens und der Verbesserung der materiellen Lebensbedingungen.[15] Die guten Jahre entbehren jener Dramatik in der Verknüpfung der Lebensgeschichte mit erkennbaren allgemein-geschichtlichen Bedingungen, die immer neue, »merkwürdige« Erlebnisse aufzwingt.

Aus diesem Befund ergaben sich zwei Blickrichtungen, um doch noch Licht ins Dunkel der guten Jahre zu bringen: die eine zielte durch detaillierte Nachfrage auf die exemplarische Konkretisierung alltäglicher Lebensverhältnisse, die andere auf die Klärung der Frage, warum man etwas, was erheblich von früheren Verhältnissen abwich, als normal erfuhr. Auf den Ertrag dieser Einzelstudien[16] kann ich hier nur verweisen und möchte einige darauf aufbauende allgemeinere Hypothesen hervorheben.[17]

Was zunächst die Frage der Normalitätserfahrung betrifft, so liegt es nahe, diese als eine retrospektive Qualifizierung einzuschätzen: normal ist, wie es jetzt schon eine ganze Weile ist. Das ist sicher nicht falsch, aber nicht die ganze Geschichte. Denn dieselben Interviewten berichteten auch aus den 20er Jahren von einer Normalität der Armut der Familien und der Instabilität der Arbeitsverhältnisse, von sichtbaren Klassenschranken und von Entwürdigungen im Betrieb, von Solidarstrukturen alltäglicher Lebensbewältigung und erheblichen politischen Auseinandersetzungen innerhalb der Milieus. Es gab also zwei gelebte Normalitätserfahrungen, und wenn fast regelmäßig gesagt wurde, daß die Verhältnisse nach der Währungsreform »wieder normal« geworden seien, so konnte sich das nicht auf die Wiederherstellung der früheren Kultur der Armut beziehen. Vielmehr mußte eine zwischenzeitliche Veränderung von Normen und Erwartungen die Erfahrung der 50er Jahre vorbereitet haben.

Diese Veränderung stellte sich in drei Erfahrungsschüben dar: die Masse der Arbeiter machte im Zuge der Rüstungskonjunktur in der zweiten Hälfte der 30er Jahre die Grunderfahrung einer Stabilisierung ihrer Arbeits- und Lebensverhältnisse und der beginnenden Ausweitung ihres Freizeitbereichs, während und obwohl die Arbeiterbewegung und jede kontroverse Deutung der Bedingungen und Perspektiven dieser Erfahrung in der Öffentlichkeit unterdrückt wurde. Statt dessen gewannen klassenunspezifische Formen der Unterhaltung, des Sports, der Massenkommunikation und der Erziehung an Gewicht, deren faschistischen Inhalten man am ehesten durch die Beschränkung auf den Nahbereich des Arbeitsplatzes und der Familien und dessen Ausgestaltung als private Sinnperspektive ausweichen konnte.

Dieser Nahbereich als Residum säkularer Sinnbezüge wurde im Krieg in Frage gestellt, blieb aber angesichts der Entwertung politischer Perspektiven als ein Bezugspunkt ohne Alternativen. In Frage gestellt wurde er durch tiefgreifende Primärerfahrungen, die fast jeder besonders in der traditionsarmen jüngeren Generation durch Überschreiten der eigenen Milieugrenzen, durch ungewohnte Leistungsherausforderungen und durch Beteiligung an Herrschaft, durch relative Aufstiege und absolute Verluste, durch Traumatisierungen und schließlich durch die Zerstreuung und Auflösung dieses Nahbereichs selbst erwarb. Wo es noch Ansatzpunkte für diesen Nahbereich gab, wurde er dennoch in Frage gestellt, fiktionalisiert und aus einer den Blick auf Zusammenhänge abwehrenden Realität in eine die Realität abwehrende Sehnsucht verwandelt.

Und dennoch war diese verkrüppelte Fiktion am Ende fast regelmäßig der erste, wenn nicht einzige Rahmen, in den die Rückkehr aus den verschiedensten Welten mündete, in den die widersprüchlichsten Erfahrungen, Ängste, Hoffnungen und Ansprüche stürzten und nur von dem aus die materielle Existenz improvisiert werden konnte. Das Bedürfnis nach Orientierung über diesen Rahmen hinaus, das vielerorts nach Kriegsende den vielfältigen Vorschlägen für die soziale und kulturelle Erneuerung Deutschlands Aufmerksamkeit verschaffte und die Kirchen füllte, traf im Industrierevier auf die Tatkraft bewährter Weimarer Betriebsräte unterschiedlicher Couleur, die ihre früheren politischen Perspektiven, mit denen die Fragen der Jüngeren ohnehin nicht konkret zu beantworten waren, zurückstellten und weitgehend gemeinsam die Reorganisierung des praktischen Lebens von den Betrieben aus in die Hände nahmen. Daraus entstanden pragmatische in den öffentlichen Raum hineinreichende gewerkschaftliche Klientel- und Vertretungsstrukturen, die auch die Umgruppierung der Fraktionen im Kalten Krieg, die Umorientierung von der Gemein- auf die Marktwirtschaft und den Generationswechsel von den alten Sozialisten auf weniger traditionsfeste Funktionäre überleben sollten.[18]

Man wird sich hüten müssen, diese Hypothesen vorschnell gesamtgesellschaftlich zu erweitern. Sie müßten mit der Erfahrung bürgerlicher Schichten verglichen werden, denn für diese bedeutete der Faschismus, obwohl es zu ihm zahlreiche ideologische und gesellschaftliche Brücken gab, meistens keine ähnlich eingreifende Veränderung der Lebenspraxis und -perspektiven. Auf der anderen Seite bedeutete hier der »Zusammenbruch« durch die Wahllosigkeit seiner Egalisierungszwänge, die Entwertung generationenlang verbürgter nationaler Wertsyndrome und die persönliche Verantwortungszumutung der Entnazifizierung ein Nadelöhr, durch das nur wenige erhobenen Hauptes zur neuen Welt des Westens gelangen konnten.

Die Einzeluntersuchungen zu Lebenswelten und -perspektiven von Männern und Frauen aus dem Arbeitermilieu in den 50er Jahren belegen zunächst die Rekonsolidierung der Nahwelten und ein Phänomen, das Werner Fuchs »die Normalbiografie endlich in Reichweite«[19] genannt hat. Was im Rückzug aus der Gesellschaft in den 30er Jahren denkbar geworden war, wurde nun im Einklang mit der Gesellschaft lebbar. Die Sicherheit des Arbeitsplatzes und die Zugänglichkeit einer familiären Ausstattung, dann auf Raten auch der modernen Technik für das Privatleben erwies sich nicht mehr als Episode und Betrug, sondern als ein Lohn der Disziplin, der sich wirklich einstellte. An die Stelle der Armutskultur als Klassenschicksal trat nun eine Teilnahme am Wiederaufbau und an der allgemeinen Verbesserung der materiellen Lebensverhältnisse, so daß man Pläne machen konnte – kleine Schritte zu einer Veränderung der Nahwelt, die erst die besser ausgebildete nächste Generation würde ernten können. Erst jetzt wurde die Familie aus einer Altersversicherung und einer oft schwer realisierbaren Selbstverständlichkeit auch in der Masse der Arbeiterschaft zu einem Projekt immanenter Transzendenz. Die Frauen, die in den schlechten Jahren ihr Kraftpotential jenseits der gewohnten Rollen kennengelernt hatten, kehrten nun zwar in der Mehrheit ins Haus zurück, aber sie mußten ihre Kraft nicht mehr aufs Überleben verschwenden, sondern konnten sie in eine beinahe schon professionelle Ausgestaltung des Privaten und in eine Erziehungsarbeit, die nun auch die Töchter weiterbringen sollte, investieren. Man mußte nicht mehr so viel arbeiten, aber man arbeitete viel, um etwas zu erreichen.

Nicht daß die Welt sich völlig verändert, die Arbeiterexistenz sich in einer Gesellschaft unbegrenzter Möglichkeiten aufgelöst hätte. Im Gegenteil, die Phase erhoffter Umwälzungen auf einen Streich, sei es die soziale Revolution oder der nationale Imperialismus, war offenbar passé und der Blick wurde für begrenzte Möglichkeiten geschärft und in diesen vermischte sich bisher Geschiedenes. Die Ausgestaltung des Sozialstaats wurde als Ablösung paternalistischen Schutzes, als Sicherung und perspektivische Dynamisierung der Positionen, die man im Markt erworben hatte, erfahren. Im Betrieb war das Entscheidende, daß man sich nicht mehr so ausgesetzt und unterworfen vorkam. Man wurde gebraucht, und die andere Seite konnte sich nicht mehr alles erlauben. Aus der Defensivbastion des Arbeitsstolzes wurde ein kalkulierendes Leistungsbewußtsein – und vor allem, man hatte seinen geregelten Beschwerdegang. Zwar interessierte man sich nicht besonders für Politik oder Gewerkschaft, aber daß dieses neue »Mensch bleiben« auf der Arbeit etwas mit der gewachsenen Vertretungsmacht der Kollegen zu tun hatte, war klar und schuf Loyalitäten.

Ähnlich wie für die Masse der Arbeiterschaft zeigt sich bei alltags- und lebensgeschichtlichen Rekonstruktionen für Frauen, daß die Nahwelten in der Wachstumsgesellschaft weder in ganz neuen noch in traditionell-»normalen« oder gar anthropologisch konstanten Orientierungsmustern ausgestaltet wurden, sondern daß diese in ihrer Spezifität im Dritten Reich geronnen waren. Zwar hatten die meisten, die nicht durch die Kriegsfolgen zur Erwerbsarbeit gezwungen waren, den Männern im beruflichen und öffentlichen Bereich wie selbstverständlich den Vortritt gelassen, aber das heißt nicht, daß sie nur am Herd gestanden hätten. Denn Stück um Stück wurden die Haushalte technisiert und die alten Selbstversorgungstätigkeiten durch wachsende Kaufkraft auf den Konsummärkten ersetzt. Die freigesetzten Kräfte wurden in ein erweitertes Familienmanagement, das deutlich über den Reproduktionskreislauf des älteren Klassenhorizonts hinauswies, investiert – in die Ausgestaltung des Heims, eine zielbewußte Erziehung der Kinder, die Übernahme ehrenamtlicher Funktionen in der zunehmenden Organisiertheit des sozialen Lebens. Und dabei wurde die Grenze zu einer eigenen beruflichen Tätigkeit, die über die alten Nebenerwerbe hinaus sozialen Sinn und persönliche Erfüllung versprach, durchlässig. Zunehmend wurde die Frage der Rückkehr in ein berufliches Leben nicht nur unter den Gesichtspunkt ökonomischer Zwänge, sondern auch ökonomischer und persönlicher Gewinne gestellt.

Auch einem solchen flexibleren, aber im Alltag oft überbürdenden Selbstverständnis war im Dritten Reich vorgearbeitet worden[20] – nicht so sehr durch das ursprüngliche Frauenbild der Nazis als Gebärmutter des Volkes, das nur eine ideologische Zuschreibung war. Wichtiger als Interpretation tatsächlicher neuer Primärerfahrungen wurde die Flexibilisierung der Geschlechtsstereotype durch das Ideal Kameradschaft zwischen Mann und Frau in den Massenmedien und den Jugendorganisationen spätestens der Kriegszeit. Darin wurden die Zuständigkeiten der Geschlechter für innen und außen zwar grundsätzlich bestätigt, zugleich aber für besondere Anforderungen – hier der Krieg – geöffnet und dadurch auch neue Erfahrungs- und Bewährungsräume legitimiert, ohne daß Männer und Frauen mit kulturell tief verankerten geschlechtlichen Sinnbezügen und ihren kommunikativen Regeln grundsätzlich brechen mußten. Im Gegensatz zum frühen NS-Leitbild der Gebärmutter war die weitverbreitete geschlechtliche Kameradschaftsideologie durch ihre Verbindung von Traditionalismus und Flexibilität wesentlich realitätstüchtiger, und es gab nach dem Krieg keinen Zwang, die Grundstruktur dieses Deutungssystems zu verlassen.

Insofern könnte man in der Tat sagen, daß in den Familien der 50er Jahre »der Krieg im Kleinen weiterging«[21], aber nicht im Sinne einer nach innen gewendeten Auseinandersetzung zwischen Faschismus und Antifaschismus, sondern einer flexiblen und arbeitsteiligen Kampfkameradschaft an den kleinen Fronten des neuen Alltags. In diesem Deutungssystem machte die Kameradin den Kameraden nicht überflüssig, sondern war nur der bei besonderem außerhäuslichen Bedarf mobilisierte Aggregatzustand der Geliebten, Hausfrau und Mutter. Als dieser Bedarf am Ende der 40er Jahre abebbte und die Kameraden zurückgekommen waren, galt ein großes und heute peinlich wirkendes ›Normalisierungs‹-Projekt der Frage, wie sich die Kameradschaft mit den traditionellen Geschlechterrollen verbinden ließe. Das Modell wurde nun in Partnerschaft umbenannt und bekam dadurch die attraktive Unschuld westlicher Modernisierung. Wie die Verlagerung der Kameradschaft in die Ausgestaltung der Nahwelten im Wiederaufbau mit der Wiederherstellung traditioneller erotischer Spannung integriert werden könnte, mußte freilich erst praktisch ermittelt werden. Dieses Massenexperiment beherrscht ein Gutteil der Massenkultur der frühen 50er Jahre. Unterstützt von Vorbildern in Werbung, Unterhaltungsindustrie, Tanz- und ›Benimm-Dich‹-Kursen wurde es von beiden Seiten mit vielen Phantasien und Inszenierungen betrieben. Im Rückblick ist der beherrschende Eindruck die Unsicherheit dieser neuen Eintarierung in einer quasi noch einmal pubertierenden Erwachsenenwelt[22].

II. Gespaltene Nostalgie

Wenn vorhin von einem Schweigen über die guten Jahre in den erinnerten Lebensgeschichten gesprochen wurde, so beruhte diese Aussage auf der Dichte und Ausführlichkeit spontaner Erzählungen. Übergangen wird diese Zeit freilich nicht, es fehlen auch nicht die chronikartigen Angaben über den Wechsel von Arbeitsplätzen und Beförderungen, über Wohnungswechsel, die Geburt von Kindern, weniger regelmäßig auch über die Etappen der Konsumkarriere, in der nach der Wohnungseinrichtung der erste Fernseher, das erste Motorrad oder Auto, die erste Urlaubsreise die charakteristischen Schwellen sind. Diese Angaben werden mit rückblickenden allgemeinen Einschätzungen verbunden. Sie sind oft von formelhafter Kürze und scheinbarer Eindeutigkeit, aber bei größerer Ausführlichkeit mischen sich merkwürdige Untertöne ein, die an einigen Beispielen betrachtet werden sollen. Die verbreiteten knappen Erfahrungsformeln bringt ein Amtmann auf den kleinsten Nenner.

> »Die Jahre davor, das war ja der Krieg. Die ersten fünf Jahre bis '48. Währungsreform: da war ja dann nun wirklich nichts los. [...] Die 50er Jahre. Ja das war der Aufstieg, das ging wieder voran. Man konnte was schaffen und es wurde auch alles normal.«[23]

Interessant ist zunächst die Periodisierung: das Gegenbild, von dem man den Ausgang nimmt, ist nicht das Dritte Reich, sondern der Krieg. Darauf folgt eine Art Niemandszeit, die auch in ihrer Ausdehnung etwas verschwimmt. Ausweislich der Vielzahl persönlicher Geschichten aus den Trümmerzeiten war damals zwar eine Menge los, aber im Rückblick und nach den Maßstäben der Folgezeit war damals nichts los. Die 50er Jahre haben einen klaren Beginn, den 20. Juni 1948: die Währungsreform ist der Gründungsmythos der westdeutschen Gesellschaft[24]. In ihr wurde nicht nur jeder einzelne in seiner wirtschaftlichen Existenz symbolisch mit der nationalen Geschichte verkoppelt, sie klärte auch die bis dahin verworrenen Perspektiven, machte die Macht und Ordnung des Westens sichtbar, während sich die Sowjetunion mit der Blockade Berlins ebenso sichtbar zum Inbild von Unrecht und Mißerfolg machte.[25] Und im Windschatten dieser alliierten Weichenstellung, die die Westdeutschen wie eine Überwältigung zum Glück erfuhren, wurden ohne viel Aufhebens die staatlichen Konsequenzen aus der Teilung gezogen, denn der Weststaat war für die Westdeutschen eine Chance: ohne eigenes Verdienst waren sie auf die gute Seite zu fallen gekommen. Von nun an ging es, so unsere Erfahrungsformel, »wieder voran«, der Rahmen war gesetzt, in dem sich die eigene Tatkraft entfalten konnte. Der Aufstieg brachte die Normalität, die – so müßte man ergänzen – in weiterem Aufstieg bestand, aber nicht mehr so dramatisch wie der Anfang erfahren wurde. Deshalb haben die 50er Jahre auch kein benennbares Ende, sondern verlieren sich im weiteren.

Läßt man sich etwas näher auf die Erfahrung ein, so führt das nur zum Teil zur Ausgestaltung dieser einlinigen Perspektive, zum anderen Teil aber zu ihrer Brechung. So formuliert etwa der Gesamtbetriebsratsvorsitzende eines Symbolunternehmens des Reviers, nachdem er mit eigenen Erlebnissen die Währungsreform als Beginn der neuen Normalität gewürdigt hat[26]:

> »Würde auch differenzieren. Also die wirtschaftliche Entwicklung und so die persönliche Entwicklung – denn in den 50er Jahren hat man ja allgemein versucht, sich das, was die meisten durch den Krieg verloren hatten, alles wieder hochzubauen. Die Wohnungen auszustatten, sogar sicherlich komfortabler und besser, als man (das) früher gehabt hat, moderner, auch mit modernen Mitteln. Daneben ist sicherlich, wenn man die politische Entwicklung sieht, dann haben die 50er Jahre sicherlich zu der Aufbruchstimmung, die so 48/49 da war, sicherlich eine gewisse Resignation im Hinblick auf die Restauration der alten politischen Kräfte hier, jetzt im übertragenen Sinn der konservativen Kräfte gezeigt. Weil man sicher für einen, der politisch engagiert war und nicht konservativ orientiert war, sicherlich teilweise Grund zum Resignieren (hatte), besonders nach der Wiederbewaffnungsdebatte, Europäischen Verteidigungsgemeinschaft, usw. – da waren sicherlich Zeiten, wo man politisch resignierte, die aber mit der persönlichen Entwicklung insofern nicht unmittelbar einhergingen.«[27]

Die Abspaltung der persönlichen Perspektive (»modern«, »komfortabel«) von der politischen (»konservativ«, »resignativ«) ist bei Herrn Geißler ein Riß in der Erfahrung geblieben, während ein anderer Riß zugekittet wurde, nämlich daß er im Rückblick auch die wirtschaftliche Entwicklung, deren Prinzipien er damals bei den »Falken« bekämpfte, anerkennen muß, so daß ihm schließlich auch die verhaßte soziale Restauration wie ein Wählerumschwung zur anderen Volkspartei wegrutscht. Er erinnert sich aber der Aufbruchsstimmung in der Sozialdemokratie, nachdem sie im Wirtschaftsrat in die Opposition gegangen war und auf einen westlichen Sozialismus (Marshall-Planwirtschaft) und ihre nationale Führungsrolle in einer anderen Republik hoffte und bevor diese Hoffnungen in der ersten Bundestagswahl zerstoben und sie in einen langwierigen Anpassungsprozeß an die im Westen entstandenen Verhältnisse gezwungen wurde. Herr Geißler, dessen Jugend von den NS-Gemeinschaftserfahrungen in der HJ und in der Kinderlandverschickung geprägt worden war, hatte sich schon bald nach 1945 entschieden umorientiert und war über die »Falken«, wo er auch seine Frau kennenlernte, und die SPD zur Gewerkschaft und zu einer zweiten Profession in Berufsverbänden und im Betriebsrat gekommen; parteipolitisch ist er heute inaktiv. Eine schnelle entschiedene Umorientierung nach dem Zusammenbruch jugendlicher NS-Ideale war nicht die Regel; öfter dauerte es seine Zeit, bis man über den Beruf, den Betrieb, eine persönliche Beziehung mit alten politischen Kollegen am Arbeitsplatz zunächst noch vorsichtig in die Einheitsgewerkschaft, schließlich in den Betriebsrat und in die Godesberger SPD gelangte, bis eine neue Perspektive aus der persönlichen und beruflichen Entwicklung in den politischen Raum hineinwuchs, um dort ihre Erfüllung zu finden.[28] Herr Geißler ist den umgekehrten Weg gegangen, aber die Zumutung einer zweiten politischen Umorientierung hat ihn in den 50er Jahren politisch resignieren und die kontinuierlichen Pfade der persönlichen und wirtschaftlichen Entwicklung suchen lassen.[29]

Aber die Gedächtnisspuren führen in den 50er Jahren nur selten zur Problematik politischen Engagements; schon häufiger führen sie zu den politischen Rahmenbedingungen einer Reduktionserfahrung, die – abgewogen gegen die Vorteile von Frieden und Freiheit – akzeptiert werden muß. Sie weisen nicht auf Spaltungen in der Erfahrung der 50er Jahre selbst, sondern auf die Scheidung ihrer Erfahrung von früheren Erfahrungen und finden sich besonders bei jenen Gruppen, die durch persönliche Verletzungen, den Tod von Angehörigen oder potentiellen Partnern und den Verlust der Heimat, der Habe oder eines früheren Status die nationalen Kriegsfolgen in besonderer Weise persönlich aufgebürdet bekamen – addierte man die Merkmale, würde sicher weit mehr als ein Drittel der Nachkriegsgesellschaft herauskommen.

> »Das ist ein bescheidenes, kleines Häuschen, kann sich mit meiner Herkunft überhaupt nicht messen. Aber das, was ich aus dem Krieg hierher gerettet habe, und mein Beruf und mein Häuschen und meine Kinder großziehen, das war das Äußerste, was ich auf die Beine stellen konnte nach diesem Krieg. Die erste Hälfte meines Lebens war eine ganz andere, von der Herkunft her und von meinen Einkommensverhältnissen her, obwohl die auch sehr wechselnd waren in den Jahren. Aber, elitär ist vielleicht zu viel gesagt, aber die Schicht des oberen Bürgertums, die hab ich mühsam erreicht und in wesentlich verkleinertem Umfang. Die erste Hälfte meines Lebens war viel turbulenter als die zweite. Daß ich hier jetzt schon über 30 Jahre wohne, das kommt mir manchmal wie ein Traum vor.«[30]

Es fehlt nicht viel und Dörte Finke hätte »Alptraum« gesagt. Dabei ist sie in der zweiten Hälfte ihres Lebens nach allen Kriterien eine Top-Frau geworden: Juristin, Spitzenbeamtin, Autorin, Vorsitzende eines Verbandes. Als vertriebene Kriegerwitwe hat sie zwei Söhne zum Studium gebracht, sie besitzt ein Haus, und auch ihre Pension plaziert sie noch ins obere Viertel der Einkommensklassen. Jedes Jahr fährt sie mit Abenteuerreisen in andere Kontinente, sie ist eine Figur der Öffentlichkeit, mit an die achtzig Jahren sprudelt sie im Interview von einer Vitalität, die halb so alte beklommen machen könnte. Wie sollte es da zu einer Zweiteilung des Lebens und zu diesem von der Malaise leicht angekränkelten Stolz auf bescheidene Errungenschaften seit den 50er Jahren kommen?

Frau Finke empfindet ihren Aufstieg als Abwehr eines Abstiegs, ihre Leistungen als mühsamen Ersatz früherer »turbulenter« Abenteuer. In ihrer ersten Lebenshälfte hat sie auf Erbschaften Eroberungen gesetzt. Sie kommt aus dem Großbürgertum des Reviers, wo ihr Vater Manager in der Großindustrie war, in dessen großer Dienstvilla sie aufwuchs. Nachdem sie ihre Ausbildung zur Journalistin wegen der Verengung der Presse 1933 aufgegeben hatte, gehörte sie zur ersten oder zweiten Generation junger Frauen, die sich in der Männerdomäne der Juristerei ein Studium ertrotzten. Sie sammelt Erfahrungen in verschiedenen Positionen und interessiert sich für Luftrecht, wo sie auch promoviert, und fliegt im NS-Fliegerkorps. Gleich 1939 bewirbt sie sich in den neuen wilden Osten des Reiches nach Posen, heiratet dort einen Fachkollegen, der Berufsoffizier geworden ist, hat ein großes Haus, wechselt von einer Versicherungsbehörde in eine Behörde des Warthegaus, bringt zwei Kinder zur Welt und schlägt sich – halb nationalstolze Kolonistin in Polen, halb randständige Akademikerin in der Männerherrschaft der Nazis – mit weiblich nuancierten Mitläufertaktiken durch die Zumutungen einer aufregenden Zeit. Kaum eine Front der bürgerlichen Moderne im Dritten Reich, an der sie nicht ihre Kräfte gemessen hätte. »Meine ganze erste Hälfte ist nur von Entscheidungen geprägt, und das geht sicher meiner ganzen Generation so.«[31] Und dann:

> »Der Friede war ja auch fürchterlich. Der war ja viel, viel schlimmer als der Krieg, jedenfalls für uns im Osten. Da saßen wir ohne Bombenangriffe [...] Ich hatte überhaupt keine Meinung, das als Befreiung zu empfinden, wenn Sie aus dem Osten kommen und der Mann weg ist und die ganze Habe weg ist und die Familie durcheinander gewürfelt und keine Zukunft, nein, das konnte man nicht als Befreiung empfinden. So waren wir ja auch vorher überhaupt nicht bedrückt durch die Nazis. Das kann ich überhaupt gar nicht sagen, daß die uns in irgendeiner Weise bedrückt haben.«[32]

Der Mann vermißt, Flucht mit zwei Kindern, ein paar Zimmer zusammen mit Mutter und Schwester irgendwo im Oldenburgischen, das Assessorexamen nachmachen, eine endlose Entnazifizierung vor allem wegen der Fliegerei, weniger wegen der Parteimitgliedschaft und der juristischen Funktionen. Schließlich kommen die 50er Jahre mit einer neuen Stelle – zwölf Jahre Hilfsreferentin in der Kriegsopferversorgung, die Kinder, ein Reihenhäuschen, in dem sie im Eßzimmer schlafen muß in einer fremden Stadt, die Wechseljahre, die Toterklärung des Mannes, patent sein – ein Anti-Klimax der Pflichten und Einschränkungen.

»Da mußten wir uns ja hier erst etablieren, Möbel abstottern und, ach Gott, ach Gott, nein. Daß man sich heimisch fühlte, auch so, ich meine die Umgebung [...] Die Kinder haben gleich sofort Fuß gefaßt auf der Schule, und über die Kinder lernt man dann ja auch wieder die Eltern kennen. [...] Aber bei mir hat das noch bis Anfang der 60er Jahre gedauert, würd' ich sagen. Mitte der 60er Jahre, da konnten wir das (Haus) nun hier kaufen, da betrachtete man sich schon mehr als eingewurzelt. Aber diese Zeiten der Umstellung, da geheimnist man ja jetzt Sachen rein, die gar nicht existierten. Daß es also eine Zeit der Restauration war und Nierentische und was da immer hochgekramt wird, schreckliche Kultur und alles bombastisch und neureich usw. – wir Bundesbediensteten haben da wenig von gemerkt. Wir waren ganz bescheiden. Wir freuten uns, daß wir überhaupt wieder etabliert waren.«[33]

Für Adam Bräger stellt sich keine Problematik der Restauration, von der er sich abgrenzen müßte. Als junger Mann hatte er einen Hof von 240 Morgen im Anhaltischen, ein Reitpferd und ein Auto, heute wohnt er in einer Dreizimmerwohnung in Gelsenkirchen und hat einen Wohnanhänger auf einem Campingplatz im Sauerland, aber kein Auto.

»50er Jahre? Ach, da war ich ja schon hier. Ach, das waren gute Erinnerungen, soweit [...] Anfangs war auch schlecht mit Arbeit, war auch sehr schlecht [...] Wir sind hier gleich hergekommen seinerzeit. Hier war noch die beste Arbeitsmöglichkeit [...] und sind hier hängengeblieben. Also war ja schmutzige Gegend hier vielleicht. Ich selber – meine Frau hat ein bißchen Last mit der Luft hier – ich selber nicht so [...] Wir kamen ja mit gar nichts hier an. Wir sind ja hier ganz gut aufgenommen worden [...] Mehr konnten die ja gar nicht machen; waren ja zu viele [...] Normale Zeiten waren nachher, wie ich hier dann richtig Arbeit hatte und (wir) alles wieder schön eingerichtet hatten, soweit wie's geht [...] Wir haben alles auf Raten gekauft. Wir hatten ja kein Geld [...] Erstmal Couch hatten wir hier, Sessel, auf Raten natürlich. Ja, das ging immer so langsam weiter denn. Mußten natürlich sparsam leben [...] Das lag aber praktisch an uns

> jedem alleine, das liegt ja an jedem alleine, ob er's schafft oder nicht schafft.«[34]

Ein Bauer gibt 1952 seinen Hof in der DDR auf, weil er das »Du mußt! Du mußt!« überzogener Ablieferungsverpflichtungen und die unsachlichen Eingriffe in seinen Betrieb nicht länger aushalten kann und geht mit seiner jungen Familie in den Westen. Der Westen entpuppt sich als Knochenarbeit im Gleisbau im Industrierevier, unterbrochen von Arbeitslosigkeit, schließlich eine kleine Stelle im Büro, eine neue, enge Normalität. Keine Eingriffe, aber auch nichts mehr, in das sich eingreifen ließe. Die Erinnerung an den Hof verwandelt sich nach einer zu späten und kleinen Lastenausgleichszahlung in den Wohnwagen als Naturzugang am Rand des »schmutzigen Kohlenpotts«. Im Rahmen des Zumutbaren ist ihm hier geholfen worden, da will er niemandem etwas vorwerfen. Im übrigen hat er es alleine zu verantworten, das Risiko der Freiheit. Kein Wunder, daß er und seine Frau sich immer wieder in Erinnerung rufen müssen, wie unsinnig die Produktionsauflagen für seinen Betrieb in der DDR waren, daß ihnen fast keine andere Möglichkeit blieb, als zu gehen. Dann werden die 50er Jahre wieder »gute Erinnerungen, soweit«, aber »die 50er Jahre waren auch schwer«.[35]

Für Herrn Bräger gibt es einen Zwang zum Guten, der ihn seine schweren Erfahrungen immer nur in der Form der Einräumung mitteilen läßt. »Wir haben das richtig gemacht. Wir haben das nie bereut!« Offenbar sind alle größeren Bauern des Ortes damals »getürmt«. Die Brägers gehörten schon zu den letzten. Die 13 Jahre jüngere Frau des »Großbauernsohns«, die »vom Büro in den Kuhstall« gekommen war und im Westen wegen der beiden Kinder nicht mehr berufstätig wurde, die die Geschichte nicht zu verantworten, aber mitzutragen hatte, ist über die Folgen weniger zurückhaltend. Sie wendet sie aber, wenn sie für die Partnerschaft kritisch werden könnten, ins Politische:

> »Das ist meinem Mann sehr sauer geworden, hierher zu kommen. Arm zu sein und nichts zu haben [...] Aber er war natürlich auch schon etwas zu alt, um noch aufzusteigen; dann hätte er auch noch Lehrgänge besuchen müssen [...] Sehen Sie, und da sind wir zu nichts weiter gekommen, nur zu einer Mietwohnung [...] So arm ist mein Mann geworden nach dem Krieg, wo doch praktisch der tiefste Frieden war. Also so ein System haben die da drüben [...] Sicher, ich mein, den Flüchtling werden Sie ja nie los. (hier ist) ja nur diese schmale Straße – wenn da irgendwelche Festlichkeiten oder sowas ist, wir gehören da nie dazu [...] Eigentlich hatten wir sehr viel Pech im Leben [...] Wir haben uns ja somit schon verbessert – sehen Sie mal: wenn Sie jetzt in der Zone zurückbleiben, was kriegen Sie da für 'ne Rente? Wir leben hier ja doch 'n bißchen besser. Und dann die Freiheit, die Freiheit ist ja mit nichts

zu bezahlen! [...] Wir sind trotzdem mit unserem Leben zufrieden. Man darf sich eben die Ziele im Leben nicht zu hoch stecken, dann ist man immer enttäuscht.«[36]

Das ist offenbar eine erst spät erworbene Maxime. Sie hat ihm gut zureden müssen, durchzuhalten und die geforderten Anpassungsleistungen zu erbringen, z. B. wenn der Bauer anfangs Schwierigkeiten hatte, acht Stunden auf einem Bürostuhl zu sitzen und allenfalls froh war, daß es dort »schön trocken« war. Sie klagt über Einsamkeit, er über Heimweh. Aber die Imperative Familie und Vorankommen wurden in ihrer sozialen Krise zu einem asketischen Normgeflecht verwoben, das die Sinnfrage ihrer Flucht überdeckte[37] und auf das sie sich beide noch immer wie im Wechselgesang beziehen können:

Er: »Ich habe mich nie um Politik gekümmert [...] Ich bin in keiner Partei«

Sie: »Da waren wir eigentlich seelisch so kaputt, da wollten wir uns gar nicht betätigen«

Er: »Immer gearbeitet. Hauptsache Geld bringen. Die Frau war mit dem Jungen hier, später wurde die Tochter geboren. Immer gearbeitet, nie geschwänzt«

Sie: »Anständig, ruhig, fleißig, bescheiden leben«

Er: »Immer sparen. Nicht viel in die Kneipen gehen, überhaupt nicht in die Kneipen gehen. Urlaub haben wir uns anfangs gar nicht gegönnt [...] Wir wollten ja auch vorwärts kommen«

Sie: »Durch Arbeit und durch Bescheidenheit [...] Wir haben natürlich kein Auto mehr angeschafft mit zwei Kindern. Wenn die Frau nicht mitarbeitet, dann kann man sich diese teuren Sachen nicht leisten«[38]

So asketisch mußten die Normen freilich nur selten sein. Bei den meisten im Westen waren die Einbrüche der Lebensperspektive nicht so tief und nicht so spät und deshalb auch das Vorankommen ertragreicher, der Aufstieg sichtbarer. Ich möchte deshalb zum Abschluß dieser Betrachtung differenzierterer Erfahrungsschilderungen ein Gegenbeispiel zitieren – ein Gegenbeispiel jedenfalls in der Stabilität der Bedingungen und der Sichtbarkeit des Erfolgs. Werner Darski[39] ist der Aufstieg vom Bergarbeitersohn zum Leiter eines städtischen Amtes im Ruhrgebiet gelungen, und dies, obwohl er parteilos ist. Außer im Krieg, wo er zum Schluß vom Arbeitsdienst weg noch eingesetzt und verwundet wurde, hat er immer in derselben Gemeinde gewohnt. Zweimal hat er geheiratet, zweimal ein Haus gebaut, das zweite ist ein weitläufiger, altdeutsch eingerichteter Bungalow mit separatem Blockhaus im Garten. Er ist ein Technikfreak, hatte früh das Fernsehen, die Stereoanlage, er liebt schnelle Autos und fährt sie auch gerne aus; auch im Blockhaus fehlt weder die vollständige

Unterhaltungselektronik noch die Videokamera. Er wirkt betont gepflegt und sein Charme erinnert an Heinz Rühmann. Er gibt sich locker, erzählt, wie ungern er in die Schule gegangen sei, spricht abschätzig über Hierarchien, aus der Kirche ist er ausgetreten. Jetzt um die Sechzig wirkt er wie ein Sonntagskind des Wirtschaftswunders.

Auf die 50er Jahre angesprochen, sagt er: »Die Zeiten waren besser, aber unsere direkt nicht«[40], und zählt auf: Nachoperationen seiner Kriegsverletzung, manchmal mit wochenlangen Krankenhausaufenthalten, Weiterbildung in der Verwaltung mit Büffeln bis in den Abend, Samstag wurde noch gearbeitet, kaum Zeit für Vergnügen, größere Anschaffungen zunächst auch nicht, weil er mit seiner Verlobten keine Wohnung fand. An Auto oder Motorrad war überhaupt nicht zu denken, aber immerhin an Urlaub im Inland. Das mußte aber aufgegeben werden, als die Wohnungsfrage durch einen Hausbau mit ausgiebiger Eigenleistung gelöst werden sollte.[41] Dadurch hatte man jahrelang weder Zeit noch Geld, es mußte viel selbst getan werden: man wollte in der Folge auch die Schulden loswerden, wofür er und seine Frau arbeiteten. Und erst als einige Jahre später klar wurde, daß sie keine Kinder haben würden, wurde dann ein Auto gekauft. »Ich bin auch früher ganz gerne mal, wenn ich so Zeit hatte, alleine losgefahren [...] aus reiner Lust am Autofahren und auch am schnellen Fahren.« Beim Fernsehen gehörten sie allerdings zu den ersten hundert Haushalten in ihrer Stadt. Dadurch habe man viel Besuch bekommen, denn am Anfang sei das unwahrscheinlich interessant gewesen; das habe sich dann beruhigt. Davor war es anders: »Es gab kein Fernsehen, und man hat nie Langeweile gehabt.«[42]

Die Techniken, scheint mir, kommen offenbar zur rechten Zeit, um die Leerstellen zu füllen, wenn die Daueranspannung des ersten Nachkriegsjahrzehnts nachläßt, die freien Zeiten zunehmen, die eigene Disposition eigentlich beginnen könnte. Da schließt sich an die Ausfüllung des Lebens und die Selbstverständlichkeit seiner Aufgaben im Wiederaufbau die funktional unbestimmte Beschäftigung mit den Medien, dem Verkehr und anderen technischen Ausrüstungen, die als solche faszinieren und einen Firniß der Beschäftigung über die unterschwellig sich ausbreitende Langeweile ziehen. Aber es wird nicht nur gespürt, daß die Faszination der Waren ein Ersatz ist. Auch die vormalige Aktivität des Aufbaus, wofür sie Ersatz ist, nimmt sich im Rückblick als eine merkwürdige Fremdbestimmung aus – merkwürdig deshalb, weil man gewohnt war, Fremdbestimmung als Ausbeutung zu denken, als ein Wegnehmen. Jetzt bekommt man dazu, und es ist doch nicht selbst entschieden und erworben, man wird aufwärts geschoben, weiß nicht wovon und landet in einer ungreifbaren, aber komfortablen Malaise[43]:

»Wurde wohl wesentlich beeinflußt weniger durch eigene Entscheidungen als durch die Umstände, die immer da waren. Ich bin genau in eine Zeit hineingeboren, wo die Umstände so wesentlich waren, daß man immer davon praktisch in eine bestimmte Richtung geschoben wurde, die man selbst gar nicht wollte – vielleicht, auch. Eben der Krieg einmal und die Teilnahme daran, das war etwas ganz Wesentliches. Dann der Eintritt in den Beruf seinerzeit als unmittelbare Folge danach. Dann die erste Heirat mit Sicherheit auch, ganz bestimmt. Und dann die Auflösung dieser Sache, die ja auch gar nicht so einfach war.« Und er greift dann noch einmal auf die frühen 50er Jahre zurück: »Von da an – mit Ausnahme der Auflösung der ersten Ehe – (ist es) an und für sich immer so aufwärts gegangen, immer so mehr oder weniger langsam, aber stetig, ohne große negative Ereignisse, die waren eigentlich nie da.«[44]

III. Privatisierung der Geschichte

Bei manchen klingt es, als wünschten sie sich geradezu Ereignisse (es müßten ja nicht negative sein), in denen sich wie in einem Brennspiegel das Ungreifbare ihrer Erfahrungen erhellen könnte. Auch der Historiker kann sich an die damals entstandenen Strukturen gesellschaftlicher Unbewußtheit[45] in den Erinnerungen an die 50er Jahre nur weiter herantasten, wenn jenseits der bewußten Erfahrungsverarbeitung Episoden erzählt werden, in denen die Selbstverständlichkeit der Verhältnisse aufbricht. Solche Episoden werden in ausführlichen Stegreiferzählungen vom Gedächtnis assoziativ eingemischt, weil sie dazugehören, auch wenn ihr Sinn vom Erzähler nicht voll ausgeschöpft oder in die Sinnbezüge des Interviewkontexts integriert werden kann. Ist die assoziative Produktion des Gedächtnisses erst einmal in Gang gekommen, so werden oft auch dann erzählt, wenn man selber nicht recht weiß, warum man sie einem Fremden ins Mikrophon spricht.

Wie gesagt, sind die Erinnerungen an die schlechten Zeiten voller Episoden, die den bisherigen Begriffsrahmen sprengten, während sie in den 50er Jahren selten sind. Indessen fehlen sie nicht ganz. Aus dem geringen Bestand wähle ich vier aus, die uns viel tiefer in ein Themenfeld führen, dessen Bedeutung sich aus der Betrachtung der Erfahrungsformulierungen ergibt: die Nachkriegslast auf den Beziehungen und die Zuwendung zu den Sachen im Wiederaufbau. Während die Erfahrungsformeln überwiegend von Männern kamen, stammen diese Geschichten von Frauen. Unter einem von mir gewählten Titel zitiere ich jeweils die Episode und versuche dann, das Erstaunliche an ihr, in dem sich die Normalität bricht und in ihren tieferen Schichten ansichtig wird, zu erläutern.

Der Rest ist Schweigen

Als Frau Wollberg 42 war, bekam sie ihr viertes Kind. »Den wollt ich ja nicht mehr. Ich sag', wenn's damals die Pille (gegeben hätte), den hätt' ich nicht gehabt. Ich hatte keine Lust mehr.« Als dieser Sohn gerade laufen lernte, »da kam der erste Knall bei uns. Da hat er (ihr Mann) sich nämlich mit meiner Tochter (aus erster Ehe) abgegeben. Da konnt' ich mich ja scheiden lassen... Ja, nun sitzen Sie hier ganz fremd, keine Mutter, kein nix [...] Und das Schlimmste: dat wär' ja gar nicht ans Tageslicht gekommen. Ich hätte das nicht gemacht.« Aber in ihrer Abwesenheit hat die zwölfjährige Tochter es einer älteren Freundin, die wiederum ihrem Freund erzählt, und der war zur Polizei gelaufen. »Na, da kam das natürlich groß raus. Mein Mann kam von Nachtschicht und sitzt beim Essen. Auf einmal klingelt es, da kommt die Krimi schon. Ham ihn abgeholt. Also ich wußt' gar nicht, was ich sagen sollte dazu. Nun saß ich mit die Kinder da. Und dann kannt ich einen jungen Mann, der war beim Rechtsanwalt, der hat dann immer für mich Briefe aufgesetzt, damit ich meinen Mann wieder krichte. Nun stand ich so, dann haben sie mir gesagt – vom Sozialamt kamen sie ja wegen der Erna: Ja, entweder soll ich sie wegschicken zu meinen Verwandten. Ja wer nimmt sie wohl? Und ich wollte sie eigentlich auch nicht weggeben. Bei der Schwiegermutter, da wollt sie nicht sein. Ja, was mach ich denn jetzt? Oder ins Heim. Mußt ich mich entscheiden. Sie mußte ins Heim, sonst hätt ich meinen Mann nicht wieder gekricht. Und dat ist doch mein Ernährer. Und glauben Sie mir, voriges Jahr hat meine Tochter mir das vorgeworfen, daß ich ihn wiedergenommen hätt', ich hätt' ja von der Wohlfahrt leben können.« Das Verfahren gegen den Mann wurde dann eingestellt. »Und so ganz komisch. Da kam er nach Hause. Er hat sich auch nicht entschuldigt, nichts, gar nichts. Kam nach Hause, setzt sich hin, steht auf, auf einmal steht er auf, geht wieder raus, und hinten waren Gärten, ging er. Ich denk, wo läuft der Mann jetzt hin. Ich ging denn dran un' hab' ihn ge – und er kam denn auch zurück. Aber er hat nie wieder, wir haben nie wieder davon was erwähnt. Nu war unsere Erna ja nun weg, da wurde sie dann auch konfirmiert, zwei Jahre [...] Dann ist sie wieder bei uns gewesen und da kam sie in die Lehre. Wir hatten dann ne größere Wohnung auch, zwei Kinderzimmer, und dort ging dat eigentlich. Aber wissen Sie, der Spalt ist immer da, dat wird nich.«[46]

Es wurde auch nicht mehr, aber es blieb noch über ein Jahrzehnt. Die Geschichte spielt 1956. Herr Wollberg hatte damals schon das Trinken begonnen; sie kaufte einen Fernseher, damit er nicht mehr in die Kneipe ging, seither waren sie nicht mehr im Kino, auch sonst kaum aus. Dabei hatten sie sich in der Nachkriegszeit beim Tanzen kennengelernt. Nach dem Tod ihres ersten Mannes, der für sie in allem die Maßstäbe gesetzt hatte, wollte sie sich nicht vergraben. Es ergab sich so eine Art Onkelehe mit dem Autoschlosser aus Ostpreußen, der jetzt für die Engländer fuhr und der treu jeden Abend mit einem Arm voller Konserven kam. Um die beiden Kinder aus erster Ehe hat er anscheinend geworben, der fünfjährigen Erna hat er vom Kopfgeld bei der Währungsreform eine Puppe gekauft. Aber sie hatte ihre Erinnerungen und ihre Arbeit in der Fischfabrik; außerdem bekam sie für die Kinder ein Stückchen Rente. »Ich hab' immer gesagt: 'ne Wohnung müßt' er schon haben, eher heirate ich nicht.« Dann kommt ein Kind zu schwieriger Zeit, denn die Souveränität hat ihn seinen Job bei der Besatzungsmacht gekostet, und in Holstein gibt es keine Arbeit. Sie geht stempeln, um sich um das Baby kümmern zu können, er war ins Ruhrgebiet gegangen, um Kohle zu machen, kommt aber zurück, weil er allenfalls ein Zimmer bekommen kann, wohl auch weil ihn Umstellung auf Untertage hart ankommt, und liegt ihr, die selber arbeitslos ist, auf der Tasche. Da kommen die Werber von der Ruhr wieder und versprechen verheirateten Neubergleuten eine Wohnung. Jetzt dreht sich ihre alte Bedingung um – verheiratet müßt er schon sein [...] Die Eingewöhnung in der Zechensiedlung ist schwierig, sie kennen niemanden, die ungewohnte Arbeit, die anderen Familien sind Vertriebene wie er, die nichts haben; sie aber kann ihre Möbel aus erster Ehe ebenso schwer in die zweieinhalb Zimmer pressen wie ihre fünfköpfige Familie. Die Verhältnisse sind eng und unausweichlich. Er beginnt zu trinken. Der älteste Sohn revoltiert nach der Pubertät, wird ein Tunichtgut und zu Verwandten ausquartiert. Da bekommen sie noch ein Kind, obwohl sie keine Lust mehr hat. Und der Vater macht sich an die Tochter, die den hinzugekommenen Mann als Störenfried empfindet und der Mutter vorwirft, die jedoch einen Ernährer braucht. Soviel Vorgeschichte braucht unsere Geschichte. Darüber was der wirkliche Anlaß für den Spalt, der sich jetzt vollends auftut, und für die behördliche Heimverweisung der Tochter war, wissen wir nicht mehr, als was oben zitiert wurde, und es geht uns auch nichts an; die Mutter hätte nichts daraus gemacht. Ein Zimmer mehr und der Konflikt wird handhabbar.

Indessen endet die Einkeilung der Gefühle im Schweigen. Was keine denkbaren Alternativen hat, können sie nicht besprechen, auch nicht entschuldigen. Der Sündenbock muß in die Wüste, die gesellschaftliche Kontrolle läßt auch da keine Wahl. Das Privatleben erweist sich als Sikkerschacht der Geschichte. Kriegstod und Vertreibung, Entfremdung und ökonomischer Zwang, die gesellschaftlichen Kosten von langer und unsichtbarer Hand werden privatisiert und verknäulen sich in der camera obscura der Liebe. Was aufgebrochen ist, wird nicht mehr erwähnt. Seine Scham, ihr Verständnis sind von den Zwängen der Lage kaum zu unterscheiden. Der humane Rest steckt in den schweigenden Gesten seines Weggehens und ihres Zurückholens. Mehr geht nicht. Die Sprache der Medien muß nun die heimliche Stille übertönen.

Prokura in der heilen Welt

»Tja, das war immer heile Welt, das muß ich schon sagen. [...] Ich hatte ja Prokura. Ich bin, als (1956) Maria geboren wurde, zur Volkshochschule gegangen und habe Lehrgänge belegt: Kindererziehung. Man wußte, wie man sich benimmt, aber weil mir die Dozentin so gut gefiel, [...] bin ich auch noch zum ›Guten Ton‹ gegangen, abends. Und Kindererziehung – die hat das sehr gut vermittelt – und dann sagte mein Mann immer, wenn was war, – wir wohnten so über drei Etagen in Oberhausen – dann rief der nach oben: was muß ich jetzt tun? Die Ria hat das gemacht. Na ja, er hatte sehr viel Humor und das überließ er mir auch, ne. Wenn hier was war, Handwerker oder sonst was, dann sagte er: du machst doch hier Prokura. Ja das war auch so'n bißchen meine Äußerung: alles was kam, mußt' man auch tun. Merken Sie sich das im Leben: die Härten gehören immer in den Anfang – wenn man da von Anfang an sagt, das ist nicht mein Revier, dann schirmt man sich so'n bißchen vor ab. Aber es ist mir nichts zur Last gefallen, nein, nein, ich hab das alles mit Begeisterung gern getan, auch Schulpflegschaft und ich war dann Vorsitzende in der Schulpflegschaft und so. Das tat er nicht. Er ging dann wohl mal mit, aber sein Beruf war dann eben sein Metier.«[47]

Geschichten vom Glück sind weniger dramatisch, sie werden es erst danach. Aber auch das Glück ist ja bemerkenswert genug. Auf den ersten Blick erscheint es wie Traditionalität in Stromlinie – die perfekte geschlechtsspezifische Arbeitsteilung auf professionellem Niveau. Hatten die Familienideologen bisher gesagt, daß die geschlechtsspezifische Arbeitsteilung aus der Natur der Geschlechter folge, so stimmt hier nichts mehr: sie gibt bei der Heirat einen Beruf auf, in dem sie mehr verdient hatte als der Kriegsheimkehrer, und sie belegt Weiterbildungskurse, um für ihre fraulichen Pflichten gewappnet zu sein – ein quasi beruflicher Vorwand für soziale Kontakte nach dem Ausstieg aus dem Beruf. Die Außen- und Öffentlichkeitsbeziehungen des Haushalts (Handwerker, Schulpflegschaft) sind freilich auch ihr Ressort, während er sich auf sein Büro beschränkt und ihr jovial Vollmacht für alles gibt. Der Aufbau eines familiären Rollenspiels nach dem Vorbild der Betriebsordnung hat freilich kleine Schönheitsfehler: der nette Firmenchef macht auch schon mal Packer, muß aber seinen Abteilungsleiter fragen, ob er die Schubkarre nehmen soll. Woher hat er die Vollmacht, die er vergibt?[48] Gewiß, Lehrjahre sind keine Damenjahre, aber warum muß sie die Härte des Anfangs bejahen, daraus sogar eine Lebensmaxime machen, wo sie doch »alles mit Begeisterung gern getan« hat?

Die Härten des Anfangs hat sie schon einmal erlebt, schon einmal wollte sie Frausein als Beruf. Dieses Ziel hatte sich im BDM ausgeprägt, dem sie und ihre Schwestern mit Begeisterung für Kameradschaft und Ordnung angehörten und dort, in der Kinderlandverschickung und im RAD auch Funktionen bekleideten. Was dort gesagt wurde, war für sie »Evangelium« – die Eltern hatten dagegen wenig Einfluß und ließen sie gewähren, obwohl sie die Nazis ablehnten. Aber im Krieg scheiterte der Wunsch, Kindergärtnerin zu werden, schon an den Voraussetzungen, eine Haushaltungsschule zu besuchen; sie mußte dann ins Büro in der Schwerindustrie, und nach dem Krieg war sie froh, daß sie da bleiben konnte. Die Heirat war insofern ein zweiter Anlauf: »Ich sagte Ihnen ja schon, daß ich immer in einen sozialen Beruf wollte.«

Und die Prokura? Sie mußte, um im Bild zu bleiben, den Betrieb übernehmen. Sie hatten ein Haus gebaut, wo sie »alles so recht gestalten« konnte und »Erfüllung« in ihrer Familie fand. Einige Jahre später aber starb ihr Sohn bei einem Verkehrsunfall und bald darauf, nachdem er sich selbständig gemacht hatte, ihr Mann an Herzinfarkt. Das Haus war stark belastet, sie wollte diesen verbliebenen Raum ihrer familiären Erfüllung aber nicht aufgeben, obwohl sie »schon fast den Kitt aus den Fenstern gegessen« hat. Sie hat dann ein kleines Managementkunststück vollbracht und das Haus in Eigentumswohnungen umgebaut, um es wenigstens teilweise für sich und ihre Tochter halten zu können. »Das war hart, da hab ich Unwahrscheinliches geleistet.« Seither arbeitet sie wieder im Büro, halbtags, was nach der Umstellung gut geht. Jetzt hat sie aber einen Mann mit Kindern getroffen und erwägt wieder aufzuhören. Aber sie fragt sich auch:

> »Wozu brauch ich einen Mann?« (Und sie wiederholt diese Frage in drei Sätzen fünfmal und sagt, sie habe sich neulich zur Analyse dieser Frage extra Zeit genommen.) »Bestimmt, wozu braucht man einen Mann? So, dann sag' ich – nee, das kann ja ein Handwerker. Und muß es ein Mann sein, mit dem ich wander? [...] Ja, dann denk ich mir, bei Frauen, das gibt nette Verbindungen, aber dann würde ich sagen, im Urlaub find ich das gut. Lauf ich mit Frauen, ja. Aber auf Dauer sind mir Männer lieber. [...] Man gilt mehr als Paar in der Gesellschaft, einmal das, und vielleicht auch so'n bißchen behütet sein – obwohl ich sehr selbständig bin und ertapp mich dabei, daß ich fast verlernt hab',

mich beschützen zu lassen.« Und sie bekräftigt, nachdem ihr die Interviewerin Stichworte wie Einsamkeit und Zärtlichkeit angeboten hat und sie erzählt, daß sie jüngst gelesen habe, daß sogar die Sexualpflege dazu gehöre: »Obwohl ich sagen muß: man gewöhnt sich daran, es muß nicht sein. Das hat mir nicht gefehlt. Aber das Gefühl der Geborgenheit und so'n bißchen beschützt zu werden, ich glaub', das ist, wenn man echt Frau ist, doch schon ganz schön angenehm. [...] Ja, hmm. Man muß natürlich dafür auch wieder Einsatz leisten, nicht. Vor dem Problem steh ich jetzt. Frei ist, wenn die Vernunft gehorcht. Aber wo ist Vernunft und Liebe beisammen? [...] Vernunft und Liebe ist nie beisammen.«[49]

Auch nicht in der heilen Welt der 50er Jahre? Damals als sie ihn herrschen ließ, damit sie sich geborgen fühlte und regieren konnte? Damals erbrachte sie den Einsatz »mit Begeisterung gern« und hätte schwerlich gefragt, wozu sie einen Mann braucht, denn das Inbild der Geschlechterrollen, das traditionelle Außen-Innen, Schutz und Dienste war ihr von jung auf selbstverständlich. Was jetzt im Rückblick sich als so verwirrend herausstellt, ist, daß sonst nichts selbstverständlich war und daß das Inbild nur kurzzeitig, fast zufällig der Bedarfslage entsprach. Die Ehe als Ersatzberuf hielt auch den Mann als Außenborder auf Touren und erwies sich schließlich als eine überzogene Hypothek, die wieder in den Beruf hinaustreibt. Mithin ergibt sich eine allseitige Professionalisierung der Persönlichkeit, die nunmehr alle Leistungen außen und innen erbringt und alles als Leistungen auffaßt. Aber die einst so enthusiastischen Gefühle sind in dieser Reduktion komplexer Lebensbezüge auf einer losgelösten Ebene und legitimierungsbedürftig. Die überschießenden Wünsche und die Verletzlichkeiten erfährt Frau Kellner als von ihrer Lebenspraxis getrennt, und sie hat alle Mühe, sie vor sich selbst zu rechtfertigen. Die Leistungen und die Sachen, in denen sich die Antriebe vergegenständlicht haben, aber verstehen sich von selbst.

Die versäumte Weltmeisterschaft

»Ich hab dann mit ihm und mit dem andern (Sohn), die beiden hab'n dann so im Bett geschlafen. Ich hatte ein Bett vom Schlafzimmer, das mir übriggeblieben war von dem Ausgebombten, hatt' ich so in der Ecke stehen, da schlief ich. Und das Mädchen schlief im Wohnzimmer auf der Couch. Und ich habe immer die Bude voll Kinder gehabt, also bei mir hat sich alles abgespielt. Ich hab' wenig Geld gehabt [...] Ich hab nachher, wie die Kleine 18 war, 58 Mark Rente gehabt, selber, selber 58 Mark Rente, wie das Kindergeld dann weg war. Aber dann, wie die Kinder größer wurden, dann kam der Nachbarsjunge, der verkehrte mit den Kleinen, das Mädchen verkehrte mit meiner Tochter, der große Sohn, der brachte Kollegen mit, der Kollege hatte wieder 'ne Freundin [...] – ich hab alles aufgenommen. Nicht so wie heute die Kinder, wissen ja nicht, was sie machen sollen. Unsereiner hat sich ja früher mit befaßt [...] für die bin ich zweite Mutti [...] Und nachher hab' ich Fernsehn gekauft. War ja nur so'n kleines (Bild), die ersten Fernseher. Jetzt sollte der vor der Weltmeisterschaft kommen, '54. Und der Bruder hat mir das nach der Weltmeisterschaft gebracht! Und ein Nachbar hatte auch schon (einen Apparat) gehabt, wir beide. Und nachher hat mir ein Geselle erzählt, sagt er, du, der hat das schon vor der Weltmeisterschaft gehabt, das Fernsehen. Da hat der das selbst mit nach Hause genommen, der Geschäftsmann selber, und hat selber geguckt und dir bringt er das nach der Weltmeisterschaft. Und dann, können (Sie) sich vorstellen, bloß so ein ganz kleines Wohnzimmer, war nicht doll, noch kleiner als hier, da war da noch 'ne Tür: also zwanzig Mann, das war nix. Und davor, da war da doch die Tür los, da hatten wir noch den Schuhschrank stehen, da hab ich immer drauf gesessen mit dem jüngsten Sohn, wir beide saßen da drauf. Und dann die Bude voll [...] jeder hat 'nen Stuhl mitgebracht und dann alles voll Papier ausgelegt, daß sie einem nicht den Balaton(teppich) so kaputt machen. Ich durft mich gar nicht auf der Straße sehen lassen. ›Betty, laß mich doch Fernseh' gucken.‹ War der Frankenfeld früher, [...] aus dem Haus auch die älteren, wenn dann Fußball war, Sport war, die Alten war'n ja genau so verrückt.«[50]

Frau Bahl bewohnte mit ihrer Familie ein ganzes Doppelhaus in einer Bergarbeiterkolonie, bevor sie bei Kriegsende ausgebombt wurden und ihr Mann starb. Jetzt beschreibt sie die Enge der Verhältnisse, unter denen sie auch in den 50er Jahren noch leben: eine Zweizimmerwohnung in einer Arbeiterkaserne unterm Dach, in der sie mit den beiden erwachsenen Söhnen in einem Zimmer schläft, im anderen nur die Tochter, damit es einem vorzeigbaren Wohnzimmer möglichst nahekommt. Das ist wichtig, denn einerseits leidet sie unter der Enge, andererseits kann sie die Bude nicht voll genug bekommen. Sie will ein soziales Zentrum sein und ihre Gesellschaft sind zunächst die Spielkameraden der Kinder. Das erweitert sich, wie die Kinder heranwachsen. Die Söhne arbeiten im Bergbau, ihr Lohn erweitert das karge, durch viele Zusatzmühen aufs Existenzniveau gehobene Wohlfahrtsbudget, so daß man über das absolut Notwendige hinaus erste Anschaffungen machen kann, z. B. einen Balatonteppich.

Und dieser Haushalt ist der zweite in der Siedlung, der sich ein Fernsehgerät kauft. Selbst der Elektrohändler, bei dem der Apparat bestellt wird, hat noch keinen und liefert ihn nicht aus, damit er die Fußballweltmeisterschaft 1954 selbst sehen kann, bei der die Deutschen zum ersten Mal wieder einen nationalen Sieg erringen und feiern werden. So will es jedenfalls das Gerücht – warum ist dieses Gerücht über den verzögerten Liefertermin nach dreißig Jahren für Frau Bahl noch immer eine erzählenswerte Geschichte? Offenbar war sie damals furchtbar enttäuscht und im Rückblick, als die Deutschen tatsächlich gewonnen hatten, noch mehr erbost, daß ihre instinktsichere Inszenierung, ihr zweizimmriges Jugendzentrum auch für ihre eigene Generation fast unvermeidlich attraktiv zu machen, ihr vermasselt worden ist. Freilich hat es dann ohne diesen Auftakt doch noch geklappt und das Behagen ist unverkennbar, mit dem sie von den neuen Belästigungen auch durch die Älteren in der Nachbarschaft berichtet.

Im übrigen war der Besitz des Fernsehers, wie sich in der weiteren Folge des Interviews aus unauffälligen Angaben ergibt, für den Zusammenhalt der Familie, für den sie ein Jahrzehnt mit allen Fasern gekämpft hatte, eher eine Katastrophe. Als der älteste Sohn auch noch eine Frau heimbringen will, kommt es zum Krach über die abendlichen Versammlungen vor dem Gerät, die die letzten Rückzugsmöglichkeiten nehmen. Und Frau Bahl wird nach dem Wegfall des Kindergelds ihre Abhängigkeit schmerzlich zu Bewußtsein gebracht. Da ist die Rentenreform 1957 ein Geschenk des Himmels. Sie bekommt eine Nachzahlung von 1600 Mark und kann es gar nicht fassen, als der Postbote das Geld bringt: »Ich bin schneeweiß geworden, ich habe mich festgehalten« und läuft zur Nachbarin: »Ich mußte mir das von der Seele reden.« Nun ist sie wieder selbständig und kann mit der Tochter in eine neue Wohnung ziehen, und als die ein Kind bekommt, hat sie wieder eine Aufgabe.

Das Fernsehen ist jetzt, Ende der 50er Jahre, kein Anlaß zu Nachbarschaftsversammlungen mehr, weil es in immer mehr Wohnzimmern flimmert. Wenn man durch das Fernsehen Gesellschaft anziehen wollte, mußte man früh damit anfangen. Frau Bahl hatte dies erkannt und brachte, obwohl sie ja wirklich nichts zu verschenken hatte, die große Investition auf, um die soziale Wunde in ihrem Leben zu schließen – nämlich daß sie seit 1945 zu einer Außenseiterin in der Bergarbeiterkolonie geworden war. Bis zum Einmarsch der Amerikaner hatte sie die Kolonie als ihre erweiterte Familie empfunden, als eine Idylle der Gemeinschaft und sich als eines der sozialen Naturtalente darin. Von einem Tag auf den anderen hatte sie nichts mehr und stand allein, nicht nur weil ihr Mann, offenbar der einzige Nazi in der Straße, tot war, sondern weil sich nach dem Einmarsch der Alliierten ihre Idylle plötzlich als eine rote Hochburg entpuppte.

»Dann warste ne Nazisau, dann warste alles, verstehn Sie! Dann bin ich von denen beschimpft worden. [...] Dann hab ich losgelegt, dann bin ich saufrech geworden, ich sag, hör mal, ihr verfluchten Lumpen, was bist du geworden, was hast du, deine ganze Aussteuer, deine ganzen Klamotten, deine ganzen Möbel, von wo haste die, von Hitler ich sag, von meinem Tip![51] Und jetzt müssen sie (mich) als Nazisau ausschimpfen!«[52]

Das hatte lange geschwelt und war nach einem Jahrzehnt so weit zur Ruhe gekommen, daß sich ein Anlauf lohnte, um sich wieder ins Spiel zu bringen. Und in der ersten Zeit des Fernsehens war dann die Genugtuung da, daß alles wieder so schien, wie es einst geschienen hatte: »Ich durft mich ja gar nicht auf der Straße sehen lassen: Betty, laß mich doch Fernseh' gucken!« Daß sie sich deshalb nicht mehr sehen lassen konnte, das war ihre Normalisierung. Danach war die Nachbarschaft für sie nicht mehr so wichtig, und sie konnte nach dem Familienstreit über das Fernsehen in einen anderen Stadtteil ziehen. Aber im nationalen Hochgefühl am Tage der Weltmeisterschaft wäre das Rückspiel noch schöner gewesen.

Unwiederbringliche Gefühle

Die Kaufmanns haben sich zwei Jahre nach ihrer Heirat 1957 ihren ersten Kühlschrank gekauft; das gute Stück hat 25 Jahre gehalten. Im Interview erinnern sie sich gemeinsam daran, und auch ihr Sohn sitzt dabei. Frau Kaufmann erwähnt die Gefühle bei den Anschaffungen damals.

»Wenn ich mir sonst noch so etwas Schönes kaufen kann, freu' ich mich (auch heute) noch drüber. Aber immer ging man an dem Kühlschrank dran vorbei, hat drüber gestrichen und macht ihn auf. Und das glänzte und die Butter lag da drin und die Wurst, noch so, wie man sie vorgestern gekauft hat. Wissen Sie, ich denke, man hat in der schweren Zeit so viele Glücksgefühle, ich würde sagen, unwiederbringlich.

Er: Du hast dich mehr an kleinen Dingen erfreut?

Sie: Ich denke, das habe ich auch heute noch, aber so, so funktioniert das nicht mehr.

Er: Nee, heute ist das alles eine Selbstverständlichkeit, dann noch Fernseher, Kühlschrank, Waschmaschine, selbst das Auto ist zur Selbstverständlichkeit geworden.

Sie: Ja, ich freue mich heute auch, wenn ich ein Teil neu bekomme. Aber es (ist) eben schnell wieder weg.

Der Sohn: Den Kühlschrank, den streichelste jetzt jedenfalls nicht mehr.«[53]

Wie funktionierten die unwiederbringlichen Glücksgefühle in den 50er Jahren, mit denen man einem Eisschrank Streicheleinheiten gab? Die Kaufmanns können sich nicht recht erklären, warum die Normalität des Konsums so ein schales Gefühl macht. Die Zärtlichkeit, die sie damals den Maschinen zuwandten, erstaunt sie nicht. Schritt für Schritt haben sie ihren Haushalt damit ausgestattet, und jedesmal ging es dabei nicht nur um den Erwerb eines Instruments und die Freude an seinem Besitz und seinen Gebrauchswerten, sondern jedesmal war es ein Fest. Die Stationen in der Entwicklung der jungen Familie werden als Zuwendung neuer Maschinen für den Haushalt inszeniert, die Familienchronik wird mit der Konsumkarriere synchronisiert: das erste Radio schenken sie sich zur Heirat (dafür dauert die Hochzeitsreise in die nächste Großstadt nur drei Tage und für seinen Trauanzug müssen sie einen Kredit aufnehmen), den ersten Kühlschrank, nachdem er endlich und beinahe gnadenweise zu seiner Beamtenstelle gekommen war[54], den ersten Käfer kauft er sich zur Geburt des ersten Kindes (sie wird die Windeln jedoch noch auf dem Herd kochen, weil Papierwindeln zu kostspielig sind), der Fernseher wird zur Geburt des zweiten erworben (weil man ja jetzt kaum noch ausgehen kann).

Möbelanschaffungen werden pragmatischer im Zusammenhang von Umzügen und Wohnungen erwähnt. Danach ist die Grundausstattung der Familie erreicht. Der Wechsel und weiterer Zukauf von Gerät seit Mitte der 60er Jahre hat nicht mehr dieselbe emotionale Qualität und wird nicht mehr erwähnt, nur noch der Ausstieg aus den Zwängen des Fortschritts: an sich wäre in ihrer Einkommensschicht nämlich noch eine Spülmaschine angesagt, aber dafür haben sie nicht nur in ihrer Küche keinen Platz, sie haben sich auch dagegen entschieden, »weil wir das einfach nicht einsehen« – geringer Gebrauchswert, hohe ökologische Belastung etc. In den 50er Jahren haben sie den Sinn der Geräte nicht nur ohne weiteres eingesehen und hart dafür gearbeitet und gespart, sondern sie haben damit ihren Weg bezeichnet und mit ihnen ein unwiederbringliches Glück empfunden.

Ich suche den lebensgeschichtlichen Bericht nach anderen starken Gefühlsäußerungen ab, auch nach anderen Aussagen zur Familie und zum Erwerb von Sachen und kann bei Herrn Kaufmann, dem das Interview ursprünglich gegolten hatte, nicht eben viel zusammentragen. Zur Familie eigentlich nur eine Sehnsucht. Beide sind Vertriebene. Sie lebte mit ihrer Mutter und ihren jüngeren Geschwistern zusammen, er hatte sich als Schwerkriegsversehrter in den ersten zehn Nachkriegsjahren allein in der Fremde durch sechs Berufe geschlagen, gelegentlich unterstützt von der Familie eines Kriegskameraden. 1945 war es das erste gewesen, daß er quer durch Deutschland trampte, um seine Mutter und Schwester zu

suchen – erfolglos. Und als er dann in der ersten Hälfte der 50er Jahre seine spätere Frau kennenlernte, »dann war man natürlich froh, wenn man sonntags in die Familie reingehen konnte«.
Ähnlich karg sind auch seine Auskünfte zu den Sachen: bis nach der Währungsreform hat er noch seine umgefärbten Wehrmachtsuniformen getragen. Sein erster ziviler Mantel 1951 kostete mehr als einen Monatslohn. Stiefel aus amerikanischen Armeebeständen, die er geschenkt bekam, sahen schön aus und gingen schnell kaputt – »also so'n Dreck hatte die Deutsche Wehrmacht nicht«. Als er als Schwerkriegsbeschädigter 1949 eine Ausgleichszahlung von 300 Mark bekam, hat er sich eine Uhr gekauft: »Totaler Luxus.« Warum er den Luxus brauchte, warum den Zeitmesser wählte, sagt er nicht. Frau Kaufmann aber stellt erneut Beziehungen her, bevor an Luxus zu denken war:

»Ich kann mich erinnern, daß ich und die Leute, die ich da kannte in dem Dörfchen, daß wir diese Besatzung als Befreiung empfunden haben (sie meint nach dem Wechsel 1946 aus Schlesien in die britische Besatzungszone). Ja, das war sowas, die Amerikaner, die uns diese Care-Pakete schickten, na das war so was, ich kann Ihnen das heute nicht mehr beschreiben! Wenn sie so etwas anzuziehen bekamen, es war einfach unvorstellbar! Und da hat man sich damals überhaupt keine Gedanken gemacht, was eigentlich im Dritten Reich alles passiert ist. Überhaupt kein, kein einzigen Gedanken daran verschwendet, sondern nur ganz konzentriert auf das, daß man was anzuziehen und was zu essen hatte. Und sonst existierte nichts, eigentlich nichts.«[55]

Also gab es das Glücksgefühl schon einmal, unbeschreiblich und sozusagen auf der nackten Haut: Konzentration auf die Sachen aus Amerika, anstatt Verschwendung der Gedanken auf die Vergangenheit. Wären sie nicht in der Tat verschwendet gewesen; sie waren doch Kinder oder noch halbe Kinder gewesen? Hatte nicht Herr Kaufmann wie leichthin von einem »Heimatschuß« gesprochen, der ihn nach Stalingrad ins Reich zurückbefördert habe. Frau Kaufmann geht bei der Ausgrabung und Rückerinnerung der Gefühle voran:

»Als du vorhin vom Krieg erzähltest, fiel mir halt ein, du sagtest ganz locker: ›Da hab ich den Heimatschuß bekommen.‹ Wenn ich mir vorstelle, d. h. ich weiß ja, du mußt manchmal sehr schlimm, schlecht träumen. Ich weiß nicht, ob dir das jetzt unangenehm ist, wenn ich das sage. (Er: Nee, überhaupt nicht.) Ich hab dich ja auch schon mal wach gemacht und hab dann mal gefragt. ›Was ist?‹ Weil das hörte sich wirklich so jämmerlich an, daß da irgendwas – aber das war auch schon 30 Jahre zurück. Das ist nicht jetzt erst in den letzten paar Jahren gewesen. Und da hast du mir mal erzählt von deiner Verwundung und daß du da eben als 18jähriger da in einem Loch gelegen hast und geglaubt hast, daß dich keiner findet und halt Todesängste ausgestanden hast.«[56]

Er zögert zunächst (»Ja, soweit kann man das ja nicht auswalzen.«), aber dann erzählt er doch die Geschichte, die ihm jene Alpträume macht, die Frau Kaufmann bald nach der Hochzeit Mitte der 50er Jahre zum ersten Mal gewahr wurde. Sie handelt nicht nur von Todesangst, sondern auch vom Schuldgefühl des Überlebens, weil sein Nebenmann in dem Graben, den die Rote Armee durch Granatbeschuß aufrollte, einen Kopf größer war und »den ganzen Segen dieser detonierenden Granate in den Rücken gekriegt (hat) und ich nur noch den einen Splitter«. Und dann die Angst, bei der Panik im Graben zwischen den Leichen totgetrampelt zu werden. Schließlich hat er sich aus eigener Kraft zum Verbandsplatz geschleppt und war auch nach über einem Jahr in verschiedenen Lazaretten nicht mehr einsatzfähig geworden. Und doch hat er am Ende des Krieges noch einen Offizierslehrgang angefangen. Obwohl sie schon beim RAD lauter russische Kriegsgefangene unter sich hatten, ist es ihm wichtig, zu betonen, daß er den ersten KZ-Häftling erst unter alliierter Besatzung gesehen und daß 1944 niemand geglaubt habe, daß die Russen bis nach Berlin kämen. Ein Bild im Familienalbum: der beste Schulfreund hat sich freiwillig zur Wehrmacht gemeldet, was Herrn Kaufmann der Vater verboten hat, und ist beim ersten Einsatz gefallen.

Frau Kaufmann führt weiter zurück, erzählt vom verbreiteten Glauben an die Vorsehung nach dem 20. Juli 1944 und dann, wie sie als Mädchen einmal Hitler gesehen hat. Die Aufregung in der Gruppe, weil ihm eine ein Gedicht aufsagen soll, wie sie alle das Gedicht lernen,

»weil es hätte ja sein können, daß die Käthe ausfällt und die Renate und dann hätte man vielleicht selber dieses einmalige, unwahrscheinliche Glück gehabt, um eventuell aufsagen zu können.«

Und sie erzählt, wie sie »vor Ehrfurcht erstarrt« und »nicht viel gefehlt« hätte, da hätte sie vor Ergriffenheit geheult.[57] Je konkreter Frau Kaufmann ihre Gefühle in ihrem Gedächtnis auffindet, desto weniger müssen sie abgewehrt werden, weil sie auf Zusammenhänge verweisen und der Privatisierung der Schuldfrage entgegenwirken. Auch er hat Hitler gesehen, aber der fuhr nur durch in seinem Mercedes. Woran seine Gefühle hängen, das ist die Jungenkameradschaft in der HJ, und er beginnt von den Gruppen und Führern, den Spielen und den Leistungsabzeichen zu erzählen.

Man spürt: das erschien doch alles einmal so unschuldig und normal, aber danach, danach erstickte es einem die Sprache, wenn man mit Vernunft das alles zusammenbringen wollte. Aber wenn die Vernunft schlief, ergriffen die stärksten, die sinnlosesten Gefühle das Wort, die Todesangst, die Lebensschuld. Am Morgen nach dem Grauen bekam man eine unbändige Lust nach unschuldigen Sachen, die einem niemand vorwerfen und auf deren Eroberung man stolz sein konnte. Nach einem Kommunikationsangebot, das einem ins Haus getragen wurde, das man nicht selbst erbringen mußte und bei dem man unbeobachtet und ungefragt bleiben konnte. Gut, daß die Maschinen auch Gebrauchswerte hatten, so daß man seine Faszination nicht nackt erklären mußte, etwa das abgründige Bedürfnis nach einer gehorsamen Krafterweiterung des Mannes in dem unschuldigen Wunsch nach einem Individualverkehrsmittel. Und was für eine Erschlaffung, wenn die Sachen auf ihre Gebrauchswerte zu schrumpfen beginnen: »[...] selbst das Auto ist zur Selbstverständlichkeit geworden!« Damals hatte es Macht und Männlichkeit ohne Reue versprochen. Damals waren die Maschinen auch ein verständnisvoller Kontrast zu den Menschen, ihnen mußte man viel weniger mißtrauen, sie hatten keine Abgründe und ihre Defekte waren reparabel. Ihnen konnte man seine Gefühle, sogar seine Zärtlichkeit zuwenden und sie nahmen sie ohne Probleme an.

In den 50er Jahren sind die Kaufmanns nie politisch gewesen. Sie sind da konventionell mitgegangen. Zuerst hatten sie CDU gewählt und dann seit Ende der 50er Jahre, als ihm die CDU zur Unternehmerpartei geworden und die SPD nicht mehr links schien, hat sich Herr Kaufmann für die andere Seite entschieden. Bei Frau Kaufmann ist die Umorientierung weitergegangen, sie hat sich von der Politisierung ihrer Söhne nach '68 ein wenig anstecken lassen. Zuerst hat sie deren Fragen an die ältere Generation angenommen und ist nach Israel gefahren, später hat sie in der Friedensbewegung mitgemacht. Das hat die Erinnerung ihrer Gefühle erleichtert.

Nachdem sie schon eine ganze Weile zugehört hatte, wie ihr Mann unbewegt über sein Leben berichtete, hatte sie sich zum ersten Mal eingeschaltet, als er von einem jüdischen Ehepaar im Vorderhaus erzählte, für die er Besorgungen machte, weil er von zu Hause kein Taschengeld bekam.

> »Ich weiß ja nicht, ob ich auch mal was sagen darf. Mir fällt nämlich ein zu dieser Judensache. Da wir heute Kontakt zu Israel haben, freundschaftlichen Kontakt, habe ich auch mal (überlegt), ob bei mir noch was aus der Vergangenheit da ist, mit Juden. [...] Ich war damals auch 10, 12 Jahre. Also Juden waren Leute, die einen gelben Stern hatten, also im Stadtgebiet (in Oberschlesien) [...] Das waren eben Juden, die waren eben so. Da war irgendwas mit. Ich weiß nicht was. Und da fällt mir heute ein: es ist furchtbar wenn ich dran denke, aber ich weiß, daß ich mich schwach gelacht habe. Wir gingen zum Konfirmandenunterricht zwei Kilometer über Land. Und da kamen wir an einem Wäldchen vorbei, kleines Wäldchen, und man erzählte sich als 10-, 12jährige

Witze. Und da sagte mein – und da weiß ich, daß irgend jemand erzählt hat: ›Guck mal da drüben in dem Wald, da wird aus Juden Seife gekocht.‹ Und wir waren fünf, sechs Mädchen, wir haben uns gebogen vor Lachen. Wir haben uns schief gelacht. Das fiel mir ein zu Juden, daß das die mit dem Stern waren, daß die einem ab und zu mal Geld gaben und sagten: ›Gehst du mir ein Eis holen? Ich darf da nicht rein.‹ Und da ich da auch einen Groschen kriegte, na da wär ich doch für jeden da reingegangen.«[58]

IV. Nebenklänge des Schweigens

Wo ist die Bedeutung solcher Details? Kann es helfen, vertiefende und von der Erfahrung der Beteiligten informierte Fragen an schnelle und ideologische Antworten aus der Geschichte zu stellen? Wie wird die Bedeutung solcher Fragen konstituiert? Und inwiefern stellen sie die herrschende Konzeption von Normalität oder von den 50er Jahren als Übergang von der Normalisierung zur Modernisierung in Frage?
Gewiß kann Erinnerung trügen. Aber sie täuscht nur selten Probleme vor, wo keine sind oder waren. Vielmehr wird das meiste vergessen und versinkt in allgemeineren Erfahrungen, jenem Zusammenklang einer Auswahl etablierter kultureller Muster mit den Lehren der eigenen Lebensgeschichte. Auf der Ebene ihrer exemplarischen Artikulation haben wir eine positive Gesamtbilanz gefunden, die bestätigt, wofür sozialstatistische Indikatoren sprechen und was alltagsgeschichtliche Rekonstruktionen plastisch machen können: eine bedeutsame Sicherung bei denen, die vorher damit nicht gesegnet waren; die Beruhigung der Verhältnisse, in denen die Perspektiven der Nahwelt entfaltet, sie aus einer Defensivbastion in einen Ausgangspunkt verwandelt werden konnte; die Entlastung vom Krieg und von politischen Zugriffen und Zumutungen; das Bewußtsein lohnender Leistung und das Hereinholen moderner Technik auch in die private Lebensführung. Doch diese Bilanz, die ins Geschichtsbild paßt, war fast regelmäßig von schwer sagbaren Gefühlen der Überlastung und der Deprivation bekleidet, ein anderes In-den-Griff-genommen-Sein von, man weiß nicht, wem. Dieses Unausgesprochene am Beispiel näher bezeichnet zu finden, galt unser letzter Schritt.
Aus dem Meer des Vergessens heben sich einzelne, für andere oft unscheinbare, aber affektgeladene Erlebnisse – und sei es auch nur der kognitive Affekt eines Aha-Erlebnisses – und bilden Marksteine im Gedächtnis. Wenn sie sich nicht den sozio-kulturell vorgeprägten Strukturen der Erfahrung einfügen lassen, von ihnen abgespalten werden müssen,

führen sie ein Sonderdasein und entfalten eine eigene Energie. Sie können als eine Herausforderung an die Muster der Erfahrung aufbewahrt werden und, wenn es erfreuliche Erlebnisse waren, öffnen sich vorgegebene Verarbeitungsmuster oft wie von selbst und lassen sich anpassen, ergänzen, vielleicht sogar austauschen. Wenn es nach diesen Mustern aber unerträgliche Erlebnisse waren, welche die Existenz oder die Selbstachtung bedrohen, neigt das bedrohte Subjekt dazu, die in Frage gestellten Muster des Selbstverständnisses gegen sie zu verhärten und zu verteidigen, sie zu verdrängen. Sie führen dann ein Eigenleben im Gedächtnis, nagen am Erfahrungsschatz und mischen sich ein, wenn die Kontrollen erlahmen.

Die Erfolgsbilanz der 50er Jahre ist ein solcher angenagter Erfahrungsschatz. Auf der einen Seite hat sie den größten Teil der positiv bewerteten, affektiven Erlebnisse aus dieser Zeit mit Deutungsmustern der Leistungs- und Warengesellschaft, der aus dem Wiederaufbau herausgewachsenen Wachstumsökonomie amalgamiert; aber sie hat eine andere, unsägliche Seite, die in der Molekularstruktur nicht synthetisierbarer Vorgeschichten und ihrer Folgen hervorbricht. Die guten Jahre sind nicht nur in dem Sinn das halbe Leben, daß sie erst spät begonnen haben, sondern auch weil die in ihnen vorherrschende sinnstiftende Ordnung von einem großen Teil der eigenen affektiven und existentiellen Erlebnisse absieht und ihn nicht integrieren kann. Dieser in der neuen Normalität sinnlos gewordene Erlebnismüll, dessen Sinn einst auf den Fluchtpunkt des Nationalsozialismus verwiesen hatte und der großenteils aus besonders affektiv geladenen Erlebnissen besteht, blieb – ähnlich wie auch ein Großteil der unmittelbaren Kriegsfolgen – der privaten ›Bewältigung‹ als eine Art Sickerschacht überlassen.

Mit dieser nationalen Last waren die einzelnen und die Beziehungen zwischen den Geschlechtern und Generationen im Anforderungsdruck der neuen dynamischen Ordnung aber überfordert. Beides war überall präsent, aber ihre Vermittlung endete im Schweigen, in der Konzentration auf die Arbeit, die von den Umständen nur allzu nahegelegt wurde und doch auch eine Ausflucht war, und in einer affektiven Zuwendung zu den Früchten dieser Arbeit, die über deren Gebrauchswert weit hinausging und in den ohnehin überbelasteten persönlichen Beziehungen fehlte. Die Massenhaftigkeit dieser verschobenen affektiven Überbesetzung der Leistungs- und Warengesellschaft in ihrer Initiierungsphase hat die strukturellen Voraussetzungen der Wachstumsökonomie im Westen Deutschlands und die Bindung der Lebenswerte an sie enger geknüpft als in anderen kapitalistischen Industriegesellschaften[59]. Sie hat ihr eine Unausweichlichkeit gegeben, die auch ihre zerstörerischen Elemente in einem ganz ›unnormalen‹, spezifischen Umfang immunisierte. Bei der

Rückgewinnung des Wunsches, sie nach übergeordneten Werten zu steuern, war die Jugend der 50er Jahre deshalb ein Jahrzehnt später auf den Umweg einer Politisierung des Generationenkonflikts angewiesen. Das schloß zwar andere, die Realität verfehlende Identifikationen ein, brach aber nach einem ersten Schock defensiver Verhärtung das lastende Schweigen auf.

Dan Diner

Negative Symbiose*

Deutsche und Juden nach Auschwitz

Gerschom Scholem hat die Charakterisierung des deutsch-jüdischen Verhältnisses bis zum Aufkommen des Nationalsozialismus als »Symbiose« mit Recht als verfälschende Idealisierung zurückgewiesen. Das Bild von der »deutsch-jüdischen Symbiose« verzerrt nicht allein schon deshalb die Wirklichkeit, weil in ihm die von vollzogener Judenemanzipation und nationalsozialistischer Barbarei begrenzte idealisierte Zwischengeschichte von etwa einem Menschenleben als Regelhaftigkeit suggeriert wird, obwohl ihr eher der Charakter einer Ausnahme zukommt. Unwahr wird das Bild von der »deutsch-jüdischen Symbiose« vor allen Dingen dann, wenn sie nach Auschwitz zum eigentlich beklagenswerten Verlust stilisiert wird. Eine solcherart gesteigerte Ehrfurcht vor der geistigen Gemengelage deutsch-jüdischer Kreativität verstellt den sich ohnehin gerne trübenden Blick auf die Monstrosität des größten Verbrechens der Menschheitsgeschichte.

Seit Auschwitz – welch traurige List – kann tatsächlich von einer »deutsch-jüdischen Symbiose« gesprochen werden – freilich einer negativen: für beide, für Deutsche wie für Juden, ist das Ergebnis der Massenvernichtung zum Ausgangspunkt ihres Selbstverständnisses geworden; eine Art gegensätzlicher Gemeinsamkeit – ob sie es wollen oder nicht. Denn Deutsche wie Juden sind durch dieses Ereignis neu aufeinander bezogen worden. Solch negative Symbiose, von den Nazis konstituiert, wird auf Generationen hinaus das Verhältnis beider zu sich selbst, vor allem aber zueinander, prägen. Das wohlfeile und zukunftsfrohe Begehren, größere, zunehmendere Distanz zum Ereignis Auschwitz werde die Erinnerung an das Grauen lindern, das Bewußtsein vom Alp jenes Zivilisationsbruches schwächen, hat sich nicht bewahrheitet. Die Erinnerung an Auschwitz, die Präsenz jenes euphemistisch als »Vergangenheit« apostrophierten Geschehens, ergreift verstärkt Besitz vom in Richtung Zukunft flüchtigen Bewußtsein. So mag es scheinen, das einer vergange-

* Verfaßt im Februar 1986 – Anm. d. Hrsg.

nen Ereignisgeschichte zugehörige Phänomen Auschwitz habe seine bewußtseinsstiftende Zukunft erst noch vor sich. Mit zunehmender Distanz zum Geschehen wird der Blick auf das unfaßbare Ereignis schärfer; mit zunehmender Entfernung treten seine Umrisse deutlicher aus dem benebelnden Schock des Zivilisationsbruches hervor, den Auschwitz für den westlichen Kulturbereich überhaupt bedeutet – über das zur identitätsstiftenden Erinnerung geronnene Bewußtsein der konkreten Opferkollektive hinaus. Sinn erheischt Antwort angesichts wirklich gewordenen Nicht-Sinnes.

Leben im Schatten von Auschwitz? Keine optimistische Vor-Schau; jedenfalls nicht für das Kollektiv der Täter und das der Opfer. Beide leben in jeweils notwendig anderer, ja gegensätzlicher Weise mit der Erinnerung an das Ereignis, bzw. sind bemüht, ihr auszuweichen. So werden Strategien des Vergessens in Deutschland von den jüdischen Opfern als Anschlag auf das kollektive Gedächtnis empfunden. Und solche Manöver des Ausweichens wiederum vermögen angesichts ständigen jüdischen Gemahnens an das Grauen sich in blinde Wut zu steigern – Antisemitismus wegen Auschwitz? Scheitern einer Bewältigung dort, wo der Monstrosität des Verbrechens wegen Bewältigung sich als vergeblich offenbart; angestrengte Mühe, die sich bestenfalls als aussichtsloser Entsorgungsversuch von Schuld erweist – all das gebiert eine Kultur, die von einem durch Auschwitz hervorgerufenen Schuldgefühl geprägt wird, das ständig nach Entlastung sucht. Doch der Versuch solch verstehbaren Entweichens bleibt vergebens; die Allgegenwärtigkeit des Ereignisses führt den Flüchtenden sisyphushaft immer wieder an die mit Auschwitz getränkte Erinnerung zurück. Bei Juden wiederum löst die Erinnerung an Auschwitz einen Horror vacui grenzenloser Hilflosigkeit aus – eine unfaßbare Leere, die besser mit einer Plombe von Deck- und Ersatzerinnerungen verschlossen bliebe – des Weiterlebens wegen.

Über den Judenmord hinaus war Auschwitz praktische Widerlegung westlicher Zivilisation. Angesichts einer zweck-losen Vernichtung der Vernichtung wegen prallt das zweckrational geprägte Bewußtsein an solch unvorstellbarer Tat ab. Solche Handlung ist dem von säkularen Denkformen bestimmten Verstand nicht zu integrieren – oder er zerspringt. Dies macht im übrigen auch das Nichthandeln der Opfer angesichts der Gasöfen begreifbar: Es kann keine handlungsrelevante Vorstellung vom Unvorstellbaren geben. Der holländische Historiker Louis de Jong hat in einem vor vielen Jahren verfaßten Artikel die Bewußtseinsfalle Auschwitz treffend geschildert: Ein Begreifen von Auschwitz angesichts Auschwitz' sei mit dem Versuch vergleichbar, offenen Auges in die Sonne zu starren. Das Opfer, der Mensch, ausgestattet mit ihn schützenden und dem Leben und Überleben zugewandten Abwehrmechanismen, mußte sich dieser grauenerregenden Realität entziehen. »Es mag paradox klingen, aber es ist eine historische und auch psychologisch wohl erklärbare Tatsache: Die Nazi-Vernichtungslager wurden für die meisten erst dann zur psychischen Realität (...), als sie und eben weil sie aufgehört hatten zu existieren.«[1] Dies entspricht der neuen und paradoxen Erfahrung: Nicht nur die intellektuelle, auch die emotionale Annäherung an Auschwitz bedarf zeitlicher Distanz. Und solche Annäherung führt bei Juden und Deutschen zu jenen notwendig gegensätzlichen Wahrnehmungen und Reaktionsmustern, die das gegenwärtige Bewußtsein – auch und vor allem das der Nachgeborenen – so nachhaltig bestimmen.

Angesichts der Nürnberger Prozesse hat Hannah Arendt 1946 in einem Brief an Karl Jaspers sowohl das Grundmotiv des als »negative Symbiose« charakterisierten deutsch-jüdischen Verhältnisses nach Auschwitz als auch das Problem einer dem Ausmaße des Verbrechens adäquaten, individuell jedoch nicht rückführbaren Schuld getroffen. Es ist anzunehmen, hier eröffne sich die Quelle eines sich kollektiv ausweitenden, frei flottierenden und vor allem die Nachgeborenen ergreifenden Schuldgefühls. Sie schreibt:

> »Diese Verbrechen lassen sich, scheint mir, juristisch nicht mehr fassen, und das macht gerade ihre Ungeheuerlichkeit aus. Für diese Verbrechen gibt es keine angemessene Strafe mehr; Göring zu hängen, ist zwar notwendig, aber völlig inadäquat. D. h., diese Schuld, im Gegensatz zu aller kriminellen Schuld, übersteigt und zerbricht alle Rechtsordnung. Dies ist der Grund, warum die Nazis in Nürnberg so vergnügt sind; sie wissen das natürlich. Ebenso unmenschlich wie diese Schuld ist die Unschuld der Opfer. So unschuldig, wie alle miteinander vor dem Gasofen waren, so unschuldig sind Menschen überhaupt nicht. (...) Mit einer Schuld, die jenseits des Verbrechens steht, und einer Unschuld, die jenseits der Güte oder der Tugend liegt, kann man menschlich-politisch überhaupt nichts anfangen. (...) Denn die Deutschen sind dabei mit Tausenden oder Zehntausenden oder Hunderttausenden belastet, die innerhalb eines Rechtssystems adäquat nicht mehr zu bestrafen sind; und wir Juden sind mit Millionen Unschuldiger belastet, aufgrund deren sich heute jeder Jude gleichsam wie die personifizierte Unschuld vorkommt.«[2]

Die Abstraktion der Vernichtung, will heißen: die funktionale und arbeitsteilig organisierte Teilhabe der deutschen Gesellschaft in ihrer Gesamtheit am industriellen Massenmord, an Auschwitz, macht alle – von wirklichen Widerständlern abgesehen – zum Bestandteil des Vernichtungsprozesses. Das Schuldgefühl der Nachgeborenen bestätigt dies: Auch bei Abstrafung der unmittelbaren Verbrecher und Verantwortlichen bleibt eine kritische Masse individuell nicht rückführbarer Schuld zurück, und diese ist auf die abstrakte, entpersönlichende und kollektive Arbeitsteiligkeit der Durchführung des Judenmordes zurückzuführen. Auch historische Rekonstruktionsbemühungen der Genesis von Auschwitz stoßen auf das Phänomen der Abstraktheit des Holocaust: Geht die Judenvernichtung auf klare Intention, auf eine von Anfang an zielgerichtete kriminelle Absicht zurück, oder handelt es sich um einen funktionalen, auf blinder Selbstradikalisierung des Systems fußenden Selbstlauf, in dem die industrialistisch arbeitsteilig atomisierten Individuen bewußtlos zu Exekutoren des Holocaust wurden? Tatsächlich ist das Verbrechen zu monströs, um es auf Absicht allein zu reduzieren; ebenso ist die Reaktion der Opfer wie der Zeugen nicht begreifbar, führt man die Tat auf einen klaren und von Anfang an gefaßten Vorsatz zurück. Der Weg nach Auschwitz war nicht geradlinig – Möglichkeiten des Abweichens sind im nachhinein zumindest hypothetisch konstruierbar. In diesem Land wird aber die These vom totalitär blendenden System, vom richtungslos funktionalen Selbstlauf, an dessen Ende Auschwitz steht, die Exkulpation erheischende Fluchttendenz, es sei keiner gewesen, obwohl es doch geschah, noch beschleunigen.

Wie die Debatte unter den Historikern sich auch immer fortentwickeln mag – und jüngste Veröffentlichungen lassen Schlimmes befürchten –, die abstrakte und im gesellschaftlich Allgemeinen angesiedelte Verantwortlichkeit kulminiert in einem Begriff, der sowohl auf eine untergründig tiefe Quelle kollektiver Verursachung des Holocaust zielt, wie für eine psychische Kennzeichnung des Schuldgefühls, auch und vor allem der Nachgeborenen, dienlich ist: Auschwitz ist passiert. *Es* ist geschehen; *Es* in einem emphatischen psychoanalytischen Sinne. Auschwitz ist also in zweifacher Weise Teil des Unbewußten: als Unbewußtes, das sich in der kollektiven Tat *realisierte*, und als fortwirkendes kollektives Schuldgefühl wegen der Tat.

Auf Empfindung kollektiver Schuld kann unterschiedlich reagiert werden. So mag es sich in einem archaischen Gefühl von Bestrafungserwartung niederschlagen, blieb doch das Grauen des Holocaust, ein Ereignis, das nicht Teil des Krieges und der Kriegshandlungen war, vielmehr in ihrem Schatten vollzogen wurde, ohne Ausgleich. Durch Identifikation mit den Eltern bzw. mit den Großeltern wird – wie mittels eines generationsübergreifenden psychischen Lecks verbunden – das Angstgefühl erwarteter Rache, erwarteten Ausgleichs, eben jene Bestrafungserwartung weitergegeben. In Momenten realer oder phantasierter politischer Krise kann die verdrängte bzw. verleugnete Angst und Bestrafungserwartung Auschwitz' wegen produktiv aufbrechen, wird sie nicht durch eine Komplizenschaft der Generationen in die Sprachlosigkeit zurückgeholt, um später vielleicht aggressiv die Entlastung von Schuldgefühlen einzuklagen.

Exemplarisch für das Fortleben von Bestrafungserwartung wegen Auschwitz, sich dem Grauen der Vergangenheit nicht zu stellen, aber auch für jene Komplizenschaft der Generationen, ist ein Beitrag, in dem ein Psychoanalytiker das Problem von Angstphantasien und Realangst anhand der Reaktionen seines Patienten angesichts empfundener atomarer Bedrohung thematisiert, das darin eingelegte Angebot des Patienten, sich doch der Vergangenheit anzunehmen, aber bewußtlos ausschlägt.

Der Psychoanalytiker berichtet, der 28jährige Patient habe in der Initialphase seiner Therapie folgenden Angsttraum gehabt:

> »Es war kurz vor oder kurz nach einem Atomschlag. Ich war in einem Bunker, entschloß mich aber herauszugehen, obwohl ich nicht sicher wußte, ob draußen alles verstrahlt wäre und es mein sicheres Ende sein würde. Ich gehe durch leergefegte Straßen und komme schließlich zu der Lagerhalle, an der sich eine Rampe befand, wo Lastwagen beladen werden konnten. Im Innern der Lagerhalle sehe ich, daß dort Goldbarren gelagert sind, es steht auch an der Tür, daß hier mit Gold gehandelt wird. In mir entsteht ein Gefühl der Faszination und des Angezogenseins. Im gleichen Augenblick weiß ich aber, daß ich dort nicht sein dürfte, weil es ein Sperrgebiet ist.«[3]

Obwohl der Analytiker den Traum gleich zu Anfang prominent zitiert, geht er ihm im weiteren nicht mehr nach. Im Gegenteil; zum Ende seiner Abhandlung hin macht er deutlich, daß er die thematisierte Angst für real hält:

> »Die Therapie des Patienten, von dem der anfänglich genannte Traum stammt, zeigt sehr bald nach diesem Traum eine bemerkenswerte Veränderung. Obwohl, oder ich möchte lieber sagen, gerade weil ich seine Angstphantasien über die militärische und ökologische Situation in unserer Welt ernst nahm.«[4]

Die aufdringlichen Bilder vom umzäunten Lager, der Rampe, dem Gold und die dabei vom Patienten geäußerten ambivalenten Empfindungen werden nicht einmal tentativ auf Auschwitz, auf die Präsenz der Vergangenheit, zurückgeführt. Die Hermetik der Abwehr ist perfekt.

Die Anwesenheit der unverstanden gebliebenen Vergangenheit in der Gegenwart bleibt nicht folgenlos. Sie kann z. B. zu einer ritualisierten Selbststilisierung zum Opfer, etwa durch Anheften des Gelben Sterns als Ausdruck politischen Protestes, führen. Hierbei handelt es sich vermutlich nicht nur um eine geschmacklose falsche Identifizierung mit den wirklichen Opfern des Nationalsozialismus; hier scheint die Vergangenheit als untergründige Angst aus der familiar übertragenen Ablagerung von Schuld und Angsterwartung heraus symbolisch verkehrt und magisch beschworen. Man geriert sich als vermeintliches Opfer, um die Last des elterlich übertragenen Schuldgefühls abzuschütteln. Damit wird freilich die Chance von Bewußtwerdung und Bearbeitung vertan.

Die Mitscherlichs haben in der *Unfähigkeit zu trauern* darauf hingewiesen, daß die Geschichte sich zwar nicht wiederhole – in ihr sich aber ein Wiederholungszwang verwirkliche. Kaum ein Ereignis politischer Kultur in Deutschland bietet sich als Illustrierung besser an als die Reaktionen während des israelischen Libanon-Krieges 1982. Dabei ist vorauszusetzen, daß Israel in der christlichen Kultur westlicher Zivilisation immer von doppelter Bedeutung ist: zum einen als Realität – von der in diesem Zusammenhang nicht die Rede sein soll – und zum anderen als Metapher; eine Metapher, die in einem sehr engen Verhältnis zum abendländisch geprägten Bild des Juden steht und somit durchaus auch in den historischen Zusammenhang des Antisemitismus gehört. Wenn dem so ist, dann dürfte hier eine Beurteilung Israels als israelischer Staat sans phrase kaum möglich sein, wird doch das hiesige Bewußtsein hinsichtlich der Juden von einem Mythos verdunkelt, dem gegenüber sich jeder Versuch von Aufklärung wie Magie ausnehmen muß. Tatsächlich drängte sich bei der Charakterisierung der israelischen Vorgehensweise als »Völkermord«, als Holocaust, der Eindruck auf, hier gehe es nicht um das Schreckliche des Krieges, um die Hilflosigkeit der Palästinenser, um das Elend libanesischer Opfer der israelischen Invasion, sondern als stecke hinter dem spontan Geäußerten eine Aufforderung an die Juden, die in jenen Begriffen gefaßte Tat doch zu begehen, damit das Gefühl der Schuld durch Ausgleich weiche, die angstvolle Bestrafungserwartung endlich vergehe.
Solche Reaktionen, solche Delegation der Linken anzulasten, ist wohlfeile Instrumentalisierung durch den politischen Gegner. Das Gefühl der Bestrafungserwartung, verbunden mit der Phantasie von jüdischer Macht, wie sie etwa am Staate Israel festgemacht wird, ist in Deutschland eher allgemeinen Charakters. Angesichts der Stigmatisierungen während des Libanon-Krieges 1982 bedarf auch die vermeintliche Gewißheit, die pro-israelische Kriegsbegeisterung in der bundesdeutschen Öffentlichkeit im Jahre 1967 lasse sich unmittelbar auf Identifikation mit den militärischen Erfolgen der als »Preußen des Nahen Ostens« bejubelten Neuhebräer zurückführen, einer späten Revision. Sollte sich die Vermutung bewahrheiten, in Deutschland sei das Schuldgefühl den Juden gegenüber allgemein, dann war auch die lärmend geäußerte Freude um den Sieg der früheren Opfer Ausdruck einer Erleichterung, die erwartete Bestrafung werde an anderen, an den Arabern, vollzogen, Ausgleich sei – zwar an den Falschen exekutiert – doch endlich erfolgt.
Die bedrohliche Präsenz der Juden im kollektiven Bewußtsein in Deutschland nach Auschwitz treibt paradoxe Formen des Umgangs mit »der Vergangenheit« heraus, etwa das Phänomen der Deckerinnerung. Mit Deckerinnerung ist jene Art des Umgangs mit der Vergangenheit gemeint, eine neue Geschichtsbeflissenheit, die sich den Ereignissen von

1933–1945 zwar nähert, aber dabei gleichsam den Kern des eigenen Unbehagens ausspart, d. h. weitere Opfer des Nationalsozialismus in den Vordergrund rückt, um die dennoch empfundene Besonderheit des Judenmordes zu umgehen. Um Mißverständnissen vorzubeugen: Hier wird nicht einer Hierarchie der Opfer das Wort geredet; es geht nicht darum, die jüdischen Opfer der Nationalsozialisten höher zu bewerten als die anderer von den Nazis ethnisch oder biologistisch stigmatisierter Gruppen. Die Opferschaft derjenigen, die aufgrund des Rassenantisemitismus ausgerottet wurden, ist nicht von anderer Qualität als die jener, die aufgrund sogenannter Rassen- oder Sozialhygiene der Vernichtung anheimgefallen sind. Erst im kollektiven Gedächtnis stellt sich eine Hierarchie der Opfer her. Dies mag daher rühren, daß die Phantasien, die mit den verschiedenen Opfern der Nazis in Verbindung stehen, an unterschiedlich tiefe Dimensionen historischer Erinnerung rühren. So reichen Anti-Judaismus und Antisemitismus weit in die abendländische Geschichte zurück, ja sind Teil des Ursprungsmythos der sich christlich begründenden Zivilisation. Judenfeindschaft ist älter als Rassismus. Letzterer wiederum rührt an tiefere Schichten des Unbewußten, weist reichere Mythen auf als etwa die Eugenik bzw. die sogenannte Sozialhygiene. Es bestehen also historisch verschieden geschichtete Tiefendimensionen der Erinnerung hinsichtlich der Opfer. Und diese im kollektiven Unbewußten unterschiedlich gestaltete Hierarchie der Opfer führt nun dazu, daß Auschwitz so lange mit den Hauptopfern der Nazis in Verbindung gebracht werden wird, solange Erinnerung in der Geschichte reichen mag.

Die Schuld, das Schuldgefühl, an Auschwitz gebunden und mit den Juden in Verbindung gebracht, erweckt den Eindruck, als habe sich der christliche Kreuzigungsvorwurf an die Juden umgekehrt realisiert. Die von der Christenheit ständig eingeklagte Schuld der Juden für den Gottesmord ist mittels Auschwitz als Schuldgefühl über sie selbst gekommen. Geht man also von der kollektiven Gefühlslage der Nachgeborenen aus, dann scheint es sich bei Auschwitz um die wirkliche Kreuzigung gehandelt zu haben. Von solch emotionaler Tiefendisposition ausgehend, müssen alle Versuche, das Leben nach und trotz Auschwitz zu normalisieren, aus dem Schatten dieses monströsen Ereignisses zu treten, notwendig scheitern. Weit mehr noch ist zu befürchten, daß jene, die an das Gewicht des Ereignisses Auschwitz erinnern, dieses Erinnerns wegen beschuldigt werden, so, als handele es sich um den mythischen Gottesmord.

Negative Symbiose wegen Auschwitz bedeutet, daß auch der jüdische Umgang mit diesem Ereignis von Deckerinnerungen begleitet wird – freilich aus umgekehrten Gründen. Neben der Unvorstellbarkeit, der Abstraktheit, der Ungeheuerlichkeit industriell organisierten Massenmordes, dessen säkulare Bedeutung selbst für die Opfer erst mit zunehmendem Abstand zum Ereignis deutlich wird, sind andere, unmittelbar mit der konkreten Vernichtung verbundene Gründe für die Zähigkeit von Deckerinnerungen ursächlich. So ist es für die Opfer unerträglich, die Tatsache hinzunehmen, in Auschwitz habe ein sinn- und zweckloses Ereignis stattgefunden. Sicherlich – die Genesis des Holocaust ist ohne die historische Latenz des Antisemitismus kaum denkbar. So *nötig* der traditionelle Antisemitismus für die Schoah gewesen ist, so wenig geht letztere aber *notwendig* aus dem Antisemitismus hervor. Die historiosophische Einfügung des industriellen Massenmordes in die Verengungen einer ausschließlich jüdischen Geschichtssicht muß den Massenmord aus seinem universellen Kontext herauslösen und den Holocaust zu einem sinnhaften, nationalen Martyrium verklären.

Ein weiteres Element falscher jüdischer Wahrnehmung der Schoah ist Scham; Scham über einen vermeintlich nicht geleisteten Widerstand – Scham darüber, daß man sich »wie Schafe zur Schlachtbank« hätte führen lassen. Hier ist nicht der Ort, historisch und soziologisch die Bedingungen möglichen Widerstands oder das, was man sich unschuldiger- und naiverweise darunter vorstellen mag, darzulegen. Es soll der Hinweis genügen, daß es »die Juden« als kohärente Volksgruppe, als zusammenhängendes nationales Kollektiv in Europa gar nicht gab; daß die Nazis – vor allem in Deutschland – Menschen erst zu Juden erklären mußten, um sie entsprechend zu behandeln. Welche soziale und politische Dichte wäre unter einer atomisierten Bevölkerung, die von den Nazis überhaupt erst zusammengeführt wurde, vorauszusetzen, auf deren Basis der Versuch *militärischen* Widerstandes sich überhaupt denken ließe – und solche Vorstellungen von Widerstand stecken wohl hinter dem verhaltenen Vorwurf, hinter dem Wort von den Schafen, die sich so einfach zur Schlachtbank haben führen lassen. Wenn Auschwitz als *planmäßig* durchgeführter, gleichzeitig aber als nicht *vorausgeplanter* industrieller Massenmord von den Überlebenden und den Nachgeborenen aus der wahrlich schärferen historischen Perspektive des Nachhinein schon schwer zu verstehen ist – wie undenkbar war dann erst ein Begreifen dessen, was im Schatten des Krieges über die von historischer Erfahrung geblendeten Opfer hereinbrach. Eher bedarf das Phänomen vielerorts geleisteten militärischen Widerstandes einer Erklärung, als die verständliche, um nicht zu sagen, die selbstverständliche, massenhaft individuisierte Passivität angesichts eines solchen Schreckens. Widerstand kam paradoxerweise eher dort auf, wo man aus traditioneller Sicht heraus sich eines vermeintlichen Pogroms zu erwehren glaubte, bzw. aufgrund von politischen oder anderen Gründen eine soziale Kohärenz bestand, die auch einen militärisches Vorgehen voraussetzenden Organisationsgrad ermöglichte.

Alles mag sich dagegen sperren, solche Auffassung zu akzeptieren: Aber angesichts menschlicher Erfahrung und westlich-rational geprägten Vorstellungsvermögens stand den Opfern, schon allein der Ausweglosigkeit wegen, keine andere Reaktionsmöglichkeit offen. Die unter Juden immer wiederkehrende Frage, warum kein Widerstand geleistet worden sei, der bohrende, schambesetzte Selbstvorwurf, als Opfer menschenunwürdig gehandelt zu haben, beruht auf dem resistenten Nichtverstehen von Auschwitz. Und jenes andauernde Ignorieren legt die Vermutung nahe, dieses Ereignis *solle* wegen seiner säkularen Monstrosität nicht verstanden werden.

Eine jüdische Sperre, Auschwitz zu verstehen, stellt sich ja auch in dem Versuch her, dem Ereignis einen ausschließlich partikularen Sinn abzugewinnen. Wie erwähnt: Als Antisemitismus wäre die Massenvernichtung nur in eine jüdisch verengte Geschichtssicht zu integrieren; nur als ein überdimensionales *Pogrom* verstanden, bestätigte sie die Richtigkeit und Notwendigkeit klassischer Reaktionen auf die europäische Judenfeindschaft – den Rückzug aus der Welt der Nichtjuden auf sich selbst. Die zionistische Antwort auf einen Antisemitismus der Verfolgung mag in sich durchaus konsistent sein. Solche Antwort wird notwendig falsch, muß ins Leere stoßen, schlägt der klassische Antisemitismus der Verfolgung in einen solchen der Vernichtung um. Das war neu: Die Nazis trachteten den Juden überall dort nach dem Leben, wo sie ihrer habhaft werden konnten; auch in Palästina. Historisch gesehen ist es freilich müßig, darüber zu spekulieren, was geschehen wäre, hätte Montgomery Rommel bei El Alamein nicht aufzuhalten vermocht. Eines jedoch scheint sicher: Das an Auschwitz gemahnende Gefühl, aus Zufall und nicht des Zionismus wegen überlebt zu haben, dürfte so unerträglich sein, daß es mit einer historiosophischen Konstruktion des Sinnhaften verdeckt wird. Israel als Reaktion, als Antwort auf den Holocaust, der wiederum in eine durch traditionellen Antisemitismus geformte Geschichtssicht integriert wird. Insofern wird Israel aufgrund des proto-zionistischen Bewußtseins der Juden nach 1945 zum tragenden Bestandteil einer Deckerinnerung, Teil jener Plombe, jener psychischen Prothese, die ein Weiterleben nach Auschwitz als sinn- und zweckhaft möglich machen soll und letztendlich auch möglich macht. Für den Konflikt in und um Palästina ist die Anbindung der nationalsozialistischen Massenvernichtung der Juden an traditionellen Antisemitismus freilich fatal: Zum einen wird die Einzigartigkeit der Schoah unzulässig ausgedehnt; zum anderen wird die im Konflikt begründete Auseinandersetzung zwischen Juden und Arabern zu einer zwischen Juden und Nichtjuden verfälscht – eine Umkehrung des antisemitischen Weltbildes. Dabei werden freilich sowohl die Ursachen des Konfliktes wie die darin angelegten Chancen seiner Lösung ignoriert. Die Auseinandersetzung zwischen Juden und Arabern wird in einer sol-

chen Interpretation jenem ausweglosen, apokalyptische Ausmaße annehmenden Weltgegensatz von Juden und Nichtjuden eingepaßt.
Und die Juden in Deutschland? Für sie stellt Israel mehr als für alle anderen eine psychische Stütze, einen Identitätsersatz dar, müssen sie doch ständig und immer wieder vor sich und vor den Juden der Welt rechtfertigen, warum sie durch Anwesenheit im Hause des Henkers den Eindruck erwecken, nach Auschwitz sei zwischen Deutschen und Juden Normalität eingekehrt – Normalität, als sei nichts geschehen. Dies traf und trifft durchaus das Interesse der Repräsentanten dieses Staates: Die Anwesenheit von Juden hier war für die moralische Wiederanerkennung der Deutschen von größter Bedeutung; die Existenz jüdischer Gemeinden in der Bundesrepublik trug zur internationalen Legitimität dieses Staates bei. Auch die gegenwärtig verstärkt spürbare nationale Re-Identifikation von Deutschen mit Deutschland bedarf weiterhin der Juden in diesem Land als Flankierung der eigenen Sehnsucht nach Normalität.
Die Anwesenheit von Juden in Deutschland nach dem Kriege erfolgte nicht aufgrund von Rückkehr, stellte kein kläglich bemühtes Wiederanknüpfen an das unwiederbringlich Verlorene dar. Die Mehrheit der hier lebenden Juden sind eher zurückgebliebene »Displaced Persons«, herausgefallen aus dem Strom der Hunderttausende, die hier im Troß der Besatzungsarmeen auf die Einwanderung in andere Länder warteten. Ihre Anwesenheit begriffen sie kaum mehr als nur vorübergehend; ihrem Selbstverständnis nach hielten sie sich gar nicht in Deutschland auf, das als politische Einheit tatsächlich nicht existierte, sondern lebten in Besatzungszonen unter dem Schutz der Alliierten. Als Strandgut der Geschichte waren sie in Deutschland angeschwemmt worden und waren gleichzeitig doch nicht da. Darüber hinaus sind die hier anwesenden Juden meist osteuropäischer Herkunft, vor allem aus Polen. So paradox es angesichts der Massenvernichtung scheinen mag: Die ablehnenden Gefühle ihrem Ursprungsland gegenüber mögen sogar stärker gewesen sein als jene, die sie Deutschland und Deutschen gegenüber empfunden haben. Der polnische Antisemitismus war ein Phänomen des Alltags, Teil der Kultur des Landes und als Erfahrung über Jahrhunderte psychisch integriert und damit auch benennbar. Die industrielle Massenvernichtung, Auschwitz, war abstrakt; und einer Abstraktion gegenüber sind kaum alltäglich lebbare Gefühle mobilisierbar. Dies mag als jene paradox erscheinende Erklärung dafür herhalten, daß nichtdeutsche Juden in Deutschland scheinbar selbstverständlicher zu leben vermögen als in Ländern, in denen sie selbst unter Bedingungen traditionellen und damit vorstellbaren Antisemitismus gelebt hatten. Dennoch, ihres Da-Seins im Lande der Deutschen wurden sie sich mit zunehmender Souveränität und Normalisierung Deutschlands bzw. der Bundesrepublik bewußt. Es konnte nicht länger

darauf verwiesen werden, man habe sich gleichsam ohne eigenes Zutun Ende der vierziger, Anfang der fünfziger Jahre in Deutschland wiedergefunden. Je deutscher Deutschland wurde bzw. wird, desto stärker werden die Juden auf die Geschichte gestoßen, die sie auf so schreckliche Weise mit den Deutschen verbindet bzw. von ihnen trennt.

Was mag heute die Juden in Deutschland halten? Dies mit Wohlleben alleine zu erklären, reicht nicht aus. Das Profane mag zwar für viele Anlaß gewesen sein – der Grund ist in tieferen Schichten zu vermuten. Es klingt überzogen, ja vermessen: Die Juden in Deutschland, von den Juden der Welt wegen ihrer Anwesenheit in diesem Lande herabgesetzt und verfemt, scheinen sich hier deshalb aufzuhalten, weil sie durch größtmögliche Nähe zum Tatort bzw. zum Täterkollektiv der Vergangenheit am stärksten verbunden bleiben. So als ob sie hier in Deutschland den unwiederbringlichen Verlust einfordern, die durch Auschwitz hervorgerufene Leere auffüllen könnten. Hier ist die Erinnerung am stärksten, hier fordert ihre ständige Anwesenheit das Kollektiv der Täter heraus, sich die Tat zu vergegenwärtigen – als ob in Deutschland durch Deutsche das Verlorene sich wiederauffinden ließe.

Solche Verklammerung macht die negative Symbiose, das Verhältnis von Deutschen und Juden nach Auschwitz mit zunehmender Distanz zum Ereignis konfliktträchtiger, schwieriger. Vor allem dann, wenn sich die nunmehr seit Jahrzehnten, seit 1945 anhaltende passive Normalität in Deutschland in eine aktive Normalisierung der Deutschen als Deutsche verwandelt – aus der Sehnsucht nach Versöhnung mit den Eltern heraus, ein Phänomen, das sich in der politischen Kultur dieses Landes als Forderung nach positiver nationaler Identität niederschlägt.

Nationale Identität der Deutschen nach Auschwitz? Es ist zu vermuten, daß die Realisierungsabsicht dieser Sehnsucht sich an der absoluten Schranke Auschwitz stoßen wird, mit dem Ergebnis, daß Auschwitz nicht nur in seiner Bedeutung als massenhafter Judenmord, sondern auch als Zivilisationsbruch beiseite geschoben oder durch Historisierung abgetan werden wird. Die Tendenzen, die in eine solche Richtung weisen, sind unübersehbar. Mag sein, daß nach 40 Jahren – der Zeitspanne einer biblischen Generation – die kollektive Verspannung sich lockert, die Starre der Elterngeneration, die wie ein Leiter in beredtem Schweigen zurückgehaltene Gefühle übertragen hat, sich nunmehr in den Kindern auflöst und dabei den Drang nach Versöhnung mit der Geschichte auslebbar machen wird.

Damit wird neues Licht auf die beklagte Unfähigkeit zu trauern geworfen. Von welcher Trauer war da die Rede? Die Trauer um die Opfer der Nazis, Empathie mit den Juden? Solche Identifikation führte in den 60er Jahren zum Bruch mit den verstockt schweigenden Eltern. Der Bruch war abgrundtief; ein Aufruf zur Versöhnung wirkte wie eine Aufforderung zum Verrat. In der verhaltenen Wut der Elterngeneration auf die vom Gedenken an Auschwitz losgetretene studentische Protestbewegung offenbarte sich der Konflikt der Generationen, ausgelöst vom Versuch der Trauer um die Opfer. Oder war die Klage von der Unfähigkeit zu trauern auf den Verlust der eigenen Angehörigen gerichtet? Sollte vielleicht um jene getrauert werden, die dem Kollektiv der Täter angehörten und derer man verlustig gegangen war? Von beiden Formen der Trauer konnte, sollte wahrscheinlich, die Rede sein. Aber dies ist kaum zu leisten. Und dieser Widerspruch umschreibt das Dilemma der jungen Deutschen: Denn die Empathie mit den Opfern scheint den Weg zu den Eltern zu versperren; und die Versöhnung mit den Eltern erweckt den Eindruck des Verrats an der Empathie mit den Opfern. Heute neigt sich die Gefühlswaage in Richtung Normalität, in Richtung von Versöhnung mit sich und der nationalen Geschichte. Der Beispiele sind Legion – ganz abgesehen vom Anschlag auf die Erinnerung, der in Bitburg feierlich begangen wurde. Die Starken dieser Welt scheinen des ständigen Mahnens, des Erinnerns an die Vergangenheit, an Auschwitz, überdrüssig zu sein. Außerdem wirkt sich solche Erinnerung auf den Fortgang der atlantischen Partnerschaft störend aus. Macht und Moral haben die Vereinigten Staaten 1944 nach Europa gebracht; geblieben ist die Macht. Als Dank für die Stationierung der Raketen galt es nunmehr, auf die Erinnerung an die Vergangenheit zu verzichten – und damit auf das Symbol jener Moral –, repräsentiert durch die Juden.

Jürgen Habermas hat von der »Entsorgung der Vergangenheit« gesprochen. Auf dem Hintergrund nuklearer Aktualität liegt die Konnotation nahe, es handele sich bei Auschwitz um so etwas wie eine strahlende Masse, deren Halbwertzeiten man freilich nicht kennt. Sich ihrer einfach zu entledigen, wird kaum erfolgreich sein dürfen. Sollte der Drang nach »Entsorgung« der Gefühle unstillbar sein, so wird sich die Geschichte mit dem immer und immer wieder erinnernden Juden zwar nicht wiederholen – aber jener ritualisierte Wiederholungszwang wird die politische Kultur dieses Landes beherrschen.

Und die Juden? Können sie schweigend hinnehmen, daß Auschwitz in Deutschland zu einer fernen Vergangenheit erklärt, die Präsenz der Erinnerung historisiert und sich damit von ihr losgesagt wird? Die Juden in Deutschland sind vor sich selbst nur insofern legitimiert, als sie sich in diesem Land als Wächter der Erinnerung verstehen. Sie können sich nicht – bei Strafe des Verlusts ihrer Würde – dieser Aufgabe entziehen. Max Horkheimer hat schon Mitte der 60er Jahre, damals, als sich viele unhistorisch auf seine *vor* dem Holocaust verfaßten Schriften beriefen, solche Konsequenz in seinen »Notizen« niedergelegt:

»Wir jüdischen Intellektuellen, die dem Märtyrertod unter Hitler entronnen sind, haben nur eine einzige Aufgabe. Mitzuwirken, daß das Entsetzliche nicht wiederkehrt und nicht vergessen wird. Die Einheit mit denen, die unter unsagbaren Qualen gestorben sind. Unser Denken, unsere Arbeit gehört ihnen. Der Zufall, daß wir entronnen sind, soll die Einheit mit ihnen nicht fraglich, sondern gewisser machen. Was immer wir erfahren, hat unter dem Aspekt des Grauens zu stehen, das uns wie ihnen gegolten hat. Ihr Tod ist die Wahrheit unseres Lebens. Ihre Verzweiflung und ihre Sehnsucht auszudrücken, sind wir da.«[5]

Ulrich Herbert

Arbeit und Vernichtung

Ökonomisches Interesse und Primat der »Weltanschauung« im Nationalsozialismus

Im Juni 1943 verabschiedete Hans Frank, Generalgouverneur in dem von Deutschland besetzten Polen, den abberufenen Befehlshaber der Sicherheitspolizei im Generalgouvernement, Schöngarth, mit einer Dankesrede, in der er vor allem dessen Verdienste bei der »Durchsetzung nationalsozialistischer weltanschaulicher Probleme« hervorhob: »Dieses Letzte ist mitten im Kriege, wo es um den Sieg geht und wo alle Tatsächlichkeiten das Gewicht des letzten Arguments besitzen sollten, ein ungeheuer schwieriges Problem. Wie soll – lautet immer wieder die Frage – mit der Notwendigkeit etwa, mit dem fremden Volkstum zusammenzuarbeiten, der weltanschauliche Gesichtspunkt der – sagen wir einmal – Ausrottung des polnischen Volkstums vereinbar sein? Wie soll mit der Aufrechterhaltung der Arbeitsleistung in den Betrieben verbunden werden etwa die Vernichtung des Judentums, die notwendig ist?«[1]
Was Frank hier rückblickend, denn die Vernichtung der polnischen Juden war zu diesem Zeitpunkt bereits weitgehend abgeschlossen, in ungewöhnlich offener Weise ansprach, stellte in der Tat eines der brisantesten und innerhalb der politischen, militärischen und wirtschaftlichen Führungsgruppen des NS-Regimes immer wieder kontrovers diskutierten Probleme der nationalsozialistischen Herrschaft während des Krieges dar: Auf der einen Seite bot und schuf der Krieg erst die Möglichkeiten, weltanschauliche Zielsetzungen des Nationalsozialismus in einem Umfang und einer Radikalität in die Praxis umzusetzen, die vor Kriegsbeginn realistisch von niemandem hatte angenommen werden können. Auf der anderen Seite forderte der Kriegsverlauf eine Konzentration aller Kräfte insbesondere im kriegswirtschaftlichen Bereich, wozu die radikale Durchsetzung weltanschaulicher Zielsetzungen in häufig scharfem Kontrast stand. Diese Problematik spitzte sich überall dort zu, wo die Frage des Umgangs mit den weltanschaulichen Gegnern des Nationalsozialismus sowie den als »rassisch minderwertig« erachteten Völkern der eroberten Gebiete in Osteuropa mit kriegswirtschaftlichen Erfordernissen kollidierte, insbesondere mit dem virulenten Arbeitskräftemangel, der

auf eine wirtschaftlich effektive Nutzung der Arbeitskraft auch und gerade der »Gegner« und der »Fremdvölkischen« verwies.
Dieser strukturell angelegte Konflikt zwischen »Vernichtung« und »Arbeit« war den Entscheidungsträgern in den verschiedenen damit befaßten Behörden bereits während des Krieges durchaus bewußt. In der historiographischen und politischen Auseinandersetzung mit der Geschichte des Nationalsozialismus hingegen hat dieses Problem, soweit es die westliche und insbesondere die westdeutsche Diskussion betrifft, über viele Jahrzehnte hinweg kaum oder nur am Rande eine Rolle gespielt. Die Gründe dafür liegen, außer in wissenschaftsinternen Problemen wie Quellenzugang und Vielschichtigkeit des Gesamtkomplexes, vermutlich vor allem im politischen Bereich, denn eine nähere Behandlung dieses Themas fördert eine intensive Verquickung wirtschaftlicher Interessen insbesondere der deutschen Rüstungsindustrie mit politischen Zielsetzungen des NS-Regimes zutage und verbietet eine Reduktion der Massenvernichtungsaktionen und Massendeportationen auf die Linie »Ideologie – politische Entschlußbildung – exekutive Maßnahmen«, durch die die deutsche Industrie ebenso wie die Mehrheit der Zivilbehörden, die Wehrmacht oder auch die deutsche Bevölkerung insgesamt von den Verbrechen »der Nazis« oder »der SS« »im Osten« separiert würden.
Zu dieser Haltung trug verstärkend bei, daß in der historischen Forschung der DDR, wie generell in der marxistisch-leninistischen Historiographie, gerade und lange Zeit nahezu ausschließlich jene Aspekte von Massenvernichtung und Massendeportation in den Vordergrund gerückt wurden, an denen sich die Beteiligung deutscher Konzerne, die Zusammenarbeit zwischen Unternehmen und SS und die führende Stellung von Industriemanagern innerhalb des NS-Regimes darstellen ließen. Das ging soweit, daß der gesamte Vorgang der Massenvernichtung von Juden, Zigeunern und »Fremdvölkischen« auf das Profitinteresse deutscher »Monopole« reduziert wurde, während ideologische, insbesondere rassistische Motive als vernachlässigenswert und ihre Hervorhebung gar als apologetisch klassifiziert wurden.[2] Neuere Forschungen aus der DDR behandeln dieses Problem mittlerweile differenzierter, aber es bleibt der allenthalben feststellbare Versuch, die weltanschaulichen und rassistischen Motive der Massenvernichtungspolitik, die sich einem »materialistischen«, auf wirtschaftliche Interessen und kapitalistische Rationalität abzielenden Zugriff gegenüber als sperrig erweisen, in ihrer Bedeutung zurückzustufen oder aber mit »rationalen« Ausbeutungsinteressen so zu verknüpfen, daß Rassismus und Judenhaß gleichsam als Überbauphänomene oder gar Manipulationsinstrumente auf der Basis handfester ökonomischer Interessen erscheinen.[3]
Der Zusammenhang von nationalsozialistischer Massenvernichtungspo-

litik und ökonomischen Interessen vor allem der deutschen Rüstungsindustrie ist aber auch in der Bundesrepublik in den vergangenen Jahren stark in den Vordergrund des öffentlichen Interesses gerückt, der Schwerpunkt der Debatte um das Verhältnis von Industrie und Nationalsozialismus, allgemeiner von »Kapitalismus und Faschismus« in Deutschland scheint sich von den frühen 30er Jahren auf die zweite Kriegshälfte zu verlagern.[4] Ausgangspunkt dafür war im Jahre 1985 die Erneuerung von Wiedergutmachungsforderungen ehemaliger jüdischer KZ-Häftlinge, die während der letzten Kriegsphase in deutschen Rüstungsunternehmen Zwangsarbeit leisten mußten, wodurch, verbunden mit Namen wie Flick, IG-Farben, Mercedes, Deutsche Bank und anderen, eine Diskussion zunächst um die Berechtigung solcher Forderungen und dann um die Nutzbarmachung von Zwangsarbeit durch die deutsche Industrie während des Krieges insgesamt anhub.[5] Kennzeichnend für diese Debatte ist jedoch, daß aus der Assoziationskette »Zwangsarbeit – KZ-Häftlinge – Juden – Auschwitz« eine direkte Linie zwischen deutscher Industrie und dem »Holocaust« gebildet und, in verwirrendem Bezug auf ganz unterschiedliche Phänomene, Zwangsarbeit, Konzentrationslager, Massenvernichtung und Rüstungsindustrie als ein Gesamtkomplex wahrgenommen wurden, der seinerseits nun wieder in Anlehnung an die ältere DDR-Forschung eine kapitalistische Rationalität der Massenvernichtungspolitik suggerierte; das Codewort für diese politische Assoziationskette lautet »Vernichtung durch Arbeit«.[6]

Bei dem hier nun unternommenen Versuch, das Verhältnis von kriegswirtschaftlichem Interesse an der Ausbeutung und politisch ideologischer Zielsetzung der Vernichtung der weltanschaulichen »Feinde« des Nationalsozialismus sowie der »fremdvölkischen« Angehörigen der unterworfenen Gebiete in Polen und der Sowjetunion näher zu untersuchen, entstehen drei Probleme, die vorab genannt werden sollen:

– zum einen sind wichtige Bereiche dieses Gesamtkomplexes noch nicht hinreichend erforscht; das betrifft vor allem die Tätigkeit der deutschen Industrie in Polen und den besetzten Gebieten der Sowjetunion, den Arbeitseinsatz von KZ-Häftlingen im Reich vor allem während der letzten Kriegsphase sowie die Politik des Wirtschafts- und Verwaltungs-Hauptamtes der SS;

– zweitens handelt es sich bei dem landläufig benutzten Terminus »Zwangsarbeiter« um drei bzw. vier unterschiedliche Gruppen, die sich nicht nur hinsichtlich ihrer Arbeits- und Lebensbedingungen sowie ihrer rechtlichen Lage voneinander unterscheiden, sondern die auch in ganz verschiedener Weise Objekte nationalsozialistischer Politik und unterschiedlicher Machtgruppen und Behörden des Regimes mit zum Teil konkurrierenden politischen Zielsetzungen waren:

a) die zivilen und kriegsgefangenen ausländischen Arbeitskräfte im Rahmen des nationalsozialistischen »Ausländereinsatzes«, die seit 1939 und verstärkt seit 1942 in der Regel zwangsweise in der deutschen Landwirtschaft und Industrie beschäftigt wurden, deren Höchstzahl im Sommer 1944 mit 7,8 Millionen erreicht wurde und die wiederum untereinander nach rassistischen Kriterien rechtlich und in bezug auf ihre Lebensbedingungen strikt unterschiedlich behandelt wurden. Verantwortlich für diese Gruppe waren in erster Linie die zivile Arbeitsverwaltung, das Rüstungsministerium und die Betriebe sowie bei den Kriegsgefangenen auch die Wehrmacht. Dabei stellen die sowjetischen Kriegsgefangenen noch einmal eine besondere Kategorie dar, auf die später näher einzugehen sein wird.

b) die Häftlinge in den Konzentrationslagern, deren Gesamtzahl zu Beginn des Krieges etwa 25000, bei seinem Ende etwa 700000 betrug, und die unter der Verfügungsgewalt des Reichsführers SS, insbesondere der Inspektion der Konzentrationslager bzw. des Wirtschafts- und Verwaltungs-Hauptamtes sowie des Reichssicherheitshauptamtes, standen.

c) die während des Krieges unter den Zugriff des Deutschen Reiches geratenen europäischen Juden sowie die Zigeuner, deren besonderes, von dem aller anderer verfolgten Gruppen sich grundlegend unterscheidendes Schicksal unter der Fragestellung nach der Verwertung ihrer Arbeitskraft mit aller Deutlichkeit hervortritt.

Die hier zugrunde gelegte Frage nach dem Verhältnis von weltanschaulichen und ökonomischen Zielsetzungen des Regimes, im engeren Sinn: von »Vernichtung« und »Arbeit«, wird bei diesen drei Gruppen in unterschiedlicher Weise zu beantworten sein. Gleichzeitig stellt sich aber auch die Frage, inwieweit die Entscheidungen über den Umgang mit diesen drei Gruppen miteinander verknüpft bzw. voneinander abhängig waren; – dabei kommt als drittes Problem hinzu, daß gegenüber diesen Gruppen unterschiedliche Konzepte und Entwicklungen zu unterschiedlichen Zeiten zum Tragen kamen; hier kann man grob von der klassischen Periodisierung der Kriegszeit in die »Blitzkriegsphase« bis Sommer/Herbst 1941, die Phase der Umstellung vom Blitzkrieg zum Abnutzungskrieg bis Anfang 1943 und die Phasen des Totalen Krieges bis Mai 1945 ausgehen, wobei angesichts der rasenden Geschwindigkeit der militärischen, politischen und wirtschaftlichen Entwicklungen weitere Unterteilungen sinnvoll, und etwa Sommer und Winter 1941 oder auch die letzte Kriegsphase seit Anfang 1945 je gesondert zu betrachten sind.

Nachdem deutsche Truppen im Verlaufe des Jahres 1940 an allen Fronten gewaltige Siege hatten erringen können, rührte die in dieser Phase feststellbare Euphorie bei Volk und Führung auch aus dem Aufatmen darüber her, daß nunmehr das Ende der seit Mitte der 30er Jahre hingenommenen Entbehrungen im Zuge der kriegswirtschaftlichen Anstrengungen, aber auch der ideologisch nicht vertretbaren Kompromisse nahe schien; die Art und Weise der Vorbereitungen auf den Krieg gegen die Sowjetunion innerhalb der politischen, militärischen und kriegswirtschaftlichen Führungsgremien, die bereits im August 1940 begonnen hatten und sich seit Anfang 1941 konkretisierten, war Ausdruck dieses Bewußtseins.[7] Dieser Krieg sollte alle Problemlagen Deutschlands mit einem Male lösen helfen: er sollte die deutsche Führungsrolle in ganz Europa endgültig fixieren, die Ernährung auf lange Zeit hin sichern, der Industrie Rohstoffe liefern – und gleichzeitig Grundlage wie Objekt einer nach nationalsozialistischen Prinzipien durchorganisierten Rasse- und Bevölkerungspolitik werden; ein Weltanschauungskrieg, in dem endlich frei von Rücksichten auf Mangellagen der Kriegswirtschaft die Maximen des Herrenmenschentums umgesetzt werden konnten. Folgerichtig traten in dieser Phase auch die Konflikte zwischen den Vertretern kriegswirtschaftlicher Belange und Sachzwänge und den Sachwaltern weltanschaulicher Perspektiven, die für die Vorbereitungsphasen auch der Kriege gegen Polen und Frankreich so kennzeichnend gewesen waren, ganz in den Hintergrund. Das deutsche Arbeitskräfteproblem – bis 1940 eine der größten Sorgen der Kriegswirtschaftstechnokraten – schien endgültig gelöst: fast 3 Millionen ausländische Arbeitskräfte – Zivilarbeiter und Kriegsgefangene, zum überwiegenden Teil Polen und Franzosen – waren in Deutschland beschäftigt. Eine weitere Erhöhung der Zahl ausländischer Arbeiter schien zu dieser Zeit nicht notwendig; der schnelle Sieg über die UdSSR, davon war man fest überzeugt, würde Probleme wie »Arbeitskräftemangel« in Deutschland nicht mehr aufkommen lassen.[8] Zudem lag in der Phase der sicheren Siegeserwartung der Gedanke an weitere Kompromißlösungen aus wirtschaftlichen Krisenlagen heraus fern, ohne daß sich damit jedoch bereits realistische wirtschaftliche Konzepte verbunden hätten. Vielmehr war die Phase der Vorbereitung auf den Krieg gegen die Sowjetunion durch immer großartigere Planungen und Erwartungen der wirtschaftlichen Beute gekennzeichnet, denen gemeinsam war, daß die Zivilbevölkerung der Sowjetunion ebenso als zu vernachlässigender Faktor außerhalb der Planungsgrößen zu stehen hatte wie die zu erwartenden Millionen von sowjetischen Kriegsgefangenen. So gingen etwa die Vorbereitungen auf die Erfassung der landwirtschaftlichen Produktion aus dem Süden der Sowjetunion davon aus, es müßten »zweifellos zig Millionen Menschen verhungern, wenn von uns das für uns

Notwendige aus dem Lande herausgeholt wird«.[9] In gleicher Weise war an eine Verwendung der zu erwartenden sowjetischen Kriegsgefangenen als Arbeitskräfte im Reich nicht gedacht, sie war vielmehr von Hitler selbst ausdrücklich untersagt worden.[10] Entsprechend wurden keinerlei Vorkehrungen zur Erhaltung der Arbeitskraft der sowjetischen Gefangenen getroffen, im Gegenteil – bereits im April 1941 rechnete das OKH nicht mehr damit, daß die russischen Gefangenen ausreichend verpflegt werden würden.[11] Die Folgen sind bekannt: 60% der 3350000 sowjetischen Gefangenen des Jahres 1941 kamen um; 1,4 Millionen von ihnen bereits vor Anfang Dezember.[12]

In diesem Klima der sich beständig erweiternden und in der Tat größenwahnsinnigen Planungen des Frühjahrs und Sommers 1941, in dem losgelöst von allen kriegswirtschaftlichen, innen- und außenpolitischen Rücksichtnahmen immer radikalere Vorstellungen Platz griffen, fielen auch die Vorentscheidungen über das Schicksal der europäischen Juden. Denn wenn man schon so explizit den Tod von Millionen Menschen in der Sowjetunion – der Zivilbevölkerung wie der Kriegsgefangenen – in Kauf nahm und vorausplante, so waren gegenüber den von den Nationalsozialisten als weltanschaulicher Feind Nr. 1 empfundenen Juden im deutschen Machtbereich keine anderen Planungen und Entschlüsse zu erwarten. Unabhängig von der in diesem Zusammenhang zu vernachlässigenden Debatte um Zeit und Form eines allgemeinen Führerbefehls zur »Endlösung der Judenfrage«[13] wird deutlich, daß die Mordbefehle an die Einsatzgruppen in den besetzten Gebieten der Sowjetunion, der Kommissarbefehl und schließlich die »Bevollmächtigung« Heydrichs durch Göring vom 31. Juli 1941, der die Vorbereitungen auf eine über die Massenmorde der Einsatzgruppen in der Sowjetunion hinausgehende »Gesamtlösung« der Judenfrage in ganz Europa einleitete, in engem Zusammenhang gesehen werden müssen mit den politischen und wirtschaftlichen Vorbereitungen auf Krieg und deutsche Besatzungsherrschaft in der Sowjetunion, die Millionenzahlen von zu erwartenden Toten als feste Planungsgrößen voraussetzten.[14]

Weder gegenüber den Juden noch den Kriegsgefangenen noch der sowjetischen Zivilbevölkerung waren zu diesem Zeitpunkt Fragen des Arbeitseinsatzes dieser Menschen von Bedeutung. Im Gegenteil: man war der festen Überzeugung, daß ein Arbeitskräftemangel auf lange Zeit nicht mehr würde entstehen können. Juden, sowjetische Kriegsgefangene und große Teile der Bevölkerung in den zu erobernden sowjetischen Gebieten besaßen so dieser Zeit in den Augen der Kriegswirtschaftsplaner und generell in der Regimeführung keinen für Deutschland nutzbaren Wert, vielmehr wurde gerade auf die Belastung der Ernährungslage von Wehrmacht und Reichsbevölkerung durch diese »unnützen Esser« hingewiesen und so die Vernichtungsabsicht rationalisiert.[15] Die Veränderungen der militärischen Lage an der Ostfront nach dem Stillstand vor Moskau und der sich damit abzeichnende Übergang vom Konzept des Blitzkrieges zu einem länger andauernden Abnutzungskrieg seit dem Herbst 1941 entzogen solchen Planungen jedoch ihre Grundlage.[16] Etwa seit September 1941 war klargeworden, daß man auf zusätzliche Arbeitskräfte angewiesen war und daß diese nicht in der deutschen Bevölkerung zu schöpfen waren; man war vielmehr auf die in deutscher Hand befindlichen Kriegsgefangenen, auf die Bevölkerungen der besetzten Gebiete vor allem des Ostens sowie – in geringerem Umfang – auf die Gefangenen in den Konzentrationslagern verwiesen; darüber hinaus waren auch die Vorbereitungen für eine »Endlösung der Judenfrage« nunmehr nicht länger völlig abgelöst von allen Arbeitseinsatzfragen durchführbar. Um die nun folgende widersprüchliche und schwankende Entwicklung bis zum Frühjahr 1942 und die daraus hervorgegangenen Entschlüsse verstehbar zu machen, soll zunächst kurz auf die Phase bis 1941 und die Entwicklung des Arbeitseinsatzes von ausländischen Zivilarbeitern und Kriegsgefangenen, KZ-Häftlingen und Juden in dieser Zeit zurückgeschaut werden.

Die Beschäftigung von Millionen ausländischer Zivilarbeiter und Kriegsgefangenen war vor Kriegsbeginn nicht geplant worden, sondern eine aus dem gravierenden Arbeitermangel heraus geborene »vorübergehende Notlösung« nach Kriegsbeginn, die auf erhebliche Vorbehalte insbesondere in der Partei und beim Reichsführer SS stieß, wobei hier sowohl »rassische« als auch »sicherheitspolizeiliche« Gefahren insbesondere durch die Beschäftigung von Polen geltend gemacht wurden, was zu umfangreichen polizeilichen Reglementierungen, sozialpolitischer Schlechterstellung, äußerlicher Kennzeichnung und verschärfter Unterdrückung führte.[17] Auf der anderen Seite war der »Ausländereinsatz« eine unabweisbare kriegswirtschaftliche Notwendigkeit, ohne den insbesondere die landwirtschaftliche Produktion nicht im erforderlichen Maße hätte aufrechterhalten werden können. Die deutsche Industrie hingegen spielte bis zum Herbst 1941 in diesem Zusammenhang nur eine untergeordnete Rolle; weder war sie an der Entscheidung für den Ausländereinsatz beteiligt noch nahm die Beschäftigung von Ausländern in der Industrie bis dahin Größenordnungen wie in der Landwirtschaft an, wo im Mai 1941 der Ausländeranteil mit 13,6 % mehr als doppelt so hoch wie in der gewerblichen Wirtschaft lag.[18] Das Interesse der Industrie konzentrierte sich weniger auf polnische Hilfsarbeiter als auf Facharbeiter vor allem aus dem westlichen Ausland sowie auf die erwartete Rückkehr der als Soldaten eingezogenen deutschen Arbeitskräfte nach dem Krieg.[19]
Die Verwendung von KZ-Häftlingen als Arbeitskräfte hingegen hatte bis

dahin eine wirtschaftlich relevante Form im wesentlichen nicht erreicht.[20] Daß ins KZ eingewiesene Häftlinge, deren Zahl bei Kriegsbeginn etwa 25000 betrug, zur Arbeit eingesetzt wurden, war zwar bereits seit Einrichtung der Lager üblich gewesen, die Arbeit der Häftlinge diente dabei jedoch vorwiegend als Mittel, nicht als Zweck des Aufenthalts. Auch als die SS im Jahre 1938 dazu übergegangen war, die Häftlingsarbeit in Steinbrüchen, Ziegeleien und Ausbesserungswerkstätten durch die Gründung SS-eigener Wirtschaftsunternehmen zu systematisieren,[21] blieb der Charakter der Arbeit als Strafe, »Erziehung« oder »Rache« weithin erhalten und nahm gerade gegenüber den in der politischen und »rassischen« Hierarchie der Nazis besonders tiefstehenden Gruppen bereits vor 1939 die Form der Vernichtung an. »Die politischen Aufgaben und nicht Profitmaximierung«, faßt Falk Pingel diesen Aspekt zusammen, waren in dieser Phase die »leitende Bestimmung der wirtschaftlichen Tätigkeit in der SS«.[22] Unzureichende Ernährung, überlange Arbeitszeiten, physische Mißhandlungen und schwere Arbeiten ohne entsprechende Hilfsmittel hatten vor allem in den Steinbrüchen hohe Todesraten zur Folge, die seit Kriegsbeginn noch stiegen, als durch die rapide Zunahme der Einweisungen vor allem von Polen, die bald die größte Häftlingsgruppe darstellten, die Bedarfszahlen der Lager an Arbeitskräften bei weitem überstiegen wurden, der Wert der einzelnen Arbeitskraft daher noch weiter sank und die Todeszahlen entsprechend anwuchsen: In Buchenwald stieg die Todesrate pro Jahr von 10% (1938) auf 21% (1940), in Dachau von 4% (1938) auf 36% (1941) und in Mauthausen von 24% (1939) auf 76% (1940).[23] Kriegswirtschaftliche Aspekte standen gegenüber den KZ-Häftlingen in dieser Phase also nicht im Vordergrund, zumal die Arbeit in den Steinbrüchen und Ziegeleien im Zusammenhang mit den für die Nachkriegszeit geplanten riesigen Bauvorhaben Speers und Hitlers und nicht mit Rüstungsvorhaben stand. Erst seit Anfang 1941 kam es hier zu ersten Veränderungen, als Häftlinge des ursprünglich nur als Durchgangslager für ins KZ eingewiesene Polen gedachten Lagers Auschwitz für den Bau eines Buna-Werkes der IG-Farben AG abgestellt wurden, deren Entscheidung für den Standort Auschwitz maßgeblich durch das hier zur Verfügung stehende Reservoir an billigen Arbeitskräften bestimmt worden war.[24] Daraufhin befahl Himmler die Erweiterung des ursprünglich für 10000 Häftlinge vorgesehenen Hauptlagers auf 30000;[25] darüber hinaus sollte in dem nahe gelegenen Ort Birkenau ein Lager für 100000 sowjetische Kriegsgefangene angelegt werden. In der Zusammenarbeit mit der IG-Farben zeigte sich eine für die SS-Führung in dieser Form neue Perspektive, deren Reichweite allerdings noch nicht exakt abzuschätzen und von der weiteren militärischen Entwicklung abhängig war. Ingesamt muß man feststellen, daß der Arbeitseinsatz von KZ-Häftlingen bis zum Sommer 1941 nicht unter dem Vorzeichen der ökonomischen Effektivität im Sinne von Gewinnträchtigkeit oder kriegswirtschaftlicher Relevanz stand, sondern nach wie vor und seit Kriegsbeginn noch verstärkt »Erziehung«, Strafe und Vernichtung die leitenden Gesichtspunkte bei der Behandlung der Häftlinge darstellten.

Die nationalsozialistische Politik gegenüber den Juden im Deutschen Reich und dem seit 1938 »angeschlossenen« Österreich hingegen hatte sich in den letzten Jahren vor dem Kriege auf die forcierte Auswanderung konzentriert; nach Kriegsbeginn jedoch bestand diese Möglichkeit kaum noch. Unter den Auswanderern war der Anteil jüngerer und damit arbeitsfähiger Menschen überdurchschnittlich hoch gewesen; von den etwa 330000 Juden, die sich bei Kriegsbeginn noch in Deutschland befanden, gehörte der überwiegende Teil zur älteren Generation – nur 16% von ihnen waren als beschäftigt gemeldet.[26]

Diese im Reich verbliebenen deutschen Juden sowie die jüdische Bevölkerung der annektierten polnischen Gebiete sollten nun, so gab Heydrich bei einer Besprechung mit seinen Amtschefs und den Leitern der Einsatzgruppen am 21. September 1939 bekannt, so schnell wie möglich nach Polen deportiert werden; gleichzeitig sollten die Juden in den Städten konzentriert werden, um damit die Voraussetzungen für das anzustrebende, noch nicht näher definierte »Endziel« zu schaffen.[27] Tatsächlich aber konnten derartige Deportationen aus verschiedenen Gründen zunächst nur in geringem Umfang durchgeführt werden; die erhebliche Aufmerksamkeit, die die ersten unter wahrhaft fürchterlichen Umständen durchgeführten Transporte von Polen und Juden aus dem »Reichsgau Posen« in das Generalgouvernement in der internationalen Öffentlichkeit erregt hatten, waren dafür ebenso sehr ausschlaggebend wie die mangelnden Vorbereitungen im Generalgouvernement auf solche Massentransporte und der zähe Widerstand Franks gegen die Deportationen von Juden in seinen Machtbereich, so daß Göring, der als Chef der Vierjahresplanbehörde das Interesse an der Erhaltung der jüdischen Arbeitskräfte im Reich vertrat, am 24. 3. 1940 weitere Deportationen ins Generalgouvernement untersagte.[28]

Für die nun weiter im Reich verbleibenden Juden wurde indes die Heranziehung zur Zwangsarbeit dekretiert, soweit sie als arbeitsfähig zu gelten hatten. Arbeitslose Juden waren bereits nach einer Verordnung vom März 1939 unter Absonderung gegenüber nichtjüdischen Arbeitern zu Aufbau- und Ausbesserungsarbeiten dienstzuverpflichten. Etwa 30000 Juden wurden auf diese Weise zur Zwangsarbeit in Kolonnen eingesetzt; die meisten jedoch arbeiteten – insbesondere in Berlin – in Fabriken als Rüstungsarbeiter oder in dem ständig größer werdenden Netz der jüdischen Gemeindeorganisationen.[29]

Gleichwohl kann zu dieser Zeit von einer systematischen Arbeitseinsatzpolitik gegenüber den Juden innerhalb des Reiches nicht die Rede sein; die Perspektive »konzentrieren und deportieren« mit dem Ziel, das Reich »judenfrei« zu machen, blieb vorherrschend – ob es sich nun um die Deportation nach Madagaskar, in ein Judenreservat im Generalgouvernement oder – wie häufig – um die allgemeine und nicht näher definierte Abschiebung »nach dem Osten« handelte; jedenfalls sei, so Heydrich im Juni 1940 gegenüber Ribbentrop, angesichts von 3¼ Millionen Juden im deutschen Einflußbereich, das Gesamtproblem nicht mehr durch »Auswanderung«, sondern nur noch durch eine »territoriale Endlösung« lösbar.[30] Der Zwangsarbeitseinsatz von Juden innerhalb des Reiches dagegen war von vornherein nur eine vorübergehende Zwischenlösung. Das wird etwa auch deutlich aus den langwierigen Verhandlungen um eine arbeitsrechtliche Fixierung des Status der jüdischen Arbeiter. Da das Reich möglichst bald »judenfrei« gemacht werden sollte, bestand für eine besondere Spezialgesetzgebung für Juden weder großer Bedarf noch Zeitdruck. Obwohl entsprechende Verordnungen bereits kurz nach Kriegsbeginn angekündigt worden waren, wurden sie erst im Juni 1940 bzw. im November 1941 – also bereits nach Beginn der Vernichtungsphase – in der »Verordnung über die Beschäftigung von Juden« abgeschlossen und entsprachen im wesentlichen den auch gegenüber Polen geltenden diskriminierenden arbeitsrechtlichen Vorschriften.[31] Wie sehr die Zielsetzung, das Reich »judenfrei« zu machen, zu dieser Zeit vor ökonomischen Erwägungen dominierte, zeigt ein Beispiel vom Frühjahr 1941: Nach dem vorläufigen Stopp der Deportationen aus dem Reich und den annektierten Ostgebieten ordnete Heydrich im Januar 1941 die Deportation von 90000 Juden aus dem »Wartheland« ins Generalgouvernement an; da das aber wegen mangelnder Transportkapazitäten nicht voll durchführbar war, bot der Reichsstatthalter in Posen, Greiser, der ebenso wie Frank großen Ehrgeiz dabei entwickelte, »sein« Gebiet möglichst bald »judenfrei« zu machen, etwa 73000 Juden dem Reichsarbeitsminister als Arbeitskräfte an;[32] Unterstützung erhielt er dabei von Göring, der im Februar die Reichsstatthalter und Reichsverteidigungskommissare anwies, »die aus rassepolitischen Gründen einem Arbeitseinsatz der Juden entgegenstehenden Schwierigkeiten zu beseitigen«.[33] Entsprechende Abnehmer in der deutschen Industrie waren bereits vereinzelt vorhanden – Siemens hatte ebenso sein Interesse bekundet wie die Reichswerke Hermann Göring;[34] der Reichsarbeitsminister ordnete die organisatorische Vorbereitung eines solchen Einsatzes an und betonte, es könne wegen des allgemeinen Arbeitermangels auf jüdische Arbeitskräfte nicht verzichtet werden.[35] Schon drei Wochen später aber mußte das Ministerium diesen Erlaß widerrufen, der Führer habe die »Einfuhr polnischer Juden ins Reich« abgelehnt.[36]

Insgesamt wird deutlich, daß bei der Politik der Nationalsozialisten gegenüber den deutschen Juden in dieser Phase der Arbeitseinsatz von untergeordneter Bedeutung war; auch kriegswirtschaftlich waren die etwa 30000 Menschen umfassenden Zwangsarbeiterkolonnen und die etwa gleich große Zahl jüdischer Rüstungsarbeiter keine relevanten Faktoren bei der Entscheidung über das weitere Schicksal der deutschen Juden. Im Mittelpunkt aller Bemühungen vor allem Heydrichs und des RSHA stand die Deportation; alle Anstrengungen richteten sich darauf, diese Frage möglichst bald zu klären; insofern kann, was das Reichsgebiet angeht, die These Pätzolds, »der Plan, die jüdische Bevölkerung massenhaft als die billigsten Zwangsarbeiter einzusetzen, beherrschte die Spezialisten der Judenverfolgung, seit sich mit Kriegsbeginn die Arbeitskräftesituation des deutschen Imperialismus drastisch verschlechtert hatte«,[37] in dieser Form nicht bestätigt werden.

Innerhalb des »Generalgouvernements« jedoch besaß der Arbeitseinsatz der jüdischen Bevölkerung eine andere Bedeutung: Bereits unmittelbar nach Kriegsbeginn waren zivile und militärische Stellen in den besetzten polnischen Gebieten dazu übergegangen, Juden bei der Trümmerräumung, beim Bau von Panzergräben und ähnlichem zwangsweise einzusetzen; dabei spielten allerdings – wie häufig – weniger wirtschaftliche Notwendigkeiten eine Rolle als das vorauseilende Pflichtgefühl deutscher Militärs und Beamter, die Juden »endlich einer sinnvollen Tätigkeit zuzuführen«. Ende Oktober gab dann der Generalgouverneur einen entsprechenden Erlaß heraus, in dem der Zwangsarbeitseinsatz für alle Juden in geschlossenen Kolonnen bestimmt wurde,[38] die einzelnen Maßnahmen fielen dabei in die Zuständigkeit des Höheren SS- und Polizeiführers im Generalgouvernement, Krüger, so daß die Verfügungsgewalt über die polnischen Juden seither beim HSSPF lag, der seinerseits die »Judenräte« heranzog, um die Zwangsarbeitskolonnen zu organisieren.[39] Derartige »Judenkolonnen« wurden zunächst vor allem bei Behelfsarbeiten und Bauprojekten eingesetzt; als Himmler im Februar 1940 den Einsatz von Zehntausenden von Juden für den Bau eines Panzergrabens vorschlug und weitere Großprojekte wie Flußregulierungen und Flurbereinigungen in Angriff genommen wurden, entwickelten sich aus den Zwangsarbeitskolonnen stationäre Arbeitslager, in denen Zehntausende von jüdischen Arbeitskräften unter außerordentlich schlechten Bedingungen zusammengepfercht wurden.[40] Auf solche Arbeitslager bezog sich Heydrich, als er am 30. Januar 1940 ankündigte, im Generalgouvernement würden nicht arbeitsfähige Juden in Ghettos verbracht und die arbeitsfähigen beim »Bau des Walles und sonstigen Vorhaben im Osten« eingesetzt.[41]

Die Durchführung dieser Maßnahmen aber stieß auf erhebliche Probleme – in der Regierung des GG wurde berechnet, daß eine solche um-

fassende Judenzwangsarbeit überaus kostspielig sei; für den Aufbau der geplanten vier großen Konzentrationslager seien 90 Millionen RM zu veranschlagen; eine derartige finanzielle Belastung aber lehnte Frank ab.[42] Eine solche Investition hätte sich nur rentiert, wenn ein Zwangsarbeitseinsatz von Juden auf lange Sicht geplant worden wäre. Zur gleichen Zeit aber setzte sich Frank mit den verschiedenen Plänen zur Deportation von Hunderttausenden von Juden aus dem Reich, dem »Protektorat« und den annektierten polnischen Gebieten auseinander. Die Abschiebetransporte vom Westen in den Osten hatten das Wartheland, vor allem aber das Generalgouvernement als die am weitesten östlich liegenden deutschen Einflußbereiche zum Ziel. Frank und Greiser hatten jedoch das größte Interesse daran, den Aufenthalt der in »ihre« Gebiete deportierten Juden ausdrücklich als vorübergehende Zwischenlösung zu deklarieren und wetteiferten geradezu darin, »ihre« Juden möglichst bald loszuwerden.[43] Dazu aber hätten umfangreiche Investitionen für den Bau von großen Aufenthaltslagern in Widerspruch gestanden; vielmehr kam es für beide Administrationen darauf an, durch Schaffung möglichst offensichtlicher »unhaltbarer« Verhältnisse auf eine Lösung des »Judenproblems« hinzuarbeiten, bei der beide Territorien von Juden »entlastet« würden.
Unter diesen Gesichtspunkten war die Konzentration der Juden in den Ghettos im Vergleich zu den Lagern für Frank und Greiser die bessere, weil billigere und deutlicher auf einen »Zwischenaufenthalt« verweisende Lösung; seit dem Frühjahr 1940 wurde sie verstärkt, wenn auch stockend und uneinheitlich in Angriff genommen.[44] Die Verhältnisse aber, unter denen die in diesen Ghettos zusammengepferchten Menschen leben mußten, wurden in kurzer Zeit so fürchterlich, daß sie sowohl von den Verwaltungsspitzen des Generalgouvernements und des Warthelands gegenüber den Berliner Behörden wie von Himmler und Heydrich gegenüber den übrigen beteiligten Stellen als Druckmittel auf die Entscheidung für eine endgültige, radikale Lösung benutzt werden konnten. Dabei funktionierte der gesamte Prozeß nach dem Prinzip einer self-fulfilling-prophecy: die Notwendigkeit der Ghettoisierung der Juden war mit – je nach Zuständigkeit der einzelnen Beamten unterschiedlichen – »rationalen« Argumenten begründet worden: mit den durch die Deportationszüge anwachsenden Ernährungsproblemen und dem »jüdischen Schleichhandel« mit Nahrungsmitteln, mit den von Juden angeblich verbreiteten Seuchen, mit der Arbeitsunwilligkeit der Juden oder mit »Sicherheitsproblemen«.[45] Nach wenigen Monaten in den Ghettos war tatsächlich der Schmuggel von Lebensmitteln für viele Juden der einzige Weg, um etwas zu essen zu bekommen; Fleckfieber und andere Seuchen waren tatsächlich verbreitet; immer mehr Ghettobewohner waren durch die unzureichende Ernährung tatsächlich arbeitsunfähig, und

die »Sicherheitsprobleme« hatten sich in den Augen der Polizeiführer weiter verschärft.
Unter diesen Vorzeichen – den Charakter einer »Zwischenlösung« zu betonen und »untragbare Verhältnisse« zu forcieren – stand auch der Arbeitseinsatz der Juden in dieser Phase; er war nichts weniger als systematisch oder gar effektiv, sondern geradezu darauf abgestellt, die »Nutzlosigkeit« der Juden unter Beweis zu stellen. Gleichzeitig aber standen hier überaus billige Arbeitskräfte in großer Zahl zur Verfügung, derer sich die einzelnen Behörden von Polizei und Wehrmacht bedienen konnten; daraus entstanden in einigen Bereichen Widersprüche zwischen regionalen und zentralen Behörden, die durch die fortschreitenden Rekrutierungen polnischer Zivilarbeiter für den »Reichseinsatz« und die dadurch erwirkte Verknappung von Arbeitskräften zunahmen, in dieser Phase aber politisch und wirtschaftlich relevante Größenordnungen nicht erreichten.
Der Arbeitseinsatz der Juden entwickelte sich in dieser Zeit vorwiegend in zwei Formen – in Arbeitslagern und in den Ghettos. Die Insassen der Arbeitslager waren anfangs vorwiegend bei Bauprojekten und Meliorationen eingesetzt worden; mehr und mehr profitierte von den jüdischen Zwangsarbeiterlagern aber auch die Wehrmacht, die Juden vor allem in Werkstätten für Wehrmachtsausrüstung beschäftigte. Von seiten der Arbeitsverwaltung gab es dabei durchaus bereits Versuche, auf die wirtschaftliche Bedeutung der jüdischen Arbeitskräfte hinzuweisen, denn »man sei im Generalgouvernement mit den Arbeitskräften so ziemlich am Ende«.[46] Der Chef der Arbeitsverwaltung, Frauendorfer, gab sogar eine Anweisung heraus, wonach den jüdischen Arbeitern 80% der durchschnittlichen polnischen Löhne zu bezahlen seien, um die »Arbeitskraft der Juden zu erhalten«.[47]
Angesichts der Verhältnisse in den seit dem Frühjahr 1940 verstärkt eingerichteten Ghettos jedoch war Derartiges reine Fiktion: allein im Warschauer Ghetto, in dem ca. 470000 jüdische Menschen auf engstem Raum konzentriert wurden, lag die Todesrate im Jahr 1941 bei 10%; die Zahl der Arbeitsunfähigen stieg beständig, die Lebensmittelversorgung wurde immer schlechter, und die Fleckfieberseuche griff immer weiter um sich.[48]
Seit Mitte 1940 hatte sich der Schwerpunkt des jüdischen Arbeitseinsatzes von den Lagern in die Ghettos verlagert, in denen Juden in privaten Unternehmen oder »ghettoeigenen Betrieben« beschäftigt waren. Hier wurden vor allem für Wehrmacht, SS und Polizei in arbeitsintensiven Fertigungen vorwiegend Ausrüstungsgegenstände wie Uniformen etc. hergestellt sowie Reparaturen ausgeführt; dabei erlangte die Ghettoproduktion sogar eine gewisse kriegswirtschaftliche Bedeutung. Das hieß freilich nicht, daß der Arbeitseinsatz in den Ghettos im Zentrum der Aufmerk-

samkeit der deutschen Behörden gestanden hätte – eher im Gegenteil. Noch im September 1941 waren z. B. im Ghetto Warschau weniger als 10% aller Bewohner tatsächlich als beschäftigt registriert.[49] Von daher trat folgerichtig die Frage auf, ob sich das Ghetto für die deutschen Behörden finanziell selbst tragen könne; die Fachbeamten der Regierung des GG wiesen im April 1941 darauf hin, daß dies erst der Fall sei, wenn »65000 bis 70000 Juden im Ghetto in eine produktive Arbeit hineinzubringen« wären und wenn »die wirtschaftlichen Planungen für einen größeren Zeitraum erfolgen« würden.[50] Dem hielt jedoch Frank entgegen, der Führer habe ihm »versprochen, daß das Generalgouvernement als erstes Gebiet von Juden völlig befreit werden solle. Es handle sich danach nicht um eine dauernde Belastung, sondern um eine typische Kriegserscheinung.«[51] Frank nutzte seit dem Sommer 1940 jede Gelegenheit, um auf dieses »Versprechen des Führers« hinzuweisen und die Vorläufigkeit der Konzentration der Juden im GG und ihres Arbeitseinsatzes zu betonen.[52] Demgegenüber war die Wirtschaftlichkeit dieser Maßnahmen zweitrangig; der dauernde Nachweis der »Unhaltbarkeit« der Zustände in den Ghettos und der dadurch entstehenden finanziellen Belastungen war vielmehr ein geeignetes Mittel, um die Einlösung des Versprechens zu beschleunigen.

Nach Beginn des »Rußland-Feldzuges« begann Franks Kalkül Realität zu werden; bereits am 17. Juli 1941 sprach er von der »ausdrücklichen Erklärung des Führers vom 19. Juni d. J.«, wonach »die Juden in absehbarer Zeit aus dem Generalgouvernement entfernt würden und das Generalgouvernement nur noch gewissermaßen Durchgangslager sein sollte«.[53] Schon fünf Tage später wurden die »Vorbereitungen zur Entfernung der Juden aus dem GG beginnend mit dem Warschauer Ghetto« von der Krakauer Administration erstmals diskutiert.[54]

Die Tatsache. daß die Einsatzgruppen der SS nach Beginn des Krieges gegen die Sowjetunion unmittelbar mit der systematischen Ermordung der jüdischen Bevölkerung begannen, ist – wiederum unabhängig von der Kontroverse, wann und in welchem Umfang die Einsatzgruppenleiter ihre diesbezüglichen Befehle erhielten[55] – auch als radikale Konsequenz aus den Erfahrungen in Polen zu bewerten. Statt wie im Wartheland und im Generalgouvenement umständliche und ganz offenbar zu den besprochenen »unhaltbaren Zuständen« führende Zwischenlösungen von Ghettoisierung und »uneffektivem« Arbeitseinsatz in Angriff zu nehmen, wurde in der Sowjetunion von vorneherein eine endgültige Lösung: die massenhafte Tötung praktiziert. Zur gleichen Zeit – ob von der Kenntnis der Aktionen der Einsatztruppen beeinflußt oder unabhängig davon – wurden in Polen aus den bisherigen Erfahrungen der Judenpolitik und angesichts der Zustände in den Ghettos Überlegungen in die gleiche

Richtung angestellt; der Posener SD-Chef Höppner schrieb am 17. Juli an Eichmann, angesichts der Verhältnisse im Ghetto Litzmannstadt suche man im Amt des Reichsstatthalters Greiser nach neuen Lösungen, etwa die Errichtung eines Lagers für 300000 Insassen; aber auch dies sei letztlich nicht ausreichend: »Es besteht in diesem Winter die Gefahr, daß die Juden nicht mehr sämtlich ernährt werden können. Es ist ernsthaft zu erwägen, ob es nicht die humanste Lösung ist, die Juden, soweit sie nicht arbeitseinsatzfähig sind, durch irgendein schnellwirkendes Mittel zu erledigen. Auf jeden Fall wäre dies angenehmer, als sie verhungern zu lassen.«[56] Den Hinweis Höppners auf das »schnellwirkende Mittel« kann man als Reaktion auf die Kritik an den Umständen der öffentlichen Judenmassaker der Einsatzgruppen in der Sowjetunion interpretieren; und versteht man Höppners Vorschlag als symptomatische Äußerung für Überlegungen, wie sie bei den Verantwortlichen in Berlin zu dieser Zeit insgesamt angestellt wurden, dann erscheint Heydrichs »Bevollmächtigung« durch Göring vom 31. Juli als Zusammenführung beider Entwicklungen zu einer »Gesamtlösung«: in Polen den »unhaltbaren Zuständen« auf radikale Weise ein Ende zu machen und die Deportationen aus dem Westen durchzuführen, ohne das Generalgouvernement zu »belasten«, und andererseits aus den entstandenen »Problemen« bei den Erschießungsaktionen zu lernen und nach weniger auffälligen Methoden für die »Endlösung« in Polen zu suchen.

Damit ist die Situation, wie sie im Spätsommer 1941 für die deutsche Regimeführung bestand, umschrieben: in den Wehrmachtslagern hinter der Ostfront starben Hunderttausende, ja Millionen von sowjetischen Kriegsgefangenen an Hunger, Seuchen oder durch die Kugeln der Einsatzkommandos; in der Sowjetunion wurde die jüdische Bevölkerung durch die Einsatzgruppen systematisch umgebracht, und in Polen begannen die Vorbereitungen für die Räumung der Ghettos. Gegenüber all diesen Menschen spielte zu diesem Zeitpunkt die Überlegung, ihre Arbeitskraft zu nutzen, keine oder eine marginale Rolle. Auch der Arbeitseinsatz der KZ-Häftlinge stand unter den Maximen von »Erziehung«, »Strafe« und Vernichtung und war nicht nach kriegswirtschaftlichen Gesichtspunkten organisiert. Der Arbeitseinsatz von knapp drei Millionen »Fremdarbeitern« im Reich konzentrierte sich mehrheitlich noch auf die Landwirtschaft, eine quantitative Erweiterung schien nach kriegswirtschaftlicher Sachlage nicht nötig und war aus vornehmlich politisch-ideologischen Gründen auch nicht vorgesehen; der Einsatz von Russen explizit untersagt.

Auf diese Situation trafen im Herbst 1941 die Meldungen vom Scheitern der Blitzkriegstrategie im Osten und daraus folgend die Notwendigkeit der Umstellung auf einen langdauernden Abnutzungskrieg mit einem außerordentlich anwachsenden Arbeitskräftebedarf. Schon für September 1941 meldete die deutsche Arbeitsverwaltung mehr als 2,6 Millionen offene Stellen; davon allein im Bereich der Landwirtschaft eine halbe Million, mehr als 300000 im Metallbereich, 140000 beim Bau, 50000 beim Bergbau.[57] Selbst wenn es zu den vorgesehenen, angesichts der Kriegslage aber mittlerweile auszuschließenden Rückführungen deutscher Soldaten auf ihre heimatlichen Arbeitsplätze gekommen wäre, wären diese Lücken also nicht mehr zu schließen gewesen.

Nun lösten diese besorgniserregenden Zahlen in der deutschen Führung zunächst keine erhebliche Aufregung aus, weil man von einem praktisch unbegrenzten Arbeitskräftepotential in Gestalt der russischen Kriegsgefangenen ausging;[58] zwar waren Meldungen über hohe Todesraten bei den Gefangenen auch bis nach Berlin gedrungen, das ganze Ausmaß aber wurde, wie sich später erwies, nicht zur Kenntnis genommen. Dies wiederum war die Voraussetzung dafür, daß die Entscheidung für den Arbeitseinsatz der sowjetischen Gefangenen zögerlich, mit erheblichen Vorbehalten und in einzelnen Schritten geschah und die ihnen gegenüber vorgesehene Vernichtungspolitik sowohl in den Massenlagern im Osten wie auch in Mauthausen oder Auschwitz zunächst weiter fortgeführt wurde. Als das OKW Anfang August erste Auflockerungen des generellen Beschäftigungsverbots im Reich zugestand, wurde dies noch als »notwendiges Übel«, das »daher auf ein Mindestmaß zu beschränken« sei, bezeichnet und auf ausdrücklichen Führerbefehl auf maximal 120000 Gefangene beschränkt.[59] »Rassepolitische«, »volkstumspolitische«, »sicherheitspolizeiliche« Bedenken sowie »Abwehrgründe« wurden gegen den »Russeneinsatz« vorgebracht, verloren aber in dem Maße an Durchschlagskraft, wie die Meldungen von der Front, den Rüstungskommandos und der Arbeitsverwaltung immer düsterer wurden. Mitte Oktober schließlich entschied sich Hitler – abweichend von seinen bisherigen Weisungen – für den Einsatz der sowjetischen Gefangenen, denn »es sei notwendig, diese noch dazu billigsten Arbeitskräfte produktiv anzusetzen, denn füttern müßten wir die Gefangenen doch, und es wäre widersinnig, daß sie in den Lagern als unnütze Esser faulenzten«.[60] Am 31. Oktober wurde dieser Entscheid, der sich – den Bedürfnissen der Rüstungswirtschaft widersprechend – noch auf Straßenbau- und andere Erdarbeiten beschränkt hatte, ausgeweitet und bestimmte nun den »Großeinsatz für die Bedürfnisse der Kriegswirtschaft«;[61] schließlich gab Göring am 7. November detaillierte Richtlinien zum Einsatz sowjetischer Arbeitskräfte.[62] In wenigen Monaten hatte sich die Haltung gegenüber dem »Russeneinsatz« vollständig gedreht; auch die Industrie, die in der Hoffnung auf eine Rückkehr ihrer deutschen Stammarbeiter von der Front lange zögerlich gewesen war, forderte seit Oktober/November 1941 immer dringlicher die Zulassung sowjetischer Arbeiter;[63] und Paul Pleiger war für den Bergbau sogar zum Vorreiter des Reichseinsatzes der Russen geworden, auf dessen unablässiges Drängen die schließlich gefällten Entscheidungen nicht zuletzt zurückzuführen waren.[64]

In den Führungsspitzen der einzelnen Behörden brach zu dieser Zeit eine hektische Betriebsamkeit aus, was den immer bedrohlicher werdenden Arbeitermangel anbetraf; kaum ein Ressort, das nicht »in Arbeitseinsatz machte«. Mehr als 20 verantwortliche Zentralbehörden beschäftigten sich auf irgendeine Weise damit, was um die Jahreswende 1941/42 zu heftigen Kompetenzkonkurrenzen und schließlich zu organisatorischer Zentralisierung führte: am 3. Dezember 1941 gründete sich unter Vorsitz Heydrichs der »Ausländer-Arbeitskreis beim RSHA«, eine Art interministerielle Clearing-Stelle unter Federführung des Reichssicherheitshauptamtes; dabei wurde von Heydrich die zu befolgende Linie beim »Russeneinsatz« deutlich herausgehoben: »Sind die zu berücksichtigenden wirtschaftlichen Gesichtspunkte ohne weiteres als aktuell anerkannt, so muß dem Versuch, die rassische und Volkstumsfrage für die Nachkriegszeit zurückzustellen, entschieden entgegengetreten werden.«[65] Zur gleichen Zeit wurde die Geschäftsgruppe Arbeitseinsatz unter Leitung des Ministerialdirektors Mansfeld mit der Gesamtorganisation des Ausländereinsatzes beauftragt, was zunächst nichts anderes hieß, als in kürzester Zeit möglichst viele sowjetische Kriegsgefangene ins Reich zum Arbeitseinsatz zu bringen.[66] Das aber erwies sich schon nach wenigen Monaten als Trugschluß; am 19. Februar 1942 konstatierte Mansfeld: »Die gegenwärtigen Schwierigkeiten im Arbeitseinsatz wären nicht entstanden, wenn man sich rechtzeitig zu einem großzügigen Einsatz russischer Kriegsgefangener entschlossen hätte. Es standen 3,9 Millionen Russen zur Verfügung, davon sind nur noch 1,1 Millionen übrig. Allein vom November 41 bis Januar 42 sind 500000 Russen gestorben.«[67] Von den 3350000 sowjetischen Kriegsgefangenen des Jahres 1941 wurden insgesamt bis Ende März 1942 nur 166881 zur Arbeit eingesetzt: fünf Prozent.[68]

Damit war der Arbeitermangel zu einem brennenden, geradezu existenzgefährdenden Problem für die NS-Führungsspitze geworden; analog zu der Entwicklung zwei Jahre zuvor in Polen wurde nun in Windeseile auf die Beschäftigung von zivilen Arbeitskräften aus der Sowjetunion umgestellt, die bis dahin nur am Rande ins Auge gefaßt worden war. Um dem höchstmöglichen Nachdruck zu verleihen, wurde parallel zur Ernennung Speers als Rüstungsminister ein mit umfangreichen Kompetenzen ausgestatteter »Generalbevollmächtigter für den Arbeitseinsatz« (GBA) installiert und in Person des thüringischen Gauleiters Sauckel relativ prominent besetzt.[69] Sauckel erfüllte seine Aufgabe mit ebenso großer Brutalität wie Energie – von April bis Ende des Jahres 1942 wurden allein 1,4 Millionen zivile Arbeitskräfte mit wahrhaft barbarischen Methoden aus der Sowjetunion nach Deutschland gebracht – also etwa 40000 pro Woche – und hier nahezu ausschließlich in der Industrie eingesetzt, die dringlich nach »Ostarbeitern«, wie die sowjetischen Zivilarbeiter offiziell genannt wurden, verlangte.[70]

Bei der hier geschilderten Entwicklung sind in dem Zusammenhang dieser Überlegungen drei Aspekte hervorzuheben:

1. Die Frage des »Arbeitseinsatzes« war im Herbst und Winter 1941/42 von so erheblicher Bedeutung und stand so stark im Zentrum der Aufmerksamkeit der Regimeführung, daß jede Entscheidung von weittragender Bedeutung unter den Vorzeichen ihrer Auswirkungen auf die Arbeitseinsatzlage stehen mußte. 2. Die Entscheidungen für den »Russeneinsatz« und für die »Endlösung der Judenfrage« wurden gleichzeitig und weitgehend von den gleichen Leuten gefällt – das betrifft insbesondere Hitler, Göring, Himmler und Heydrich. Die konstituierende Sitzung des »Ausländer-Arbeitskreises« beim RSHA unter Heydrichs Leitung beispielsweise fand eine Woche vor dem ursprünglich anberaumten Termin der »Wannseekonferenz« statt; Görings Erlaß vom 7. November kam zur selben Zeit heraus, als die Deportationen jüdischer Menschen aus dem Reich nach Minsk und Riga begannen, die dort von den Einsatzgruppen umgebracht wurden. 3. Gleichzeitig – und von der Tendenz her im Widerspruch zu dem ersten Punkt – bedeutete die Entscheidung für den Masseneinsatz sowjetischer Zwangsarbeiter im Reich perspektivisch eine Entspannung der Arbeitsmarktlage, was einen ansonsten möglichen kriegswirtschaftlichen Druck auf den Arbeitseinsatz von Gruppen, die in der rassistischen Hierarchie des Nationalsozialismus noch unter Polen und Russen standen – insbesondere KZ-Häftlinge und Juden – nicht bzw. nur abgeschwächt aufkommen ließ.

Die rapide zunehmende Bedeutung der Arbeitskräfteproblematik stellte zunächst das erste Ziel der nationalsozialistischen Judenpolitik in dieser Phase in Frage: das Reich »judenfrei« zu machen. Goebbels hatte noch im August 1941 von Hitler die Zusicherung erhalten, »daß ich die Juden aus Berlin unmittelbar nach Beendigung des Ostfeldzuges in den Osten abschieben kann«.[71] Tatsächlich begannen die ersten systematischen Deportationen aus dem Reich am 16. Oktober 1941;[72] Himmler hatte Greiser einen solchen Transport bereits am 18. September 1941 angekündigt, der ausgerechnet in das Ghetto Litzmannstadt führen sollte – jenes Ghetto, für das im Juli bereits von Höppner angesichts der »unhaltbaren Zustände« »humane« Tötungsmethoden angeregt worden waren. Die Juden sollten laut Himmler jedoch in Litzmannstadt nur vorübergehend untergebracht und später »nach dem Osten« abgeschoben werden.[73]

Diese Deportationen hatten jedoch bereits frühzeitig zu Protesten bei den verschiedenen Rüstungsbehörden und Betrieben geführt, denen jüdische Arbeitskräfte auf diese Weise entzogen worden waren.[74] In Verhandlungen zwischen dem Rüstungsamt des OKW und Eichmann am 23. Oktober wurde daraufhin vereinbart, weitere Deportationen nur in Übereinstimmung mit Rüstungsinspektionen und Arbeitsämtern durchzuführen.[75] »Die in der Rüstungsindustrie arbeitenden Juden«, berichtete die Berliner Rüstungsinspektion darüber, sollten »am Schluß der Evakuierungsmaßnahmen aus den Betrieben herausgenommen werden.«[76] Entsprechend wurden auch die Landesarbeitsämter vom Arbeitsministerium informiert.[77]
In den polnischen Gebieten hingegen war die Argumentation genau umgekehrt; die Proteste gegen die Zuweisung von Zehntausenden deutscher Juden in das Ghetto Lodz/Litzmannstadt von seiten der Administration Greisers waren enorm, an eine Beschäftigung war überhaupt nicht zu denken, schon um nicht den Eindruck zu erwecken, als ließen sich weitere Deportationen nach Lodz durchführen.[78] In der Konsequenz wurden die nächsten Transporte direkt in die besetzten Gebiete in der Sowjetunion geschickt und die deportierten Juden aus Deutschland von den Einsatzgruppen unmittelbar nach ihrer Ankunft umgebracht.[79] Gleichzeitig begannen in Chelmno bei Lodz die ersten Massentötungen durch Giftgas, um das Ghetto von »Arbeitsunfähigen« zu »entlasten«.[80]
»Arbeitsunfähigkeit« und »Arbeitseinsatz« waren die zentralen Kriterien auch bei der Koordination der weiteren Maßnahmen gegen die Juden auf der »Wannsee-Konferenz« am 20. Januar 1942.[81] Der überragenden Bedeutung des Arbeitskräfteproblems entsprechend stellte Heydrich sein Programm der Endlösung unter diesem Leitgedanken vor; da er seine Zusagen bezüglich der vorläufigen Ausnahme der deutschen »Rüstungsjuden« von den Deportationen bestätigte und den Arbeitseinsatz der »arbeitsfähigen« Juden nach ihrer Deportation in den Osten betonte, war den Legitimierungsbedürfnissen der anwesenden Behördenvertreter Genüge getan. Die Frage des Schicksals der »arbeitsunfähigen Juden« war dabei nur am Rande von Interesse, und Heydrichs Hinweis, daß beim Arbeitseinsatz im Osten »ein Großteil durch natürliche Verminderung ausfallen wird« und die übrigen als die »Widerstandsfähigsten« zu ermorden seien, konnte etwa angesichts der Nachrichten vom Schicksal der sowjetischen Kriegsgefangenen oder der Tätigkeit der Einsatzgruppen niemanden von den Anwesenden mehr schrecken, solange der Hinweis auf den Arbeitseinsatz der Juden eine den virulenten Arbeitskräfteproblemen zu entsprechen scheinende Lösung suggerierte. »Die Formel, hinter der sich die ›Endlösung‹ verbarg, war der Arbeitseinsatz«, betonte Hans Mommsen zu Recht.[82]

Ob man nun die Ergebnisse der Wannsee-Konferenz als reine Tarnsprache ansieht (was zumindest für Heydrich angenommen werden kann) oder davon ausgeht, daß einige Teilnehmer wirklich von der Existenz entsprechender »Arbeitsvorhaben« im »Osten« ausgingen – tatsächlich waren entsprechende Vorbereitungen auf eine umfassende Beschäftigung der zu deportierenden Juden nicht einmal im Ansatz getroffen worden; und der Staatssekretär Bühler vom GG hatte auf der Konferenz auch ausdrücklich darum gebeten, die »Endlösung« im Generalgouvernement zu beginnen, denn hier seien nur wenige Juden »arbeitseinsatzmäßig« erfaßt; die Mehrzahl sei »arbeitsunfähig«. Die langfristig verfolgte Politik Franks, durch immer weitere Verschlechterung der Lage in den Ghettos und durch niedrige, nicht kostendeckende Beschäftigungsquoten einen Zustand herbeizuführen, der dringend nach einer »Lösung« verlangte, hatte sich »ausgezahlt«. Da im Generalgouvernement ebensowenig wie im Wartheland oder in den besetzten Ostgebieten entsprechende Vorbereitungen auf eine massenhafte Beschäftigung der jetzt in immer schnellerem Tempo eintreffenden Transporte deportierter Juden getroffen worden waren, da weiter durch die Politik Franks und Greisers der Anteil der »Arbeitsunfähigen« in den Ghettos immer weiter angestiegen war, konnte die Perspektive des Arbeitseinsatzes zwar offiziell weiterhin deklariert werden – tatsächlich aber nahmen die Massentötungen seit Jahresbeginn 1942 ihren systematischen Anfang und umfaßten in bald rasender Geschwindigkeit immer größere Zahlen von jüdischen Menschen, die entweder als »arbeitsunfähig« ausgesondert wurden oder für die keine entsprechenden Arbeitsmöglichkeiten bestanden und die daher den »nachrückenden« Transporten weichen mußten.

Erst die Meldungen über den großen Arbeitskräftemangel und vor allem über den »Ausfall« der sowjetischen Gefangenen um die Jahreswende 1941/42 rückten den »Arbeitseinsatz« von Juden und KZ-Häftlingen für die SS stärker in den Vordergrund. Anfang Dezember 1941 hatte Himmler die Ausbildung von KZ-Häftlingen zu Steinmetzen und Maurern für »Bauvorhaben der Schutzstaffel, insbesondere nach dem Kriege« angeregt – das bewegte sich noch ganz in den Vorstellungen der Blitzkriegsphase.[83] An eine Beschäftigung der seit Anfang 1942 nach Auschwitz deportierten Juden hingegen war zunächst nicht gedacht; »alle durch die Dienststelle Eichmanns nach Auschwitz transportierten Juden«, berichtete Höß nach dem Kriege, waren »ausnahmslos zu vernichten. Dies geschah auch bei den Juden aus dem Gebiet Oberschlesiens«[84] – ebenso wie in der Folgezeit in Treblinka, Belsec, Solibor und Chelmno, die reine Vernichtungslager ohne zusätzliche Funktion als Arbeitslager waren.

Eine Woche nach der Wannsee-Konferenz aber und zur gleichen Zeit, als im Reich deutlich wurde, daß mit den avisierten »Riesenzahlen« sowjetischer Kriegsgefangener nicht mehr zu rechnen war, schwenkte auch Himmler auf die Linie des Primats des Arbeitseinsatzes ein und befahl dem Inspekteur der Konzentrationslager am 25. Januar: »Nachdem russische Kriegsgefangene in der nächsten Zeit nicht zu erwarten sind, werde ich von den Juden und Jüdinnen, die aus Deutschland ausgewandert werden (!), eine große Anzahl in die Lager schicken. Richten Sie sich darauf ein, in den nächsten vier Wochen 100000 männliche Juden und bis zu 50000 Jüdinnen in die KL aufzunehmen. Große wirtschaftliche Aufträge werden in den nächsten Wochen an die Konzentrationslager herantreten.«[85] Worin diese Aufträge bestanden und wie sie bearbeitet werden sollten, war zunächst Himmlers Geheimnis; aber mit diesem Befehl setzte nunmehr jene Prozedur der Selektion »arbeitsfähiger« und »arbeitsunfähiger« Juden nach ihrer Ankunft in Auschwitz ein, die dazu beitrug, die Fiktion des Arbeitseinsatzes als Ziel aller Judenaktionen aufrechtzuerhalten, auch wenn die Zahl der als »arbeitsfähig« ausgewählten Juden im Durchschnitt zwischen 10 und 20 Prozent betrug und die anderen sofort nach ihrer Ankunft umgebracht wurden.[86] Ein großer Teil der Überlebenden wurde nach ihrer Ankunft bei den Aufbauarbeiten des Buna-Werkes der IG-Farben verwendet – die hier entwickelte Form der Zusammenarbeit mit der Industrie gewann nun zunehmend an Bedeutung und sollte ausgeweitet werden. Die Arbeit im Buna-Werk entsprach tatsächlich den Vorstellungen Heydrichs von einer »natürlichen Verminderung« durch Arbeit – von den insgesamt etwa 35000 Häftlingen, die in Buna – meist jeweils nur für kurze Zeit – beschäftigt wurden, starben mindestens 25000; durchschnittlich waren etwa 10000 beschäftigt, die Lebenserwartung eines jüdischen Häftlings, der bei Buna arbeitete, lag bei etwa drei bis vier Monaten, in den dazugehörenden Kohlebergwerken bei etwa einem Monat.[87] Die hier zu verrichtenden Arbeiten bestanden zum überwiegenden Teil aus Bauhilfsarbeiten ohne Anlernphase, die einzelnen Häftlinge waren leicht ersetzbar, entsprechend gering war das Interesse an der Erhaltung der Arbeitskraft des einzelnen.

Parallel zur Zentralisierung des Managements der Rüstungsindustrie und des Arbeitseinsatzes wurden nun auch beim Reichsführer SS organisatorische Umstellungen vorgenommen, um die Produktion für die Rüstung auch in den Konzentrationslagern zur vorrangigen Aufgabe zu machen. Am 1. Februar 1942 wurde die Wirtschafts- und Verwaltungstätigkeit der SS im Wirtschafts- und Verwaltungs-Hauptamt (WVHA) zentralisiert;[88] einen Monat später wurde darin auch die Inspektion der Konzentrationslager als Amtsgruppe D eingegliedert[89] und am 16. März Oswald Pohl als Leiter des WVHA mit der einheitlichen und zentralen Leitung des Arbeitseinsatzes der KZ-Häftlinge betraut – fünf Tage vor der Ernennung Sauckels zum GBA und mit der deutlichen Absicht, die KZ-Häftlinge

dem Zugriff des mit umfangreichen Kompetenzen ausgestatteten Sauckel zu entziehen.[90]
Noch am Tage seines Amtsantritts vereinbarte Pohl mit dem Ministerium Speer die zunächst versuchsweise Übernahme von Rüstungsfertigungen durch die Konzentrationslager mit zunächst insgesamt 25000 Häftlingen, die vorerst an zwei Projekten in Buchenwald und Neuengamme erprobt werden sollte.[91] Das Konzept, ganze Betriebsanlagen in die Konzentrationslager zu verlegen, stieß jedoch im Speer-Ministerium auf eine gewisse Reserve wegen der dahinter vermutetetn Selbständigkeitsbestrebungen der SS im Rüstungssektor; tatsächlich liefen diese Projekte auch nur sehr zögerlich an und gewannen nie größere Bedeutung. Gleichzeitig aber drängte Himmler nun unablässig auf den Vorrang der Rüstungsproduktion vor allem anderen. Tatsächlich aber waren weder die Konzentrationslager auf eine solche rapide Umstellung eingerichtet noch reichte der wirtschaftliche Sachverstand im WVHA aus , um eine Rüstungsfertigung in großem Stile aus dem Boden zu stampfen.[92] Zudem waren die KZ-Wachmannschaften selbst aufgrund der jahrelang geübten Praxis, daß ein Menschenleben im KZ nichts galt, nur schwer auf den Vorrang des Arbeitseinsatzes umzustellen.
Das WVHA machte jedoch mit einem Rundschreiben am 30.4.1942 allen KZ-Kommandanten den Arbeitseinsatz zur Hauptaufgabe: »Der Lagerkommandant allein ist verantwortlich für den Einsatz der Arbeitskräfte. Dieser Einsatz muß im wahren Sinne des Wortes erschöpfend sein [...]«,[93] und unterrichtete auch Himmler in diesem Sinne über »notwendige Maßnahmen, welche eine allmähliche Überführung der Konzentrationslager aus ihrer früheren einseitigen politischen Form in eine den wirtschaftlichen Aufgaben entsprechende Organisation erfordern«.[94] Solche Aussagen standen aber in denkbar krassem Gegensatz zur Wirklichkeit: zwischen 80 und 90% der in den Vernichtungslagern eintreffenden Juden wurden sofort umgebracht; von den etwa 95000 registrierten KZ-Häftlingen des 2. Halbjahres 1942 starben 57503, also mehr als 60%.[95] Der Wert der KZ-Rüstungsproduktion im Jahre 1942 lag durchschnittlich bei etwa 0,002% der Gesamtfertigung; für die gleiche Produktionsmenge bei der Karabinerfertigung benötigte ein Privatunternehmen nur 17% der Arbeitskräfte wie der KZ-Betrieb in Buchenwald.[96] Die Widersprüche zwischen der Propagierung des Arbeitseinsatzes und den wirklichen Verhältnissen können nicht größer gedacht werden. Für Auschwitz hat Höß diese Widersprüche in seinen Nachkriegsaufzeichnungen genau beschrieben:

> »Das RSHA erhob die schwersten Bedenken, als der RFSS auf Pohls Vorschlag die Aussortierung der Arbeitsfähigen befahl. Das RSHA war immer für die restlose Beseitigung aller Juden, sah in jedem neuen

Arbeitslager, in jedem neuen Tausend Arbeitsfähiger die Gefahr der Befreiung, das am Leben-bleiben durch irgendwelche Umstände. Keine Dienststelle hatte wohl mehr Interesse am Steigen der Todesziffern der Juden als das RSHA, das Juden-Referat. Dagegen hatte Pohl den Auftrag des RFSS, möglichst *viele* Häftlinge zum Rüstungseinsatz zu bringen... RSHA und WVHA waren also genau entgegengesetzter Auffassung. Doch Pohl schien stärker, denn hinter ihm stand der RFSS und verlangte immer dringender – Häftlinge für die Rüstung, gezwungen durch seine Versprechungen dem Führer gegenüber. Auf der anderen Seite wollte aber auch der RFSS möglichst viele Juden vernichtet haben... Die KL stand zwischen RSHA und WVHA. Das RSHA lieferte Häftlinge ein mit dem Endziel der Vernichtung; ob sofort durch Exekutionen oder durch die Gaskammer oder ob etwas langsamer durch Seuchen (hervorgerufen durch die unhaltbar gewordenen Zustände in den KL, die man mit Absicht nicht beseitigen wollte), blieb sich gleich. Das WVHA wollte die Häftlinge erhalten für die Rüstung. Da aber Pohl sich durch die vom RFSS beständig höher geforderten Einsatz-Zahlen beirren ließ, leistete er dem Wollen des RSHA unbeabsichtigt Vorschub, indem durch sein Drängen nach Erfüllung des Geforderten unzählige Tausende von Häftlingen durch den Arbeitseinsatz sterben mußten, weil praktisch alle unbedingt notwendigen Lebensbedingungen für derartige Häftlingsmassen fehlten.«[97]

Mit der Umstellung auf den Primat des Arbeitseinsatzes verschärften sich aber auch bei den Deportationen im Reich ebenso wie in den besetzten Gebieten Polens und der Sowjetunion die Widersprüche: Im Generalgouvernement begannen seit März 1942 die Auflösung der Ghettos und die Deportationen der polnischen Juden in die Vernichtungslager; ein Teil von ihnen jedoch wurde in besondere, den SS- und Polizeiführern unterstehende Arbeitslager gebracht, wo sie bei Bauvorhaben und in der Rüstungsproduktion eingesetzt wurden; dazu errichteten die SSPF in diesen Lagern eigene Wirtschaftsbetriebe, zum Teil aus den verlagerten Betriebsanlagen ehemals jüdischer Betriebe.[98] Durch diese Maßnahmen kam es zu erheblichen Konflikten vor allem mit der an der Erhaltung »ihrer« jüdischen Arbeitskräfte in den Ghettowerkstätten interessierten Wehrmacht. So wies der Arbeitsverwaltungschef des GG, Frauendorfer, immer wieder darauf hin, daß die »Umsiedlungen« der Juden tiefgreifende Auswirkungen auf die Produktion nach sich zögen und man »zur Zeit auf den jüdischen Arbeitseinsatz absolut angewiesen« sei, »das Land sei arbeitsmäßig erheblich abgeschöpft«.[99] Ebenso intervenierten zahlreiche Wehrmachtsstellen; die SS war jedoch lediglich bereit, den Rüstungsbetrieben die jüdischen Arbeitskräfte vorerst zu belassen, wenn die Juden als KZ-Häftlinge unter der Regie der SS den Betrieben zum Ar-

beitseinsatz überlassen würden.[100] Unter Bezug auf diese Vereinbarung ordnete Himmler zwei Tage später an, daß »die Umsiedlung der gesamten jüdischen Bevölkerung des Generalgouvernements bis zum 31. Dezember 1942 durchgeführt und beendet ist«, Juden dürften sich danach nur noch in SS-Lagern aufhalten.[101] Himmlers Befehl wurde etwas später von Keitel übernommen, der kategorisch den Ersatz der jüdischen Arbeitskräfte in den Werkstätten der Wehrmacht durch Polen befahl.[102] Zwar wies der Militärbefehlshaber im GG, Gienanth, in energischer Weise auf die fatalen Folgen dieses Befehls für die Wehrmachtsfertigung hin,[103] dennoch wurden weiterhin Ghetto um Ghetto geräumt und die aufgebauten Produktionsstätten mit insgesamt etwa 50000 jüdischen Arbeitskräften rücksichtslos stillgelegt. Himmler gestand lediglich zu, daß jüdische Facharbeiter erst »Zug um Zug« durch Polen zu ersetzen seien; ansonsten gestattete er den Einsatz von Juden nur noch in wenigen großen KZ-Betrieben; »jedoch auch dort sollen eines Tages dem Wunsche des Führers entsprechend die Juden verschwinden«.[104] Das OKW unterstützte die Weisung Himmlers; danach waren sämtliche bei militärischen Dienststellen einzeln beschäftigte Juden sowie alle von der Wehrmacht eingerichteten Judenlager der SS zu übergeben.[105] Die SS ihrerseits gründete im März 1943 eine Dachgesellschaft, die »Ost-Industrie«, um die verschiedenen einzelnen Arbeitslager mit Rüstungsproduktion zusammenzufassen.[106] Als diese Betriebe aber – im Herbst 1943 – gerade ihre Produktion einigermaßen geordnet aufgenommen hatten, wurden in einer »Aktion« vom 3. November 1943 ohne vorherige Unterrichtung der Lagerführer sämtliche in der »Osti« beschäftigten 17000 Juden aus den Fabriken herausgeholt – die »Osti« mußte aufgelöst, die Werke stillgelegt werden, die jüdischen Arbeitskräfte wurden noch in den folgenden Tagen in der Nähe von Lublin erschossen.[107]
In den besetzten Gebieten der Sowjetunion war die Lage nicht anders; hier hatte Heydrich schon im November 1941 geargwöhnt, daß dort die Juden als »unentbehrliche Arbeitskräfte« von der Wehrmacht reklamiert und so die Pläne zur »totalen Aussiedlung der Juden aus den von uns besetzten Gebieten« zunichte gemacht würden.[108] Denn da nach der ersten Phase der Massenerschießungen auch hier Juden in Arbeitskolonnen und Werkstätten beschäftigt wurden, waren während der zweiten Phase der Tötungen Proteste gegen die »Unwirtschaftlichkeit« dieser Tötungen laut geworden.[109] Selbst die Einsatzgruppe C unter Dr. Rasch, die bis dahin bereits über 70000 Juden umgebracht hatte, vermochte einen Sinn ihrer Tätigkeit in ökonomischer Hinsicht nicht zu sehen und berichtete am 17. 9. 1941: »Wird auf diese jüdische Arbeitskraft in vollem Umfang verzichtet, so ist ein wirtschaftlicher Wiederaufbau der ukrainischen Industrie sowie der Ausbau der städtischen Verwaltungszentren fast un-

möglich. Es gibt nur eine Möglichkeit, die die deutsche Verwaltung im Generalgouvernement lange Zeit verkannt hat: Lösung der Judenfrage durch umfassenden Arbeitseinsatz der Juden.«[110] Der Reichskommissar für das Ostland, Lohse, fragte am 15. November im Ostministerium an, ob die dortigen Weisungen so aufzufassen seien, »daß alle Juden im Ostland liquidiert werden sollten? Soll dies ohne Rücksicht auf Alter und Geschlecht und wirtschaftliche Interessen (z. B. der Wehrmacht an Facharbeitern in Rüstungsbetrieben) geschehen?« Die Antwort des Ostministeriums: »Wirtschaftliche Belange sollen bei der Regelung des Problems grundsätzlich unberücksichtigt bleiben.«[111]

Einer der Wirtschaftsberater in der Ukraine, Seraphim, wies zur gleichen Zeit in ganz unmißverständlicher Form gegenüber der Rüstungsinspektion Ukraine auf die Folgen solcher Anordnungen hin: »Wenn wir die Juden totschießen, die Kriegsgefangenen umkommen lassen, die Großstadtbevölkerung zum erheblichen Teile dem Hungertode ausliefern, im kommenden Jahre auch einen Teil der Landbevölkerung durch Hunger verlieren werden, bleibt die Frage unbeantwortet: Wer denn hier eigentlich Wirtschaftswerte produzieren soll.«[112] Aber auch in der Folgezeit und nach der kriegswirtschaftlichen Umstellung seit Anfang 1942 wurde die Praxis der Liquidationen ohne Rücksicht auf wirtschaftliche Belange fortgesetzt.

Der Primat der Vernichtung setzte sich gegenüber wirtschaftlichen Gesichtspunkten in den östlich des Reiches gelegenen Gebieten beinahe vollständig durch; die Fälle, wo jüdische Arbeitskräfte über längere Zeit noch in der Produktion außerhalb der Konzentrationslager beschäftigt wurden, wurden im Verlauf des Jahres 1943 immer seltener. Wirtschaftlich wurden die Deportationen auch von in kriegswichtigen Betrieben beschäftigten Juden mit Hinweisen begründet, es stünden schließlich genug Polen bzw. Ukrainer als Ersatz zur Verfügung – und dies war auch innerhalb des Reichs der letztlich ausschlaggebende Faktor bei der Entscheidung, die vorerst verschonten Berliner »Rüstungsjuden« schließlich doch zu deportieren.[113]

Himmler und das WVHA drängten darauf, von Speer weitere Rüstungsfertigungen in den Konzentrationslagern des Reiches zugeteilt zu bekommen; Anfang September sagte Speer dies auch zu.[114] In einer Besprechung am 15. September 1942 wurde vereinbart, »daß die in den Konzentrationslagern vorhandene Arbeitskraft nunmehr für Rüstungsaufgaben von Großformat eingesetzt werden müsse,« wie Pohl an Himmler berichtete. Die SS sollte geschlossene, möglichst außerhalb der Städte liegende Rüstungsbetriebe übernehmen und komplett mit Häftlingen belegen. Das erstaunlichste an dieser Übereinkunft aber war, daß dabei der Einsatz von ausländischen Juden vorgesehen war und somit das vorrangige Ziel, das Reich »judenfrei« zu machen, aufgegeben wurde. Das Interesse Himmlers, innerhalb des an politischem Einfluß rapide zunehmenden Rüstungssektors zu Bedeutung zu gelangen, ließ hier selbst zentrale politisch-ideologische Zielsetzungen zurücktreten. Zunächst sah man den »Einsatz von zunächst 50000 arbeitsfähigen Juden in geschlossenen vorhandenen Betrieben« vor. »Die für diesen Zweck notwendigen Arbeitskräfte werden wir in erster Linie in Auschwitz aus der Ostwanderung abschöpfen [...] Die für die Ostwanderung bestimmten arbeitsfähigen Juden werden also ihre Reise unterbrechen und Rüstungsarbeiten leisten müssen.«[115] Daraufhin wurden von den Hauptausschüssen Munition und Waffen des Rüstungsministeriums Rundschreiben an alle größeren Betriebe gesandt mit der Frage, welche Fabriken mit Juden belegt werden könnten.[116]

Nach Aussage Speers aber war die Reaktion der Industrie darauf so ablehnend, vor allem wegen des befürchteten Einflusses der SS auf die Privatunternehmen,[117] ebenso die der zuständigen Wehrmachtsbehörden und nicht zuletzt die seines Leiters des Rüstungsamtes, Saur, daß Speer kurz darauf – in der Führerbesprechung am 20. bis 22. September 1942 – bei Hitler auf eine andere Lösung drängte, die darauf hinauslief, daß die SS ihre KZ-Häftlinge der Industrie leihweise zur Verfügung stellte, und die Industrie ihrerseits die Häftlinge in den bestehenden Produktionsprozeß integrierte.[118] Entscheidend für die Zustimmung Hitlers war dabei, daß Sauckel auf dieser Sitzung zusagte, statt der von Himmler dafür vorgesehenen 50000 Juden zivile Zwangsarbeiter aus den besetzten Gebieten zu besorgen; denn Hitler war mit dem Vorschlag, Juden im Reich einzusetzen, durchaus nicht einverstanden, »jetzt, wo wir die Juden gerade losgeworden sind. Im Gegenteil, sehen Sie, daß schleunigst die noch in der Arbeit befindlichen Juden in Berlin ersetzt werden. Goebbels hat sich über diesen Skandal schon mehrfach heftig bei mir beschwert.«

Diese Entscheidung vom 22.9.1942 zog in der Tat bedeutsame Folgen in vieler Hinsicht nach sich: zum einen wurde hier das Prinzip der Ausleihe von KZ-Häftlingen an die Privatindustrie festgeschrieben, das von nun an den Arbeitseinsatz der KZ-Häftlinge bestimmen sollte; zum zweiten wurde erneut die Ersatzfunktion der »Fremdarbeiter« für jüdische Arbeitskräfte bestätigt; zum dritten bedeutete dieser Führerbefehl das Todesurteil für die noch im Reich in der Rüstung beschäftigten Juden. Schon am 30.9.1942 bemerkte Goebbels in seinem Tagebuch: »Der Führer gibt noch einmal seiner Entschlossenheit Ausdruck, die Juden unter allen Umständen aus Berlin herauszubringen. Auch die Sprüche unserer Wirtschaftssachverständigen und Industriellen, daß sie auf die sogenannte jüdische Feinarbeit nicht verzichten könnten, imponiert ihm nicht. Es wird nicht allzu schwer sein, angesichts der Tatsache, daß wir in Berlin allein

240000 ausländische Arbeiter haben, auch noch die restlichen 40000 Juden, von denen überhaupt nur 17000 im Produktionsprozeß tätig sind, durch ausländische Arbeiter zu ersetzen.«[119] In der Folgezeit ging es dann sehr schnell; RSHA und WVHA widerriefen die Ankündigung der Hauptausschüsse, daß jüdische Arbeiter aus Auschwitz im Reich eingesetzt werden könnten;[120] Himmler ordnete die Deportation aller in Konzentrationslagern auf Reichsgebiet befindlichen Juden nach Auschwitz und Lublin an;[121] am 26. 11. 1942 kündigte Sauckel den Landesarbeitsämtern die »Evakuierung« aller noch im Arbeitseinsatz befindlichen Juden bis auf wenige Qualifizierte an, die aber auch »Zug um Zug« durch Polen und Russen zu ersetzen waren;[122] und am 27. Februar wurden die Berliner jüdischen Rüstungsarbeiter an ihren Arbeitsplätzen »schlagartig« verhaftet, zum größten Teil nach Auschwitz gebracht und in den Betrieben durch ausländische Zivilarbeiter ersetzt.[123] Am 5., 7. und 30. März wurden die ersten Transporte in Auschwitz registriert; von den 2757 deportierten Juden aus Berlin aus diesen Transporten wurden 1689 sofort umgebracht.[124]

Die gewaltigen Zahlen von ausländischen Zivilarbeitern und Kriegsgefangenen, die die GBA-Behörde vorwiegend in der Sowjetunion, mehr und mehr aber auch in allen anderen von Deutschland besetzten Ländern zum Arbeitseinsatz ins Reich verpflichtete, ließen für die Industrie derartige »Verluste« jedoch als geringfügig erscheinen. Aber auch beim »Fremdarbeiter-Einsatz« war es zu erheblichen Problemen und Widersprüchen zwischen wirtschaftlichen und politisch-ideologischen Gesichtspunkten gekommen – insbesondere, was die sowjetischen Zivilarbeiter und Kriegsgefangenen anbelangte, die mittlerweile die bei weitem größte Gruppe unter den Ausländern darstellten.[125] Die Arbeits- und Lebensbedingungen der »Ostarbeiter« und sowjetischen Gefangenen waren denkbar schlecht; insbesondere die völlig unzureichende Lebensmittelversorgung hatte vor allem in der ersten Hälfte des Jahres 1942 hohe Todesraten und äußerst niedrige Arbeitsleistungen zur Folge; überall dort, wo die »Russen« jedoch zu qualifizierteren Arbeiten herangezogen wurden, protestierten die Industriebetriebe gegen die zu schlechte Ernährung »ihrer« Zwangsarbeiter und gegen produktionshemmende Vorschriften beim Arbeitseinsatz, wenngleich die gewaltigen Unterschiede bei der Behandlung der ausländischen Arbeiter zwischen verschiedenen Betrieben selbst der gleichen Branche auf die erheblichen Spielräume verwiesen, die den Unternehmensleitungen durch die Erlasse der Behörden blieben. Von der Gesamttendenz her verbesserte sich die Lage der sowjetischen Arbeiter seit dem Herbst 1942 in dem Maße, wenn auch uneinheitlich, wie die Kriegslage sich verschärfte und der Wert der einzelnen Arbeitskraft – etwa durch Anlernen auf qualifizierten Arbeitsplätzen – stieg. Zu einem qualitativen Sprung kam es jedoch erst nach der deutschen Niederlage in Stalingrad, als durch die propagandistische Deklaration des Totalen Krieges die Erhöhung der Arbeitsleistungen der Ausländer insgesamt und der sowjetischen Arbeitskräfte im besonderen als vordringliche Aufgabe propagiert wurde.[126] Denn erneut fehlten der deutschen Kriegswirtschaft im ersten Halbjahr 1943 etwa 1,5 Millionen Arbeitskräfte, die allein mit verstärkten Rekrutierungen von Ausländern jedoch nicht zu beschaffen waren. Umfangreiche Anlernungs- und Qualifizierungsmaßnahmen kamen in Gang, verbunden mit gewissen Verbesserungen der Arbeits- und Lebensbedingungen vor allem der Ostarbeiter. Gleichzeitig blieben aber alle diskriminierenden Vorschriften der Sicherheitsbehörden in Kraft, und das Strafsystem wurde sogar noch verschärft. Immerhin war damit den Betrieben die Möglichkeit geboten, nun auch die sowjetischen Zwangsarbeiter effektiver einzusetzen, und in der Tat wußten seit Mitte 1943 fast alle Betriebe von steigenden Arbeitsleistungen zu berichten. Im gleichen Zuge wurden die Rekrutierungen von Arbeitern in ganz Europa durch immer brutalere Methoden noch ausgeweitet; so daß zwischen Anfang 1943 und Kriegsende noch einmal 2,5 Millionen ausländische Zivilarbeiter und Kriegsgefangene ins Reich gebracht wurden, darunter 600000 italienische Militärinternierte. 46% aller Beschäftigten in der Landwirtschaft, jede dritte Arbeitskraft in der Bergbau-, Metall-, Chemie- und Bauindustrie waren im Sommer 1944 Ausländer[127] – die Beschäftigung ausländischer Zwangsarbeiter war das Rückgrat der deutschen Kriegsindustrie geworden. Die Arbeits- und Lebensbedingungen der Ausländer waren durch eine Vielzahl von Verordnungen und Erlassen reglementiert und nach rassistischen Kriterien hierarchisiert; insbesondere Russen und Italiener lebten in den letzten beiden Kriegsjahren am Rande des Existenzminimums. Aber der »Ausländereinsatz« war spätestens seit Anfang 1943 vorwiegend nach kriegswirtschaftlichen Prinzipien organisiert; trotz der z. T. verheerend schlechten Lebensbedingungen gerade der sowjetischen Arbeitskräfte kann man in diesem Zusammenhang von »Vernichtung durch Arbeit« als Prinzip nicht sprechen.

Seit der Führerentscheidung vom September 1942 wurde nun der Arbeitseinsatz von KZ-Häftlingen innerhalb bestehender Industriebetriebe verstärkt; dazu meldeten die Privatunternehmen ihren Arbeitskräftebedarf beim WVHA, von wo aus Unterkünfte und Sicherheitsbedingungen überprüft und die Genehmigungen erteilt wurden. Dabei konnten in der Regel Firmenbeauftragte in den Lagern selbst die geeignet erscheinenden Häftlinge aussuchen.[128] Anschließend wurden die Häftlinge in ein »Außenlager« des Konzentrationslagers übergeführt, das meistens in unmittelbarer Nähe der Arbeitsstelle errichtet wurde. Die Gebühren für die

Überlassung der Häftlinge, die die Firmen an die SS zu zahlen hatten, betrugen pro Tag 6,– RM für Facharbeiter und 4,– RM für Hilfsarbeiter und Frauen.[129] Gleichzeitig stellten auch die SS-eigenen Wirtschaftsbetriebe im Reich verstärkt auf Rüstungsproduktion um; die Deutschen Ausrüstungswerke (DAW) produzierten im Jahre 1942 bereits zum überwiegenden Teil für rüstungs- und kriegswichtige Zwecke, insbesondere Instandsetzungsarbeiten.[130] Um den Rüstungseinsatz zu verstärken, lag das vorrangige Interesse des WVHA nun darin, die Zahl der Häftlinge in möglichst kurzer Zeit rigoros zu vergrößern. Die Belegstärke aller Konzentrationslager stieg von 110000 (September 1942) in sieben Monaten auf 203000 (April 1943). Im August 1944 war die Häftlingszahl bereits auf 524268 angewachsen, Anfang 1945 auf über 700000. Die Todesraten der Häftlinge waren nach wie vor außerordentlich hoch und begannen erst seit dem Frühjahr 1943 zu sinken – von 10% im Dezember 1942 auf 2,8% im April 1943; da aber die Häftlingszahlen so stark gestiegen waren, sanken die absoluten Zahlen von Toten in weit geringerem Maße, als es die Prozentzahlen suggerieren.[131] Von Januar bis August 1943 starben wiederum über 60000 Häftlinge in den Konzentrationslagern, die relative Sterblichkeit aber nahm ab.[132]

Was solch schreckliche Zahlen zeigen, war das Prinzip des Arbeitseinsatzes in den Konzentrationslagern – den erhöhten Anforderungen von seiten der privaten und der SS-Industrie entsprachen stark erhöhte Einweisungszahlen, nicht aber grundlegend veränderte Arbeits- und Lebensbedingungen in den Lagern.

Das größte Reservoir an potentiellen KZ-Häftlingen erblickte Himmler dabei in den Millionen ausländischen Arbeitern im Reich, insbesondere den Polen und Russen. Nachdem das RSHA in praxi bereits seit langem dazu übergegangen war, Polen und Ostarbeiter, die auf irgendeine Weise »straffällig« geworden waren, nicht mehr der Justiz zu übergeben, sondern entweder in »Arbeitserziehungslager« oder in Konzentrationslager zu sperren, wurde am 18.9.1942 zwischen Himmler und dem Reichsjustizminister Thierack auch formell vereinbart, alle im Strafvollzug einsitzenden »Sicherungsverwahrten, Zigeuner, Russen und Ukrainer, Polen über drei Jahre, Tschechen oder Deutsche über acht Jahre Strafe« dem Reichsführer SS »zur Vernichtung durch Arbeit« auszuliefern.[133] Die Zuständigkeit für die Verfolgung von Straftaten von Polen und Ostarbeitern im Reich ging kurz darauf ganz an die Gestapo über.[134] Damit begannen großangelegte Aktionen, bei denen Zehntausende von polnischen und sowjetischen Arbeitern von der Gestapo festgenommen und in Konzentrationslager eingewiesen wurden, von wo aus sie als »KZ-Arbeitskräfte« dem Arbeitseinsatz in den Betrieben erneut angeboten wurden. Am 17. Dezember 1942 hieß es in einem Erlaß ausdrücklich, daß »aus kriegswichtigen, hier nicht näher zu erörternden Gründen [...] bis Ende Januar 1943 spätestens mindestens 35000 arbeitsfähige Häftlinge in die Konzentrationslager einzuweisen sind« – und zwar in erster Linie »Ost- oder solche fremdvölkischen Arbeiter, welche flüchtiggegangen oder vertragsbrüchig geworden sind [...] Dritten Dienststellen gegenüber muß gegebenenfalls jede einzelne dieser Maßnahmen als unerläßliche sicherheitspolizeiliche Maßnahme unter entsprechender sachlicher Begründung aus dem Einzelfall heraus dargestellt werden.«[135] Einmal eingewiesene Ostarbeiter durften zudem »mit Rücksicht auf die Sicherung der in den Konzentrationslagern laufenden Rüstungsprogramme« nicht mehr entlassen werden.[136]

Die Folge dieser Bestimmungen war, daß seit dem Frühjahr 1943 monatlich 30000 – 40000 ausländische, vorwiegend sowjetische Arbeiter »von der Polizei eingefangen wurden, die dann als KZ-Sträflinge bei den Vorhaben der SS eingesetzt werden«, wie Speer Hitler gegenüber berichtete.[137] Man mag diese Zahlen Speers für zu hoch halten, sicher ist, daß Russen und Polen seitdem die weitaus größten Gruppen in den Konzentrationslagern darstellten – in Mauthausen etwa im März 1943 44%, in Buchenwald 57% (Juli 1943).[138]

Die Arbeits- und Lebensbedingungen der zur Arbeit eingesetzten KZ-Häftlinge in den letzten beiden Kriegsjahren sind von tiefgreifenden Widersprüchen gekennzeichnet und unter dem Gesichtspunkt ökonomischer Zweckmäßigkeit allein nicht verständlich. Etwas vergröbert standen dabei vier Faktoren zueinander in Konflikt:

- das Stigma der »Gegnerschaft« zum Nationalsozialismus blieb bei allen ins KZ eingewiesenen Häftlingen die Grundlage ihrer Behandlung, auch als der Gesichtspunkt der Verwertung ihrer Arbeitskraft sich durchzusetzen begann; dabei entwickelte sich innerhalb der Lager eine nach politischen und rassischen Kriterien gestufte Hierarchie der Häftlinge, die die Überlebenschancen des einzelnen entscheidend beeinflußte. Von den aufgrund der Vereinbarung zwischen Thierack und Himmler im September 1942 den Konzentrationslagern übergebenen etwa 12000 »Schutzhäftlingen« waren bereits nach wenigen Wochen die Hälfte schon gestorben.[139]
- der Gesichtspunkt des Arbeitseinsatzes und der Effektivität führte zwar insgesamt zum Nachlassen des ideologisch motivierten Vernichtungsdrucks; durch die rapide zunehmenden Häftlingszahlen aber gewann die Arbeitskraft des einzelnen in der Regel jedoch nicht an Wert, weil sie jederzeit ersetzbar war. Nur wenn es dem einzelnen gelang, eine qualifizierte Tätigkeit auszuüben, in der er nicht ohne weiteres ersetzbar war, stieg in den Augen der SS ebenso wie der Unternehmensleitungen der Wert seiner Arbeitskraft, und seine Überlebens-

– chancen verbesserten sich. Dies wiederum war stark beeinflußt von der Stellung des einzelnen innerhalb der Lagerhierarchie.[140]
– die Ausübung einer qualifizierten Tätigkeit aber setzte eine gewisse Vorlaufzeit für Anlernen etc. voraus; da aber ein großer Teil der Arbeitsvorhaben unter größtmöglicher Schnelligkeit vorangetrieben wurde und vor allem die Bau- und Ausbauprojekte vorwiegend schwere körperliche Arbeiten mit sich brachten, wurde die Qualifizierung ersetzt durch Quantität und rasende Eile. Entsprechend lag die durchschnittliche Arbeitsfähigkeit – und damit die Lebensdauer – des einzelnen Häftlings 1943/44 zwischen einem und zwei Jahren – allerdings mit großen Unterschieden je nach Einsatzort und Gruppenzugehörigkeit der Häftlinge.[141] In dem Maße aber, wie die Häftlinge verstärkt in Betriebe mit hohem Anteil qualifizierter Arbeitsplätze eingewiesen wurden, mußte der rein quantitative Einsatz bald an seine Grenzen stoßen.
– für die tatsächlichen Verhältnisse in den Einsatzkommandos der KZ's entscheidend war aber auch, daß der Primat des Arbeitseinsatzes, wie er von seiten des WVHA progagiert wurde, in den Lagern selbst durchaus nicht in der Weise durchschlug, wie dies von Pohl, Maurer und anderen intendiert wurde; vielmehr blieben diese Aspekte der Effektivität gegenüber politisch-ideologischen Gesichtspunkten und den Traditionen von »Ausmerze« und Vernichtung häufig auch dann noch im Vordergrund, als Himmler gegenüber anderen Dienststellen bereits unablässig mit der überragenden kriegswirtschaftlichen Bedeutung des »Rüstungseinsatzes« der KZ-Häftlinge prahlte.[142] Zudem standen den Forderungen des WVHA nach verstärktem Arbeitseinsatz keine entsprechenden Verbesserungen der Ernährung, Hygiene, Unterkünfte, Bekleidung etc. gegenüber;[143] da zudem durch überlange Arbeitszeiten, mangelnde Ausrüstung, lange Anmarschwege, stundenlange Appelle im Lager die Entkräftung der Häftlinge weiter zunahm, blieben die Arbeitsleistungen der Häftlinge weit unter den Margen sowohl der deutschen wie der ausländischen Zivilarbeiter und lagen je nach Betriebsart zwischen 5 und 50%.[144] Vor der Alternative, die Lebensbedingungen der Häftlinge zu verbessern und so die Arbeitsleistungen zu erhöhen, entschied sich die SS statt dessen immer für eine erneute Vergrößerung der Häftlingszahlen.

Dort aber, wo die Häftlinge innerhalb der Rüstungsfertigung im engeren Sinne eingesetzt waren, drängten die Industriebetriebe auf Erhöhung der Arbeitsleistung der einzelnen KZ-Arbeitskräfte und auf entsprechende Anreize – parallel zur Entwicklung, wie sie zur gleichen Zeit gegenüber den Ostarbeitern begann.[145] Im Frühjahr 1943 wurde dann tatsächlich ein makabres Akkordsystem eingeführt, das »Prämien« in Form von »Hafterleichterungen« (z. B. die Erlaubnis, lange Haare tragen zu dürfen), über Tabakwarenbezug bis zum Bordellbesuch vorsah, das aber insgesamt nie größere Bedeutung erlangte.[146] Zwar gaben Himmler und das WVHA nunmehr unablässig Erlasse zur Verbesserung der Ernährung (»ähnlich der Verpflegung [...] der ägyptischen Sklaven, die alle Vitamine enthält und einfach und billig ist«[147]), zur Senkung der Sterblichkeit und zur Erhöhung der Arbeitsleistung heraus [148] – zur wirklichen Verbesserung der Arbeits- und Lebensbedingungen der KZ-Häftlinge kam es aber nur dann, wenn durch berufsqualifizierten Einsatz oder nach Anlernzeiten auf qualifizierten Arbeitsplätzen die Arbeitskraft des einzelnen nicht oder nur schwer ersetzbar wurde.

Im Sommer 1943 waren von den 160000 registrierten Gefangenen der WVHA-Lager etwa 15% bei der Lagerinstandhaltung beschäftigt und 22% als arbeitsunfähig gemeldet. Die restlichen 63%, also etwa 100000, verteilten sich auf die Bauvorhaben der SS, die Wirtschaftsunternehmen der SS sowie die privaten Unternehmen.[149] Noch für das Frühjahr 1944 ging das Rüstungsministerium lediglich von 32000 tatsächlich eingesetzten KZ-Häftlingen in der Rüstungsindustrie im engeren Sinne aus;[150] zur gleichen Zeit gab es insgesamt 165 Nebenlager der 20 KZ-Stammlager, 130 davon im Reich.[151] Da die Zahlenangaben der SS und des Speer-Ministeriums voneinander abweichen, sind exakte Bestimmungen schwierig. Deutlich wird aber die rüstungswirtschaftlich insgesamt noch relativ geringe Bedeutung des Häftlingseinsatzes bis Anfang 1944.

Das änderte sich erst, als der Zustrom der ausländischen Zivilarbeiter und Kriegsgefangenen zu versiegen begann; Hinweise dafür gab es bereits seit dem Herbst 1943, und im Februar 1944 wandte sich Speer an Himmler mit der Bitte, »der Rüstung in noch stärkerem Maße als bisher durch den Einsatz von KZ-Häftlingen an Stellen, die ich für besonders dringlich ansehe, zu helfen,« da »seit einiger Zeit der Zufluß von Arbeitern aus dem Ausland erheblich nachgelassen« habe.[152]

Damit begann der letzte, dramatische Abschnitt des Arbeitseinsatzes der KZ-Häftlinge in Deutschland. Der weit überwiegende Teil der KZ-Arbeitskommandos, die direkt in der Privatindustrie eingesetzt wurden, entstand erst in dieser Phase; die größte Bedeutung kam dabei der Luftfahrtindustrie und, damit z. T. eng verknüpft, dem Programm zur Verlagerung wichtiger Rüstungsfertigung in unterirdische Produktionsstätten zu.

Die Flugzeugindustrie hatte – als relativ neuer Industriezweig mit geringerem Anteil an Stammarbeitern – früher und in größerem Umfang als andere KZ-Häftlinge in der Produktion beschäftigt;[153] bereits im April 1943 hatte sich der Generalinspekteur der Luftwaffe, Milch, beim

WVHA für die »Heranführung von Arbeitskräften aus dem Bereiche der Reichsführung SS« bedankt.[154] Anfang 1944 waren etwa 36000 KZ-Häftlinge in 45 Betrieben der Luftfahrtindustrie tätig, darunter Siemens, Heinkel, Junkers, Messerschmitt, Dornier sowie für die Flugzeugmotorenindustrie BMW und Daimler-Benz.[155] Welches Ausmaß die Verwendung von KZ-Häftlingen dabei annahm, zeigt sich etwa am Beispiel der Firma Messerschmitt, an deren Gesamtproduktion Häftlinge aus Flossenbürg und Mauthausen/Gusen im Jahre 1944 mit etwa 35 % beteiligt waren.[156]

Bereits im August 1943 war zudem in der Führungsspitze des Regimes die Entscheidung gefallen, die Produktion der Raketenwaffe A 4 (der sogenannten »V-Waffe«) mit Hilfe von KZ-Häftlingen in unterirdischer Produktion unter dem Tarnnamen »Dora« durchführen zu lassen.[157] Der Aufbau des Höhlenkomplexes in Kohnstein im Harz sollte dabei durch das Amt C des WVHA unter Leitung des SS-Gruppenführers Dr. Ing. Hans Kammler durchgeführt werden.[158] Dieses unter enormem Zeitdruck vorangetriebene Projekt hatte schreckliche Auswirkungen für die hierbei eingesetzten KZ-Häftlinge. »Kümmern Sie sich nicht um die menschlichen Opfer. Die Arbeit muß vonstatten gehen, und in möglichst kurzer Zeit«, hieß die Devise Kammlers.[159] Gerade in der Aufbauphase im Herbst und Winter 1943/44 waren die Todeszahlen immens – von 17000 bis März 1944 nach Dora transportierten Häftlingen starben 2882.[160] Auch hier waren leichte Ersetzbarkeit der Häftlinge bei überwiegend einfachen, aber körperlich schweren Arbeiten, hoher Zeitdruck, mangelnde Ernährung und denkbar schlechte Lebensbedingungen die Ursachen für die hohen Todesraten, die erst zu sinken begannen, als das Wohnlager fertiggestellt und die Produktion aufgenommen worden waren. Bis dahin jedoch waren die Häftlinge schon wenige Wochen nach ihrem Eintreffen »abgearbeitet«. »Keine der beteiligten Stellen, weder Kammler noch Pohl oder die Betriebsdirektoren, wollte auf die vorgesehenen Einsatzzahlen verzichten, aber auch keine zeigte sich imstande, die Häftlinge hinreichend zu versorgen,« schreibt Falk Pingel dazu zusammenfassend.[161]

Auf der Basis dieser Erfahrungen – Speer spricht von dem »sensationellen Erfolg« Kammlers in Dora – wurde Kammler im Dezember 1943 von Speer, später auch von Göring, mit dem verstärkten Ausbau unterirdischer Höhlen und Stollen für die Rüstungs-, insbesondere für die Flugzeugproduktion beauftragt.[162] Innerhalb eines Jahres wurden auf diese Weise 425000 qm unterirdische oder bunkergeschützte Produktionsflächen geschaffen, wohin unmittelbar nach Fertigstellung die Verlagerung ganzer Fabriken oder Fabrikteile begann.[163]

Projekte dieser Größenordnung waren nur noch mit KZ-Häftlingen durchführbar, denn allein die SS besaß in ihren Lagern noch Arbeitskraftreserven in solchen Größenordnungen.[164] Entsprechend stieg im letzten Kriegsjahr die Zahl der KZ-Insassen an, auch hierbei stellten weiterhin sowjetische und polnische Häftlinge die Mehrheit, die z. T. aus den von der deutschen Wehrmacht geräumten Gebieten im Osten ins Reich zurückgeführt worden waren.[165] Am Ende des Jahres 1944 lag die Gesamtzahl der KZ-Häftlinge bei etwa 600000, 480000 davon waren arbeitseinsatzfähig; nach Schätzung Pohls waren davon etwa 140000 im Bereich des »Kammler-Stabs« eingesetzt, etwa 130000 weitere bei den Bauvorhaben der Organisation Todt, und ca. 230000 waren in der Privatindustrie beschäftigt.[166] Um solche Größenordnungen an KZ-Häftlingen zu erreichen, reichte der Zugriff der SS auf die »fremdvölkischen« Arbeiter allein nicht aus. Die Rüstungsverlagerungen und der Bau von Großbunkern erforderten im April 1944 weitere 100000 Arbeitskräfte; offenbar ausgehend von einer Anregung der OT bestimmte Hitler am 6./7. April 1944, er werde »sich persönlich mit dem Reichsführer SS in Verbindung setzen und diesen veranlassen, aus Ungarn die erforderlichen etwa 100000 Mann durch Bereitstellung entsprechender Judenkontingente aufzubringen«.[167] Nur 18 Monate nach dem Entschluß Hitlers, endgültig alle, auch die noch in der Rüstung beschäftigten Juden im Reich zur Deportation freizugeben, entschied er selbst, daß jüdische Arbeitskräfte in einer Zahl, wie sie seit Kriegsbeginn nicht mehr in der Kriegswirtschaft des Reiches eingesetzt waren, zum Arbeitseinsatz nach Deutschland zu bringen waren – das zeigt, wie sehr Hitlers Entschlüsse im Hinblick auf Radikalität und Kalkül abhängig waren von der Situation, in der sie gefällt wurden. Wenn man sich vergegenwärtigt, wieviele Menschen in der Zwischenzeit in den Todesfabriken der SS umgebracht worden waren, so wird deutlich, daß Hitler, solange andere Möglichkeiten bestanden, um den Arbeitskräftebedarf zu befriedigen, die Massenvernichtung der Juden forderte oder jedenfalls billigte, selbst wenn dadurch potentielle Arbeitskräfte in großer Zahl umgebracht wurden. Eine über längere Zeit hinweg vorausschauende Politik jedenfalls ist dabei nicht festzustellen. Die Widersprüchlichkeit, die in seinen Entscheidungen über die Jahre festzustellen ist, ist aber nicht als Zeichen politischer Schwäche zu werten. Die sich oft schon nach relativ kurzer Zeit widersprechenden Entscheidungen zeugen eher von einem Gespür für wechselnde Machtkonstellationen und Veränderungen der Kräfteverhältnisse, vor allem aber für das Verhältnis von gegebenen Sachzwängen, die sich aus der militärischen, politischen und wirtschaftlichen Lage heraus als unumgänglich erwiesen, und der Verwirklichungsmöglichkeit ideologischer Projekte. Durch dieses Gespür konnte er in erstaunlicher, oft geradezu opportunistischer ideologischer Flexibilität kurzfristig auf neue Situationen reagieren; solange aber die

Verhältnisse Kompromisse nicht erzwangen, plädierte er – soweit dies erkennbar ist – jeweils für die radikalste Variante.
Nach der Genehmigung für die OT, jüdische Arbeitskräfte im Reichsgebiet einzusetzen, versuchte nun auch Saur im Jägerstab, für die Verlagerung der Flugzeugindustrie in unterirdische Produktionsstätten jüdische Häftlinge zu bekommen und bemerkte, »daß wir weitere hunderttausend ungarische Juden oder sonst etwas hereinholen müssen«.[168] Auch das wurde genehmigt, und so wurde der Einsatz von 200000 Juden aus Ungarn »bei den großen Bauten der OT und sonstigen kriegswichtigen Aufgaben« angeordnet;[169] allerdings ausschließlich als KZ-Häftlinge der SS, denn »ein sogenannter offener Arbeitseinsatz in Betrieben des Reichs«, den das Rüstungsministerium offenbar angeregt hatte, konnte »aus grundsätzlichen Erwägungen nicht in Betracht kommen, da er im Widerspruch zu der inzwischen im großen und ganzen abgeschlossenen Entjudung des Reiches stehen ... würde.«[170]
Als die deutsche Wehrmacht am 19. März 1944 Ungarn besetzt hatte, waren dadurch etwa 765000 Juden in die Hände der Deutschen gefallen; am 15. April begann deren Deportation, im Verlauf derer bis zum Juli etwa 458000 ungarische Juden nach Auschwitz gebracht wurden.[171] Die deutsche Führung hatte vor allem junge jüdische Männer als Arbeitskräfte erwartet – die aber waren in großer Zahl von der ungarischen Armee in Arbeitsbataillone eingezogen worden und in Ungarn geblieben, so daß, nachdem Himmler dies genehmigt hatte, vorwiegend jüdische Frauen eingesetzt werden mußten.[172] Insgesamt lag die Zahl der ungarischen Juden, die nicht sofort umgebracht wurden, bei etwa einem Viertel – von den 458000 nach Auschwitz Deportierten wurden etwa 350000 vergast und 108000 zum Arbeitseinsatz geschickt.[173] Es war die schnellste, am besten organisierte und systematischste Vernichtung einer jüdischen Gemeinde in einem von den Deutschen während des Krieges besetzten Land – und gleichzeitig die letzte.
Die 108000 Überlebenden wurden nun in Kontingenten zu jeweils 500 eingeteilt und in Zwischenlager nach Deutschland geschickt. Nachdem der Zufluß von Fremdarbeitern mittlerweile beinahe ganz zum Versiegen gekommen war, forderten immer mehr Firmen im Reich KZ-Häftlinge an, selbst wenn es sich um Juden handelte, die unter besonders strengen Bedingungen standen, was Bewachung, Unterbringung und gesonderten Arbeitseinsatz betraf. Die Zahl der Arbeitskommandos der KZ-Stammlager wuchs seit dem Frühjahr 1944 rapide an; die Liste der deutschen Unternehmen, die solche KZ-Außenlager einrichteten und KZ-Häftlinge einsetzten, wurde immer länger und umfaßte zahlreiche renommierte Firmen.[174] Die Arbeits- und Lebensbedingungen der Häftlinge waren dabei bei den verschiedenen Firmen sehr unterschiedlich und abhängig von der

Art der Beschäftigung, der Stellung der einzelnen in der Hierarchie der SS, nicht zuletzt aber auch vom Verhalten der Betriebsleitungen sowie der Lagerführer, Bewacher, der Vorarbeiter und Meister im Betrieb.[175] Vor allem die jüdischen Häftlinge hatten dabei unter besonders schlechten Verhältnissen zu leiden. Insgesamt aber kann man – mit aller Vorsicht – jedoch davon ausgehen, daß diejenigen, die in der Produktion der Rüstungsbetriebe selbst beschäftigt wurden, erheblich größere Überlebenschancen besaßen als diejenigen Häftlinge, die in den großen Bauvorhaben und insbesondere beim Ausbau unterirdischer Produktionsstätten des Kammler-Stabes sowie bei der Fertigung in den Höhlen und Stollen nach der Betriebsverlagerung eingesetzt wurden.
Bei den Bauprojekten der OT und des Kammler-Stabes war Schnelligkeit der oberste Grundsatz;[176] entsprechend schrecklich waren die Verhältnisse für die Häftlinge, wobei die völlig unzureichende Ernährung, die gesundheitsschädliche Unterbringung in Höhlen, das mörderische Arbeitstempo und vor allem der unablässige Zustrom neuer Häftlinge in die oftmals bereits überbelegten Lager sich gegenseitig verstärkten, so daß in den Lagern der Bauprojekte gegen Ende des Jahres 1944 ein wahres Inferno herrschte – mit Todesraten, die die Überlebenszeit des einzelnen Häftlings durchschnittlich auf wenige Monate begrenzte. Der Masseneinsatz von KZ-Häftlingen bei den gigantischen Bauprojekten der letzten Kriegsphase, der dem Schutz der deutschen Rüstung vor Zerstörung und dem Fortgang der Produktion unter der Erde dienen sollte, hatte Opfer in unerhörtem Ausmaß zur Folge. Der Wert eines Menschen war hier nicht höher, als seine Körperkraft für einige Wochen hergab. Hier waren Arbeit und Vernichtung für Hunderttausende von Menschen zu Synonymen geworden.

Aus der hier geschilderten Entwicklung ergeben sich abschließend einige zusammenfassende Überlegungen:

- Die Verwendung von ausländischen Zivilarbeitern, Kriegsgefangenen, KZ-Häftlingen und Juden für den Arbeitseinsatz geschah während des Krieges durchweg nicht allein nach kriegswirtschaftlichen Gesichtspunkten, sondern durchgängig nach politisch-ideologischen, insbesondere rassistischen Kriterien. Dabei rückten kriegswirtschaftliche Aspekte im Verlaufe des Krieges a) parallel zur Verschlechterung der Kriegslage und insbesondere zur Verschärfung des Arbeitskräftemangels und b) wiederum gestuft nach der Stellung der einzelnen Gruppen in der rassistischen Hierarchie der Nationalsozialisten in den Vordergrund. Die Verwendung von »Feinden« des Nationalsozialismus – nach welchen Kriterien auch immer definiert – als Arbeitskräfte im Reich stellte insgesamt ein ideologisches Zugeständnis an kriegswirtschaftliche Sachzwänge dar und war jeweils das Ergebnis von Kompromissen – je besser die Aussichten auf den Sieg, desto radikaler wurden ideologische Zielsetzungen durchgesetzt; je schlechter die Kriegslage, desto größer die Zugeständnisse an ökonomische Gesichtspunkte.

– Die Entscheidung für den Masseneinsatz von ausländischen Arbeitern und Kriegsgefangenen im Reich, insbesondere für den »Russeneinsatz« im Herbst 1941 war dabei eine der Voraussetzungen, die Politik der »Endlösung« gegenüber den Juden ohne längerfristige Rücksichten auf Gesichtspunkte des Arbeitseinsatzes durchführen zu können; die These, daß die Politik gegenüber den Juden vorrangig auf ihre Ausbeutung als Zwangsarbeiter abzielte, ist unhaltbar; statt dessen trifft eher zu, daß die Politik der »Endlösung« unter dem »Tarnmantel« des Arbeitseinsatzes durchgeführt wurde. Diese Entwicklung wird in der Phase der Vorbereitung der »Endlösung« deutlich, als einerseits die von den politisch Verantwortlichen kalkuliert herbeigeführte »Arbeitsunfähigkeit« der in Ghettos konzentrierten Juden den Entschluß ihrer Ermordung forcierte, andererseits die Deportationen unter der Fiktion des Arbeitseinsatzes »im Osten« angekündigt wurden, ohne daß entsprechende Vorbereitungen dazu begonnen worden wären. Die Tatsache, daß selbst von den in den Vernichtungslagern nicht sofort umgebrachten Juden nur ein relativ geringer Teil tatsächlich zur Rüstungsarbeit eingesetzt wurde, ist ebenso wie der bis Kriegsende mit außerordentlich hohen Todesraten und relativ geringer kriegswirtschaftlicher Effizienz durchgeführte Arbeitseinsatz der KZ-Häftlinge insgesamt auch auf Widersprüche und Zielkonkurrenzen zwischen verschiedenen SS-Behörden, auf organisatorische Unfähigkeit und mangelnde Vorbereitungen zurückzuführen. In erster Linie aber war sie eine Folge des Primats der rassistisch motivierten Vernichtungsabsicht vor allen ökonomischen Aspekten. Diese Vernichtungsabsicht wurde mit Hinweisen der Verantwortlichen auf organisatorische Probleme, persönliche Animositäten, Kompetenzkonkurrenzen, aber auch Hinweisen auf »sozialpolitische«, »ernährungspolitische« usw. Probleme einerseits legitimiert, mehr aber kaschiert, die nicht zuletzt der Selbstrechtfertigung der Täter, wie sie bei Höß am deutlichsten hervortritt, dienten.

– Hitler selbst hat in diesem Prozeß immer wieder an entscheidenden Punkten eingegriffen – und zwar bis 1944 durchweg unter Bevorzugung der jeweils radikalsten politisch-ideologischen Variante. Ähnlich wie bei seinen Entscheidungen im Zusammenhang mit dem Ausländereinsatz wird aber auch hier feststellbar, daß er bei der Entscheidung für den Masseneinsatz von jüdischen Arbeitskräften aus Ungarn im Reich im April 1944 angesichts der sich zuspitzenden Situation des letzten Kriegsjahres in ideologisch außerordentlich flexibler Weise bereit war, selbst substantielle ideologische Zielsetzungen, wozu ein »judenfreies« Reich ohne Zweifel in besonderer Weise zählte, aus aktuellen kriegswirtschaftlichen Notwendigkeiten heraus jedenfalls vorübergehend aufzugeben. Dadurch ebenso wie durch den vorübergehenden Entschluß Himmlers, Speers und Pohls von Anfang September 1942, 50 000 Juden im Reich zur Arbeit einzusetzen, der durch Sauckels Angebot, statt dessen polnische und sowjetische Zivilarbeiter zur Verfügung zu stellen, hinfällig und von Hitler daraufhin rückgängig gemacht wurde, wird die Frage, ob es im Frühjahr, Sommer oder Herbst 1941 einen expliziten, mündlichen oder schriftlichen Führerbefehl zur Vernichtung der europäischen Juden gegeben habe, nicht berührt. Vielmehr scheint eher die verbreitete Auffassung, angesichts des Fremdarbeitereinsatzes im Reich und des Zugriffes auf die nichtjüdische Bevölkerung in den besetzten Gebieten des Ostens sei der Arbeitseinsatz der Juden von untergeordneter Bedeutung und ihre Ermordung im Verhältnis zu den ansonsten entstehenden »Problemen« die einfachste Lösung, den common sense unter den Beteiligten zu bezeichnen, der jedenfalls bei den Verantwortlichen in Berlin unter veränderten militärischen und kriegswirtschaftlichen Bedingungen, wie sie seit Anfang 1944 bestanden, zur Disposition stand; während sich der Vernichtungsprozeß im Osten selbst in eigener, bald rasender Dynamik von dieser Ausgangskonstellation entfernte. Das widerspricht nicht der ausdrücklichen Vernichtungsabsicht Hitlers und des engeren Führungskreises gegenüber den Juden, sondern es deutet darauf hin, daß diese Absicht nicht unabhängig von der jeweiligen historischen Situation, in der sie geäußert bzw. modifiziert wurde, zu verstehen ist.

- Die deutsche Industrie und die mit ihr eng verbundene Speer-Behörde haben sich mit der Frage der Zwangsarbeit vorrangig oder gar ausschließlich aus kriegswirtschaftlichen und effektivitätsbezogenen Gesichtspunkten befaßt und jeweils auf die Gruppe von Arbeitskräften zurückgegriffen, die in ausreichender Zahl zur Verfügung stand und die jeweils beste Relation zwischen Aufwand und Ertrag versprach. Das bezog sich zunächst auf Facharbeiter aus Westeuropa; als die in genügender Menge nicht zur Verfügung standen, auf Polen; dann auf Russen, dann auf KZ-Häftlinge, schließlich auch auf Juden während des letzten Kriegsjahres, nachdem in der ersten Kriegshälfte das Interesse vieler deutscher Unternehmen an der Erhaltung ihrer traditionellen jüdischen Arbeitskräfte sich nicht hatte durchsetzen lassen und durch die verstärkte Zugriffsmöglichkeit auf sowjetische Arbeitskräfte kompensiert worden war. Anders als bei den Arbeitsstätten der SS, wo »Strafe« und ideologisch motivierte Vernichtung gegenüber den KZ-Häftlingen weithin im Vordergrund standen, war die private Industrie am Schicksal – im positiven wie im negativen Sinne – der Häftlinge nur insoweit interessiert, als es im Verhältnis zur Steigerung der Produktion stand. Das schloß auf qualifizierten Arbeitsplätzen eine entsprechend schonende Behandlung der einzelnen Arbeitskraft ebenso ein wie die Vernichtung riesiger Häftlingsmasssen bei den unter den vorrangigen Gesichtspunkten der Schnelligkeit und der jederzeitigen Ersetzbarkeit der einzelnen Häftlinge durchgepeitschten Bauprojekte der letzten Kriegsmonate, für die der Aufbau des Auschwitzer Buna-Werks der IG-Farben, was die Behandlung der Häftlinge anbetraf, das Vorbild darstellte. War für die SS die Vernichtung der weltanschaulichen »Feinde« das Ziel und der vorübergehende Arbeitseinsatz dazu gegebenenfalls ein Mittel, so bestand für die Industrie das Ziel in Erhöhung der Produktion unter möglichst kostengünstigen Bedingungen oder die Errichtung unterirdischer Produktionsanlagen in möglichst kurzer Zeit, wozu unter bestimmten Voraussetzungen die Vernichtung der Häftlinge durch die dabei anfallende Art der Arbeit ein Mittel sein konnte. Gerade dadurch, daß in der überwiegenden Zahl der Fälle ein persönliches Interesse etwa der Unternehmensleitungen an der schlechten Behandlung der Häftlinge oder an ihrer Vernichtung aus ideologischen Gründen nicht bestand, tritt der strukturelle Aspekt dieses Prozesses hervor, der eben nicht auf die moralische Qualität eines Fabrikbesitzers zurückgeführt werden kann, sondern zeigt, wie sehr die Orientierung auf Produktion, Effizienz und Gewinn in der zugespitzten Situation der Kriegswirtschaft während der letzten beiden Kriegsjahre und im Rahmen der politischen Zielsetzungen des NS-Regimes den Tod von Hunderttausenden von Menschen in Kauf nahm und in der letzten Kriegsphase geradezu zwingend voraussetzte.

- Jeder Versuch aber, die Massenvernichtungspolitik der Nationalsozialisten vorwiegend oder allein auf dahinterstehende ökonomische, »rationale« Interessen zurückzuführen, verkennt, daß in den Augen der Nationalsozialisten und insbesondere der Protagonisten eines konsequenten Rassismus unter ihnen die Massenvernichtung der weltanschaulichen Gegner selbst ein »rational« begründetes politisches Ziel darstellte, das mit sozialpolitischen, wirtschaftlichen, großraumpolitischen, historischen, medizinischen, rassehygienischen und »sicherheitspolizeilichen« Argumenten gestützt wurde.

  Der Rassismus war kein »Irrglaube«, hinter dem sich die »eigentlichen«, nämlich wirtschaftliche, Interessen verbargen, sondern der Fixpunkt des Systems.

Konrad Kwiet

Judenverfolgung und Judenvernichtung im Dritten Reich

Ein historiographischer Überblick

I.

Als 1945 das Ausmaß der Judenvernichtung bekannt wurde, blieb der Aufschrei der deutschen Bevölkerung aus. Nur vereinzelt wurden Klagen und Anklagen laut. Sie verhallten an den Abwehrmechanismen einer Gesellschaft, die sich nach den Erfahrungen der nationalsozialistischen Zeit und angesichts der katastrophalen Kriegsfolgen atomisiert und in die private Lebenssphäre zurückgezogen hatte. Zeitgenossen sprachen von den »Tagen des Überlebens«. Alexander und Margarete Mitscherlich prägten Jahre später die Formel von der »Unfähigkeit zu trauern«. Stimmt ihre Definition, nach der Trauer nur dort entsteht, »wo das verlorene Objekt um seiner selbst willen geliebt wurde, oder genauer..., wo ein Individuum der Einfühlung in ein anderes Individuum fähig geworden ist«[1], so hieße das – auf die Geschichte projiziert –, daß der »Verlust« der jüdischen Bevölkerungsgruppe keine Trauer auslösen konnte, da sich die Deutschen bereits zuvor als unfähig erwiesen hatten, die jüdische Existenz zu achten, geschweige denn zu lieben.
Auch die deutschen Historiker fühlten sich nach 1945 einer langen Tradition verpflichtet. Von jeher waren sie weder in der Lage noch willens, Themenbereiche der deutsch-jüdischen Geschichte, des Antisemitismus und der Judenverfolgung in den Kanon der erforschungswürdigen Gegenstände zu erheben[2]. Angesichts der eigenen, vielbeklagten »deutschen Katastrophe«[3] fiel es ihnen nicht schwer, die Erforschung der »jüdischen Katastrophe« wieder den unmittelbar Betroffenen, den Juden selbst zu überlassen. Hinter dem Schutzschild einer offenbar nur als mittelbar empfundenen Betroffenheit glaubten sie ihrer Pflicht und Verantwortung enthoben zu sein, selbst Rechenschaft über eine Gesellschaft zu geben, die die »Judenfrage« stellte[4] – und in Auschwitz löste. Und es entsprach ebenso dem politisch-nationalen wie pädagogischen Legitimationsbedürfnis, einen besonderen Themenbereich in den Mittelpunkt der sich herausbildenden Zeitgeschichtsforschung zu stellen: die Würdigung

des bürgerlich-konservativen Widerstandes gegen den Nationalsozialismus. Die entscheidenden Anstöße gaben Gerhard Ritter und Hans Rothfels, der zugleich maßgeblich am Aufbau des Münchner Instituts für Zeitgeschichte beteiligt war[5]. Interne Auseinandersetzungen und Richtungskämpfe begleiteten die Etablierung dieser außeruniversitären Forschungsinstitution, von der seit 1953 die ersten Impulse zur wissenschaftlichen Aufarbeitung der nationalsozialistischen Judenverfolgung ausgingen[6].

Anfang der 60er Jahre änderte sich das Bild. Vor dem Hintergrund der Judenmordprozesse in der Bundesrepublik, antisemitischer Ausschreitungen und des Jerusalemer Eichmann-Tribunals rückten Antisemitismus und Judenverfolgung in das Blickfeld von Öffentlichkeit, Forschung und Lehre. Eine Aufklärungskampagne setzte ein, die alsbald den Grad der Übersättigung erreichte und die schnelle Immunisierung der Bevölkerung bewirkte. Ausstellungen und Kirchentagsdiskussionen wurden organisiert, Mahn- und Gedenkbücher veröffentlicht; es war jene Zeit, in der der »jüdische Mitbürger« entdeckt wurde. Man beeilte sich, Schulbücher und Geschichtsunterricht zu revidieren und an einigen Universitäten Vorkehrungen zu treffen, die bis dahin fast völlig ausgeklammerten Themenbereiche in das Lehr- und Forschungsprogramm aufzunehmen. Gleichzeitig vollzog sich an den Ordinarienuniversitäten eine personelle Wachablösung, die die Emanzipation von den »Vaterfiguren« und traditionellen Themen der Geschichtsschreibung einleitete. Eine jüngere Historikergeneration etablierte sich und nahm Methoden und Ergebnisse der Sozialwissenschaft zur Kenntnis. Eine kleine Gruppe schälte sich heraus, die sich auf eine gesellschaftsbezogene Antisemitismus- und Minoritätenforschung spezialisierte[7]. Die etablierte Geschichtswissenschaft honorierte dieses Bemühen mit einem späten Anerkennungsakt, als sie 1974 erstmals einen Fragenkomplex der deutsch-jüdischen Geschichte in den Themenkatalog eines Historikertages aufnahm[8].

Eben erst seit jener Zeit (Anfang der 60er Jahre) stieg die Zahl westdeutscher Historiker, die sich an die Aufarbeitung der nationalsozialistischen Judenverfolgung heranwagte. Im Mittelpunkt standen die Rekonstruktion eines Daten- und Faktengerüstes, die Analyse über Ideologie, Struktur und Entwicklung des nationalsozialistischen Herrschaftssystems sowie die Beschreibungen der zentralen[9] und vor allem der regionalen Abläufe des Verfolgungsprozesses[10]. Trotz der Fülle von Monographien, Aufsätzen, Dokumentationen und Erlebnisberichten blieben empirische Detailaufhellung und Theoriebildung fragmentarisch und unbefriedigend. Dies galt nicht nur für die Aufdeckung des konkret-historischen Entscheidungsprozesses oder die Absicherung einer überzeugenden Interpretation der Judenvernichtung[11], sondern vor allem auch für die

Fragen nach der Verantwortung der Gesellschaft und den Verhaltensweisen der Juden[12]. Erst in jüngster Zeit zeichnete sich die Tendenz ab, sich auch diesen zentralen Fragestellungen zuzuwenden.

Sosehr sich die westdeutsche Zeitgeschichtswissenschaft auch bemüht hat, den Anschluß an die internationale Forschung zu finden, zeigt sich doch, daß die bisherige historische Aufklärungsarbeit in der westdeutschen Öffentlichkeit wenig Anerkennung und Resonanz gefunden hat. Sie vermochte weder das allgemeine Defizit an historischem Wissen über die Judenverfolgung abzubauen, noch den vielfältigen apologetischen Spekulationen und historischen Legenden, geschweige denn den antisemitischen Bewußtseinshaltungen und Vorfällen einen Riegel vorzuschieben. Mit Desinteresse verfolgte man in der westdeutschen Öffentlichkeit über Jahre hinweg die KZ-Prozesse[13]. Spontane und massive Proteste blieben aus, als sich Zeugen und Gutachter – wie z. B. Wolfgang Scheffler – Diffamierungskampagnen ausgesetzt sahen, die von der Verteidigung und neonazistischen Kreisen entfacht wurden. Kritik und Unmut wurden erst laut, als niederschmetternde Geschichtskenntnisse westdeutscher Mittelschüler über die nationalsozialistische Zeit publik wurden. Feiern, Reden und Publikationen zur 40jährigen »Gedenkfeier« der »Reichskristallnacht« signalisierten im Herbst 1978 ein wachsendes Interesse. Es bedurfte offensichtlich erst der Ausstrahlung der amerikanischen Fernsehserie »Holocaust«, um im Januar 1979 die Verfolgung und Vernichtung der Juden zum »Thema der Nation« zu erheben und emotionale Reaktionen freizusetzen, mit denen man schon den großen »Durchbruch« zu beweisen suchte. Die westdeutschen Verlage jedenfalls ließen sich die Chance nicht entgehen, mit einer wahren Bücherflut die Nachfrage zu decken[14]. Symptomatisch wie gewinnbringend war, daß man dabei nur auf Neuauflagen alter Standardwerke oder auf eiligst niedergeschriebene »Holocaust«-Beiträge zurückgreifen konnte. Gespannt darf man auf die Antwort der etablierten Zeitgeschichtsforschung sein, die unversehens in das Schußfeld der Kritik geraten ist, »jahrzehntelang an den Interessen und Bedürfnissen der Öffentlichkeit vorbeigelebt zu haben«[15]. Mit dem Anspruch, ihren Beitrag zur »Bewältigung der deutschen Vergangenheit« geleistet zu haben, tritt die Deutsche Demokratische Republik auf. Sie beruft sich dabei auf das »historische Verdienst«, mit dem »Aufbau des Sozialismus« die klassenmäßigen Wurzeln des Kapitalismus und Imperialismus, des Faschismus und Antisemitismus beseitigt zu haben. Themenbereiche der deutsch-jüdischen Geschichte, des Antisemitismus und der Judenverfolgung besitzen für die DDR-Historiker keine selbständige Relevanz[16]. Die entsprechende Literatur bewegt sich in bescheidenen Grenzen[17].

Faschismus- und Antifaschismusforschung sind darauf ausgerichtet, der

DDR historische Legitimität und moralische Integrität zu verleihen. Schon von hier aus scheidet jede grundsätzliche Kritik an den Interpretationsmodellen aus. Wider besseres Wissen wird dabei ein Antifaschismus beschworen, der allein dem Legitimationsbedürfnis der Staats- und Parteiführung Rechnung trägt. Man bemüht sich, die soziale Funktion des Antisemitismus als Ablenkungsinstrument der herrschenden Klasse herauszustellen und die Judenverfolgung in die allgemeine Terrorpolitik des deutschen Faschismus einzuordnen. Das Hauptaugenmerk konzentriert sich auf die Rekonstruktion einer ungebrochenen antifaschistischen Tradition. Der von allen Widersprüchen und Abweichungen gesäuberte Traditionsstrang reicht von den Anfängen der Weimarer Republik bis in die unmittelbare Gegenwart. Im Mittelpunkt steht der »glorreiche« und »ruhmvolle« Widerstand der Kommunisten, die »einzig reale Konzeption« der KP-Führung. Nur vor diesem Hintergrund erfahren die Antifaschisten jüdischer Herkunft ihre besondere Würdigung. Exemplarisch hierfür sind Behandlung und Einordnung der jüdisch-kommunistischen Herbert-Baum-Gruppe. Diese isolierte Gruppe erscheint als Widerstandsorganisation, die in organisatorischer wie ideologischer Hinsicht stets von der Parteiführung gelenkt wurde[18]. Sehr viel größere Schwierigkeiten hat es der DDR-Zeitgeschichtsforschung bereitet, die Lebensvernichtung des europäischen Judentums mit Hilfe der sowjetmarxistischen Faschismusdoktrin zu erklären. Bis heute ist sie eine überzeugende Antwort schuldig geblieben. Dies gilt ebenso für die Absicherung einer anderen These, die sich wie ein roter Leitfaden durch die gesamte Geschichtsschreibung und Propaganda der DDR zieht: Es ist die Behauptung, daß nicht die Juden, sondern die Kommunisten »in erster Linie« dem nationalsozialistischen Terror unterworfen waren.

Es versteht sich von selbst, daß eine derartige Geschichtsbetrachtung andere »objektive Tatbestände« verschweigen oder verzerrt darstellen muß, die den Weg der Juden in den kommunistischen Widerstand versperrt haben. Hierzu gehören nicht nur die politische und soziale Affinität der Juden zum Bürgertum, sondern auch die Barrieren, die die Kommunisten selbst errichtet haben. Diese manifestieren sich in der Prophezeiung, daß sich die bürgerliche »Judenfrage« im Sozialismus durch die Auflösung des Judentums von selbst lösen werde, in der Dogmatisierung der Sozialfaschismustheorie, die vor wie nach 1933 die »antifaschistische Volksfront« ausschloß, in der Tatsache, daß im Zuge der stalinistischen Säuberungen Kommunisten jüdischer Abstammung der Gestapo zur Liquidierung übergeben wurden sowie im Abschluß des deutsch-sowjetischen Nichtangriffspakts vom August 1939, der dem nationalsozialistischen Herrschaftssystem die Möglichkeit zur Entfesselung des Zweiten Weltkrieges bot und der für viele Sozialisten den Bruch mit Moskau besie-

gelte. Und mit Stillschweigen wird schließlich in der DDR-Historiographie die Entscheidung der deutschen KP-Führung im Pariser Exil 1936/37 übergangen, »im Interesse der eigenen Sicherheit« alle Kommunisten jüdischer Herkunft aus den dezimierten illegalen Kadern zu entfernen[19].
Über Jahre hinweg waren es fast ausschließlich Autoren jüdischer Herkunft, die Auskunft über Antisemitismus und Judenverfolgung gaben. Sie lebten – von Ausnahmen abgesehen – im Ausland, publizierten in vielen Sprachen, vornehmlich in Jiddisch, Hebräisch, Englisch, Französisch, Niederländisch, Deutsch, Polnisch und Russisch[20]. Im Ausland wurden auch die jüdischen Institute aufgebaut, die sich zu den entscheidenden Dokumentations-, Forschungs- und Publikationszentren entwikkelten[21]. In den ersten Nachkriegsjahren war die historische Rückschau von den Erfahrungen der Leidenszeit bestimmt. Im Mittelpunkt standen Dokumentation und Beschreibung des Verfolgungs- und Vernichtungsprozesses. Sie schlugen sich in einer Fülle von Erlebnisberichten und Einzeldarstellungen sowie in einer Handvoll umfassender Gesamtdarstellungen nieder[22].
Erst Raul Hilbergs monumentales – und bis heute unübertroffenes – Standardwerk[23] signalisierte eine veränderte Blickrichtung. Es erschien zu einer Zeit, als der Jerusalemer Eichmann-Prozeß die Juden in Israel wie in den Diasporagemeinden mit der Realität der »jüdischen Katastrophe« konfrontierte und die Frage nach den Verhaltensweisen der Juden aufwarf. Es war Hannah Arendt[24], die mit ihren globalen Kollaborationsvorwürfen gegen die Judenräte diesen tabuisierten Problembereich aufbrach und eine lange, vehemente »innerjüdische« Diskussion auslöste. Vor dem Hintergrund dieser Debatte sowie des bald wieder ausbrechenden Nahostkonfliktes setzte sich die Erkenntnis der Notwendigkeit durch, die systematische Sichtung der archivarisch-dokumentarischen Überlieferung und die wissenschaftliche Erforschung der Verhaltensweisen und speziell des jüdischen Widerstandes in die Wege zu leiten. Charakteristisch freilich blieb, daß sich das Hauptaugenmerk nach wie vor auf die besetzten Gebiete richtete, vor allem auf die Geschehnisse in Osteuropa, da man hier – in den Hauptzentren des europäischen Judentums – an den Beispielen der Fluchtversuche, der Revolten in den Zwangsghettos und in Konzentrationslagern sowie des Partisanenkampfes die besonderen Bedingungen und Formen eines spezifisch jüdischen Widerstandes darstellen und würdigen konnte. Zum anderen bemühte man sich, die Geschichte der Judenräte aufzuhellen und die Verhaltensweisen von Nicht-Juden aufzuzeigen[25]. All diese Problembereiche erhalten dann auch in den neueren Gesamtdarstellungen eine zentrale Bedeutung[26]. Und sie fanden ebenso ihren gebührenden Platz in den Vorträgen, Essays oder Interviews, die jüngst von kompetenter jüdischer Seite zum Thema »Holo-

caust« präsentiert wurden. Als grundlegend und richtungsweisend dürften sich dabei vor allem die Reflexionen E. L. Fackenheims, Saul Friedländers, Elie Wiesels und Yehuda Bauers erweisen[27].
Neben diesem Forschungstrend, der zweifellos durch eine Reihe persönlicher Faktoren – wie Herkunft und Sprache – verstärkt wurde, zeichnete sich in den letzten Jahren die Tendenz ab, der Geschichte der deutschen Juden größere Aufmerksamkeit zu schenken. Die Publikationen der Leo-Baeck-Institute legten den ersten Grundstein[28]. A. Paucker lenkte den Blick auf den Abwehrkampf deutscher Juden und zeigte seine Geschichte und Problematik bis 1933 auf[29]. H. G. Adler präsentierte seine monumentale Studie über die Ausschaltung und Deportation deutscher Juden[30]. Themenbereiche der deutsch-jüdischen Geschichte rückten zunehmend in das Blickfeld auch der amerikanischen und israelischen Geschichtswissenschaft[31]. Man kann davon ausgehen, daß die laufenden oder geplanten Forschungsprojekte weitere Lücken schließen werden[32].

Mit der Frage nach der Entwicklung und den Perspektiven der Geschichtsschreibung verbindet sich die Frage nach der archivalisch-dokumentarischen Überlieferung. Damit ist ein Problembereich angeschnitten, der sich noch immer – und im weitesten Sinne des Wortes verstanden – dem sicheren Zugriff der Historiker und Archivare entzieht. Man kann es auch so formulieren: Bis heute ist es nicht gelungen, auch nur annähernd alle in Frage kommenden Materialien historisch-archivalisch zu erschließen und der Forschung zugänglich zu machen. Und man kann davon ausgehen, daß eine allumfassende Bestandsaufnahme weder zu erwarten noch zu leisten ist[33]. Die Barrieren sind mannigfaltig. Materialien zur Verfolgung und Vernichtung des europäischen Judentums sind unüberschaubar; sie beziehen sich auf nahezu alle Lebens-, Handlungs- und Wissensbereiche. Die Quellen sind verstreut; sie werden in in- und ausländischen Archiven und Forschungsinstitutionen, in Bibliotheken und Gerichten, in Tresoren oder an anderen Orten aufbewahrt. Die Dokumente sind fragmentarisch; sie wurden versteckt, vernichtet oder requiriert. Große Aktenbestände sind schließlich noch gänzlich unzugänglich; »Judenakten« werden in den Ostblockstaaten unter besonderem Verschluß gehalten, Restriktionen erschweren auch in westlichen und neutralen Staaten eine Einsichtnahme.

II.

Aus der Fülle der gesicherten Daten und Fakten läßt sich ein historischer Bezugsrahmen herstellen, der die Phasen, Formen und Zielsetzungen der nationalsozialistischen Judenverfolgung verdeutlicht. Ausgangspunkt ist dabei die These, daß der Nationalsozialismus aus einer Krise der Demokratie und der kapitalistischen Wirtschaft hervorgegangen ist und – bei aller Widersprüchlichkeit seiner politisch-ideologischen Programmatik – vier konkrete Ziele anvisiert hat: die Zerstörung der Demokratie und die Zerschlagung der organisierten Arbeiterbewegung, die Entfernung der Juden aus dem deutschen Herrschaftsbereich und die Welthegemonie Deutschlands. In diesem »Kampfprogramm« besaß der Antisemitismus zentralen Stellenwert. Von Beginn an fungierte er zusammen mit dem Antikommunismus als dominierende Mobilisierungs- und Rechtfertigungsideologie. Die judenfeindlichen Stereotypen waren weder neu noch revolutionär. Sie besaßen eine lange Tradition[34]. Die Nationalsozialisten übernahmen aus dem Arsenal dieses kulturellen Erbes ihre Feindbilder, erhoben sie zur »Weltanschauung« und sicherten sich in den sozial deklassierten Schichten der Bevölkerung die politische Massenbasis. Mit der Machtübernahme erfuhr der Antisemitismus eine entscheidende qualitative Veränderung. Anders als in der Weimarer Republik oder im wilhelminischen Kaiserreich wurde er 1933 zur Staatsdoktrin und zum wirksamen Herrschaftsinstrument erklärt – nach innen und außen.

Der Antisemitismus diente zunächst der Konsolidierung der nationalsozialistischen Gewaltherrschaft. Schon sehr schnell wurde offenkundig, daß sich die »nationale Revolution« in der Monopolisierung der politischen Gewalt erschöpfte.

Den Auftakt bildete ein »traditioneller« Verfolgungsprozeß. Er manifestierte sich seit 1933 in den vielfältigen Versuchen, durch moralische Diffamierung und soziale Diskriminierung der Juden in Deutschland – und ab 1938 in den einverleibten österreichischen und tschechoslowakischen Gebieten[35] – die Existenzgrundlage zu entziehen und die »Judenfrage« durch die Vertreibung zu lösen. Die schrittweise Herauslösung aus allen Bereichen des politischen, kulturellen, sozialen und wirtschaftlichen Lebens zog sich bis in die Anfänge des Zweiten Weltkrieges hin. Bis zu diesem Zeitpunkt bewegte sich die offizielle »Judenpolitik« gleichsam in den Bahnen eines »altvertrauten« Antisemitismus, da sie der jüdischen Bevölkerungsgruppe noch eine Überlebensmöglichkeit beließ – die »Wahl« zwischen Deklassierung und/oder Auswanderung.

Die Forschung stand vor dem Problem, die Frage nach Kontinuitäten und Brüchen in der nationalsozialistischen Judenverfolgung zu beantworten. Bis vor kurzem dominierten die Kontinuitätstheorien, die auf der poli-

tisch-ideologischen wie bürokratisch-administrativen Ebene einen geradlinigen, konsequenten Weg in den organisierten Massenmord zu rekonstruieren suchten. Neuere Untersuchungen[36] haben eine solche Zwangsläufigkeit in Frage gestellt. Vergeblich suchte man nach empirischen Belegen, nach umfassenden Planungen, in denen die systematische Lebensvernichtung anvisiert wurde. Man entdeckte vielmehr verschiedene Konzeptionen und Weichenstellungen, »historische Alternativen«, die der Judenverfolgung eine andere Richtung hätten geben können. So konträr sich diese beiden Auffassungen auch gegenüberstehen, unbestritten ist, daß der Vernichtungswille in der nationalsozialistischen Weltanschauung angelegt war und in zahlreichen programmatischen Bekundungen ablesbar ist. Diese ideologische Kontinuitätslinie von »Mein Kampf« zu »Auschwitz« wurde jedoch zugleich auch von gravierenden Abweichungen und Widersprüchen in der praktischen »Judenpolitik« begleitet und unterbrochen. 1933 und in den folgenden »Friedensjahren« war die systematische Lebensvernichtung der Juden für die nationalsozialistischen Rassenfanatiker allenfalls ein stiller Wunschtraum, eine Möglichkeit, deren Verwirklichung bestimmte politische und technische Bedingungen voraussetzte, die zu dieser Zeit noch nicht gegeben waren.
Mit der Entfesselung des Zweiten Weltkrieges wurde die Judenverfolgung auf die eroberten Gebiete ausgedehnt und verschärft[37]. Eine zweite, kurze Phase setzte ein: Sie erstreckte sich auf die Jahre 1939-41 und markierte den Übergang zur systematischen Lebensvernichtung. Versklavung und Austreibung wurden zwar noch immer propagiert und praktiziert, Pläne zur Errichtung von »Judenreservaten« in Osteuropa und Madagaskar entworfen[38], aber gleichzeitig begann das nationalsozialistische Herrschaftssystem, Methoden und Personal für eine Massentötung zu erproben. In Deutschland wurden Geisteskranke und andere »unerwünschte« Personengruppen im Rahmen des sogenannten »Euthanasie«-Programms vergast. In Polen spezialisierten sich die mobilen SS-Einsatzgruppen auf die Erschießung von Angehörigen der Führungsschicht, Geistlichen und Juden. Die destruktive Dynamik der Judenverfolgung erreichte sehr schnell den Punkt, an dem der traditionelle Katalog sozialer Diskriminierung und Unterdrückung ausgeschöpft war. Dies zeigte sich vor allem in Polen, wo einzelne Besatzungsbehörden um das ersehnte Ziel wetteiferten, als erste ihre neuen Herrschaftsgebiete als »juden-frei« deklarieren zu können. Die Formen und das Ausmaß der chaotischen Vertreibungs- und Umsiedlungsaktionen, das Leben und Sterben in den Zwangsghettos und Arbeitslagern, Kompetenzstreitigkeiten und Profitgier der nationalsozialistischen Machthaber, all dies ebnete, erleichterte den Weg in die systematische Lebensvernichtung. Es bedurfte offensichtlich auch keines schriftlichen Geheimbefehls Hitlers, um die eskalieren-

den Destruktionskräfte auf den organisierten Massenmord zu lenken. Schrittweise und vor dem Hintergrund des Überfalls auf die Sowjetunion bildete sich ein allumfassendes Programm zur »Endlösung der Judenfrage« heraus, das unter dem Schleier der höchsten Geheimhaltung in die Praxis umgesetzt wurde[39].

Drei Hauptformen lassen sich nachweisen[40]. Massenweise starben Juden auf den Deportationstransporten, in den Konzentrationslagern und in den Zwangsghettos. Die Tötung erfolgte durch Einzelaktionen, Mißhandlungen, Epidemien, Erschöpfung und Unterernährung. Die Zahl dürfte die Millionengrenze überschritten haben. Ebenso hoch darf man die Zahl der Opfer ansetzen, die von den mobilen SS-Einsatzgruppen in der Sowjetunion und Teilen Südosteuropas »liquidiert« wurden. Der Tötungsakt wurde hier durch Massenerschießungen und durch den Einsatz von Gaswagen vollzogen. Die technisch-fabrikmäßige Massenvergasung schließlich erlaubte die Ermordung von mindestens drei Millionen jüdischer Menschen. Sie fand in den Vernichtungslagern von Chelmo, Belzec, Sobibor, Treblinka sowie in den Vernichtungs- und Konzentrationslagern von Majdanek und Auschwitz statt. Sorgfältige und ständig verbesserte Vorkehrungen gewährleisteten einen nahezu störungsfreien, schnellen und effizienten Tötungsverlauf. Nach der Tötung schlossen sich Akte industrieller Leichenfledderei an. Zur Spurenbeseitigung zog man Massengräber und Einäscherungsöfen heran. Benötigte Arbeitssklaven wurden in Barackenlager getrieben. Man sprach offiziell von der »Vernichtung durch Arbeit«. Nur wenige haben die Torturen und Qualen der Lagerhaft überlebt[41].

Die Realität der versuchten Ausrottung des europäischen Judentums entzieht sich noch immer einer gesicherten historischen Interpretation. Und es scheint, daß keine der gängigen Faschismustheorien in der Lage ist, diesen zentralen Verbrechenskomplex des nationalsozialistischen Herrschaftssystems zu erfassen. Eine kurze Charakterisierung einiger Erklärungsversuche mag dies verdeutlichen. Eine schlichte Aussage traf ein Marxist jüdischer Herkunft, als er 1948 auf die Frage, warum die Juden ermordet wurden, antwortete: »Nur weil es Juden waren.«[42] Große methodische Schwierigkeiten bereitete es später den marxistisch-leninistischen Historikern der DDR, die Judenvernichtung auf eine ökonomische Basis zurückzuführen und mit den Profitinteressen des herrschenden Monopol- und Finanzkapitals in Einklang zu bringen. Noch in den 60er Jahren glaubte man[43], in den Abfallprodukten der Mordindustrie die empirischen Belege gefunden zu haben, die für den Wahrheitsbeweis der sakrosankten Dimitroff-Doktrin herhalten mußten. Es waren die Gewinne deutscher Betriebe aus Lieferungen der Vergasungs- und Verbrennungsanlagen sowie die Profite aus der industriellen Leichenfledderei.

Die abstrusen Ableitungsversuche wurden bald fallengelassen. Im Zuge der Modifizierung der sowjet-marxistischen Faschismustheorie berief man sich auf »gewisse Verselbständigungstendenzen« und attestierte der NS-Führung einen freien Handlungsspielraum, die »rein ideologisch« motivierte Judenvernichtung gegen die materiellen Interessen der Bourgeoisie durchzusetzen[44]. An dem bekannten NS-Postulat, »daß wirtschaftliche Überlegungen bei der Lösung der Judenfrage grundsätzlich nicht zu berücksichtigen sind«[45], orientierten sich auch jene Faschismustheoretiker, die – wie Tim Mason – den »Primat der Politik« hervorhoben[46] und am Beispiel der Judenausrottung die Selbstzerstörung und den Irrationalismus des deutschen Faschismus zu beweisen suchten. Die Beweisführung erschöpfte sich in den Hinweisen auf die ökonomischen Schwierigkeiten und Nachteile, die sich aus der Ausschaltung der Juden ergaben; auf die Zerstörung menschlicher Arbeitskraft; auf die vergeblichen Interventionen von Industrie und Wehrmacht, unersetzliche jüdische Rüstungsarbeiter der deutschen Kriegswirtschaft zu erhalten; auf den massiven Einsatz der Deportationszüge zur Massenvernichtung auf Kosten der militärischen Nachschubversorgung und auf die späte Politik der »verbrannten Erde«. Auch Falk Pingel hob jüngst das Eigengewicht der Judenpolitik im Krieg hervor und betonte, daß »die Judenvernichtung nicht aus den Kriegsereignissen erklärbar« sei. Seine Interpretation beruht auf einer entschiedenen Umkehrung des von allen Autoren konstatierten Zusammenhanges zwischen Kriegführung und Judenmord.
»Die Vernichtung der Juden gehörte mit zu den Zielen des Krieges, und sie wurde nur insoweit auch als Mittel seiner Durchführung funktionalisiert, als sie selbst dadurch nicht in Frage gestellt wurde. Sie hatte als Ziel dieser Politik damit einen anderen Stellenwert erhalten als in der Zeit vor dem Krieg, wo sie weit mehr als Mittel der Politik angesehen wurde. Aufgrund dieser Verschiebung wurde diese Judenpolitik den regulären politischen und wirtschaftlichen Staatsinstitutionen entzogen und die Durchführung der Vernichtung als alleinigem Vollzugsorgan mit klarem Endauftrag der SS übertragen.«[47]
Auch bürgerliche Historiker gerieten in einige Verlegenheit, die Judenvernichtung zu erklären. In den ersten Nachkriegsjahren beschränkten sich verschiedene westdeutsche Gelehrte darauf, den Massenmord als einen bedauerlichen »Betriebsunfall« der deutschen Geschichte beiseite zu schieben oder der »Dämonie« Hitlers anzulasten. Ausländische Autoren fanden in den »unheilvollen« Traditionen der deutschen Geistes- und Kulturgeschichte ihre ersten Erklärungskategorien. Generell neigte man dazu, die Judenvernichtung als meta-historisches Ereignis einzustufen. Hinzu kamen die Versuche, aus dem instrumentalen Charakter des Antisemitismus die »Endlösung« abzuleiten. Beispielhaft hierfür ist die vor

allem von Leo Poliakov vertretene »Brücken-Verbrennungs-Theorie«[48]. Sie beruht auf der Annahme, daß die Judenausrottung dazu gedient habe, die deutsche Bevölkerung in ein gigantisches Kollektivverbrechen hineinzuziehen, um sie noch fester an die NS-Führung zu binden. Es folgten die Ansätze, aus den weltanschaulichen und pathologischen Vernichtungsmotiven die Judenausrottung zu erklären[49]. In den Mittelpunkt rückten die hinter dem Judenhaß stehenden manichäische Weltdeutung und chiliastische Endzeitvorstellung. Sie ließen sich in den frühen Prophezeiungen und in der späteren Verwirklichung des rassenideologischen Vernichtungsfeldzuges gegen den imaginären, allgegenwärtigen jüdischen »Weltfeind« nachweisen. Im Selbstverständnis der nationalsozialistischen Rassenfanatiker erschien die Tötung der Juden als eine notwendige, befreiende »Heilstat«. Sie entsprang der Wahnvorstellung, die Gesundung einer deutschen Herrenrasse herbeizuführen, deren gesicherte biologische und ökonomische Existenz auf der anvisierten Weltmachtstellung Deutschlands und – in der letzten Vision – auf der »bewußten Züchtung eines neuen Menschen« basieren sollte[50]. So einleuchtend diese Deutungen auch sind, das Problem bleibt bestehen, die Umsetzung von Weltanschauung und Paranoia in die Wirklichkeit empirisch nachzuweisen und die konkreten Vermittlungen oder Verzerrungen zu erfassen. Martin Broszat hat jüngst[51] auf diese Problematik hingewiesen und mit aller Vorsicht eine weiterführende These formuliert, nach der die Judenvernichtung »nicht nur aus dem vorgegebenen Vernichtungswillen [entstand], sondern auch als ›Ausweg‹ aus einer Sackgasse, in die man sich selbst manövriert hatte. Einmal begonnen und institutionalisiert, erhielt die Liquidierungspraxis jedoch dominierendes Gewicht und führte schließlich faktisch zu einem umfassenden ›Programm‹.«

Die Forschung wird sich zu dieser »Improvisations-These« zu äußern haben. Ebenso darf man erwarten, daß dabei Themenkomplexe aufgehellt werden, die bislang noch weitgehend im dunkeln liegen. Dies gilt nicht nur für die historischen Entscheidungs- und Vermittlungsprozesse, sondern auch für die Bezüge zwischen der »Endlösung« und der Verfolgung und Ermordung anderer Personengruppen, die ebenso wie die Juden als »Volks- und Reichsfeinde« eingestuft wurden: Kommissare der Roten Armee und russische Kriegsgefangene[52], Mitglieder ausländischer Führungsschichten und Zwangsarbeiter, Widerstandskämpfer aus allen Lagern, Zigeuner, Zeugen Jehovas und andere religiöse Sekten, Geisteskranke, Homosexuelle, Kriminelle und »Asoziale«.

III.

Antisemitismus und Judenvernichtung werfen die Frage nach dem Verhalten und der Verantwortung der Gesellschaft auf. Die Beantwortung setzt die Herstellung eines sozialen Bezugsrahmens voraus, der die einzelnen Beziehungen und Dimensionen sichtbar werden läßt. Ausgangspunkt ist die Tatsache, daß die jüdische Bevölkerungsgruppe weder in Deutschland noch im Ausland ausreichend Schutz, Rückhalt und Solidarität fand. Die Ausnahmen bestätigen die Regel. Als generelle These gilt der Satz: Das Verhalten der Gesellschaft erleichterte und ermöglichte der NS-Führung, den schrittweisen Prozeß der Ausschaltung und Vernichtung in die Praxis umzusetzen. Letztlich unvorbereitet und hilflos sahen sich die Juden in Deutschland wie später in den besetzten Gebieten einem Herrschaftssystem ausgeliefert, das ihnen nicht die geringste Chance einer kollektiven Abwehrstrategie bot.
In der propagandistischen Selbstdarstellung präsentierte sich das nationalsozialistische Herrschaftssystem als ein homogener, monolithischer Block der – getreu der Parole »Ein Volk – Ein Reich – Ein Führer« – hierarchisch strukturiert und einzig und allein durch die Omnipotenz Adolf Hitlers zusammengehalten wurde. Totalitarismusforschung und »Hitlerismus« übernahmen und modifizierten diese Vorstellung; einer kritisch-empirischen Überprüfung hielt sie nicht stand. Neuere Untersuchungen haben das Bild eines Herrschaftsgefüges entworfen, das von mehreren »Machtsäulen« getragen wurde, die, ineinander verzahnt, sich nicht selten bekämpften und blockierten. Als Leitinstanzen dieser komplizierten und dynamischen »NS-Polykratie«[53] erschienen: NS-Führungsspitze und Massenpartei (NSDAP), Staatsbürokratie, SS, Militär und Wirtschaft. Kein Element dieser »Machtsäulen«, zu denen sich noch Kirche und Wissenschaft gesellten, zeichnete sich durch Homogenität aus. Übernimmt man dieses Strukturmodell, so wird sichtbar, daß sich das Bündnissystem zwischen Nationalsozialismus und den alten sozialkonservativen Eliten auch in der Judenverfolgung bewährte. Mehr noch: Die systemimmanenten Kompetenzstreitigkeiten und Profilierungskämpfe der einzelnen Leitinstanzen und ihrer nachgeordneten Ressorts erwiesen sich als ein wichtiger Faktor für die Radikalisierung der nationalsozialistischen Judenpolitik. Obwohl einige Studien und Dokumentationen bislang nur Teilaspekte aufgehellt haben, lassen sich inzwischen ganz allgemein die jeweiligen Bezüge, Organisationsformen und Auswirkungen wie folgt charakterisieren: Die Grundentscheidungen wurden von der NS-Führungsspitze getroffen. Bei allem Handlungsspielraum, den sich die Leitinstanzen erstritten, und mit eigenen, oft widersprüchlichen Plänen und Aktionen auszufüllen suchten, der »Führer und Reichskanzler«

Adolf Hitler bestimmte Kurs und Ziel der Judenpolitik. Diese Aussage leistet dem »Hitlerismus« keineswegs Vorschub. Sie unterstreicht allein die Erkenntnis, daß Hitler willens und imstande war, ein nationalsozialistisches Grundprinzip durchzusetzen: die Entfernung der Juden aus dem deutschen Herrschaftsbereich. Offen war die Frage, wann und wie sich diese Kernidee verwirklichen ließ. Das Fehlen umfassender, systematischer und langfristiger Planungen ist ein Indiz hierfür. Entscheidend war, daß Hitler auf die Mitwirkung der einzelnen Leitinstanzen angewiesen war. Ihnen wurde es überlassen, die Leitlinien auszuführen, also nach den Wegen und Mitteln zu suchen, die die konkrete Umsetzung der nationalsozialistischen Rassendoktrin in die Wirklichkeit erlaubten. Einflußnahme und Profilierung waren damit gewährleistet.
Der NSDAP und ihren Massenorganisationen blieb es vorbehalten, den Verfolgungsprozeß in Gang zu setzen und voranzutreiben. Parteimitglieder besorgten die moralische Diffamierung. Die Hetzkampagnen dienten nicht nur der Isolierung und Demoralisierung der Juden, sie beschleunigten und verliehen den Ausschaltungen und Vertreibungen die »weltanschauliche« Legitimierung. Es waren in erster Linie lokale Parteiinstanzen, die immer wieder vorprellten und das Startzeichen zu »willkürlichen« Einzelaktionen gaben, um »von unten« Druck auf die zentralen Leitinstanzen auszuüben, die »gesetzlichen« Grundlagen zur Ausschaltung der jüdischen Bevölkerungsgruppe zu schaffen.
Wann immer die Partei ihre »spontanen« Aktionen beendet und den vermeintlichen »Volkswillen« bekundet hatte, trat die Staats- und Verwaltungsbürokratie in Aktion, um dem »Gesetz« und der »Ordnung« Geltung zu verschaffen. Der deutschen Beamtenschaft fiel es – von Ausnahmen abgesehen – 1933 nicht schwer, die staatlich-bürokratische Kontinuität aufrechtzuerhalten. Beamte und Angestellte zeichneten sich durch Loyalität, Diensteifer und Sachverstand aus. Man diskutierte und fertigte mehr als 1000 Ausnahmegesetze, Anordnungen und Durchführungsbestimmungen[54], mit denen die Juden aus allen Bereichen des öffentlichen, kulturellen und ökonomischen Lebens vertrieben wurden. Es gab kein Ministerium[55], kaum eine Behörde, keine Stadtverwaltung, kein Gericht, Arbeitsamt oder Finanzamt und später keine deutsche Besatzungsverwaltung, die nicht von »Amts wegen« für die »Lösung« einer Judenangelegenheit zuständig war.
Neben den staatlichen Zwangsmaßnahmen, die in der Forschung einen breiten Raum einnehmen[56], lief die polizeilich-administrative Praxis der Unterdrückung und Terrorisierung. Diese Aufgabe übernahm die SS. Mit dem Aufbau und der wachsenden Machtentfaltung des weitverzweigten SS-Apparates schuf sich der Nationalsozialismus das Herrschaftsinstrumentarium, das dem »bloßen« Judenhaß eine rationalistisch-bürokrati-

sche Logik unterlegte und ihm ein administratives Moment gab[57]. Fachmännisch besetzt, wurden systematisch und relativ lautlos von dieser Leitinstanz im allgemeinen und der Gestapo im besonderen Aufspürung, Überwachung und Bekämpfung aller »Volks- und Reichsfeinde« organisiert und durchgeführt. Heinrich Himmler und Reinhard Heydrich bauten die Eckpfeiler ihres Machtdreiecks von SS, Polizei und KZ so aus, daß sich der SS-Apparat im Zweiten Weltkrieg anbot, als Exekutivorgan der »Endlösung« eingesetzt zu werden.

Während die zentrale Rolle der SS in einer ganzen Reihe von Untersuchungen und Dokumentationen herausgestellt worden ist[58], fehlt es noch immer an Spezialstudien, die sich auf die Helfershelfer und Nutznießer konzentrieren. Das soziale Spektrum fällt breit aus, in Deutschland wie in fast allen besetzten Gebieten. Transportfirmen wurden für die Deportation angeheuert, Juden mit Kraftwagen oder Taxen, mit Bussen, Lastkraftwagen oder Straßenbahn zu den Verladebahnhöfen gebracht. Eisenbahnpersonal half, die schwierigen Transportprobleme zu lösen. Die Ausarbeitung der Fahrpläne, die Bereitstellung und Bedienung der Züge, die Erfassung und Verwertung der materiellen Güter der Deportierten – all dies erforderte nicht nur einen gewaltigen Zeit- und Arbeitsaufwand, sondern setzte auch die enge Kooperation mit der SS voraus.

Auch die Wahrmacht als Macht- und Waffenträger des nationalsozialistischen Herrschaftssystems leistete ihren Beitrag. Mitwirkung und Mitverantwortung an der Verfolgung und Vernichtung des europäischen Judentums gehörten über Jahre hinweg zu den großen Tabubereichen, die von der einschlägigen Memoirenliteratur, Geschichtsschreibung und Publizistik tradiert und verfestigt wurden. Erst mit den Arbeiten von Messerschmidt und Müller, Hillgruber und Jacobsen, Krausnick und Umbreit kündigte sich eine kritisch-historische Aufarbeitung an, in die das Problem der Judenverfolgung mit einbezogen wurde[59]. Eine weitere Lücke wurde jüngst von Christian Streit geschlossen[60]. Seine richtungweisende Studie gibt Auskunft über die Behandlung der sowjetischen Kriegsgefangenen und deckt einzelne Bezüge zur »Endlösung« auf. Gleichwohl können auch diese Ansätze nicht darüber hinwegtäuschen, daß der Gesamtkomplex Militär und Judenverfolgung noch weitgehend im dunkeln liegt; umfassende Darstellungen und Dokumentationen stehen bis heute aus[61].

Noch bevor die Phase der Ausschaltung und Vertreibung der deutschen Juden abgeschlossen war, half das Militär eine Weiche zu stellen, die die territoriale Ausdehnung der Judenverfolgung und den Übergang zum organisierten Massenmord ermöglichte. Trotz aller Bedenken, die zunächst gegen die »risikoreiche« Kriegspolitik Hitlers geäußert wurden und trotz des offenen Unmuts über die »unehrenhafte« Behandlung widerstrebender Generale, folgte das pflicht- und traditionsbewußte Offizierskorps den Eroberungsbefehlen und nahm Völkerrechtsverletzungen in Kauf. Die ersten »Blitzkriege« verstärkten die allgemeine Siegeszuversicht und ließen die oppositionellen Stimmen verstummen. Die schnelle Auflösung der Militärverwaltungen in Polen und in den Niederlanden dokumentierte ebenso die Anpassungsfähigkeit der militärischen Führungsspitze. Mit Erleichterung zog sich das Heer aus der Verantwortung der Besatzungsverwaltung zurück, um das Feld der politischen »Neuordnung« und der völkischen »Flurbereinigung« den Instanzen von Staat, SS und Partei zu überlassen. Dieser Entschluß wurde durch die Kenntnisse und Konflikte über die ersten Ausrottungsaktionen der SS-Einsatzkommandos im besetzten Polen mitbestimmt. Es hat hier wie auch in anderen Gebieten nicht an vereinzelten Protesten und Interventionen gefehlt, dominierend war und blieb jedoch die »Haltung des achselzuckenden Wegschauens«[62].

In der Forschung hat sich die These von der »institutionellen Bewahrungspolitik« durchgesetzt[63]. Sie besagt, daß es der Heeres- und Wehrmachtführung letztlich nur darum ging, gegenüber den rivalisierenden politischen Leitinstanzen und Ressorts die eigene Position abzusichern und auszubauen, um bei der Gestaltung des anvisierten »Großgermanischen Reiches« weiterhin eine ausschlaggebende Rolle spielen zu können. Die Integration in die NS-Politik erforderte Anpassung und Profilierung. Beides wurde auch in der Judenverfolgung unter Beweis gestellt. Symptomatisch waren die Maßnahmen, die von den Militärverwaltungen zur »Lösung der Judenfrage« getroffen wurden. Militärverwaltungen gaben die amtlichen Judenverordnungen heraus, die die juristischen Voraussetzungen für die Erfassung und Ausschaltung der Juden schufen. Militärische Dienststellen zeichneten sich bei der »Arisierung« jüdischen Besitzes aus, überwachten den Einsatz jüdischer Rüstungsarbeiter oder stellten Kommandos zur Verfügung, die die Deportationen bis zur Grenze begleiteten. Dank der verwaltungsmäßigen und praktischen Hilfe der Militärverwaltungen fiel es den SS-Instanzen nicht schwer, die »Lösung der Judenfrage« im Sinne der politischen Führung voranzutreiben.

Der qualitative Sprung von der Mitwisserschaft zur Mittäterschaft läßt sich nicht nur mit dem Hinweis auf die »institutionelle Bewahrungspolitik«, sondern auch aus der ideologischen Interessenidentität erklären. Christian Streit hat die Komponenten dieser ideologischen Übereinstimmung aufgedeckt und den überzeugenden Nachweis über die Einbeziehung der Wehrmacht in die nationalsozialistische Ausrottungspolitik erbracht[64].

Widerspruchslos nahmen hohe Offiziere aller drei Wehrmachtteile die Ankündigung Hitlers vom 30. März 1941 hin, bei der Durchführung der

»rasseideologischen Prinzipien seiner Ostkriegskonzeption« die Fronttruppe aktiv zu beteiligen[65]. Dies ließ sich um so leichter bewerkstelligen, als Hitlers »Lebensraum«-Konzept neben den territorialen Expansionszielen ein politisch-soziales Aggressionsobjekt offerierte, das die Integration der Militärs erlaubte. Es war das Feindbild vom »jüdischen Bolschewismus«, mit dem Juden und Bolschewisten verbunden und der Vernichtung anheimgestellt wurden. Die Beratungen und Bestimmungen des »Kommissarbefehls« und »Barbarossabefehls«, die offiziellen Schriftwechsel, Tagebucheintragungen, militärischen Einsatzbefehle, Aufrufe an die Frontsoldaten und Ereignismeldungen ließen nichts an Deutlichkeit fehlen[66]. Und es waren reguläre Wehrmachteinheiten, die eigenständig oder in enger Kooperation mit den SS-Einsatzgruppen im Zeichen der »Banden-Bekämpfung« in Ost- und Südosteuropa nicht nur an der Aufspürung und Verfolgung, sondern auch an den Massenerschießungen und Massenvergasungen von Juden, Zigeunern und anderen »asiatisch-minderwertigen Volksschädlingen« beteiligt waren.

Ein Themenkomplex ist hier von besonderer Bedeutung: die Frage nach der Behandlung jüdischer Kriegsgefangener in den Lagern der Wehrmacht. Soweit bekannt, sind die sowjetischen Kriegsgefangenen jüdischer Herkunft nahezu ausnahmslos liquidiert worden[67]. Dasselbe Schicksal erlitten offensichtlich auch jüdische Kriegsgefangene anderer Nationalitäten. Es war dies ein Resultat der OKW-Direktive vom 17. Juli 1941, die die Übergabe »politisch gefährlicher Elemente« unter den Gefangenen an die SS vorsah. Die Weisungen der SS wiederum verlangten die Liquidierung aller Juden. Im Befehlsbereich des OKH trat diese OKW-Weisung erst im Oktober 1941 in Kraft. Obwohl das Verfahren im OKW nicht unwidersprochen blieb und fast allgemein im Offizierskorps abgelehnt wurde, blieb es doch in dieser Hinsicht bei der engen Zusammenarbeit zwischen Wehrmacht und SS. Die ideologische Verschmelzung von Judentum, Bolschewismus und Partisanentätigkeit im Kriegsgebiet hat in den Augen vieler konservativ denkender Offiziere das Ihre zu dieser Entwicklung beigetragen[68].

Zu den Säulen des nationalsozialistischen Herrschaftssystems zählte die Wirtschaft, eine Leitinstanz, von der sich die jüdische Bevölkerungsgruppe ebensowenig Schutz und Hilfe erhoffen konnte. Im Gegenteil: Die Verdrängung der Juden aus dem Wirtschaftsleben versprach die Befreiung vom jüdischen Konkurrenten und die Übernahme jüdischen Eigentums[69]. Zahlreiche Wirtschafts- und Industriebetriebe sowie ein Heer von kleinen Geschäftsleuten drängten auf die sogenannte »Arisierung«, bereicherten sich am fremden Besitz und zogen aus der folgenden Versklavung und Ausbeutung von Hunderttausenden von Zwangsarbeitern und KZ-Häftlingen noch den größtmöglichen Nutzen. Nahezu alle gro-

ßen Konzerne errichteten in den Konzentrationslagern Fabrikationsstätten, liehen sich von der SS ein Heer billiger Arbeitssklaven aus, für die sie teilweise selbst fabrikeigene Lager zur Verfügung stellten.
Innerhalb des nationalsozialistischen Herrschaftssystems nahmen die Kirchen[70] als moralische Leitinstanz eine besondere Stellung ein, die sich auch in ihrer Einstellung zur »Judenfrage« niederschlug. Fest steht, daß große Teile der Amtskirche einschließlich hoher Würdenträger sowohl katholischer als auch protestantischer Konfession und nicht zuletzt breite Schichten des Klerus die nationalsozialistische Machtergreifung begrüßten und sich von der »nationalen Revolution« die Gesundung einer von »jüdisch-bolschewistischen« Elementen gesäuberten deutsch-christlichen »Volksgemeinschaft« versprachen. Die obrigkeitsstaatlichen, judenfeindlichen und antisozialistischen Traditionen erleichterten Anpassung und Kooperation. Der »Pakt« brach auch nicht auseinander, als die Kirchen alsbald selbst in das Schußfeld nationalsozialistischer Angriffe gerieten und sich ein kirchlicher Widerstand regte[71]. Es waren einzelne geistliche Würdenträger – vor allem aus dem niederen Klerus –, die von der offiziellen Generallinie der Kirchenführung abwichen und es wagten, gegen die Verfolgungen offen zu protestieren oder sich bemühten, unter Einsatz ihres Lebens Juden wie anderen Verfolgten Schutz und Hilfe zu gewähren. Die Kirchenleitungen in Deutschland hüllten sich – anders als in den besetzten Gebieten – in Schweigen. Sie erwiesen sich selbst als unfähig, den Christen jüdischer Abstammung den Schutz der Kirche anzubieten. Als Ende 1941 in Deutschland die Deportationen einsetzten, wurden die getauften Juden von den Kirchen wieder zu Juden deklariert und der »Endlösung« überlassen. Das Rettungswerk eines Propstes Grüber und anderer Fluchthilfegruppen, die Aktionen eines Dompropstes Lichtenberg, eines Kaplan Roissant und anderer Geistlicher stellen rühmliche Ausnahmen dar.
Bezeichnend für die Haltung der katholischen Kirche war ihre Reaktion auf das »Euthanasie«-Programm. Mit der Lebensvernichtung von Geisteskranken sah die katholische Kirche eines ihrer fundamentalen Glaubensdogmen verletzt. In den Protestpredigten und -briefen des Münsteraner Bischofs Graf v. Galen schlugen sich Empörung und Auflehnung nieder. Aufgeschreckt durch die Gegenwehr und allgemeine Unruhe in der deutschen Bevölkerung erklärte Hitler 1941 die »Euthanasie« offiziell für beendet, nur um sie im geheimen fortzusetzen. Von der »Euthanasie« führte ein direkter Weg in die »Endlösung der Judenfrage«. Die Gerüchte über die systematische Lebensvernichtung des europäischen Judentums vermochten weder die Kirche noch die Bevölkerung mehr aufzuschrecken.
Die Frage nach den Einstellungen und Verhaltensweisen der deutschen

Bevölkerung leitet zu einem Themenkomplex über, der noch weitgehend im dunkeln liegt. Nur verstreut lassen sich in der Literatur Hinweise finden, die sich auf Teilaspekte und Einzelvorgänge beziehen[72]. Trotz dieser Einschränkungen läßt sich – zumindest in groben Umrissen – eine allgemeine Verhaltenstypologie entwerfen, die drei Grundmuster unterscheidet: Solidarität, Aggression und Gleichgültigkeit.

Ausschaltung und Vertreibung der jüdischen Bevölkerungsgruppe spielten sich bis 1941 in aller Öffentlichkeit ab. Sie lösten keine allgemeine, massive Gegenwehr der deutschen Bevölkerung aus. Was man in allen Teilen Deutschlands und bis in die Deportationszeit hinein finden kann, waren einzelne Akte *solidarischen Verhaltens* und *humanitärer Hilfestellung*. So gab es Deutsche aus allen Bevölkerungskreisen, die sich über die Judenverfolgung empörten; Äußerungen des Abscheus, des Bedauerns und des Mitleids sind überliefert. Soweit bekannt, erschöpfte sich die schärfste Form einer öffentlichen Auflehnung in einer einzigen Protestdemonstration. Im Februar 1943 erzwangen deutsche Frauen in Berlin die Freilassung ihrer verhafteten jüdischen Ehemänner[73]. Andere Sympathiekundgebungen beschränkten sich auf kleine Freundlichkeiten und Gesten. So erhoben sich z. B. nach der Einführung des Judensterns vereinzelt Deutsche spontan in Verkehrsmitteln von ihren Plätzen, um dem gezeichneten »Volksfeind« eine Sitzgelegenheit anzubieten. Heimlich oder offen wurden Lebensmittel oder Rauchwaren zugesteckt, Besorgungen abgenommen. Darüber hinaus gab es schließlich noch Deutsche, die über Jahre hinweg den persönlichen Umgang mit dem jüdischen Bekannten pflegten und sich ab 1941 in der sicheren Erkenntnis der eigenen Lebensbedrohung und -vernichtung für die Rettung von Juden einsetzten[74]. Nach Kriegsende zeichnete der Westberliner Senat 687 Berliner Bürger für ihr Rettungswerk aus. Das israelische Yad Vashem fand und ehrte weitere 69 »aufrechte« Deutsche[75].

Weitaus größer dürfte die Zahl jener Deutschen gewesen sein, die ihrem Judenhaß freien Lauf ließen. Die Aggressionen entluden sich in judenfeindlichen Demonstrationen und Anpöbeleien, in Mißhandlungen und Ausplünderungen. Intensität und Ausmaß variierten. Sie traten offensichtlich weniger in Großstädten und industriellen Ballungszentren als vielmehr in jenen Regionen zutage, in denen der Antisemitismus auf eine lange Tradition zurückblicken konnte und feste Wurzeln geschlagen hatte.

Zum »Alltag« des Nationalsozialismus gehörte schließlich noch eine besondere Verhaltensform: Denunziationen und Bespitzelungen. Die Quellenlektüre vermittelt ein geradezu erschreckendes Bild über Verbreitung und Auswirkungen dieses Massenphänomens, das selbst von der NS-Bürokratie wiederholt als »Unwesen« bezeichnet und als ein »arbeitsstörender« Eingriff empfunden wurde. Die fragmentarische Überlieferung schließt eine gesicherte Quantifizierung aus. Sie gestattet allein Aussagen über relative Werte. So enthält z. B. die überwiegende Mehrzahl der gesichteten Personalakten deutscher Juden Vermerke und Belege über Denunziationen. Allein aus dem Düsseldorfer Bestand wurden 150 Personalakten herangezogen, die sich auf »staatsfeindliches Benehmen« und »staatsfeindliche Äußerungen« beziehen. Die Überprüfung ergab, daß nur in 30 Fällen den angezeigten Juden ein tatsächliches »Vergehen« nachgewiesen wurde. In 120 Fällen reichten die Verdachtsmomente für eine Bestrafung nicht aus. Das Denunziantentum, bei dem sich die lokalen Parteigrößen im allgemeinen und die »Nachbarn« im besonderen hervortaten, nahm nach der »Reichskristallnacht« ein Ausmaß an, das die »Lösung der Judenfrage« erschwerte und Generalfeldmarschall Göring zum Eingreifen zwang. In seiner Eigenschaft als Generalbevollmächtigter für den Vierjahresplan beklagte er sich über die »vielen Denunziationen... in der Judenfrage« und ließ am 10. Januar 1939 über das Reichsministerium des Innern die Reichsstatthalter anweisen[76], im Interesse der »unbedingt erforderlichen, gleichmäßigen und störungsfreien Durchführung« des Vierjahresplanes gegen die »unerfreulichen Mißstände« vorzugehen. Trotz Intervention durch hochgestellte Persönlichkeiten dauerten Bespitzelungen und Denunziationen weiter an. Hunderte von Juden und Nicht-Juden fielen ihnen zum Opfer.

Passivität und Gleichgültigkeit als dominierende Verhaltensweise resultierten weniger aus der Tradierung und festen Verankerung einer antisemitischen Grundeinstellung, sondern vielmehr aus der sozialen Funktion, die Antisemitismus und Judenverfolgung als direktes und indirektes Herrschaftsinstrument erfüllten. Der Zusammenhang besteht darin, daß der Antisemitismus zum Prototyp der nationalsozialistischen Gewaltherrschaft erhoben wurde und die direkte Terrorisierung der Juden – wie anderer »Volks- und Reichsfeinde« – indirekt auf die Bevölkerung zurückschlug, sie zur Anpassung, Unterwerfung und Anerkennung der nationalsozialistischen Herrschaft zwang. An der Behandlung der verfemten und sozial deklassierten jüdischen Bevölkerungsgruppe konnte die Gesamtbevölkerung erkennen und ermessen, wie es dem erging, der dem NS-Regime nicht genehm war[77]. NS-Propaganda und Indoktrination verschafften – gleichsam als positives Pendant – der Bevölkerung die Befriedigung, Teil des privilegierten, »auserwählten Herrenvolkes« zu sein. Diese Identifizierung schloß solidarisches Verhalten weitgehend aus. Man wollte und durfte für die Verfolgten nicht Partei ergreifen. Man sah ihre Lage, ahnte ab 1941 ihr ungewisses Schicksal, das man nicht teilen wollte. Man schaute weg – und genau das war es, was die NS-Führung anvisiert und erreicht hat. J. P. Stern schrieb dazu: »Die Bevölkerung wußte so viel und so wenig wie sie wissen wollte. Was sie nicht wußte, das wollte sie aus verständlichen Gründen nicht mehr wissen. Etwas nicht wissen zu wollen, heißt jedoch stets, daß man genug weiß, um zu wissen, daß man nicht mehr wissen will.«[78] Noch einen weiteren Bezugspunkt gilt es zu berücksichtigen: die Frage nach dem historischen Stellenwert des deutschen Widerstandes. Zu keinem Zeitpunkt hat der organisierte Widerstand gegen das nationalsozialistische Herrschaftssystem Formen einer Massenbewegung angenommen. Innerhalb der Widerstandsbewegungen hat es nicht an vereinzelten Protesten und Beispielen humanitärer Hilfe gefehlt. Gleichwohl läßt sich die These aufstellen, daß die einzelnen – von der Gestapo verfolgten wie von der Bevölkerung isolierten – Widerstandszentren weder in der Lage noch willens waren, den Kampf gegen die Judenverfolgung in den Mittelpunkt ihres Handelns zu stellen. Eine kurze Charakterisierung mag dies verdeutlichen.

Der kirchliche Widerstand entzündete sich in erster Linie an theologischen Grundsatzfragen und wurde im Rahmen eines »Kirchenkampfes« ausgetragen. Die Teilnahme von Juden verbot sich von selbst. Verschlossen blieb ihnen ebenso der Weg in den bürgerlich-konservativen Widerstand, der von Honoratioren, Bürokraten und Militärs getragen wurde. Nach 1933, als die deutsch-jüdische Lebensgemeinschaft zerstört wurde, rührte er sich kaum. Er setzte erst in der unmittelbaren Vorkriegszeit ein, zu einem Zeitpunkt, als die Juden aus der Gesellschaft bereits ausgestoßen und demoralisiert waren. Nur am Rande tauchte das Problem der »Judenfrage« auf.

Goerdelers berühmte Denkschriften sind von traditionellen machtpolitischen Ansprüchen, völkisch-nationalen Tönen und illiberalen Ressentiments durchzogen. Hier wie in anderen »Neuordnungskonzeptionen« bürgerlich-konservativer Provenienz wird nur allzu deutlich, daß Betroffenheit und die Auseinandersetzungen über die versuchte Lebensvernichtung des europäischen Judentums nur von marginaler Bedeutung waren. Von Beginn an haben sich Angehörige der deutschen Arbeiterbewegung um die Organisierung und Entfaltung des Widerstandes bemüht. Aber auch hier spielte die »Judenfrage« keine entscheidende Rolle. Das traditionelle marxistische Interpretationsmodell schrieb die Leitlinien vor, an denen sich die Haltung zu orientieren hatte[79]. Im Unterschied zum bürgerlichen Widerstand bot der Arbeiterwiderstand jedoch Parteimitgliedern und Sympathisanten jüdischer Herkunft eine, wenn auch begrenzte Möglichkeit, den aktiven Kampf gegen das nationalsozialistische System aufzunehmen.

Nach 1939 fanden die Nationalsozialisten in allen besetzten Gebieten ein ausreichendes Potential kollaborierender Instanzen, die an der Verfolgung und Vernichtung der jüdischen Gemeinden mitwirken konnten. Solidarität, Gleichgültigkeit und Aggression bestimmten die Verhaltensweisen der Bevölkerung. Im Unterschied zu Deutschland fielen jedoch die äußeren Grenzwerte anders aus. In Teilen Osteuropas entluden sich die judenfeindlichen Einstellungen in weitaus stärkerem Maße. In Nord- und Westeuropa traten sie kaum in Erscheinung. Hier nahmen Akte und Demonstrationen der Solidarität und Hilfestellung einen breiteren Platz ein. Charakteristisch war jedoch auch, daß sich der Widerstand weniger an der nationalsozialistischen Judenpolitik, sondern primär an der allgemeinen Besatzungspolitik entzündete und erst zu einer Zeit massivere Formen annahm, als die Deportationen schon vorüber waren, und sich mit der veränderten militärischen Lage die baldige Befreiung des okkupierten Landes ankündigte. Die Kriegsereignisse lieferten fast allen Staaten die Handhabe, die Landesgrenzen hermetisch abzuriegeln. Die Nachrichten über die Lebensvernichtung des europäischen Judentums, die sichere Kenntnis über die Existenz der SS-Erschießungskommandos und der Massenvernichtungslager lösten allein noch verbale Proteste aus. Die Priorität der politischen und militärischen Kriegsziele der Alliierten gebot es, den Verlust der jüdischen Bevölkerungsgruppe in Kauf zu nehmen.

IV.

Vor dem Hintergrund des hier entwickelten historischen und sozialen Bezugsrahmens lassen sich die Rolle der jüdischen Organisationen und die Verhaltensweisen der jüdischen Bevölkerungsgruppen skizzieren. Ausgangspunkt ist hier die Erkenntnis, daß es einen allgemeinen jüdischen Widerstand weder gab noch geben konnte. Ebensowenig haben sich Juden – um die berühmte Formel zu gebrauchen – »als Lämmer auf die Schlachtbank« treiben lassen[80]. Juden haben – kollektiv und individuell – eine Vielzahl von Abwehr- und Überlebensstrategien entwickelt, die traditions- oder zeit-, sozial- oder personenbedingt waren.

Eine Grundentscheidung, die die Situation und das Verhalten der deutschen Juden bestimmte, fiel bereits vor 1933. Die Zerstörung der Weimarer Republik zerschlug den über Jahre hinweg praktizierten und auf demokratischen und rechtsstaatlichen Prinzipien basierenden jüdischen Abwehrkampf gegen Antisemitismus und Nationalsozialismus[81]. Mit der politischen Abdankung des liberalen Bürgertums und der schnellen Liquidierung der organisierten Arbeiterbewegung verloren die rund 500000 deutschen Juden, die sich in ihrer überwältigenden Mehrheit assimiliert, d. h. in ihrer sozio-ökonomischen Stellung und ihren politisch-ideologischen Bewußtseinshaltungen fast völlig der Umwelt angepaßt hatten[82], diejenigen beiden gesellschaftlichen Kräfte, die einst ihre Emanzipation propagiert und mitgetragen hatten. Obwohl die nationalsozialistische Machtübernahme den Mythos der deutsch-jüdischen »Symbiose«[83] zertrümmert und der staatlich-sanktionierte Terror eine jüdische »Zwangsgemeinschaft« konstituiert hatten, schloß die politische, soziale und religiöse Heterogenität des deutschen Judentums – und dies galt auch später für die jüdischen Gemeinschaften in den besetzten Gebieten – ein einheitliches, innerjüdisches Abwehrkonzept aus. Charakteristisch hierfür waren Haltung und Aktivitäten der deutsch-jüdischen Organisationen[84]. Unter dem Eindruck der Vorbereitungen, Geschehnisse und Auswirkungen des »April-Boykotts« von 1933 bemühten sie sich um eine erste Standortbestimmung.

Die Assimilanten hielten unbeirrt an ihren traditionellen Abwehrargumenten fest und pochten auf ihr »Heimatrecht«. Die Zionisten beriefen sich auf die »jüdische Anomalie« und propagierten die Auswanderung nach Palästina. Die Orthodoxen forderten die ungeschmälerte Ausübung der Religion. Die extrem-nationalistischen Splittergruppen gaben sich der Hoffnung hin, selbst noch einen gebührenden Platz in dem neuen »Führerstaat« zu erhalten. Solche internen Auseinandersetzungen und Animositäten blieben den Nationalsozialisten nicht verborgen, und es fiel den Leitinstanzen, allen voran den »Judenexperten« des SD, nicht schwer, die »gegenassimilatorischen« Organisationen und Repräsentanten zu privilegieren. Dies galt vor allem für die Staatszionisten, die auf legalem und illegalem Wege versuchten, die Auswanderung nach Palästina zu verstärken.

Von Beginn an ließ die 1933 etablierte »Reichsvertretung der deutschen Juden« unter der Führung Leo Baecks und Otto Hirschs keinen Zweifel daran, daß sich ihre Aktivitäten in den Bahnen und Grenzen strikter Legalität bewegen würden. Zwei Ebenen gilt es zu unterscheiden. Nach außen – gegenüber den staatlich-polizeilichen Kontrollinstanzen wurde die Haltung von der Sorge bestimmt, daß jede offene Abweichung, jedes als illoyal zu interpretierende Verhalten zwangsläufig die weitere Gefährdung der jüdischen Gemeinschaft nach sich ziehen würde. Ein Traditionselement wirkte sich aus, das Bewußtsein, im Interesse der kollektiven Existenzabsicherung und Solidarität auf den aussichtslosen militanten Widerstand zu verzichten. Die Möglichkeit wurde erwogen – und verworfen. Man wählte einen anderen Weg. Nach innen – gegenüber der jüdischen Gemeinschaft – hoffte und vertraute man darauf, moralische Diffamierung und soziale Diskriminierung auf traditionelle Weise abfangen und beantworten zu können. Wie in früheren Krisen- und Verfolgungsphasen der jüdischen Geschichte lag die Hauptantwort in der Intensivierung jüdischen Lebens und jüdischer Kreativität.

Mit der Intention, jüdische Existenz zu wahren und zu schützen, folgten jüdische Repräsentanten auch nach 1939 den Befehlen der Nationalsozialisten, Judenräte zu bestellen. Es waren in der Regel angesehene Gemeindevertreter, die in den besetzten Gebieten (wie auch in Deutschland) Aufgaben übernahmen, die alsbald die beabsichtigte Schutzfunktion in ihr Gegenteil verkehrten. Unter der strengen Aufsicht der SS wurde ein jüdischer Apparat aufgebaut und gezwungen, die bürokratisch-administrativen Kollaborationsdienste zu leisten, die den Nationalsozialisten die weitere Demoralisierung, Kontrolle und Ausschaltung der jüdischen Gemeinden erleichterten. Judenräte waren angehalten, bei der Registrierung, Konzentrierung, Kennzeichnung und Deportation behilflich zu sein. Terror und Privilegien sorgten dafür, daß sie bis zum Ende ihre Rolle als Befehlsübermittlungszentralen spielten.
Die Problematik und Komplexität der Judenräte lassen Pauschalurteile nicht zu[85]. Unbestritten ist das verzweifelte Bemühen, im Angesicht des drohenden Untergangs jüdische Existenz- und Überlebensräume abzusichern und auszubauen. Es gab eine ganze Reihe von Judenräten, die NS-Anordnungen unterliefen, offen rebellierten und Kontakte zu Widerstandsgruppen suchten. Einige Mitglieder anderer Judenräte erlagen der Korrumpierung: diktatorische Machtstellung, offene Kollaboration, persönliche Bereicherung und Verrat waren die Folgen. Nachweisbar sind auch jene Fälle, bei denen Personen jüdischer Herkunft als Spitzel und Denunzianten auftraten und sich vor allem bei der Aufspürung untergetauchter Juden auszeichneten. Kaum eine jüdische Gemeinschaft im besetzten Europa ist von diesem extremen Verhaltensphänomen verschont geblieben.
Sucht man die Reaktionsweisen der jüdischen Bevölkerungsgruppen zu beschreiben, so bietet sich eine Typologie an, die zwischen konformem und nicht-konformem Verhalten unterscheidet und innerhalb dieser Grundmuster weitere Differenzierungen und offene Grenzbereiche zuläßt. Als konformes Verhalten gelten alle Handlungsweisen, die darauf abzielten, den NS-Anordnungen Folge zu leisten. Das nationalsozialistische Herrschaftssystem verordnete der jüdischen Bevölkerungsgruppe Verhaltensnormen, die den jeweiligen Zielsetzungen der Judenpolitik entsprachen. Von den Juden wurde erwartet – und durch Terror erzwungen –, die Diffamierung, Separierung, Registrierung, Konzentrierung, Kennzeichnung, Deportation und Tötung widerspruchslos hinzunehmen. Mit diesem schrittweisen Vorgehen stellten sich Bewußtseinsveränderungen ein, die die jeweilige Anpassung bedingten: Sie lagen zunächst in der Gewißheit, daß trotz der Diskriminierung die Weiterexistenz der »jüdischen Schicksalsgemeinschaft« gewährleistet war, dann – nach der Isolierung – in der Erfahrung, daß Hilfe und Solidarität von außen nicht zu

erwarten waren und schließlich – nach der Demoralisierung und Deportation – in der Aussichtslosigkeit, noch einen rettenden Ausweg zu finden.

Eine Überlebenschance bot die rechtzeitige Emigration. Auch diese Reaktion entsprach nicht nur einer traditionellen Abwehrstrategie, sondern auch dem verordneten Modell. Die Vertreibung war, wie bereits erwähnt, bis 1941 und bei allen Widersprüchlichkeiten ein erklärtes Ziel des nationalsozialistischen Herrschaftssystems. Rund 300000 Juden ist es gelungen, die vielfältigen Barrieren im In- und Ausland zu überwinden, um dem Deutschen Reich den Rücken kehren zu können[86]. Diese Möglichkeit blieb den Juden in den besetzten Gebieten weitgehend verschlossen. Nur wenige konnten bis zum offiziellen Auswanderungsverbot im Oktober 1941 noch »offene« Emigrationsländer finden und das zeitraubende staatlich-administrative Genehmigungsverfahren zum Abschluß bringen. Was blieb – und dies fällt in die Grenzbereiche des Möglichen –, waren die Versuche einiger Privilegierter, über Anträge Deportationsfreistellungen zu erwirken oder selbst durch das Angebot eines »Lösegeldes« in den Besitz einer lebensrettenden Ausreisegenehmigung zu gelangen.

Als nicht-konformes Verhalten gelten alle Handlungsweisen, die darauf ausgerichtet waren, der Ideologie und Politik des nationalsozialistischen Herrschaftssystems entgegenzuwirken. Diese Gegenwehr stellte eine offene Abweichung vom verordneten Modell[87] dar. Sie wurde in bewußter Inkaufnahme der Gefahr der individuellen oder kollektiven Existenzbedrohung und -vernichtung begangen und kann im weiteren Sinne als Widerstand definiert werden[88]. Widerstand im engeren Sinne wird als Antifaschismus verstanden. Er implizierte eine politische Programmatik und Organisierung, strebte nach Transparenz, wollte die Bevölkerung oder Teilgruppen der Bevölkerung erreichen und mobilisieren. Juden oder Personen jüdischer Herkunft[89] haben auf beiden Ebenen Widerstand geleistet. Und es läßt sich zeigen, daß verschiedene Widerstandshandlungen gleichzeitig oder hintereinander praktiziert wurden, und sich zudem noch die beiden Ebenen tendenziell aufhoben.

In den Bereich des engeren politischen Widerstandes fallen alle Aktivitäten, die im Rahmen des organisierten Anti-Nationalsozialismus ausgeübt wurden. In Deutschland sind Antifaschisten jüdischer Herkunft bis 1937 in allen illegalen Gruppen der Arbeiterbewegung nachweisbar. Die Quellenlage läßt ihre zuverlässige Quantifizierung nicht zu. Die Gesamtzahl dürfte 2000 nicht überschritten haben. Die Mehrzahl hat zweifellos im kommunistischen Untergrund gekämpft. Einen relativ hohen Anteil weist ferner die Gruppe »Neu-Beginnen« auf. Gleichwohl gilt es zu beachten, daß Antifaschisten jüdischer Herkunft zunächst nicht als Ju-

den, sondern als überzeugte Kommunisten, Sozialdemokraten, Gewerkschafter, undogmatische Sozialisten, Trotzkisten oder Anarcho-Syndikalisten Widerstand geleistet haben. Sie setzten sich damit einer doppelten Gefährdung aus: als Sozialisten *und* Juden. Unter den Bedingungen der Illegalität und des Terrors vollzog sich dann auch bei vielen eine Bewußtseinsveränderung. Es war die Erkenntnis, nicht nur von der Umwelt, sondern auch von nicht-jüdischen Widerstandskameraden als Juden eingestuft und behandelt zu werden. In Deutschland zeigte sich dies bereits in den Jahren 1936/37, als nach den großen Verhaftungs- und Zerschlagungswellen die KP-Führung im Pariser Exil die Entscheidung traf, »im Interesse der eigenen Sicherheit« die Kommunisten jüdischer Herkunft aus den dezimierten Kadern zu entfernen. In Deutschland – wie auch in einigen anderen Ländern – wurden sie vor die Alternative gestellt, entweder zu emigrieren oder sich zu rein-jüdischen Gruppen zusammenzuschließen[90]. Erst mit dieser Entscheidung war der Weg für die Etablierung der Widerstandsorganisation der Herbert-Baum-Gruppe frei.
Besonders hervorzuheben ist die große Zahl von Antifaschisten jüdischer Herkunft, die aus 52 Ländern herbeieilten, um im Spanischen Bürgerkrieg in den Reihen der Internationalen Brigaden gegen den Faschismus zu kämpfen[91]. Die Niederlage des Antifaschismus zertrümmerte bei vielen den Glauben an eine Lösung der »Judenfrage« durch den internationalen Sozialismus. Es dauerte nicht lange, bis der siegreiche Nationalsozialismus in den eroberten Gebieten Europas die Zerstörung der jüdischen Diasporagemeinden einleitete. Und es gab auch hier Juden oder Personen jüdischer Herkunft, die sich der Okkupationsmacht widersetzten und versuchten, in den sich spät etablierenden Widerstandsorganisationen der »résistance« eine organisatorische Plattform zu finden. Dies gilt letztlich auch für die Schar derer, die nach der Verhaftung in den Gefängnissen und Konzentrationslagern als Mitglieder von Widerstandsgruppen noch die Möglichkeit und Kraft zu einem Abwehr- und Überlebenskampf fanden.
Aus Polen strömten im Herbst 1939 300000 bis 400000 Juden (10% der gesamten polnisch-jüdischen Bevölkerung) in die von der Sowjetunion kontrollierten Gebiete oder in Richtung Ungarn und Rumänien. Ein ebenso spontaner wie panikartiger Aufbruch erfolgte im Westen, insbesondere in den Niederlanden. Hunderte von Juden versuchten in den »Maitagen« des Jahres 1940 auf dem Seeweg nach England zu gelangen. Tausende flüchteten südwärts, vermengten sich mit den Flüchtlingsströmen in Belgien und Frankreich, ehe sie von den schnell sich etablierenden deutschen Besatzungsbehörden und kollaborierenden Landesbehörden eingeholt und gefangengesetzt wurden. Auch die späteren Fluchtrouten im Westen führten über Frankreich in die Schweiz und vor allem über die

»grüne Grenze« der Pyrenäen nach Spanien und von dort nach Lissabon, dem letzten »freien« Hafen auf dem europäischen Kontinent[92]. Im Norden bot sich der Weg nach Schweden an. 7000 Juden – von insgesamt 8000 – gelang dank einer einzigartigen Rettungsaktion die Flucht aus Dänemark[93], 900 – von insgesamt 1800 – aus Norwegen. In Ost- und Südeuropa liefen die Fluchtwege in oder über die Sowjetunion bis nach Shanghai oder über das Schwarze Meer und den Bosporus nach Palästina.
Als Musterbeispiele von Widerstand gelten die Aufstände in den Zwangsghettos und Konzentrationslagern sowie der Partisanenkampf[94]. Beide Formen wurden erst relativ spät entwickelt und nur von einer kleinen Minderheit praktiziert.
Die Aufstände brachen erst ab 1943 aus zu einer Zeit, als die Masse der jüdischen Bevölkerungsgruppen bereits deportiert und vernichtet war und die Liquidation der Zwangsghettos und KZ-Lager unmittelbar bevorstand. Voraus gingen Vorbereitungen und Diskussionen, in denen die Möglichkeiten und Grenzen der offenen und gewaltsamen Gegenwehr sichtbar wurden. Die Barrieren waren interner und externer Natur. Solange die Ghettoexistenz die Hoffnung auf ein Überleben ließ, stießen die frühen Aufrufe auf taube Ohren. Als fundamental erwiesen sich die Familienbindungen: die Furcht, daß der aussichtslose Kampf das Leben der Gemeinschaft aufs Spiel setzen würde. Die nationalsozialistischen »Umsiedlungsaktionen« nahmen den Juden diese Furcht. Überwunden wurden ferner die internen Richtungs- und Führungskämpfe, die einer straffen und geschlossenen Widerstandsorganisation im Wege standen. Die fast vollständige Isolierung erschwerte zudem die Kommunikation und Koordinierung mit anderen Gemeinschaften. Zertrümmert wurden die Hoffnungen, außerhalb der Ghettomauern Rückendeckung zu finden. Ein wirksames Eingreifen der alliierten Kriegsmächte blieb aus. Polens bürgerlich-nationale Untergrundbewegung versagte ihre Unterstützung. Die Exilregierung in London hielt sich zurück. Weit verbreitet war der Antisemitismus. Das politische und militärische Interesse und Taktieren liefen darauf hinaus, die Juden ihrem Schicksal zu überlassen. Man hoffte und erwartete, daß in einem befreiten Polen das »Judenproblem« gelöst sein würde. Die Hilferufe der Juden nach Waffen und Munition verhallten, nur geringe Mengen gelangten in die Hände der Aufständischen. Gleichwohl kostete es die Nationalsozialisten und ihre Helfershelfer einige Mühe und Opfer, die unerwarteten Aufstände und Widerstandszentren zu zerschlagen. Mehr als 30 Tage dauerte die »Großaktion«, mit der der SS-Brigadeführer Stroop im April und Mai 1943 den entschlossenen und verzweifelten Widerstand von knapp 1500 Mitgliedern jüdischer Kampforganisationen unter der Führung Mordecai Anilewicz' brach und mit der Deportation von 60000 Juden das Warschauer Ghetto auslöschte[95].

Untergetauchte und geflüchtete Juden bildeten einen Teil des schmalen Reservoirs, aus dem sich die Widerstandskämpfer rekrutierten, die in den rückwärtigen Heeresgebieten der deutschen Armee den bewaffneten Partisanenkampf aufnahmen. Zwei Zielsetzungen dominierten: Vergeltung und Schutz der individuellen oder kollektiven Weiterexistenz. Diese spezifische Ausgangsmotivation unterschied sich von der Stoßrichtung der allgemeinen Partisanenbewegung[96], die primär auf die nationale Befreiung des okkupierten Landes abzielte und die mit zunehmender Kriegsdauer eine militärische und politische Rolle spielte. Charakteristisch und entscheidend waren ferner, daß sich der jüdische Partisanenkampf nur im Rahmen des allgemeinen Partisanenkampfes entwickeln konnte und von Beginn an auf bestimmte Regionen und Formen festgelegt war.
Die Tätigkeit von Partisanen hing in entscheidendem Maße von geographischen Faktoren ab. In weiträumigen und unwegsamen Wald-, Sumpf- und Gebirgslandschaften fanden Partisanen ihre »natürlichen« Operations- und Rückzugsbasen. Sie waren ferner auf die Hilfe der ländlichen Bevölkerung, auf die Ausstattung und Versorgung mit Waffen und Munition sowie auf die Unterstützung der alliierten Kriegsmächte angewiesen; Voraussetzungen, die für die urbanisierten, waffenlosen und isolierten Juden nicht galten. Wo sich auch immer in Ostpolen und der Sowjetunion, in der Slowakei und den Balkanländern, in Italien und Frankreich Partisanenverbände etablierten, suchten sich Juden ihnen zu nähern und anzuschließen. Ihre Zahl wird auf einige Zehntausend geschätzt[97]. Schutz und Aufnahme wurden generell nicht gewährt. Die polnische »Heimatarmee« blockte in der Regel jeden Zutritt ab. Die extrem-nationalistischen Kräfte zeichneten sich darüber hinaus durch Denunziation, Ausplünderungen und Mordaktionen aus. Widerstandskämpfer jüdischer Herkunft wurden allein in der kommunistischen »Volksarmee« toleriert. Unterschiedlich fiel die Behandlung in der Sowjetunion aus. In bestimmten Gebieten, in denen der Antisemitismus feste Wurzeln geschlagen hatte, schlossen Judenhaß und Nationalismus die Existenz jüdischer Partisanen aus. In anderen Gebieten – wie etwa in Bialystok, Vilna oder Minsk – formierten sich geschlossene jüdische Gruppen oder gemischte Kampfverbände und operierten als integrale Teile der multinationalen Partisanenbewegung der Roten Armee. Im Zuge der »Banden- und Partisanenbekämpfung« entdeckten und zerstörten deutsche Wehrmacht- und SS-Truppen noch eine besondere Form des russisch-jüdischen Abwehr- und Überlebenskampfes: Es waren die in den Wäldern und Sümpfen verborgenen jüdischen Familienlager, in denen sich Relikte der vernichteten jüdischen Gemeinden verschanzt hatten und auf die Versorgung und den Schutz einer Handvoll armselig ausgerüsteter jüdischer Partisanenkämpfer angewiesen waren.

Vor und während des Zweiten Weltkrieges hat es zahlreiche Gelegenheiten gegeben, jüdisches Leben zu retten. Nur wenige wurden genutzt. Die Juden allein waren nicht in der Lage, den destruktiven Kurs der nationalsozialistischen Judenpolitik in andere Bahnen zu lenken. Ihre Abwehr- und Überlebensstrategien trafen auf Schranken, die von der nicht-jüdischen Umwelt gesetzt wurden. Die Gesellschaft hatte die »Judenfrage« aufgeworfen, noch bevor die Rassenfanatiker an die Macht gelangten. Die Gesellschaft reagierte mit Gleichgültigkeit und Schweigen, als das nationalsozialistische Herrschaftssystem daranging, die Juden zu separieren und zu vertreiben. Mit Apathie wurde der Abschied, der »Verlust« der jüdischen Bevölkerungsgruppe zur Kenntnis genommen. Es bedurfte erst der militärischen Niederlage jenes Systems, um dem Vernichtungswerk ein Ende zu bereiten.

Irgendwo zwischen 5 und 6 Millionen liegt die Zahl der ermordeten Juden. Es ist müßig, mit den fragmentarischen statistischen und demographischen Daten die exakte Zahl ermitteln zu wollen. Ebenso müßig ist es, die immer wiederkehrenden Apologien und Mythen unverbesserlicher Antisemiten von neuem zu widerlegen. Alle Erfahrungen haben gezeigt, daß historische Aufklärungsarbeit an den Topoi und Klischeevorstellungen nahezu wirkungslos abprallt. Fest steht, daß die Nationalsozialisten und ihre Helfershelfer Zentren des europäischen Judentums unwiderruflich ausgelöscht und den überlebenden Juden in den verbliebenen Diasporagemeinden und in Israel Erinnerungen und Bewußtseinsveränderungen hinterlassen haben, die nicht nur die Problematik des deutsch-jüdischen Verhältnisses, sondern auch die Gefährdung jüdischer Existenz erkennen lassen. Sofern hier überhaupt eine »Bewältigung« möglich ist, liegt sie in der Aufarbeitung und Veränderung der gesellschaftlichen Bedingungen und Verhaltensweisen, die die Realität von Auschwitz ermöglicht haben. Diese »Trauerarbeit« steht noch aus, und man kann mehr als skeptisch sein, ob sie in naher Zukunft geleistet werden wird.

Anmerkungen

Dan Diner
Einleitung

1 In: E. R. Piper (Hrsg.): »Historikerstreit«. Die Dokumentation der Kontroverse um die Einzigartigkeit der nationalsozialistischen Judenvernichtung, München/Zürich 1987, S. 223.
2 Frankfurter Allgemeine Zeitung, 18. 7. 1987.
3 J. Fest, Nachwort, 21. 4. 1987, in: E. R. Piper (Hrsg.): Historikerstreit, a. a. O., S. 390.
4 Merkur, H. 39/1985.
5 Andreas Hillgruber in seiner Rezension von Martin Broszat: Nach Hitler, München 1986, in der »Welt« vom 15. 11. 1986.
6 J. Fest, Nachwort, a. a. O., S. 390.
7 Ebenda
8 Eike Hennig: Raus »aus der politischen Kraft der Mitte«! – Bemerkungen zur Kritik der neo-konservativen Geschichtspolitik. In: Gewerkschaftliche Monatshefte, H. 3/1987, S. 160–170.
9 Siehe den Tagungsbericht von Rainer Bölling: »Nationalsozialismus und Geschichtsbewußtsein. Bericht über eine Essener Ringvorlesung«, in: Geschichtsdidaktik, Heft 2, 1987, S. 194–197.

Wolfgang Benz
Die Abwehr der Vergangenheit
Ein Problem nur für Historiker und Moralisten?

1 Zum Stand der Historiographie der nationalsozialistischen Zeit vgl. Bernd Faulenbach: NS-Interpretationen und Zeitklima. Zum Wandel in der Aufarbeitung der jüngsten Vergangenheit, in: Aus Politik und Zeitgeschichte B 22/87, 30. 5. 1987, S. 19–30.
2 Dazu paradigmatisch Helmut Krausnick: Unser Weg in die Katastrophe von 1945. Rechenschaft und Besinnung heute, in: Aus Politik und Zeitgeschichte B 19, 9. 5. 1962, S. 229–240 (der Text war auf dem Evangelischen Kirchentag in Berlin im Juli 1961 vorgetragen worden); vgl. Bundeszentrale für politische Bildung (Hrsg.): Rückschau nach 30 Jahren. Hitlers Machtergreifung in der Sicht deutscher und ausländischer Historiker, Bonn 1963.

3 Süddeutsche Zeitung, 22.6.1987 (»Die Deutschen besitzen Anspruch auf Normalität«).

4 Jürgen Habermas: Eine Art Schadensabwicklung. Die apologetischen Tendenzen in der deutschen Zeitgeschichtsschreibung, in: Die Zeit, 11.7.1986.

5 Bezeichnenderweise begann der Disput unter Psychoanalytikern mit der Auseinandersetzung um die Rolle des Fachs und um die Geschichte der Psychoanalyse unter dem Nationalsozialismus. Vgl. Lutz Rosenkötter: Schatten der Zeitgeschichte auf psychoanalytischen Behandlungen, in: Psyche 33 (1979), S. 1024–1038; Elisabeth Brainin und Isidor J. Kaminer: Psychoanalyse und Nationalsozialismus, in: Psyche 36 (1982), S. 989–1012; Geoffrey C. Cocks: Psychoanalyse, Psychotherapie und Nationalsozialismus, in: Psyche 37 (1983), S. 1057–1106.

6 Sammy Speier: Der ges(ch)ichtslose Psychoanalytiker – die ges(ch)ichtslose Psychoanalyse, in: Psyche 41 (1987), S. 481–491.

7 Zu den Fakten vgl. Eugen Kogon, Hermann Langbein, Adalbert Rückerl (Hrsg.): Nationalsozialistische Massentötungen durch Giftgas. Eine Dokumentation. Frankfurt a. M. 1983, S. 277ff.

8 Vgl. Barbara Diestel: Der 29. April 1945. Die Befreiung des Konzentrationslagers Dachau, in: Dachauer Hefte 1 (1985), S. 3–11; Hermann Weiß: Dachau und die internationale Öffentlichkeit. Reaktionen auf die Befreiung des Lagers, ebenda, S. 12–38.

9 Leserbrief M. Broszat, in: Die Zeit, 19.8.1960. Dort heißt es, die Klarstellung, daß die *Massenvernichtung* der Juden in Auschwitz-Birkenau, in Sobibor am Bug, in Treblinka, Chelmno und Belzec stattgefunden habe, abschließend: »Diese notwendige Differenzierung ändert gewiß keinen Deut an der verbrecherischen Qualität der Einrichtung der Konzentrationslager. Sie mag aber vielleicht die fatale Verwirrung beseitigen helfen, welche dadurch entsteht, daß manche Unbelehrbaren sich einzelner richtiger, aber polemisch aus dem Zusammenhang gerissener Argumente bedienen...«; vgl. Kogon/Langbein/Rückerl (Hrsg.): Nationalsozialistische Massentötungen durch Giftgas, S. 146ff.

10 Ernst Klee: »Euthanasie« im NS-Staat. Die »Vernichtung lebensunwerten Lebens«, Frankfurt a. M. 1983.

11 Gert Sudholt (Hrsg.): Antigermanismus. Eine Streitschrift zu Dachau und zum »Auschwitz-Gesetz«, Berg 1986.

12 21. Strafrechtsänderungsgesetz vom 13.6.1985, Bundesgesetzblatt I 1985, S. 965–966.

13 Der Text (datiert 4.8.1947) entstammt einer Serie gleichartiger Erlebnisberichte aus dem Landkreis Celle, die im Hauptstaatsarchiv Hannover verwahrt sind. Die Publikation (in Auswahl) wird vorbereitet: Rainer Schulze (Hrsg.): Unruhige Zeiten. Erlebnisberichte aus dem Landkreis Celle 1945–1949, München 1988 (Biographische Quellen zur deutschen Geschichte nach 1945).

14 Vgl. Eberhard Kolb, Bergen-Belsen, in: Studien zur Geschichte der Konzentrationslager, Stuttgart 1970, S. 130–153, zit. S. 151.

15 Wie Anm. 13.

16 Elektromeister H. und seine Frau erzählen am 28. November 1945. Erlebnisbericht aus Wietze, vgl. Anm. 13.
17 Süddeutsche Zeitung, 2.6.1987, S. 15.
18 Fränkische Landeszeitung, 29.9.1983 (»KZ« eine Rufschädigung?).
19 Süddeutsche Zeitung, 13.7.1984 (Die Vergangenheit verschweigt man lieber); vgl. Landsberger Tagblatt, 16.2.1984 (Bürgervereinigung will Licht in dunkle Historie bringen).
20 Süddeutsche Zeitung, 14./15.3.1987 (Geduldiges Werben um Toleranz) und 19.3.1987 (Dachau als Lernort) sowie Stellungnahme des Fördervereins Internationale Jugendbegegnungsstätte Dachau e. V.
21 Dachauer Nachrichten, 21.5.1987 (KZ-Stadt).
22 Christian Streit: Keine Kameraden. Die Wehrmacht und die sowjetischen Kriegsgefangenen 1941–1945, Stuttgart 1978.
23 Brewster S. Chamberlin: Todesmühlen. Ein früher Versuch zur Massen-»Umerziehung« im besetzten Deutschland 1945–1946, in: Vierteljahrshefte für Zeitgeschichte 29 (1981), S. 420–436.
24 Paradigmatisch: Ilse Grubrich-Simitis: Vom Konkretismus zur Metaphorik. Gedanken zur psychoanalytischen Arbeit mit Nachkommen der Holocaust-Generation – anläßlich einer Neuerscheinung, in: Psyche 38 (1984), S. 1–28; Kurt Grünberg: Folgen nationalsozialistischer Verfolgung bei jüdischen Nachkommen Überlebender in der Bundesrepublik Deutschland, in: Psyche 41 (1987), S. 492–507; s. a. Dörte von Westernhagen: Die Kinder der Täter, in: Die Zeit, 4.4.1986; Peter Sichrovsky: Schuldig geboren. Kinder aus Nazifamilien, Köln 1987; Helen Epstein: Die Kinder des Holocaust. Gespräche mit Söhnen und Töchtern von Überlebenden, München 1987.
25 Publiziert werden konnte das Buch, dessen Manuskript als Material der Anklage gegen den Autor diente, natürlich erst nach 1945: Ernst Niekisch: Das Reich der niederen Dämonen, Hamburg 1953, S. 270.
26 Bruno Bettelheim: Die psychische Korruption durch den Totalitarismus, in: ders., Erziehung zum Überleben. Zur Psychologie der Extremsituation, Stuttgart 1980, S. 331 ff.
27 Alexander und Margarete Mitscherlich: Die Unfähigkeit zu trauern. Grundlagen kollektiven Verhaltens, München 1967, S. 44 f.
28 Niklas Frank: Mein Vater, der Nazi-Mörder, in: stern, Nr. 22 (21.5.1987) ff. Aufschlußreich sind die Leserbriefe in Nr. 25 (10.6.1987).

Saul Friedländer
Überlegungen zur Historisierung des Nationalsozialismus

Ich möchte meinen Kollegen und Freunden Dan Diner, Lutz Niethammer und Shulamit Volkov dafür danken, daß sie mit mir über einige der hier aufgeworfenen Fragen diskutierten. Unnötig zu erwähnen, daß sie keinerlei Verantwortung für die endgültige Abfassung und darin möglicherweise enthaltene Unstimmigkeiten tragen.

1 Martin Broszat: Plädoyer für eine Historisierung des Nationalsozialismus, in: Merkur, Mai 1985; der Artikel ist nachgedruckt in Hermann Graml und Klaus-Dietmar Henke (Hrsg.): Nach Hitler. Der schwierige Umgang mit unserer Geschichte. Beiträge von Martin Broszat, München 1986.
2 Ernst Nolte: Between Myth and Revisionism: National-Socialism from the Perspective of the 1980s, in H. W. Koch (Hrsg.): Aspects of National-Socialism. London 1985; ders.: Eine Vergangenheit, die nicht vergehen will, in: Frankfurter Allgemeine Zeitung, 6. Juni 1986.
3 Martin Broszat: Hitler und die Genesis der »Endlösung«: Aus Anlaß der Thesen von David Irving, in: Vierteljahreshefte für Zeitgeschichte Jg. 25, 1977; Hans Mommsen: Die Realisierung des Utopischen: Die »Endlösung der Judenfrage« im ›Dritten Reich‹, in: Geschichte und Gesellschaft Jg. 9, 1983.
4 Hans Mommsen: Suche nach der »verlorenen Geschichte«? Bemerkungen zum historischen Selbstverständnis der Bundesrepublik, in: Merkur, September/Oktober 1986.
5 Karl-Heinz Janssen: Als ein Volk ohne Schatten?, in: Die Zeit 48, 21. November 1986.
6 Klaus Hildebrand in Buchbesprechungen 20. Jahrhundert, in: Historische Zeitschrift, Bd. 242, Heft 2, April 1986.
7 Alltagsgeschichte der NS-Zeit: Neue Perspektive oder Trivialisierung? (= Kolloquien des Instituts für Zeitgeschichte), München 1984.
8 Andreas Hillgruber: Für die Forschung gibt es kein Frageverbot, in: Rheinischer Merkur, Nr. 45, 31. Oktober 1986.
9 Hermann Rudolph: Falsche Fronten?, in: Süddeutsche Zeitung Nr. 228, 4./5. Oktober 1986.
10 Geoffrey Barraclough: Mandarins and Nazis: Part I, in: The New York Review of Books, 19. Oktober 1972; ders.: The Liberals and German History: Part II, in: The New York Review of Books, 2. November 1972 ders.: A New View od German History: Part. III, in: The New York Review of Books, 16. November 1972.

Detlev J. K. Peukert
Alltag und Barbarei
Zur Normalität des Dritten Reichs

1 Siehe den Forschungsüberblick von Gerhard Schreiber: Hitler. Interpretationen 1923–1983, Darmstadt 1984; sowie die Tagungsdokumentation von Gerhard Hirschfeld u. Lothar Kettenacker (Hrsg.): Der »Führerstaat«: Mythos und Realität, Stuttgart 1981; die beste aktuelle Diskussion des Forschungsstands bietet: Ian Kershaw: The Nazi Dictatorship. Problems and Perspectives of Interpretation, London 1985.
2 Ein guter Überblick über die Diskussion bei: Helga Grebing: Der »deutsche Sonderweg« in Europa 1806–1945. Eine Kritik, Stuttgart 1986.
3 Ralf Dahrendorf: Gesellschaft und Demokratie in Deutschland, 3. Aufl., München 1974.

4 David Schoenbaum: Die braune Revolution, München 1980.
5 Lutz Niethammer u. a. (Hrsg.): Lebensgeschichte und Sozialkultur im Ruhrgebiet 1930 bis 1960, 3 Bände, Berlin 1984/85.
6 Detlev Peukert: Volksgenossen und Gemeinschaftsfremde. Anpassung, Ausmerze und Aufbegehren unter dem Nationalsozialismus, Köln 1982.
7 Hans Dieter Schäfer: Das gespaltene Bewußtsein. Deutsche Kultur und Lebenswirklichkeit 1933–1945, München 1981.
8 Detlev Peukert u. Jürgen Reulecke (Hrsg.): Die Reihen fast geschlossen. Beiträge zur Geschichte des Alltags unterm Nationalsozialismus, Wuppertal 1981.
9 Ulrich Herbert: Fremdarbeiter. Politik und Praxis des »Ausländer-Einsatzes« in der Kriegswirtschaft des Dritten Reiches, Berlin 1985.
10 William S. Allen: Die deutsche Öffentlichkeit und die »Reichskristallnacht«, in: Peukert/Reulecke (Anm. 8), S. 397–412.
11 Ernst Klee: »Euthanasie« im NS-Staat. Die »Vernichtung lebensunwerten Lebens«, Frankfurt 1983.
12 Dieter Bossmann (Hrsg.): »Was ich über Adolf Hitler gehört habe«. Folgen eines Tabus. Auszüge aus Schüleraufsätzen von heute, Frankfurt 1977; zur Alltagsgeschichte im Dritten Reich siehe Martin Broszat u. a. (Hrsg.): Bayern in der NS-Zeit, 6 Bde. München 1977–1983.
13 Ludolf Herrmann, zit. in: Der Spiegel, 41. Jg. 1987, H. 2., S. 27.
14 Projektgruppe für die vergessenen Opfer des NS-Regimes (Hrsg.): Verachtet – verfolgt – vernichtet – zu den »vergessenen« Opfern des NS-Regimes, Hamburg 1986; Angelika Ebbinghaus u. a. (Hrsg.), Heilen und Vernichten im Mustergau Hamburg, Hamburg 1984.
15 Gisela Bock: Zwangssterilisierungen im Dritten Reich. Studien zur nationalsozialistischen Rassen- und Frauenpolitik, Opladen 1985.
16 Hans-Uwe Otto u. Heinz Sünker (Hrsg.): Soziale Arbeit und Faschismus, Bielefeld 1986.
17 Hans-Georg Stümke u. Rudi Finkler: Rosa Winkel, Rosa Listen. Homosexuelle und »Gesundes Volksempfinden« von Auschwitz bis heute, Reinbek 1981.
18 Detlev Peukert: Arbeitslager und Jugend-KZ: die »Behandlung Gemeinschaftsfremder« im Dritten Reich, in: Ders./Reulecke: Die Reihen fast geschlossen, a. a. O. (Anm. 8), S. 413–434.
19 Ulrich Herbert: Fremdarbeiter, a. a. O. (Anm. 9)
20 Detlev Peukert: Volksgenossen und Gemeinschaftsfremde, a. a. O. (Anm. 6).
21 Tilman Zülch (Hrsg.): In Auschwitz vergast, bis heute verfolgt. Zur Situation der Roma (Zigeuner) in Deutschland und Europa, Reinbek 1979; Donald Kenrick u. Grattan Puxon: Sinti und Roma. Die Vernichtung eines Volkes im NS-Staat, Göttingen 1981; jetzt grundlegend die (noch unveröffentlichte) Studie von Michael Zimmermann, Die nationalsozialistische Vernichtungspolitik gegen Sinti und Roma.
22 George L. Mosse: Rassismus. Ein Krankheitssymptom in der europäischen Geschichte des 19. und 20. Jahrhunderts, Königstein 1978; Till Bastian, Von der Eugenik zur Euthanasie, Bad Wörishofen 1981; Detlev J. K. Peukert:

Grenzen der Sozialdisziplinierung. Aufstieg und Krise der deutschen Jugendfürsorge 1878 bis 1932, Köln 1986; Karl Heinz Roth (Hrsg.): Erfassung zur Vernichtung. Von der Sozialhygiene zum »Gesetz über Sterbehilfe«, Berlin 1984.

23 Benno Müller-Hill: Tödliche Wissenschaft. Die Aussonderung von Juden, Zigeunern und Geisteskranken 1933–1945, Reinbek 1984.

24 Ernst Nolte: Philosophische Geschichtsschreibung heute? In: Historische Zeitschrift 242 (1986), S. 265–290.

Dan Diner
Zwischen Aporie und Apologie
Über Grenzen der Historisierbarkeit des Nationalsozialismus

1 Dan Diner: Die ›nationale Frage‹ in der Friedensbewegung. Ursprünge und Tendenzen. In: Reiner Steinweg (Hrsg.): Die neue Friedensbewegung. Reihe Friedensanalysen, Frankfurt, 1982, S. 83ff.

2 Ulrich Herbert: ›Die guten und die schlechten Zeiten‹ in: Lutz Niethammer (Hrsg.): Die Jahre weiß man nicht, wo man die heute hinsetzen soll. Faschismuserfahrungen im Ruhrgebiet, LUSIER Bd. 1, Bonn 1986, S. 67–96.

3 Norbert Elias: Zum Begriff des Alltags, in: K. Hammerich/Klein (Hrsg.): Materialien zur Soziologie des Alltags, Opladen 1978, S. 22–29.

4 Alltagsgeschichte der NS-Zeit. Neue Perspektive oder Trivialisierung? München 1984, darin Klaus Tenfelde, S. 35.

5 Jürgen Kocka, ebenda, S. 54.

6 Klaus Tenfelde, ebenda, S. 33.

7 Heinrich A. Winkler, ebenda, S. 31.

8 Martin Broszat, ebenda, S. 20.

9 Hartmut Mehringer, ebenda, S. 28.

10 Derselbe, S. 27.

11 Derselbe, S. 48.

Hans Mommsen
Aufarbeitung und Verdrängung
Das Dritte Reich im westdeutschen Geschichtsbewußtsein

1 Eberhard Jäckel: Hitlers Herrschaft, Vollzug einer Weltanschauung. Stuttgart 1986, S. 146.

Hagen Schulze
Die »Deutsche Katastrophe« erklären
Von Nutzen und Nachteil historischer Erklärungsmodelle

1 Nach Werner Jochmann: Nationalsozialismus und Revolution. Ursprung und Geschichte der NSDAP in Hamburg 1922–1933, Frankfurt 1963, S. 421.
2 Nach: Ursachen und Folgen, Bd. VIII, S. 766.
3 Hans-Ulrich Wehler: Das deutsche Kaiserreich 1871–1918, Göttingen [4]1980, S. 11f.
4 Fernand Braudel: Geschichte und Sozialwissenschaften – die »longue durée«, u. a. dt. in: Claudia Honegger (Hrsg.): Schrift und Materie der Geschichte, Frankfurt 1977, S. 58.
5 Ludwig Dehio: Gleichgewicht oder Hegemonie? Betrachtungen über ein Grundproblem der neueren Staatengeschichte, Krefeld 1948, S. 189.
6 Thomas Nipperdey: 1933 und die Kontinuität der deutschen Geschichte, in: HZ 227 (1978), S. 102f.

Gian Enrico Rusconi
Italien und der »deutsche Historikerstreit«

1 Vgl. Germania: il passato che non passa, Einaudi, Torino 1987. Der Band enthält die Beiträge von Nolte, Habermas, Hildebrand, Fest, Kocka, Hans und Wolfgang Mommsen, Broszat, Augstein und Hillgruber.
Nach den ersten Berichten und Polemiken in Tageszeitungen und Zeitschriften (ein längerer Artikel von Angelo Bolaffi im ›Espresso‹ vom Dezember 1986 wurde in den in der Bundesrepublik vertriebenen Exemplaren »zensiert«) erschienen die ersten Texte von Habermas zusammen mit einem von mir verfaßten, einführenden Aufsatz zum Historikerstreit in ›MicroMega‹, Nr. 4, 1986, sowie – zusammen mit den Ausführungen Noltes – in ›Nuovi Argomenti‹, Nr. 21, Januar–März 1987. Die ersten Kommentare in geschichtswissenschaftlichen Fachzeitschriften stammten von E. Collotti in ›Storia contemporanea‹, Nr. 1, 1987 sowie von J. Petersen in ›Rivista di storia contemporanea‹, Nr. 1, 1987.
2 Die bekanntesten Werke von Primo Levi sind »Se questo è un uomo«, »La tregua« und »I sommersi e i salvati«.
3 Vgl. Fascismo e nazionalsocialismo, hrsg. von K. D. Bracher und L. Valiani, Il Mulino, Bologna 1986.
4 Vgl. Spostamenti di popolazione e deportazioni in Europa, 1939–1945, Cappelli, Bologna 1987. Der Band enthält die Dokumente eines internationalen Kongresses, der im Oktober 1985 in Carpi stattfand.
5 Michael Stürmer: Weder verdrängen noch bewältigen, in: ›Schweizer Monatshefte‹, Sept. 1986, S. 692.
6 Ernst Nolte: Vergangenheit, die nicht vergehen will, in: Frankfurter Allgemeine Zeitung v. 6. 6. 1986.
7 Ernst Nolte, Bemerkungen zum zweiten Artikel von Habermas

8 Jürgen Habermas: Vom öffentlichen Gebrauch der Historie, in: Die Zeit, Nr. 46, 7. 11. 1986.
9 Andreas Hillgruber: Zweierlei Untergang. Die Zerschlagung des Deutschen Reichs und das Ende des europäischen Judentums, Siedler, 1986, S. 99
10 J. Habermas, art. cit.
11 A. Hillgruber, op. cit., S. 9–10
12 Ebenda, S. 18
13 Michael Stürmer: Das ruhelose Reich. Deutschland 1866–1918, Berlin 1983, S. 401
14 Ebenda, S. 315
15 Vgl. vor allem J. Kocka. Hitler sollte nicht durch Stalin und Pol Pot verdrängt werden, in: Frankfurter Rundschau v. 23. 9. 1986; H. Mommsen, Neues Geschichtsbewußtsein und Relativierung des Nationalsozialismus, in: Blätter für deutsche und internationale Politik, Oktober 1986, 1200–1213; M. Broszat, Wo sich die Geister scheiden, in: Die Zeit v. 3. 10. 1986; W. Mommsen, Weder Leugnen noch Vergessen befreit von der Vergangenheit, in: Frankfurter Rundschau v. 1. 12. 1986.
16 Ich habe dieses Problem in dem Buch Rischio 1914, Come si decide una guerra, Bologna, Il Mulino 1987, behandelt.
17 A. Hillgruber, Zweierlei Untergang, op. cit., S. 24. Der Text fährt fort: »›Befreiung‹ umschreibt nicht die Realität des Frühjahrs 1945. Wollte man mit dieser Vokabel ernsthaft den Zusammenbruch des Reiches zu erfassen suchen, so setzte dies voraus, daß das Kriegsziel der Alliierten in West und Ost tatsächlich in nichts anderem bestanden hätte als in der Beseitigung des nationalsozialistischen Herrschaftssystems. Aber davon kann nicht die Rede sein.«
18 W. Mommsen, art. cit.
19 J. Habermas, Eine Art Schadensabwicklung, in: Die Zeit, Nr. 29, 11. 7. 1986.

Claus Leggewie
Frankreichs kollektives Gedächtnis und der Nationalsozialismus

1 Der Prozeß fand vom 11. Mai bis zum 4. Juli 1987 in Lyon statt. Ich beziehe mich, auch bei den folgenden Zitaten, auf die Berichterstattung von Jean-Marc Théolleyre in Le Monde, Lothar Baier in tageszeitung und auf eigene Beobachtungen und Aufzeichnungen.
2 Vgl. dazu Dan Diner: Negative Symbiose. Deutsche und Juden nach Auschwitz, in: Babylon 1/1986, S. 9ff. und ders.: Zwischen Aporie und Apologie: Über Grenzen der Historisierung der Massenvernichtung, in: Babylon 2/1987, S. 23ff., abgedruckt in diesem Bande, sowie die übrigen Beiträge in diesem Bande.
3 Dazu immer noch grundlegend Eberhard Jäckel: Frankreich in Hitlers Europa. Die deutsche Frankreichpolitik im Zweiten Weltkrieg. Stuttgart 1966 (= Quellen und Darstellungen zur Zeitgeschichte, Bd. 14), s. a. Anm. 15; ferner

Hans Umbreit: Der Militärbefehlshaber in Frankreich 1940–1944. Diss. Bonn 1967.

4 So vor allem der Tenor der Spiegel-Serie »Der Schlächter von Lyon. Klaus Barbie und die französische Kollaboration« von Heinz Höhne, Nr. 19–22/1987 und der Berichterstattung des stern; siehe dazu kritisch Luc Rosenzweig in: Le Monde, 7.5.1987.

5 Zum Historikerstreit vgl. außer den Beiträgen in diesem Band unter dem Aspekt der »Vergangenheitsbewältigung« Bernd Faulenbach, NS-Interpretationen und Zeitklima. Zum Wandel in der Aufarbeitung der jüngsten Vergangenheit, in: Aus politik und zeitgeschichte, B 22/30.5.1987, S. 19–30, sowie C. Leggewie: Der Geist steht rechts. Ein Ausflug in die Denkfabriken der Wende. Berlin 1987, S. 213ff. Zum Problem der »Vergangenheitsbewältigung« ist demnächst eine vergleichende internationale Studie geplant.

6 Unter nicht ganz geklärten und legalen Umständen, siehe dazu das Interview mit seinem bolivianischen »Entführer« Gustavo Sanchez, in: tageszeitung, 16.5.1987.

7 Das vom ehemaligen französischen Geheimdienstchef Alexandre de Marenches in einem Interview »enthüllte« Aktenmaterial aus Gestapo-Beständen, das angeblich führende Gegenwartspolitiker aller politischen Lager auf den deutschen Soldlisten der vierziger Jahre verzeichnet vorfindet, ist unterdessen von einer Kommission unter Leitung des Parlamentspräsidenten Jacques Chaban-Delmas inspiziert worden; spektakuläre Enthüllungen während des Barbie-Prozesses blieben aus. Ein Verfahren über den Verrat an dem von Barbie mutmaßlich ermordeten Résistance-Führer Jean Moulin ist abgetrennt worden und soll 1988 verhandelt werden. Zum folgenden vgl. Joseph Rovan: »Gegen die Barbies in uns und um uns«, in: Die Zeit, Nr. 8 vom 18.2.1983; Simone Veil: »Ne nous trompons pas de procès«, in: Nouvel Observateur, Nr. 953, vom 11.2.1983; dies.: Interview in Nouvel Observateur, Nr. 1105, vom 10.1.1986.

8 Vgl. François Furet/Denis Richet: Die Französische Revolution. (Paris 1968) Frankfurt 1987.

9 Vgl. Hermann Lübbe, in: Frankfurter Allgemeine Zeitung, vom 24.1.1983; Armin Mohler: Frankreichs Nationaljakobinismus, in ders.: Von rechts gesehen. Stuttgart 1974, S. 119–136; Eberhard Jäckel, Vortrag auf der Tagung der Gustav-Heinemann-Initiative, in: Frankfurter Rundschau vom 6.6.1987, darin auch das Stürmer-Zitat.

10 Siehe die Arbeiten aus der Schule von Pierre Chaunu, die im Figaro popularisiert wurden, dazu das Dossier in Libération, vom 7.5.1987.

11 Ausführlicher Jürg Altwegg: Die Republik des Geistes. Frankreichs Intellektuelle zwischen Revolution und Reaktion. München 1986 und C. Leggewie: »Eine immer unbestimmtere Idee von Frankreich. Anmerkungen zur französischen politischen Kultur«, in: P. Reichel (Hrsg.): Politische Kultur in Westeuropa. Bürger und Staaten in der Europäischen Gemeinschaft. Frankfurt 1984, S. 118–144.

12 Vgl. Stephane Courtois: Le PCF dans la guerre. Paris 1980; Richard Volk: Die französischen Kommunisten und die Befreiung Frankreichs, 1943–1945.

Diss. Berlin 1981. Das folgende Grosser-Zitat aus: Versuchte Beeinflussung. Zur Kritik und Ermutigung der Deutschen. München 1983, S. 262f.

13 Dazu Serge Klarsfeld (Hrsg.): Le procès de Cologne. Paris 1980; siehe auch Anm. 21.

14 Zum Gesamtkomplex s. Robert Aron: Histoire de l'épuration, 4 Bde. Paris 1967 ff.; P. Novick: L'épuration française 1944–1949. Paris 1985, der von 126000 Internierten, 160000 Strafanzeigen und 87000 Verurteilungen spricht; vgl. auch Le Procès du Maréchal Pétain. Compte rendu officiel in extenso... Paris 1976; zu Petain vgl. die Biographie von H. Lottmann. Paris 1984.

15 Zum Vichy-Regime vgl. Robert Aron: Histoire de Vichy. Paris 1954, und neuerdings Robert O. Paxton: La France de Vichy 1940–1944. Paris 1973 (engl. 1972), dort auch Bibliographie; zur Kollaboration vgl. Jean-Pierre Azéma (Hrsg.): La collaboration. Paris 1975; Pascal Ory, Les collaborateurs 1940–1945. Paris 1976; Jean Defrasne, Histoire de la collaboration. Paris 1982; zum »Leben mit dem Feind« die gleichlautende Darstellung von Werner Rings (München 1979) sowie das Standardwerk von Henri Amouroux: La grande histoire des Français sous l'occupation. Paris 1976 ff. (mehrere Bände); zum Widerstand: Henri Noguères: Histoire de la Résistance en France. Paris 1967 ff. und die Beiträge von H. Michel, W. Neugebauer u. a., Ger van Roon und M. Baudot in: Ger van Roon (Hrsg.): Europäischer Widerstand im Vergleich. Berlin 1985.

16 Zur unbefriedigenden Darstellung in den Schulbüchern bis 1982 vgl. Serge Klarsfeld, »Vichy et la solution finale«, in Le Monde, vom 25./26.11.1982; eine Umfrage zur Eröffnung des Barbie-Prozesses von Le Monde/IPSOS, ebd. vom 2.5.1987.

17 Siehe aber die Neuauflage des Werkes von Vladimir Jankélévitch: L'Imprescriptible, Paris 1986. Dazu meine Besprechung in Leviathan, Nr. 1/1987, S. 187 ff.

18 Auf das Werk von Bernard-Henri Lévy: L'idéologie française. Paris 1981, gehe ich hier nicht näher ein; es sorgte für großes Aufsehen und verbreitete den zeitgeschichtlichen »Revisionismus« in allen Medien.

19 So vor allem bei René Remond: Les droites en France. Paris [4]1982. Zum folgenden vgl. aus einer mittlerweile breiten Faschismus-Debatte: Raoul Girardet: »Notes sur l'esprit d'un fascisme français 1934–1939«, in: Revue française de sciences politiques, Nr. 5/1955, S. 529–546; S. Hoffmann: »Aspects du Régime de Vichy«, ebd., Nr. 6/1956, S. 44–69; R. Bouderon: »Le Régime de Vichy était-il fasciste?«, in: Revue de l'Histoire de la Deuxième Guerre Mondiale, Nr. 23/1973, S. 23–45; R. J. Soucy: »Das Wesen des französischen Faschismus«, in: Internationaler Faschismus. München 1968, S. 46–85; U. Thamer/W. Wippermann, Faschistische und neofaschistische Bewegungen. Darmstadt 1977, S. 120 ff.; E. Nolte: Der Faschismus in seiner Epoche. München 1965, S. 90 ff.; Klaus Jürgen Müller: »Protest – Modernisierung – Integration. Bemerkungen zum Problem faschistischer Phänomene in Frankreich 1924–1934«, in: Francia Nr. 8/1980, S. 465–524; vgl. neuerdings auch Y. Chalas: Vichy et l'imaginaire totalitaire. Paris 1985.

20 Zeev Sternhell: La droite révolutionnaire. Les origines françaises du fascisme

1885–1914. Paris 1978; ders.: Ni droite ni gauche, L'idéologie fasciste en France. Paris 1983; ders.: »Emmanuel Mounier et la contestation de la démocratie libérale dans la France des années trente«, in: Revue française de sciences politiques, Nr. 34/1984, S. 1141–1180. Zu Sternhell vgl. kritisch J. Juillard: »Sur un fascisme imaginaire«, in: Annales Nr. 39/1984, S. 849–861; Michel Winock: »Fascisme à la française ou fascisme introuvable?«, in: Débat Nr. 23/1985, S. 35–44.

21 Claude Lévy/Paul Tillard, La grande rafle du Vel d'Hiv. Paris 1967 (dt. 1968); vgl. vor allem Serge Klarsfeld, Le Memorial de la déportation des Juifs de France. Paris 1978 (Centre de Documentation Juive Contemporaine de Paris); ders.: Vichy-Auschwitz, 2 Bde. Paris 1983/1985; Joseph Billig: Die Endlösung der Judenfrage. New York/Frankfurt 1979; Michael R. Marrus/Robert O. Paxton: Vichy et les Juifs, Paris 1981; Raoul Hilberg: Die Vernichtung der europäischen Juden, Berlin 1982; vgl. auch den Atlas von Martin Gilbert: Endlösung. Die Vertreibung und Vernichtung der Juden. Reinbek 1982. Eine Auseinandersetzung mit »intentionalistischen« und »funktionalistischen« Erklärungsansätzen der »Endlösung« bot in Frankreich das Kolloquium der Ecole des Hautes Etudes en Sciences Sociales (E.H.E.S.S.) in Paris 1982 (erschienen Paris 1985), wozu ein Rezensent die »bedauerliche Diskretion der Franzosen« beklagte, insofern fast nur ausländische Wissenschaftler Beiträge lieferten (Bertrand Poirot-Delpech). Einen recht guten Überblick vermittelt der Beitrag von Michael Haller: »Der Rassenhaß kommt auf leisen Sohlen«, in: Spiegel, Nr. 18/1987. Zur jüdischen Kollaboration mit den Nazis vgl. jetzt Maurice Rajfus: Des juifs dans la collaboration: l'U.G.I.F. 1941–1944. Paris 1980; Jacques Adler: Face à la persécution. Les organisations juives à Paris de 1940 à 1944. Paris 1984. Zur Haltung der Kirchen und des Klerus vgl. Serge Klarsfeld: Vichy-Auschwitz, Bd. 2; René Remond: »Les Eglises et la persécution des Juifs pendant la Seconde Guerre Mondiale«, in: E.H.E.S.S. 1985, S. 375–403; M. R. Marrus: »Die französischen Kirchen und die Verfolgung der Juden in Frankreich 1940–1944«, in: Vierteljahreshefte für Zeitgeschichte, Heft 3 (1983), S. 483–505; eine Einordnung des französischen Falles versuchen Marrus/Paxton: »Nazis et Juifs en Europe occidentale occupée«, in: E.H.E.S.S. 1985, S. 287–315.

22 Zum »Revisionismus« vgl. Pierre Vidal-Naquet: »Thèses sur le révisionnisme«, in: E.H.E.S.S. 1985, S. 496–516 und Lothar Baier: »Auschwitz und seine Weißwäscher. Robert Faurisson & Genossen«, in ders.: Französische Zustände, Frankfurt 1982, S. 89–121. 1987 erschien eine neue von P. Guillaume edierte und sogleich verbotene Zeitschrift »Annales d'histoire révisionniste« (Paris).

23 Zusammenfassend zur Papon-Affäre jetzt Michel Slitinsky: L'Affaire Papon. Paris 1983; zusammenfassend zu den Vichy-Funktionären die Darstellungen von Serge Klarsfeld (Anm. 21) und C. Leggewie: »Bruder Barbie«, in: Zeit-Dossier, Nr. 30 vom 22.7.1983.

24 Vgl. die Darstellung von Amouroux (Anm. 15) und neuerdings André Halimi: La Délation sous l'occupation. Paris 1983.

25 »Verbrechen gegen die Menschheit« lautet die korrekte Übersetzung eines

Straftatbestands, der hierzulande zumeist mit dem Euphemismus »Verbrechen gegen die Menschlichkeit« übersetzt wird; dazu und grundlegend Hannah Arendt: Eichmann in Jerusalem. Ein Bericht von der Banalität des Bösen. Neuausgabe München 1986, und Martin Löw-Beer: »Verschämter oder missionarischer Völkermord? Eine Analyse des Nürnberger Prozesses«, in: Babylon, Nr. 1/1986, S. 55–69, sowie Dietrich Oehler: Internationales Strafrecht, München 1983, und Roger Errera: »Nuremberg: Le droit et l'histoire (1945–1985«), in E.H.E.S.S. 1985, S. 447–464. Vgl. auch schon die Rede des Generalstaatsanwalts im Nürnberger Prozeß, F. de Menthon: Gerechtigkeit im Namen der Menschheit, Baden-Baden 1946.

26 Vgl. Le Monde vom 20. 5. 1987.

27 Die »Aushebung des Kinderheims« Izieu ist ausführlich dokumentiert bei Serge Klarsfeld: Les enfants d'Izieu ›Une tragédie juive, Paris 1984, und ders.: Le telex d'Izieu. Privatdruck Paris o. J.; zur Razzia gegen das UGIF-Büro in Lyon vgl. ders.: La Rafle de le Rue Ste. Cathérine. Privatdruck Paris 1987. Zum folgenden vgl. Joseph Rovan: »Un procès impossible«, in: Le Monde vom 3. 1. 86; Henri Noguères, Les victimes et les bourreaux, in: ebd.; Yves Laurin, in: ebd.; ferner J. M. Théolleyre, in: ebd. vom 6. 5. 1987. Das Urteil des Kassationshofes vom 20. 12. 1985 in Le Monde vom 21. 12. 1985.

28 Zur Verteidigungsstrategie von J. Vergès allgemein ders.: De la stratégie judiciaire. Paris 1968, und diverse Interviews, z. B. mit C. Leggewie (Anm. 23), G. Blume (taz vom 12. 5. 87), Klaus Huwe (Rheinischer Merkur/Christ und Welt vom 14. 11. 1986). Die algerischen Reaktionen vgl. Algérie Actualité vom 22. 5. 1987 und Le Monde vom 24./25. 5. 1987. Zur »unbewältigten« algerischen Vergangenheit vgl. Roger de Weck: »Die Verschwörung des Schweigens«, in: Die Zeit, Nr. 9/1985. 1988 ist in Paris eine große historische Konferenz über »La France en guerre d'Algérie« geplant, die die Diskussion in Gang bringen wird; ähnliches gilt für die aktuelle Rehabilitation der »harkis«, der algerischen Kollaborateure, die heute in Frankreich leben.

29 In diesem Zusammenhang symptomatisch war die Auseinandersetzung innerhalb der liberal-konservativen Mehrheit während des Barbie-Prozesses über ihre Haltung zu Le Pen und zur extremen Rechten, wo jüngere Minister und Abgeordnete gegen den Rechtsdruck der Regierung Chirac-Pasqua polemisierten, vgl. auch Michel Winock: »La vieille histoire du ›national-populisme‹«, in: Le Monde vom 12. 6. 1987, und Alain Touraines skeptische Beurteilung der »Lehren aus dem Barbie-Prozeß«, »Un procès manqué«, in: Le Monde vom 27. 5. 1987.

Gerhard Botz
Verdrängung, Pflichterfüllung, Geschichtsklitterung
Probleme des »typischen Österreichers« mit seiner NS-Vergangenheit

1 R. Knight: »The Waldheim Context: Austria and Nazism«, in: Times Literary Supplement (TLS) 3. 10. 1986, S. 1083f.

2 Siehe vor allem: Pflichterfüllung. Ein Bericht über Kurt Waldheim, Wien o. J.

(1986); B. Cohen, L. Rosenzweig: Le Mystère Waldheim, Paris 1986; dagegen apologetisch A. Khol, Th. Faulhaber, G. Ofner (Hrsg.): Die Kampagne. Kurt Waldheim – Opfer oder Täter?, München 1987.

3 Vgl. die »redigierten« Protokolle der Symposien der Wissenschaftlichen Kommission des Theodor-Körner-Stiftungsfonds und des Leopold-Kunschak-Preises..., von Bd. 1 (Österreich 1927 bis 1938, Wien 1973) bis Bd. 10 (Geistiges Leben im Österreich der Ersten Republik, Wien 1986).

4 Der hier vorliegende Artikel sollte (bestellterweise) in gekürzter Form in der Zeitschrift Profil erschienen.

5 »Überaus bedenklich«. Profil. 15. 12. 1986, S. 16 und 19.

6 G. A. Craig: »The Waldheim File«, New York Review of Books (NYR) 9. 10. 1986, S. 3f.

7 Siehe: »Die verschämte Republik«, in: Profil, 12. 1. 1987, S. 33.

8 Brief vom 28. 11. 1986 an den Verfasser und neun andere österreichische Historiker (vgl. ebenda).

9 Diese Strategie beginnt bereits zu wirken. Vgl. in NYR, 26. 2. 1987, S. 44.

10 Erschienen im Informations- und Pressedienst der österreichischen Widerstandsbewegung, Wien 1987, Verfasser ist vermutlich A. Massiczek.

11 H. Kienzl, »Das Nazi-Syndrom: tot und vermodert«, Die Furche, 26. 7. 1985, S. 4; ders., »Ausgeheilt? Aufstieg und Niedergang der NS-Weltanschauung in Österreich«, Die Zukunft, Jg. 1985, Nr. 11 (November 1985), S. 33–36; ders., »Where Democracy is Alive Fascism is Dead«, Austria Today, Jg. 1985, Nr. 3, S. 18–27 und viele weitere Male seither. Vgl. dagegen die Diskussion darüber in: Die Furche, 26. 7. 1985, S. 5 und: Arbeiterzeitung, 5. 7. bis 9. 8. 1985. Ausführlich widerlegend auch H. Weiss: Antisemitische Vorurteile in Österreich, 2. Aufl., Wien 1986, S. 125–135.

12 Vgl. F. Heer: Der Kampf um die österreichische Identität, Wien 1981; ders.: Der Glaube des Adolf Hitler, München 1968: ders., Gottes erste Liebe, München 1967.

13 Vgl. etwa P. Pulzer: »Vergangenheitsbewaltigung«, Das jüdische Echo, Bd. 35, Nr. 1 (1986), S. 114–117; A. S. Markovits, Rabinbach: »Why Waldheim Won in Austria«. Dissent, Jg. 1986. Herbst 1986: B. F. Paulev: »The Jews of Austria«. Austria Information, Bd. 39, Nr. 7/8 (1986), S. 7; P. Loewenberg: »Waldheim and Austria vs. the Past«, Los Angeles Times, 4. 5. 1986, S. 2.

14 Vgl. F. Molden: Die Österreicher oder die Macht der Geschichte, München 1986.

15 Vgl. C. C. O'Brien, »The Very Model of a Secretary-General«, TLS, 17. 1. 1986, S. 63f.

16 Siehe vor allem J. Bunzl, B. Marin: Antisemitismus in Österreich, Innsbruck 1983; H. Weiss: »Antisemitische Vorurteile in Österreich nach 1945«, in: A. Silbermann, J. Schoeps (Hrsg.): Antisemitismus nach dem Holocaust, Köln 1986, S. 53–70.

17 Bestehend aus Dr. G. Hinteregger, Dr. W. Kraus, Prof. P. Lendvai, Dr. F. Molden, Dr. H. Portisch, Prof. G. Strourzh. Ihre Überlegungen mündeten in einen »Maßnahmenkatalog für ein umfassendes Österreichbild«.

18 Vgl. dazu auch Ch. Flecks Einleitung zu einer »vergessenen Arbeitslosenstu-

die M. Jahodas, die demnächst unter dem Titel »Arbeitslose bei der Arbeit« als Bd. 11 der »Studien zur Historischen Sozialwissenschaft« erscheinen soll.

19 A. Whiteside: Austrian National Socialism Before 1918. The Hague 1962; H. Mommsen: Die Sozialdemokratie und die Nationalitätenfrage im habsburgerischen Vielvölkerstaat, Wien 1963.

20 K. D. Bracher: Die deutsche Diktatur, Köln 1969, S. 86ff.

21 Siehe E. B. Bukev: Hitler's Hometown, Bloomington 1985, S. 6ff.

22 Den Einfluß Lanz-Liebenfels' wohl zu sehr überschätzend, siehe W. Daim: Der Mann, der Hitler die Ideen gab, München 1958, ferner zu A. Trebitsch: Heer, Glaube, S. 167f.; H. St. Chamberlain beendete seine »Grundlagen des 19. Jahrhunderts« (München 1899) in Wien (M. Pollak: Vienne 1900, Paris 1984, S. 104f.).

23 G. L. Mosse: The Nationalization of the Masses, New York 1975, S. 197ff.; ders.: The Chrisis of German Ideology, New York 1964, S. 73ff.; A. G. Whiteside: The Socialism of Fools, Berkeley 1975, S. 305f.; J. S. Jones: Hitler in Vienna 1907–1913, New York 1982, S. 118ff.

24 J. Bunzl: »Zur Geschichte des Antisemitismus in Österreich«, in: Bunzl-Marin, a. a. O., S. 40ff.; J. Oxaal: »The Jews of Young Hitler's Vienna«, in ders. u. a. (Hrsg.): Jews, Antisemitism and Culture in Vienna, erscheint London 1987; vgl. vor allem: P. G. J. Pulzer: Die Entstehung des politischen Antisemitismus in Deutschland und Österreich 1867–1914, Gütersloh 1966.

25 Vgl. G. Botz: Wien vom »Anschluß« zum Krieg, Wien ^{2}1980, S. 403.

26 Ebenda, S. 248.

27 R. Luza: Austro-German Relations in the Anschluß-Era, Princeton 1975, S. 118.

28 D. Stiefel: Entnazifizierung in Österreich, Wien 1981; Meissl u. a. (Hrsg.), Verdrängte Schuld, verfehlte Sühne, Wien 1986.

29 Siehe hierzu allgemein meinen Aufsatz: »Eine deutsche Geschichte 1938 bis 1945?«, in: Zeitgeschichte, 14. Jg., H. 1 (1986), S. 19–38.

30 Siehe vor allem K. R. Stadler: Österreich 1938–1945 im Spiegel der NS-Akten, Wien 1966, und die Dokumentationen: Widerstand und Verfolgung... 1934–1945, Wien 1975ff. für Wien, Oberösterreich, Burgenland und Tirol; E. Weinzierl: Zu wenig Gerechte, Graz 1969.

31 Siehe etwa: Ch. Streit: Keine Kameraden, Stuttgart 1978, S. 296–300; H. Krausnick / H. H. Wilhelm: Die Truppe des Weltanschauungskrieges, Stuttgart 1981, S. 63ff., 80ff., 618ff.

32 Dok. 065-UK in: Der Prozeß gegen Hauptkriegsverbrecher vor dem Internationalen Militärgerichtshof, Nürnberg 1947ff., Bd. 39, S. 128f.

33 Dok. 066-Uk, in: ebenda, Bd. 39, S. 136f.; vgl. auch Dok. 036-USSR, in: ebenda, S. 278f.

34 Ebenda, Bd. 4, S. 539.

35 Vgl. etwa auch: Dok. 3713-P5, in: ebenda., Bd. 32, S. 478; Bd. 15, S. 593 und S. 621; H. A. Jacobsen: Der Zweite Weltkrieg, Frankfurt a. M. 1965, S. 110.

36 G. Botz, Wohnungspolitik und Judendeportation in Wien 1938 bis 1945, Wien 1975, S. 99f.

37 Watzlawik war der Name von Waldheims Vater vor dessen »Germanisierung«.

Taras Borodajkewycz, Wiener Universitätsprofessor, wurde durch antisemitische Äußerungen 1965 Anlaß zu Demonstrationen, die das erste politische Todesopfer der Zweiten Republik zur Folge hatten. Rothstock, der Mörder H. Bettauers im Jahre 1925, sprach Deutsch nicht akzentfrei, sondern »böhmakelnd«.

38 Vgl. etwa E. Nolte: Der Faschismus in seiner Epoche, München [2]1965, S. 436; A. Hillgruber: »Die ›Endlösung‹ und das deutsche Ostimperium«, in M. Funke (Hrsg.): Hitler, Deutschland und die Mächte, Kronberg/Ts. 1978, S. 101; K. Hildebrand: »Hitlers ›Programm‹ und seine Realisierung 1939–1942«, in: ebenda, S. 78; H. Heiber, »Der Generalplan Ost«, in: Vierteljahrshefte für Zeitgeschichte, 6. Jg. (1958), S. 281–325; H. U. Thamer: Verführung und Gewalt, Berlin 1986, S. 660ff.

39 Laut einer Wahlbroschüre für Waldheim im April 1986.

40 Siehe vor allem die Beiträge von J. Habermas, E. Jäckel, H. Schulze, M. Broszat, Th. Nipperdey und E. Nolte in: Die Zeit, 11. 7., 7. 11., 12. 9., 26. 9., 17. 10. und 31. 10. 1987. Ferner: H. Mommsen, »Neues Geschichtsbewußtsein und Relativierung des Nationalsozialismus«, in: Blätter für deutsche und internationale Politik, Jg. 1986, H. 10, S. 1200–1213. – Neuerdings zusammengestellt in E. R. Piper (Hrsg.): Der Historikerstreit, München 1987.

41 Vor allem bedeutungsvoll die Teile I bis III dieser Rede des westdeutschen Bundespräsidenten vom 8. Mai 1985: R. v. Weizsäcker: Von Deutschland aus, München 1987, S. 11ff. Daraus eine neue »Dolchstoß-Legende« konstruierend, das seither in seiner Auflage von 50000 hergestellte Pamphlet von E. Maier-Dorn: Zu v. Weizsäckers Ansprache vom 8. Mai 1985, Neustadt b. Obg. 1986, S. 13, 69.

Lutz Niethammer
»Normalisierung« im Westen
Erinnerungsspuren in die 50er Jahre

1 Dank an Franz Josef Brüggemeier, Alexander von Plato, Regina Schulte und Dorothee Wierling für Kritik.

2 Die Sehnsucht nach den 50er Jahren, in: Quick 44 (1983). Für die damalige junge Generation, die im folgenden nicht berücksichtigt wird, vgl. mit vergleichbarem Ansatz Ulf Preuss-Lausitz u. a.: Kriegskinder, Konsumkinder, Krisenkinder. Zur Sozialisationsgeschichte seit dem Zweiten Weltkrieg, Weinheim u. Basel 1983.

3 Vgl. aber z. B. Hans-Peter Schwarz: Die Ära Adenauer (Geschichte der Bundesrepublik Deutschland, Bd. 2), Stuttgart 1961, S. 375ff. (»Der Geist der fünfziger Jahre«); Dieter Bänsch (Hrsg.): Die fünfziger Jahre. Beiträge zu Politik und Kultur, Tübingen 1985; vgl. auch das einschlägige Themenheft von Sowi 15 (1986) H.2.

4 Zur Kritik an den großen Linien der Geschichtspropaganda der Wende vgl. Hans Mommsen: Das Geschichtsbild der Wende, in: Journal für Geschichte (1985) H. 3, S. 6f.; Lutz Niethammer: Zum Wandel der Kontinuitätsdiskus-

sion, in: Ludolf Herbst (Hrsg.): Westdeutschland 1945–1955, München 1986, S. 65–84; Jürgen Habermas: Eine Art Schadensabwicklung. Die apologetischen Tendenzen in der deutschen Zeitgeschichtsschreibung, in: Die Zeit v. 11.7.1986, S. 40.

5 Exemplarisch Hans-Peter Schwarz: Modernisierung oder Restauration. Einige Vorfragen zur künftigen Sozialgeschichtsforschung über die Ära Adenauer, in: Kurt Düwell und Wolfgang Köllmann (Hrsg.): Rheinland-Westfalen im Industriezeitalter, Bd. 3, Wuppertal 1984, S. 278ff.; Hermann Lübbe: Der Nationalsozialismus im politischen Bewußtsein der Gegenwart, in: Martin Broszat u. a. (Hrsg.): Deutschlands Weg in die Diktatur, Berlin 1983, S. 329ff.

6 Ich stütze mich dabei auf das an der Universität Essen und der FernUniversität in Hagen seit 1980 durchgeführte Projekt »Lebensgeschichte und Sozialkultur im Ruhrgebiet 1930 bis 1960« (im folg. LUSIR), das von der Stiftung Volkswagenwerk und vom Land NRW gefördert wurde. Vgl. Lutz Niethammer (Hrsg.): »Die Jahre weiß man nicht, wo man die heute hinsetzen soll.« Faschismuserfahrungen im Ruhrgebiet, sowie: »Hinterher merkt man, daß es richtig war, daß es schiefgegangen ist.« Nachkriegserfahrungen im Ruhrgebiet, sowie ders. u. Alexander von Plato (Hrsg.): »Wir kriegen jetzt andere Zeiten.« Auf der Suche nach der Erfahrung des Volkes in nachfaschistischen Ländern, Berlin/Bonn 1983–1985 (im Folgenden zit. LUSIR I, II bzw. III) sowie Alexander von Plato: »Der Verlierer geht nicht leer aus.« Betriebsräte geben zu Protokoll, Berlin/Bonn 1984.

7 Vgl. dazu meine Bemerkungen in LUSIR I, S. 8f.

8 Zusammenfassend für die Kritik an erfahrungs- und alltagsgeschichtlichen Ansätzen Hans-Ulrich Wehler: Geschichte von unten gesehen, in: Die Zeit v. 3.5.1985, S. 64.

9 Zur Kritik vgl. Ulrich Herbert in LUSIR III, S. 19ff.

10 Zur Kritik – in diesem Fall an der Identifikation des Historiographen Andreas Hillgruber (Zweierlei Untergang, Berlin 1986) mit den Deutschen an der Ostfront 1944/45 – vgl. Habermas, Schadensabwicklung, a. a. O.

11 Fragen der Methode sind behandelt in LUSIR III, S. 392–445 sowie Lutz Niethammer (Hrsg.): Lebenserfahrung und kollektives Gedächtnis. Die Praxis der Oral History, Frankfurt [2]1985 (mit weit. Lit.).

12 Zeugnisse auch kollektiver Erfahrungen stammen immer von einzelnen Menschen. Auch wenn es entfernte Kulturen gibt, für welche diese Brechung vernachlässigt werden kann, erfordert der Übergang von Klassenkulturen zur Biographisierung des einzelnen im Europa des 20. Jahrhunderts die Untersuchung der individuellen, sozio-kulturellen und ereignishaften Bedingungen des Erfahrungsaufbaus. Der historische Interpret muß nicht von solchen Zeugnissen, weil sie zu persönlich seien, Distanz gewinnen, sondern der Distanz gewahr werden, die ihn immer schon von ihnen trennt: dann kann er die stillschweigenden Selbstverständlichkeiten der Zeugnisse als Schlüssel zu ihren kommunikativen Voraussetzungen und damit zu ihrer zeit- und gruppenspezifischen Verallgemeinerung nutzen. Demgegenüber ist die Verallgemeinerung expliziter Erfahrungsäußerungen einzelner, gewöhnlich führender

Personen auf die Erfahrung »ihres« Volkes ein elitärer Griff in den Nebel und die Identifikation des Interpreten mit solchen Äußerungen eine relativistische Manipulation.

13 Vgl. Burkart Lutz: Der kurze Traum immerwährender Prosperität, Frankfurt/New York 1984, S. 30ff.

14 Die Sonderbedingungen des Ruhrgebiets in den 50er Jahren, auf die ich hier nicht eingehen kann, sind skizziert in der in der Anm. 6 zitierten längeren Fassung dieses Beitrags, S. 179f.

15 Ulrich Herbert: »Die guten und die schlechten Zeiten«, in LUSIR I, S. 67ff. hat diese Hypothese an fünf Arbeitern einer Alterskohorte (um 1910 geb.) entwickelt. Die Grundtendenz, insbesondere der Mangel an Erzählungen über die 50er Jahre hat sich aber an vielen Interviews (nicht nur in unserem Projekt) bestätigt.

16 Zum folgenden vgl. insbes. die alltagsgeschichtlichen Studien über junge Bergleute in den 30er Jahren von Michael Zimmermann (LUSIR I, S. 67ff.), über Hausfrauen im Bergarbeitermilieu von Anne-Kathrin Einfeldt (I, S. 267ff., II, S. 149ff.), über Frauen im Büro von Margot Schmidt (I, S. 133ff., II, S. 191ff.) und die historische Brechung soziologischer Befunde aus den 50er Jahren über Nachbarschaft und Industriearbeiter von Bernd Parisius (I, S. 297ff., II, 107ff.). Eher erfahrungsgeschichtlich ausgerichtet sind die Studien über das Fremdarbeiterproblem und über Kruppianer von Ulrich Herbert (I, S. 233ff.), über Kriegs- und Nachkriegserinnerungen von mir (I, S. 163ff., II, S. 17ff.), über Flüchtlingsintegration von Alexander von Plato (III, S. 172ff.) und über die Folgen des BDM von Nori Möding (III, S. 256ff).

17 Eine zusammenfassende Plazierung versucht Ulrich Herbert in LUSIR III, S. 19ff.; vgl. Josef Moser: Arbeiterleben in Deutschland 1900–1970, Frankfurt 1984.

18 Vgl. die Studien über Montan-Betriebsräte und ihre Verbindungen im Netzwerk kommunaler und sozialer Selbstverwaltung von Alexander von Plato und Michael Zimmermann in LUSIR II, S. 311ff., S. 277ff.

19 Werner Fuchs: Der Wiederaufbau in Arbeiterbiographien, in LUSIR III, S. 347ff., S. 358.

20 Ähnlich hatte die Masse der Arbeiterschaft nicht die Inhalte der NS-Ideologie (Rassenlehre, Volks- und Betriebsgemeinschaft, Herrenmenschentum und soldatischer Mann) verinnerlicht, wohl aber in ihrem Rückzug auf die Nahwelt und der Ausgestaltung ihrer Perspektiven eine mit dem NS kompatible Rolle eingenommen und die »Unterschichtung« durch Fremdarbeiter oder besetzte Völker als Aufstieg erlebt.

21 Vgl. Sibylle Meyer u. Eva Schulze: »Als wir wieder zusammen waren, ging der Krieg im Kleinen weiter«, in LUSIR III, S. 305ff., verwenden dieses Zitat zur Charakterisierung der Heimkehrsituationen in Berlin nach 1945.

22 Vgl. die köstliche Bildkritik Nikolaus Jungwirth u. Gerhard Kromschröder: Die Pubertät der Republik. Die 50er Jahre der Deutschen, Frankfurt 1978.

23 Horst Kroll, geb. 1925, Vater Bäcker und Gastwirt im Ruhrgebiet, Hotelfachlehre und Flieger-HJ, kurzer Kriegseinsatz, nach Bürolehre und Laufbahn in

der Bauverwaltung einer Randgemeinde des Ruhrgebiets. Cassette 3, 2 Interviewerin Almut Leh.

24 Vgl. dazu den Abschnitt »Countdown. Der Mythos von Unrecht und Ordnung« in LUSIR II, S. 79ff.

25 Der Einfluß der KPD halbierte sich in kurzer Frist selbst in ihren Ruhrgebietshochburgen. Vgl. die Daten bei Hartmut Pietsch: Militärregierung, Bürokratie und Sozialisierung. Zur Entwicklung des politischen Systems in den Städten des Ruhrgebietes 1945 bis 1948, Duisburg 1978, S. 311f.

26 Vgl. LUSIR II, S. 83f.

27 Klaus-Jürgen Geißler, geb. 1931 als Sohn eines Kranführers in der Stahlindustrie, zu Beginn der 50er Jahre technischer Angestellter, bei den Falken engagiert, 1954 SPD, seit 1961 Betriebsratskarriere. Interviewer Ulrich Herbert.

28 Vgl. die paradigmatischen Biographien von Gisbert Pohl und Konrad Vogel bei v. Plato, Verlierer, S. 52ff. bzw. 180ff. und meine diesbezüglichen Textinterpretationen in LUSIR I, S. 213ff. bzw. III, S. 422f.

29 Wo die politische Umorientierung 1945 noch entschiedener ausfiel und – wie bei einer Minderheit dieser Generation nicht selten – ins kommunistische Lager führte, konnte man in den 50er Jahren erst recht unter die Räder geraten. Für eine charakteristische Umorientierungsgeschichte vgl. den Bericht über Gustav Köppke in LUSIR I, S. 209ff.

30 Dörte Finke, geb. 1908, Cassette 4, 1, Interviewerin Almut Leh.

31 Ebenda Cassette 8, 2.

32 Ebenda Cassette 7, 2. Im weiteren Verlauf verweist sie auf die imperialistischen Loyalitätsstrukturen: »Und wir im Osten hatten auch eine andere Einstellung zu dem Hitlerattentat (am 20. Juli 1944). Wenn sie da Hitler –, dann hätten wir ja sofort in Polen einen Volksaufstand gehabt. [...] Da wäre also wirklich ein Chaos losgebrochen. Nicht nur in Deutschland, sondern sofort hätten sich doch da die Völker, die wir besetzt hatten, auch erhoben. Da wären wir also nicht lebend rausgekommen, '44, wenn das passiert wäre.«

33 Ebenda Cassette 8, 1. An anderer Stelle weist Frau Finke darauf hin, daß die Bundesbeamten ja noch weithin die alten Berliner Reichsbeamten gewesen seien und in den 50er Jahren sich gar nicht richtig festzusetzen versucht hätten, weil sie noch auf die Rückkehr in die Reichshauptstadt gewartet hätten.

34 Adam Bräger, geb. 1915 als Sohn eines mitteldeutschen Landwirts, auf dessen Hof er seit seinem 14. Lebensjahr gearbeitet hat. Daneben Landwirtschafts- sowie Reit- und Fahrschule, insges. neun Jahre Militärdienst und Kriegseinsatz (Norwegen, Jugoslawien), seit 1945 wieder auf dem Hof, den er bei seiner Heirat mit einer dort einquartierten Vertriebenen aus Pommern 1950 übernimmt, zwei Jahre später aber an den Vater zurückgibt, um nach zunehmenden Konflikten mit den DDR-Behörden über Ablieferungsverpflichtungen »nach'm Westen rüberzumachen«. Nach verschiedenen Durchgangslagern Arbeit im Gleisbau im Ruhrgebiet. Nach dem Tod seines Vaters erhält er eine Lastenausgleichszahlung. Seit 1959 Verwaltungsangestellter, seit 1979 Rentner. Cassette 3, 1. Interviewerin Almut Leh.

35 Ebenda. Bei Vertriebenen, die um ähnliche Verluste trauerten, gab es kaum lähmenden Selbstzweifel, während andererseits die Mehrzahl der Flüchtlinge

aus der SBZ/DDR jünger waren als Herr Bräger oder Anknüpfungspunkte im Westen hatten oder in die günstigere Konjunkturphase Ende der 50er Jahre kamen. Vgl. dazu Alexander von Plato: Fremde Heimat, in LUSIR III, S. 172ff.

36 Bräger, Cassette 1, 1 u. 2.

37 Manchmal steht sie noch im Raum, etwa wenn Frau Bräger die DDR anklagen möchte, weil den dagebliebenen Bauern die Höfe (rechtlich) genommen worden seien, sie aber in neuem Status darauf weiter wohnen und arbeiten konnten oder wie sie sagt: mußten und Herr Bräger, der ja auch Arbeiter werden mußte, vom »flauen Gefühl im Magen« spricht, als er nach 15 Jahren zum ersten Mal seinen ehemaligen Hof wiedersah.

38 Ebenda, Cassette 1, 2.

39 Werner Darski, geb. 1927, Interviewerin Almut Leh.

40 Ebenda, Cassette 5, 1

41 Was ein Hausbau in Eigenhilfe in der Nachkriegszeit bedeutet, wie er alle Fasern einer Großfamilie in Anspruch nimmt, schildert Werner Jabel in LUSIR II, S. 87ff.

42 Werner Darski, Cassette 5, 1

43 In diesem Fall konkretisiert sie sich darin, daß sich die Ehe der Aufbauzeit irgendwie auflöst, was als schmerzhaft, aber letztlich unerklärlich erscheint.

44 Werner Darski, Cassette 5, 2

45 Zum Begriff Mario Erdheim: Die gesellschaftliche Produktion von Unbewußtheit, Frankfurt 1982.

46 Else Wollberg, geb. 1914 in Norddeutschland, Vater Arbeiter. Küchenhilfe und Arbeiterin bis 1951. Erste Ehe 1935 mit einem Handwerker, den sie in der sozialistischen Jugend kennengelernt hatte, zwei Kinder, darunter die hier erwähnte Erna 1943. Ehemann fällt im Krieg, danach Onkelehe mit einem vertriebenen Autoschlosser, der wie sie bei der Besatzungsmacht arbeitete. Nach der Geburt einer Tochter 1951 hört sie auf zu arbeiten, er wird arbeitslos. 1953 Heirat und Übersiedlung in eine Zweieinhalb-Zimmer-Wohnung im Ruhrgebiet, wo er Neubergmann wird. 1956 ein weiterer Sohn, 1958 eine größere Wohnung, sie betreibt Nebenerwerbsarbeiten. 1973 Scheidung, nachdem der Mann schon längere Zeit bei einer Freundin wohnt. Sie zieht weg und wohnt mit ihrer jüngeren Tochter. Cassette 2, 2. Interviewerin Anne-Katrin Einfeld.

47 Ilselore Kellner, geb. 1929 im Ruhrgebiet, Vater Offizier und Polizeibeamter bis 1933, später Lokführer in der Industrie. BDM, Bürolehre und -gehilfin 1944 bis zur Heirat mit einem Bürokaufmann aus der Nachbarschaft, der in einem Internat des Kyffhäuserbunds und in der Waffen-SS erzogen worden war (»eine gute Erziehung«) und der es später zum mittleren Manager, schließlich zum Selbständigen brachte, 1951, dann Hausfrau, zwei Kinder, Hausbau. Nach Tod des Sohnes 1969 und vier Jahre später des Ehemannes Sachbearbeiterin in Halbtagsstellung in der Industrie. Cassette 1, 2. Interviewerin Margot Schmidt.

48 Frau Finke (Cassette 8, 1) reflektiert über »die Generation (von Frauen), die dann im Krieg so toll ihren Mann gestanden hat«: »Daß sie also sagten: Wir dürfen jetzt nicht so, wenn unsere Männer nun wieder gekommen sind, die müssen wir erst mal wieder seelisch aufbauen. Und wenn wir dann so selbstän-

dig sind und wir machen alles und wir haben den Beruf und sie sitzen zu Hause und haben kein Geld, dann ist das ganz schlimm. Es ist schon besser, wir machen kleine Brötchen, ziehen uns erstmal wieder zurück und bauen die Männer auf. Ich meine natürlich, der Männeraufbau wurde ja auch gebraucht nach dem Kriege. Nur die Frauen hätten dieses Wirtschaftswunder nicht zustande gebracht.« Zum umgedrehten Geschlechterstereotyp als Kriegsfolge vgl. auch LUSIR I, S. 163 ff., bes. S. 221 ff.

49 Ilselore Kellner, Cassette 2, 1

50 Babette Bahl, geb. 1912, als Tochter eines Bergmanns, Hausangestellte, 1934 Ehe mit einem Bergmann (NSDAP, SA, 1943 erkrankt, 1945 gestorben), drei Kinder, die sie, zwei Wochen vor Kriegsende ausgebombt, in der Nachkriegszeit mit einer kleinen Rente, Fürsorgeleistungen und Gelegenheitsarbeiten großzieht. Mitte der 50er Jahre arbeiten die beiden Söhne im Bergbau und wohnen mit Anfang 20 noch in der beschriebenen Wohnung; das Kindergeld für die Tochter fällt 1956 weg. Cassette 1, 2. Interviewerin Anne-Katrin Einfeld.

51 Sie hatte offenbar die Frauen beraten, wie sie an die NS-Ehestandsdarlehen kommen und wie sie ›abkindern‹ konnten.

52 Das ganze Zitat und der Zusammenhang ihrer Kriegserfahrung ist berichtet in LUSIR I, S. 186 ff., bes. S. 190 f.

53 Familie Kaufmann, Cassette 3, 2. Interviewer Rainer Potratz. Herr Kaufmann, geb. 1924 in Pommern, mittlere Reife, HJ, einige Monate Beamtenanwärter, RAD, Unteroffizier, schwere Kriegsverletzung in Rußland, danach Fahnenjunkerausbildung. 1945 im Westen geblieben und ins Sauerland gelangt, Hilfsarbeiter, Landwirtschaftslehre, Buchhalter, Hilfsarbeiter, Kraftfahrer, kaufmännischer Angestellter, 1956 als 131er wieder in die Verwaltung übernommen, seither Kommunalbeamter im Ruhrgebiet. Er resümiert, sein Leben habe keine Wendepunkte und Brüche gehabt, sondern sei ziemlich gradlinig verlaufen. Frau Kaufmann, geb. 1931 in Schlesien, 1946 vertrieben, lebte dann mit Mutter und Geschwistern im Sauerland, die sie später als Kunsthandwerkerin unterstützte. Ihren Mann lernte sie auf einem Vertriebenenkulturabend kennen. Seit der Heirat 1955 Hausfrau, zwei Kinder.

54 Nachdem er ausführlich sein ganzes vorheriges Leben berichtet hat, schließt er seine Biographie 1956 damit ab, wie er vor 30 Jahren wieder Beamter wurde. Nach zahllosen ergebnislosen Bewerbungen erhielt er ein Angebot einer Stadtverwaltung: »Ich war nämlich für die ein ganz willkommener Mann, den sie da einstellen konnten. Ich war a) Flüchtling, b) Schwerbeschädigter vom Krieg her und c) 131er. Also mit meiner Einstellung schlugen die gleich drei Fliegen mit einer Klappe. Sie kamen nämlich gleich drei Verpflichtungen nach: Flüchtlinge einstellen, Beamte einstellen und Schwerbeschädigte, na ja.« Kaufmann, Cassette 1, 1.

55 Kaufmann, Cassette 2, 2 Herr Kaufmann kommentiert, daß seine Frau ihre Beobachtungen als junges Mädchen nicht verallgemeinern könne und will offenbar andeuten, daß in den Köpfen der älteren Kriegsteilnehmer auch sonst noch etwas existierte, sagt aber nicht, was.

56 Ebenda 1, 2

57 Ebenda 2, 1

58 Ebenda 1, 2
59 Vgl. als differenzierte symptomatische Beschreibung Friedrich H. Tenbruck: Alltagsnormen und Lebensgefühle in der Bundesrepublik, in Richard Löwenthal und Hans-Peter Schwarz (Hrsg.): Die zweite Republik, Stuttgart 1974, S. 289 ff. Seine Erklärungskraft bleibt aber durch die Ausblendung der Vorerfahrungen im Dritten Reich gering. Auf diese lebens- und kulturgeschichtlichen Zusammenhänge haben jedoch bereits in den 60er Jahren Alexander und Margarete Mitscherlich: Die Unfähigkeit zu trauern. Grundlagen kollektiven Verhaltens, München 1967, in einem aufklärerischen Essay eindringlich hingewiesen und dafür ein psychoanalytisches Erklärungsmodell entworfen. Die Auswertung erfahrungsgeschichtlicher Quellen reicht aber fast nie bis an die frühkindliche Prägung des Ich und die Tiefenschichten seiner weiteren Entwicklung. Bei konkludenten Befunden kann sie das Modell aber aus seiner übergeneralisierten Abstraktheit befreien und differenzierte Anknüpfungspunkte auf der sozialen und historischen Ebene aufweisen.

Dan Diner
Negative Symbiose
Deutsche Juden nach Auschwitz

1 Louis de Jong: Die Niederlande und Auschwitz, in: Vierteljahrshefte für Zeitgeschichte (1969), S. 16.
2 Hannah Arendt/Karl Jaspers: Briefwechsel 1926–1969, Hrsg. Lotte Köhler, Hans Janer, München 1985, S. 90.
3 Hans Dieckmann: Angstträume und Wirklichkeit. Reaktionen unseres Unbewußten auf Atomkrieg und ökologische Krise, in: Klaus Horn/Eva Senghaas-Knobloch (Hrsg.): Friedensbewegung – Persönliches und Politisches, Frankfurt 1983, S. 62–71, S. 62.
4 Ebenda, S. 69
5 Max Horkheimer: Notizen 1950–1969 und Dämmerung, Hrsg. von Werner Brede/Alfred Schmidt, Frankfurt 1974, S. 273.

Ulrich Herbert
Arbeit und Vernichtung
Ökonomisches Interesse und Primat der »Weltanschauung« im Nationalsozialismus

1 Das Diensttagebuch des deutschen Generalgouverneurs in Polen 1939 bis 1945, hg. von Werner Präg und Wolfgang Jakobmeyer, Stuttgart 1975, Eintragung v. 22. 6. 1943, S. 697.
2 Vgl. etwa: Ota Kraus, Erich Kulka: Massenmord und Profit. Die faschistische Ausrottungspolitik und ihre ökonomischen Hintergründe, Berlin (DDR) 1973.

3 Vgl. v. a. die sechsbändige Gesamtdarstellung: Deutschland im Zweiten Weltkrieg, Köln 1974 ff.; sowie Kurt Pätzold: Von der Vertreibung zum Genozid. Zu den Ursachen, Triebkräften und Bedingungen der antijüdischen Politik des faschistischen deutschen Imperialismus, in: Dietrich Eicholtz, Kurt Gossweiler (Hrsg.): Faschismusforschung. Positionen, Probleme, Polemik, Köln 1980, S. 181–208: »Historiker der BRD meinen offenkundig von den Zusammenhängen zwischen Kapitalismus und Faschismus, Bourgeoisie und NSDAP dadurch weglenken zu können, daß sie Rassenwahn und Judenhaß der faschistischen Führungsclique zum gedanklichen Ansatz jedweder Beschäftigung mit der Geschichte des deutschen Faschismus erklären« (S. 182) – dabei bezieht sich Pätzold auf M. Broszat. Vgl. auch Konrad Kwiet: »Historians of the German Democratic Republic on Antisemitism and Persecution«, in: Leo Baeck Institute Yearbook, Vol XXI (1976).

4 Darauf deutet etwa die Kontroverse um die Rolle des Daimler-Benz-Konzerns während des Krieges hin; dazu Hans Pohl, Stephanie Habeth, Beate Brüninghaus: Die Daimler-Benz AG in den Jahren 1933 bis 1945, Wiesbaden/Stuttgart 1986; Karl Heinz Roth u. a.: Das Daimler-Benz-Buch. Ein Rüstungskonzern im »Tausendjährigen Reich«, Nördlingen 1987; Hans Mommsen: Bündnis zwischen Dreizack und Hakenkreuz, in: Der Spiegel, Nr. 20, 11.5.1987, S. 118–129.

5 Hierzu Benjamin B. Ferencz: Lohn des Grauens. Die verweigerte Entschädigung für jüdische Zwangsarbeiter, Frankfurt/New York 1981; zur Problematik der Wiedergutmachung insgesamt vgl. Ludolf Herbst, Constantin Goschler (Hrsg.): Wiedergutmachung, erscheint 1988.

6 Vgl. z. B. Dietrich Eicholtz: Geschichte der deutschen Kriegswirtschaft, Bd. 2, 1941 bis 1943, Berlin (DDR) 1985, S. 220; Ulrich Bauche u. a. (Hg.): Arbeit und Vernichtung. Das Konzentrationslager Neuengamme 1938 bis 1945, Hamburg 1986; Rainer Fröbe: »Vernichtung durch Arbeit«? KZ-Häftlinge in Rüstungsbetrieben an der Porta Westfalica in den letzten Monaten des Zweiten Weltkrieges, in: Joachim Meynert, Arno Klönne (Hg.): Verdrängte Geschichte. Verfolgung und Vernichtung in Ostwestfalen 1933 bis 1945, Bielefeld 1986.

7 Dazu ausführlich Rolf-Dieter Müller: Von der Wirtschaftsallianz zum kolonialen Ausbeutungskrieg, in: Horst Boog u. a.: Der Angriff auf die Sowjetunion. (Das Deutsche Reich und der Zweite Weltkrieg, Bd. 4) Stuttgart 1983, S. 98–189; ders.: Das Scheitern der wirtschaftlichen »Blitzkriegstrategie«, ebd., S. 936–1029; Jürgen Förster: Das Unternehmen »Barbarossa« als Eroberungs- und Vernichtungskrieg, ebd., S. 413–450; ders.: »Die Sicherung des ›Lebensraumes‹«, ebd., S. 1030–1078.

8 Dazu ausf. Ulrich Herbert: Fremdarbeiter. Politik und Praxis des »Ausländer-Einsatzes« in der Kriegswirtschaft des Dritten Reiches, Berlin/Bonn 1985.

9 Aktennotiz v. 21.5.1941, Dok. 2718 PS, IMT Bd. 31, S. 84, dazu Müller, Wirtschaftsallianz, S. 146.

10 Besprechungsniederschrift einer Sitzung im Wehrwirtschafts- und Rüstungsamt des OKW am 4.7.1941; Dok. 1199 PS, IMT Bd. 27, S. 63f.

11 Dazu Christian Streit: Keine Kameraden. Die Wehrmacht und die sowjeti-

schen Kriegsgefangenen 1941 bis 1945, Stuttgart 1978, S. 79; Müller, Scheitern, S. 998–1022; Helmut Krausnick, Hans-H. Wilhelm: Die Truppe des Weltanschauungskrieges, Stuttgart 1981, S. 400ff.

12 Vgl. Streit, S. 136.

13 Vgl. die kritische Auseinandersetzung mit dieser Debatte bei Saul Friedländer: Vom Antisemitismus zur Ausrottung, in: Eberhard Jäckel, Jürgen Rohwer (Hrsg.): Der Mord an den Juden im Zweiten Weltkrieg. Entschlußbildung und Verwirklichung, Stuttgart 1985, S. 18–60.

14 Zur Kontroverse um die Befehle an die Einsatzgruppen, vgl. Helmut Krausnick: Hitler und die Befehle an die Einsatzgruppen im Sommer 1941, in: ebd., S. 88–106; Alfred Streim: »Zur Eröffnung des allgemeinen Judenvernichtungsbefehls gegenüber den Einsatzgruppen«, in: ebd., S. 107–119.

15 So erklärte Göring Mitte September 1941: »Selbst wenn man die sämtlichen übrigen Einwohner ernähren wollte, so könnte man es im neu besetzten Ostgebiet nicht. Bei der Verpflegung der bolschewistischen Gefangenen sind wir im Gegensatz zur Verpflegung anderer Gefangener an keine internationalen Verpflichtungen gebunden. Ihre Verpflegung kann sich daher nur nach den Arbeitsleistungen für uns richten.« Aufzeichnungen v. 16. 9. 1941, Dok. 003 EC, IMT Bd. 36, S. 107.

16 Dazu Müller, Das Scheitern; Eicholtz, Kriegswirtschaft Bd. 2, S. 41–117.

17 Vgl. Herbert, Fremdarbeiter, S. 67–131.

18 Ulrich Herbert: Geschichte der Ausländerbeschäftigung in Deutschland 1880 bis 1980, Berlin/Bonn 1986, S. 143.

19 Herbert, Fremdarbeiter, S. 88ff., 129ff., 145ff.

20 Zum folgenden Falk Pingel: Häftlinge unter SS-Herrschaft. Widerstand, Selbstbehauptung und Vernichtung im Konzentrationslager, Hamburg 1978, S. 35ff., 61ff.; ders.: Die Konzentrationslagerhäftlinge in nationalsozialistischem Arbeitseinsatz, in: Wacław Długoborski (Hrsg.): Zweiter Weltkrieg und sozialer Wandel. Achsenmächte und besetzte Länder, Göttingen 1981, S. 151–163; Martin Broszat: Nationalsozialistische Konzentrationslager 1939 bis 1945, in: Anatomie des SS-Staates, Bd. 2, München 1967, S. 11–136; Enno Georg: Die wirtschaftlichen Unternehmungen der SS, Stuttgart 1963, S. 12–69; Werner Johe: Das KL Neuengamme, in: Studien zur Geschichte der Konzentrationslager, Stuttgart 1970, S. 29–49, hier S. 29–34; Gisela Rabitsch: Das KL Mauthausen, in: ebd., S. 50–92, hier S. 50–57.

21 Dazu Georg, S. 42–69.

22 Pingel, S. 66.

23 Ebd., S. 81f.

24 Dazu Raul Hilberg: Die Vernichtung der europäischen Juden. Die Gesamtgeschichte des Holocaust, Berlin 1982, S. 626ff.; Pingel, S. 144ff.; Alfred Konieczny: Bemerkungen über die Anfänge des Konzentrationslagers Auschwitz, in: Hefte von Auschwitz, 12, 1970, S. 5–44; Broszat, Konzentrationslager, S. 97–101.

25 Broszat, Konzentrationslager, S. 99.

26 73,7 % der jüdischen Bevölkerung des »Altreichs« waren 1939 über 40 Jahre alt; 57,7 % waren Frauen; Hilberg, S. 108.

27 Prot. d. »Amtschef- und Einsatzgruppenleiterbesprechung« am 21.9.1939, v. 27.9.1939, vgl. Krausnick/Wilhelm, S. 73f.
28 Diensttagebuch, 8.11.1939, S. 61; 8.12.1939, S. 77f.; Hilberg, S. 149ff.; der Erlaß Görings wurde am 8.4.1940 vom BadMdi weitergeleitet, dazu Uwe Dietrich Adam: Judenpolitik im Dritten Reich, Königstein/Ts. 1979, S. 254; vgl. Diensttagebuch, 4.3.1959, S. 146.
29 Dazu Hilberg, S. 108.
30 Pätzold, S. 201.
31 RAM an Lammers. 3.6.1940, über seinen RdErl. an die Reichstreuhänder der Arbeit, BA R 43 II/547; Durchführungs-VO v. 31.10.1941, RGBl. I, S. 681; dazu Adam, S. 285–292.
32 RdSchr. d. RAM an Landesarbeitsämter, 14.3.1941, Dok. NG 363; vgl. Hilberg, S. 311; Adam, S. 289.
33 Geheimerlaß v. 18.12.1941, zit. b. Adam, S. 290.
34 Über Siemens wird in dem RdSchr. d. RAM v. 14.3.1941 berichtet (Anm. 32); die Hermann-Göring-Werke forderten am 13. März 1941 2000 jüdische Arbeiter an, Dok. NI 4285.
35 RdSchr. d. RAM v. 14.3.1941 (Anm. 32).
36 RdSchr. d. RAM v. 7.4.1941, Dok. NG 363.
37 Pätzold, S. 196.
38 VO v. 26.10.1939, VOBl d. GG 1939. S. 5; dazu Pätzold, S. 196; noch im November aber waren nach Mitteilung des HSFPF im GG, Krüger, die »schwierigen Fragen der Unterbringung und Verpflegung« beim Arbeitszwang der Juden noch nicht gelöst; Diensttagebuch, 8.11.1939, S. 61.
39 VO v. 2.12.1939, VOBl. d. GG 1939, S. 246ff.
40 Vgl. etwa den Bericht des Warschauer Judenrates, Referat Arbeitslager, von Ende 1940 über das Flußregulierungsprojekt im Distrikt Lublin, abgedr. in: Faschismus–Ghetto–Massenmord. Dokumentation über Ausrottung und Widerstand der Juden in Polen während des Zweiten Weltkriegs, hrsg. vom Jüdischen Historischen Institut Warschau, Berlin (DDR) 1961, S. 218–220. Bei diesem Projekt waren etwa 10000 Juden beschäftigt. Die Todesraten waren außerordentlich hoch; nach Zeugenaussagen betrugen sie bis zu 50% pro Monat; Affid. von Schönberg, 21.7.1946, Dok. 4071–PS; dazu Hilberg, S. 182f.
41 Besprechung Heydrichs mit Seyß-Inquart und verschiedenen HSSPF, 30.1.1940, b. Pätzold, S. 196.
42 Diensttagebuch, 15.1.1940, S. 88, Vortrag Spindler.
43 Martin Broszat: Hitler und die Genesis der »Endlösung«. Aus Anlaß der Thesen von David Irving, in: VfZ 25 (1977), S. 739–775, hier zit. n.: Ders.: Nach Hitler. Der schwierige Umgang mit unserer Geschichte, München 1986, S. 187–229.
44 Zur Einrichtung der Ghettos s. Hilberg, S. 156ff.
45 In diesem Zusammenhang ist auch auf die These Susanne Heims und Götz Alys zu verweisen, die anhand der Auseinandersetzung mit der Tätigkeit Helmut Meinholds beim Institut für Deutsche Ostarbeit in Krakau zu zeigen versuchen, daß die Ermordung der polnischen Juden Ausdruck »ökonomischen Kalküls« gewesen sei: »Ihr Tod war die rentabelste und einfachste Mög-

lichkeit, den Kapitalverschleiß zu verlangsamen und die Möglichkeit für einen wirtschaftlichen Aufschwung im besetzten Polen offen zu halten.« Susanne Heim, Götz Aly: Ein Berater der Macht. Helmut Meinhold oder Der Zusammenhang zwischen Sozialpolitik und Judenvernichtung, Selbstverlag Hamburg 1986, S. 55; die Hinweise der beiden Autoren auf die sozialpolitische Begründung der Vernichtungspolitik bezeichnen jedoch nur eine Variante der »Rationalisierungen« des Genozids, parallele Argumentationen dazu gibt es im medizinischen, »sicherheitspolizeilichen«, großraumtheoretischen Bereich ebenfalls – allesamt Legitimationsstrategien zur »Rationalisierung« des Massenmords, nicht seine Ursache. Zur Herstellung vordergründiger politischer Kontinuitätslinien überziehen Heim und Aly ihren in vielerlei Hinsicht aufschlußreichen Ansatz und kommen zu Urteilen, die von der Sprache und Gedankenführung her die Distanz zur untersuchten Position Meinholds zuweilen verlieren: »Die Vernichtung von Polen und Juden war in diesem Umfang nicht primär rassistisch oder terroristisch begründet, sondern ein Mittel, Kapital zur Industrialisierung eines – heute würde man sagen Schwellenlandes – abzuschöpfen.« (S. 47).

46 Frauendorfer am 6./7.6.1940, Diensttagebuch S. 230f.

47 Frauendorfer am 6.8.1940, zit. b. Hilberg, S. 181. Nach dieser Anweisung verzichteten einige regionale Wehrmachtsstellen auf die Beschäftigung von Juden.

48 Helmut Krausnick: Judenverfolgung, in: Anatomie des SS-Staates, Bd. 2, München 1967, S. 235–366, hier S. 296.

49 Nach Hilberg, S. 185; der Distriktgouverneur von Warschau, Fischer, sprach im April 1941 darüber hinaus von 25000 Juden aus dem Ghetto Warschau, die für Meliorationsarbeiten und weiteren 15000, die in verschiedenen Betrieben außerhalb des Ghettos eingesetzt seien; Diensttagebuch, 3.4.1941, S. 343.

50 Vorträge von Emmerich und Gate, 3.4.1941, Diensttagebuch, S. 343f.

51 Frank am 19.4.1941, Diensttagebuch, S. 361.

52 Der Hinweis Franks auf das »Versprechen des Führers«, das GG »als erstes judenfrei« zu machen – gegeben wohl im Zusammenhang mit dem »Madagaskar-Plan« – taucht in seinen Reden seit Mitte 1940 mit steter Regelmäßigkeit auf; vgl. etwa: Diensttagebuch, 25.7.1940, 31.7.1940, 25.3.1941, 26.3.1941 u.ö.

53 Diensttagebuch, 17.7.1941, S. 386.

54 Diensttagebuch, 22.7.1941, S. 389.

55 Vgl. die Beiträge von Krausnick und Streim in Jäckel/Rohwer.

56 Höppner an Eichmann, 17.7.1941, zit. b. Hilberg, S. 282; dazu Broszat, Hitler und die Genesis der »Endlösung«, S. 198.

57 Der Arbeitseinsatz im Deutschen Reich, Nr. 21 v. 5.11.1941, S. 4.

58 Zum folgenden Herbert, Fremdarbeiter, S. 137ff.; Streit, S. 202f.

59 Bef. OKW/Kgf. v. 2.8.1941, BA/MA RW 19, Wi/IF 5/1189.

60 Bormann an Lammers, 15.10.1941, BA R 43 II/670a, Bl. 41.

61 Chef OKW/WFSt/L, 31.10.1941, Dok. EC 194.

62 Prot. v. Normann, 14.11.1941, Dok. 1193 PS, IMT Bd. 27, S. 56ff.; Prot. WiRü Amt, 11.11.1941, Dok. 1206 PS, IMT Bd. 27, S. 65f.

63 Vgl. Herbert, Fremdarbeiter, S. 145f.
64 Dazu Streit, S. 202ff., Herbert, Fremdarbeiter, S. 144ff.
65 Konstituierende Sitzung des »Arbeitskreises für Sicherheitsfragen beim Ausländereinsatz«, Prot. v. 3.12.1941, BA R 16/162.
66 Herbert, Fremdarbeiter, S. 150–152.
67 AV WiRü Amt, Vortrag Mansfeld am 19.2.1942, Dok. 1201-PS.
68 Zahlen nach den Berichten Mansfelds an Körner v. 13.12.1941 und 10.2.1941, BA R 41/281.
69 Zu Sauckel s. Herbert, Fremdarbeiter, S. 152ff.
70 Ebd., S. 157–161.
71 Goebbels-Tagebuch, 20.8.1941, zit. b. Broszat, Hitler und die Genesis, S. 200.
72 Hans Günther Adler: Der verwaltete Mensch, Tübingen 1974, S. 172ff.
73 Himmler an Greiser, 18.9.1941, zit. b. Adler, S. 173.
74 Vgl. Hilberg, S. 309, Albert Speer: Der Sklavenstaat, Stuttgart 1981, S. 347f.
75 Aufz. v. OWK/WiRü, 23.10.1941, zit. b. Hilberg, S. 309.
76 Lageb. d. RüInsp. III Berlin, 15.11.1941, BA/MA RW 20–3/16.
77 RAM an LAÄ, 19.12.1941, Dok. 061-L.
78 Vgl. Adler, S. 173f.
79 Dazu Krausnick/Wilhelm, S. 583ff.
80 Dazu Adalbert Rückerl (Hg.): Nationalsozialistische Vernichtungslager im Spiegel deutscher Strafprozesse, München 1977, S. 243ff.; Hilberg, S. 603ff.
81 Prot.: Dok. NG-2586.
82 Hans Mommsen: »Die Realisierung des Utopischen: Die Endlösung der Judenfrage im ›Dritten Reich‹«, in: GuG 9 (1983), S. 381–420, hier S. 414.
83 RdSchr. Himmlers v. 5.12.1941, Dok. NO 385.
84 Rudolf Höß: Kommandant in Auschwitz. Autobiographische Aufzeichnungen, hrsg. v. Martin Broszat, München 1963, S. 162.
85 Himmler an Glücks, 25.1.1942, BA NS 19/1920.
86 Vgl. dazu Höß, S. 163.
87 Dazu ausf. Hilberg, S. 628f.
88 Vgl. Georg, S. 29.
89 3.3.1942, dazu Georg, S. 29.
90 Verf. d. Ch. d. SS-Führungsamtes, 16.3.1942, BA Slg. Schumacher/329.
91 Vorgesehen waren Buchenwald mit 5000, Sachsenhausen, Auschwitz und Ravensbrück mit je 6000 und Neuengamme mit 2000 Häftlingen; Bespr. zwischen Pohl und Saur, 16.3.1942, Dok. NO 659. Hitler stimmte der Vereinbarung am 19.3.1942 zu, hierzu Speer, Sklavenstaat, S. 35.
92 Vgl. dazu die in diesem Punkt durchaus glaubwürdigen Darstellungen Speers, Sklavenstaat, S. 31ff., S. 62.
93 RdSchr. WVHA (Pohl), 30.4.1942, Dok. R 129, IMT 38, S. 365f.
94 Pohl an Himmler, 30.4.1942, ebd., S. 363ff.
95 Broszat, Konzentrationslager, S. 125.
96 Zahlenvergleich bei Speer, S. 61f.
97 Höß, S. 138f.
98 Dazu Georg, S. 90f.

99 Diensttagebuch, 22.6.1942, S. 516.
100 HSSPF/GG Krüger an Schindler, 17.7.1942, Dok. 018 L, IMT 37, S. 399.
101 Himmler an HSSPF Ost, 19.7.1942, Dok. NO 5574; der Grund für diese Beschleunigung lag vor allem in der Verknappung der Transportkapazität infolge der militärischen Entwicklung an der Ostfront, wodurch Himmler seine Zeitpläne in Gefahr sah.
102 Keitel an Mbf. GG, Gienanth, 5.9.1942, BA NS 19/neu 253.
103 Gienanth an WFSt, 18.9.1942, ebd.; dazu Hilberg, S. 369, Speer, S. 364; Krausnick, Judenverfolgung, S. 348f. Gienanth wurde daraufhin von seinem Posten abberufen.
104 Himmler an Pohl u. a., 9.10.1042, BA NS 19/neu 352; dazu Hilberg, S. 369, Georg, S. 91.
105 RdSchr. d. OKW-WFSt, 10.10.1942, Dok. NOKW-134; Vereinbarung zwischen HSSPF und den örtlichen Wehrmachtsstellen v. 13.10.1942, Krausnick, Judenverfolgung, S. 353.
106 Dazu Georg, S. 92ff., Pingel, S. 141, Speer, S. 381.
107 Vgl. Abschlußbericht Globocniks, 4.11.1943, Dok. NO 56; Globocnik an Himmler, 10. (?) 1.1944, zit. b. Speer. S. 382.
108 Bespr. Prot. 4.10.1941, BA NS 19/neu 1734.
109 Krausnick/Wilhelm, S. 609–615.
110 Ereignismeldung UdSSR Nr. 86, 17.9.1941, Dok. NO 3151.
111 Lohse an RMO, 15.11.1941, Dok. 3663-PS, IMT Bd. 37, S. 436; Antwort des RMO (Bräutigam), 18.12.1941, Dok. 366 PS, ebd., S. 437.
112 Abgedr. im Schreiben d. RüInsp. Ukraine an Chef WiRü Amt, 2.12.1941, Dok. 3257-PS, IMT Bd. 32, S. 72f.
113 Vgl. Goebbels-Tagebuch, 12.5.1942, zit. b. Speer, S. 454.
114 Telefongespräch Speer/Himmler, zit. b. Speer, S. 38.
115 Bericht Pohls über Bespr. mit Speer am 15.9.1942, vom 16.9.1942, Dok. NI 15312, abgedr. b. Pingel, S. 276f.
116 Telegramm HA Munition an Krupp, 17.9.1942, Dok. NIK 5858; vgl. Hilberg, S. 312; dazu Ulrich Herbert: »Von Auschwitz nach Essen. Die Geschichte des KZ-Außenlagers Humboldtstraße«, in: Sklavenarbeit im KZ (Dachauer Hefte 2) Dachau 1986, S. 13–34, hier S. 14; RdSchr. HA Waffen v. 23.9.1942, Dok. NI 1626.
117 Speer, S. 40f.
118 Prot. der Führerbesprechung v. 20–22.9.1942, BA R 3/1505, zit. n. Speer, S. 44; vgl. Willi A. Boelcke (Hg.): Deutschlands Rüstung im Zweiten Weltkrieg, Frankfurt 1969, S. 188f.
119 Goebbels-Tagebuch, 30.9.1942, zit. b. Speer, S. 350.
120 Schr. d. RSHA, 23.9.1942, Dok. NI 1626; Schr. d. WVHA an RWHG, 2.10.1942, Dok. NI 14435.
121 WVHA an KL-Kommandanten, 5.10.1942, Dok. 3677-PS; RSHA an Stapoleitstellen, 5.11.1942, Dok. NO 2522.
122 Sauckel an LAÄ (unter Berufung auf Erlaß d. CSSD), 26.11.1942, Dok. L-61, IMT Bd. 37, S. 496f.
123 Dazu Krausnick, Judenverfolgung, S. 359; vgl. RdSchr. Sauckels an die

LAÄ, 26.3.1943, Dok. L 156; KTB RüKdo Berlin, 27.2.1943, BA/MARW 21-3/2.

124 Krausnick, Judenverfolgung, S. 359.

125 Zum folgenden Herbert, Fremdarbeiter, S. 161–179, S. 233–236.

126 Ebd., S. 237–243.

127 Vgl. die Tabelle 41, ebd., S. 270.

128 Affid. Sommer, Dok. NI 1065; Affid. Pister, Dok. NO 254; Hilberg, S. 631. Ab Oktober 1944 gingen auch die Anforderungen von KZ-Häftlingen über den GBA und Rüstungsministerium; vgl. Schnellbrief Speer, 9.10.1944, Dok. NI 638.

129 Ab dem 1.10.1942, vorher hatten sie 4,- RM bzw. 3,- RM und 2,- RM betragen; Schr. d. WVHA Amt D II, 24.2.1944, Dok. NO 576.

130 Georg, S. 56, S. 61f.

131 Aufstellung d. WVHA, 28.12.1942, Dok. 1469-PS; Aufstellung v. 15.8.1944, Dok. 1160-PS, IMT Bd. 27, S. 46ff.; Broszat, Konzentrationslager, S. 132f.

132 Dok. NO 1010; dazu Broszat, Konzentrationslager, S. 126f.

133 Vermerk Thieracks über Bespr. mit Himmler am 18.9.1942, Dok. 654-PS, IMT Bd. 26, S. 200ff.; zum Kontext Herbert, Fremdarbeiter, S. 244–247. Es ist darauf hinzuweisen, daß diese in der Literatur häufig als Beleg für ein generelles »Programm« zur »Vernichtung durch Arbeit« zitierte Vereinbarung sich auf deutsche und ausländische Justizhäftlinge, die in den deutschen Gefängnissen und Zuchthäusern einsaßen, bezieht.

134 Erl. d. RSHA v. 23.10.1942, ebd., S. 245.

135 Erl. d. CSSD v. 17.12.1942, BA NS 19/1829.

136 Schr. d. WVHA v. 26.2.1943, Broszat, Konzentrationslager, S. 123.

137 Führerbesprechung vom 3.–5.6.1944, BA R 3/1510, P. 22.

138 Pingel, S. 282.

139 Broszat, Konzentrationslager, S. 126.

140 Vgl. Pohl an Himmler, 31.12.1942, der darauf hinwies, »daß infolge der zahlreichen Todesfälle in den KL trotz der in letzter Zeit in verstärktem Maße verfügten Einweisungen eine Erhöhung des Häftlingsgesamtbestandes nicht zu erreichen war«. Dok. NO 1523.

141 Pingel, S. 131ff., S. 182ff.

142 So etwa gegenüber Hitler im April 1943, dem er die (weit überhöhte) Zahl von 140000 eingesetzten KZ-Häftlingen nannte (Speer, S. 59), oder in der Posener Rede vom 6.10.1943, wo er gar von 200000 Häftlingen sprach. Vgl. auch Georg, S. 107ff.

143 Broszat, Konzentrationslager, S. 118f.; Pingel, S. 128ff.

144 Georg, S. 117.

145 Solche Anregungen gingen im Sommer 1942 vor allem von der IG-Farben aus, vgl. Pingel, S. 283; zu den Arbeitsleistungen der Ostarbeiter vgl. Herbert, Fremdarbeiter, S. 273–284.

146 Schr. d. WVHA v. 15.5. 1943, Dok. NO 400, dazu Pingel, S. 132f., S. 283f.

147 Himmler an Pohl, 23.3. 1942, BA NS 19/neu 2056; vgl. Himmler an Pohl, 15.12. 1942, wo er »mehr Gemüse« für die Häftlinge empfiehlt, um deren Gesundheitszustand zu verbessern, BA NS 19/neu 1542.

148 Z. B. Rd Schr. WVHA, Glücks an KZ-Lagerärzte, 28.12. 1942, Dok. 2171-PS; Glücks an Lagerkommandanten, 20.1. 1943, Dok. NO 1523; Rd Schr. Glücks v. 8.12. 1943, Dok. NO 1544.
149 Himmler an Speer, Juni 1943, n. Hilberg, S. 621.
150 Schieber an Speer, 7.5. 1944, BA R 3/1631; vgl. Speer, S. 46f.; Pingel, S. 280f.
151 WVHA an Himmler, 5.4. 1944, Dok. NO 020; Broszat, Konzentrationslager, S. 131.
152 Speer an Himmler, 23.2. 1944, BA R 3/1583.
153 Zum folgenden vgl. Rainer Fröbe: Wie bei den alten Ägyptern. Die Verlegung des Daimler-Benz-Flugmotorenwerks Genshagen nach Obrigheim am Neckar 1944/45, in: Roth, Daimler-Benz-Buch, S. 392–470; hier S. 400f.; Georg, S. 57f.; Rabitsch, S. 74ff.
154 Milch an Maurer, 13.4. 1943, BA NS 19/1542; vgl. Pingel, S. 126.
155 Aufstellung Pohls v. 21.2. 1944, Dok. 1584–PS. Die eklatanten Unterschiede zu der vom Rüstungsministerium genannten Zahl von 32000 im gesamten Rüstungsbereich eingesetzten Häftlinge rühren daher, daß das Rüstungsministerium nur tatsächlich in der Fertigung eingesetzte Häftlinge zählte, während Pohl offenbar alle diesem Industriezweig zur Verfügung gestellten Kräfte meinte.
156 Pohl an Himmler, 14.6. 1944, Dok. NO 4242.
157 »Führerbesprechung« Speers bei Hitler, 19.–22.8. 1943, Boelcke, S. 291. Dazu Manfred Bornemann, Martin Broszat: Das KL Dora-Mittelbau, in: Studien zur Geschichte der Konzentrationslager, S. 155–198, hier S. 165.
158 Zu Kammler s. Georg, S. 37ff.; Fröbe, Wie bei den alten Ägyptern, S. 399.
159 Zit. n. Bornemann/Broszat, S. 165.
160 Ebd., S. 168.
161 Pingel, S. 137.
162 Ebd., S. 310.
163 Als umfassend untersuchtes Beispiel dazu Fröbe, Wie bei den alten Ägyptern; ders.: Ihr Gefechtsstand ist die Höhle! Bericht über ein Forschungsobjekt des Nordrhein-Westfälischen Ministeriums für Wissenschaft und Forschung, in: Jahrbuch 1986 der Gesellschaft der Freunde der Fernuniversität, Hagen 1986, S. 209–238.
164 Bei der Beschlußfassung über das Verlagerungsprogramm war ausdrücklich bestimmt worden: »Der Reichsführer SS stellt Schutzhäftlinge in ausreichendem Maße als Hilfskräfte für Bau und Fertigung.« Erl. Görings v. 4.3. 1944, BA R 7/1173.
165 Vgl. Erl. d. CSSD v. 26.4. 1944, b. Broszat, Konzentrationslager, S. 123f.; Erl. d. CSSD v. 4.12. 1944, Dok. D 474.
166 Aussage Pohl, 25.8. 1947, Trials of War Criminals, Bd. 5, Washington 1950, S. 445; vgl. Speer, S. 334.
167 Prot. d. Bespr. Dorschs (OT) mit Hitler, 6./7.4. 1944, BA R 3/1509, dazu Speer, S. 400f.; vgl. Zusammenfassung d. Bespr. m. Hitler durch Saur, 9.4. 1944, Dok. R-124.
168 Saur am 14.4. 1944, Dok. NG 1563.

169 Himmler an RSHA und WVHA, 11. 5. 1944, Dok. NO 5689.
170 RSHA an AA, v. Thadden, 24. 4. 1944, Dok. NG 2059.
171 Dazu ausf.: Randolph L. Braham: The Politics of Genocide. The Holocaust in Hungary, New York 1981, S. 595 ff.; vgl. Herbert, Von Auschwitz nach Essen.
172 Hilberg, S. 631; vgl. Rede Himmlers vor Generalen in Sonthofen, 26. 5.1944 in: Heinrich Himmler: Geheimreden 1933 bis 1945 und andere Ansprachen, hrsg. von Bradley F. Smith und Agnes F. Peterson, Frankfurt, Berlin, Wien 1974, S. 203. Pohl an Himmler, 24. 5. 1944; Antwort Himmlers v. 27. 5. 1944, Dok. NO 30; im Juni 1944 beschwerte sich Speer, daß von den nach Deutschland gekommenen Juden aus Ungarn nur 50000 bis 60000 arbeitsfähig seien; die anderen seien Greise, Kinder und Kranke und zum vorgesehenen Bau von Großbunkern nicht verwendbar; Boelcke, S. 347.
173 Randolph L. Braham: The Destruction of Hungarian Jews, New York 1963, S. 440 f.
174 Das Verzeichnis der Konzentrationslager und Außenkommandos im Bundesgesetzblatt, Jg. 1977, T. I, S. 1787–1852, umfaßt 1634 Konzentrationslager und Außenkommandos, die für kürzere oder längere Zeit während des Krieges bestanden haben; die überwiegende Mehrzahl der Außenkommandos bestand jedoch erst seit Ende 1943 und vor allem seit dem Frühsommer 1944; insgesamt dürfte die Zahl von etwa 1000 Arbeitskommandos mit 500000 bis 600000 Häftlingen für Ende 1944 realistisch sein; vgl. Affid. Sommer, 4. 10. 1946, Dok. NI 1065, abgedr. b. Ferencz, S. 266–274.
175 Vgl. dazu die Einzelstudien in Herwarth Vorländer: Nationalsozialistische Konzentrationslager im Dienst der totalen Kriegführung. Sieben württembergische Außenkommandos des Konzentrationslagers Natzweiler/Elsaß, Stuttgart 1978; Rainer Fröbe u. a.: Konzentrationslager in Hannover. KZ-Arbeit und Rüstungsindustrie in der Spätphase des Zweiten Weltkrieges, Hildesheim 1985; Sklavenarbeit im KZ. Dachauer Hefte 2, Dachau 1986; Studien zur Geschichte der Konzentrationslager, Stuttgart 1970; sowie Pingel, S. 151–180.
176 Zum folgenden Pingel, S. 184; Rabitsch, S. 74 ff.; Fröbe, Gefechtsstand; ders., Wie bei den alten Ägyptern. Zum Gesamtkomplex des »Kammler-Stabes« bereitet in Hagen Rainer Fröbe eine umfassende Untersuchung vor.

Konrad Kwiet
Judenverfolgung und Judenvernichtung im Dritten Reich
Ein historiographischer Überblick

1 A. und M. Mitscherlich: Die Unfähigkeit zu trauern. Grundlagen kollektiven Verhaltens. München 1968, S. 39.
2 Vgl. dazu H. J. Bieber: Zur bürgerlichen Geschichtsschreibung und Publizistik über Antisemitismus, Zionismus und den Staat Israel. In: Das Argument. 75 (1972); ferner W. Schochow: Deutsch-jüdische Geschichtswissenschaft. Eine Geschichte ihrer Organisationsform unter besonderer Berücksichtigung der Fachbibliographie. Berlin 1969.

3 Beispielhaft hierfür ist die grundlegende, programmatische Schrift Friedrich Meineckes, in der sich nur wenige Sätze auf die Juden beziehen. Sie erschöpfen sich zum einen in der Verwerfung des nationalsozialistischen Antisemitismus und in der Klage, »daß in den Gaskammern der Konzentrationslager ... der letzte Hauch christlich-abendländischer Gesittung und Menschlichkeit erstarb« und zum anderen in Betrachtungen, die noch immer von altvertrauten Ressentiments gegenüber den Juden durchzogen waren. Vgl. F. Meinecke: Die deutsche Katastrophe. Wiesbaden 1946, S. 125, 29 u. 53.
4 E. Bloch: Die sogenannte Judenfrage. In: Frankfurter Allgemeine Zeitung, 14.3.1963, S. 16.
5 Vgl. hierzu den Essay von H. Mommsen über Leben und Werk von Hans Rothfels in Aspekte deutscher Außenpolitik im 20. Jahrhundert. Aufsätze. Hans Rothfels zum Gedächtnis. Hrsg. von W. Benz und H. Graml. Stuttgart 1977. Es wäre eine lohnende Forschungsaufgabe, die Haltung Rothfels' zum Judentum aufzuhellen. Diese Frage ist nicht zuletzt auch deshalb von Interesse, weil Rothfels – was nur wenigen bekannt ist – jüdischer Abstammung war. Seine Assimilation war offenbar so vollständig, daß sie keinerlei Bindungen an das Judentum mehr zuließ, allenfalls Erinnerungen im vertrauten Kreis über die frühen Diskriminierungen, denen er als Student und Historiker ausgesetzt war. Die Nationalsozialisten vertrieben den konservativ-nationalgesinnten Historiker aus Königsberg. Im Unterschied zu den meisten emigrierten Historikern kehrte Rothfels aus dem amerikanischen Exil zurück.
6 Vgl. dazu H. Rothfels: Augenzeugenbericht zu den Massenvergasungen. (Quellenkritische Edition des Gerstein-Berichts). In: VfZG 1 (1953); Denkschrift Himmlers »über die Behandlung der Fremdvölkischen im Osten« vom Mai 1940. In: VfZG 5 (1957); A. Bein: Der moderne Antisemitismus und seine Behandlung für die Judenfrage. In: VfZG 6 (1958); H. Graml: Der 9. November 1938. Bonn 1958; ders.: Die Wurzeln des Antisemitismus. In: Hochland. 50 (1958); Gutachten des Instituts für Zeitgeschichte. Bd. 1.2. München 1958 und 1968; R. Höss: Kommandant in Auschwitz. Autobiographische Aufzeichnungen. Eingel. und kommentiert von M. Broszat. Stuttgart 1958; M. Broszat: Nationalsozialistische Polenpolitik 1939–1945. Stuttgart 1961; Dokumentation von W. Strauß: Das Reichsministerium des Innern und die Judengesetzgebung. Aufzeichnungen von Dr. Bernhard Lösener. In: VfZG 9 (1961); H. Mommsen: Der nationalsozialistische Polizeistaat und die Judenverfolgung vor 1938. In: VfZG 10 (1962).
7 Hierzu gehörten u. a. Silbermann, v. Brentano, Jochmann, Rürup, Jersch-Wenzel, Bernstein, Greiwe, Bieber, Knütter, Richarz und Elkar. Zum allgemeinen Stand der Antisemitismusforschung vgl. R. Rürup: Emanzipation und Antisemitismus. Studien zur »Judenfrage« der bürgerlichen Gesellschaft. Göttingen 1975 (zit. Rürup: Emanzipation).
8 Vgl. YLBI 20 (1975) 3–83. Der Abschnitt »Historians' Conventions« enthält die Diskussionsbeiträge, die auf dem Historikertag in Braunschweig vom Oktober 1974 in der Sektion »Die Juden und die deutsche Gesellschaft im kaiserlichen Deutschland« gehalten wurden.
9 W. Scheffler: Judenverfolgung im Dritten Reich 1933 bis 1945. Berlin 1960

(zit. Scheffler: Judenverfolgung); H. Krausnick: Judenverfolgung. In: H. Buchheim, M. Broszat, H.-A. Jacobsen, H. Krausnick: Anatomie des SS-Staates. Bd. 1.2. Olten, Freiburg i. Br. 1965 (2. Aufl. 1967), hier Bd. 2, S. 283–448 (zit. Anatomie des SS-Staates); U. D. Adam: Judenpolitik im Dritten Reich. Düsseldorf 1972 (unveränd. Neuaufl. Düsseldorf 1979) – zit. Adam: Judenpolitik.

10 Um nur einige Publikationen zu nennen: Dokumente zur Geschichte der Frankfurter Juden 1933–1945, hrsg. von der Kommission zur Erforschung der Geschichte der Frankfurter Juden. Frankfurt a. M. 1963; P. Sauer: Dokumente über die Verfolgung der jüdischen Bürger in Baden-Württemberg durch das nationalsozialistische Regime 1933–1945. T. 1.2. Stuttgart 1966; ders.: Die Schicksale der jüdischen Bürger Baden-Württembergs während der nationalsozialistischen Verfolgungszeit 1933–1945. Stuttgart 1969; K. Düwell: Die Rheingebiete in der Judenverfolgung des Nationalsozialismus vor 1942. Bonn 1968; P. Hanke: Zur Geschichte der Juden in München. München 1967; H.-J. Fliedner: Judenverfolgung in Mannheim 1933–1945. Darstellung und Dokumente. Stuttgart 1971; E. Lichtenstein: Die Juden der Freien Stadt Danzig unter der Herrschaft des Nationalsozialismus. Tübingen 1973; Dokumentation zur Geschichte der jüdischen Bevölkerung in Rheinland-Pfalz und im Saarland von 1800 bis 1945. Bd. 6: J. Simmert (Bearb.): Die nationalsozialistische Judenverfolgung in Rheinland-Pfalz 1933–1945, und H. W. Hermann: Das Schicksal der Juden im Saarland 1928 bis 1945. Koblenz 1974, sowie Bd. 7: Dokumente des Gedenkens. Koblenz 1974 (zit. Dokumentation zur Geschichte der jüdischen Bevölkerung); U. Knipping: Die Geschichte der Juden in Dortmund während der Zeit des Dritten Reiches. Dortmund 1977.

11 A. Hillgruber: Die »Endlösung« und das deutsche Ostimperium. In: VfZG 20 (1972) 133–153 (zit. Hillgruber: »Endlösung«); E. Jäckel: Hitlers Weltanschauung. Tübingen 1969; Arndt/Scheffler: Organisierter Massenmord; Broszat: Hitler und die Genesis.

12 Vgl. dazu H. S. Levine: Die wissenschaftliche Untersuchung des Verhaltens der Juden zur Zeit der nationalsozialistischen Verfolgungen und die Hemmungen einer unbewältigten Vergangenheit. In: Tradition und Neubeginn. Köln 1975, S. 409–418.

13 Vgl. dazu A. Rückerl (Hrsg.): NS-Prozesse. Nach 25 Jahren Strafverfolgung: Möglichkeiten – Grenzen – Ergebnisse. Karlsruhe 1971, sowie A. Rückerl (Hrsg.): NS-Vernichtungslager im Spiegel deutscher Strafprozesse. München 1977 (zit. Rückerl (Hrsg.): NS-Vernichtungslager).

14 Zu den jüngsten Publikationen über die »Reichskristallnacht« und den »Holocaust« vgl. die »Bibliography« in YLBI 24 (1979) 389–395, sowie M. Broszat: Der Schock und seine Folgen. Literatur im Kielwasser des Holocaust-Films. In: Frankfurter Allgemeine Zeitung v. 4. 9. 1979. Als Wiederauflagen erschienen u. a. E. Kogon: Der SS-Staat. München 1979 (zit. Kogon: Der SS-Staat); K. Jaspers: Die Schuldfrage. München 1979; H. Buchheim: Anatomie des SS-Staates. München 1979; Scheffler: Judenverfolgung (Berlin 1979); Adam: Judenpolitik (Düsseldorf 1979); M. Horbach: So überlebten sie den Holocaust. München 1979 (zit. Horbach: Holocaust); H. D. Leunes: Gerettet vor dem

Holocaust. München 1979 (zit. Leunes: Gerettet); J. Koenig: David. Aufzeichnungen eines Überlebenden. Frankfurt a. M. 1979 (zit. Koenig: David). Ins Deutsche wurden übersetzt G. Haussner: Die Vernichtung der Juden. München 1979; D. Kurzmann: Der Aufstand. München 1979; W. Kielar: Anus mundi. Fünf Jahre Auschwitz. Frankfurt a. M. 1979 Neu erschienen Chr. Zentner: Anmerkungen zu Holocaust. München 1979; P. Märthesheimer: Holocaust – Eine Nation ist betroffen. Frankfurt a. M. 1979; W. Kempowski: Haben Sie davon gewußt? Deutsche Antworten. Hamburg 1979.

15 H. Höhne: Schwarzer Freitag für die Historiker. In: Der Spiegel, Nr. 5, 33. Jg., 29. 1. 1979, S. 22f.; M. Broszat: »Holocaust« und die Geschichtswissenschaft. In: VfZG 27 (1979) 285–298; W. Scheffler: Anmerkungen zum Fernsehfilm »Holocaust« und zu Fragen zeithistorischer Forschung. In: Geschichte und Gesellschaft. 5 (1979) 570–579.

16 Vgl. dazu im einzelnen K. Kwiet: Historians of the German Democratic Republic on Antisemitism and Persecution. In: YLBI 21 (1976) 173–198.

17 Um nur die wichtigsten Arbeiten zu nennen, H. Eschwege (Hrsg.): Kennzeichen J. (Ost-)Berlin 1966 (zit. Eschwege (Hrsg.): Kennzeichen J.); W. Mohrmann: Antisemitismus. (Ost-)Berlin 1972; K. Drobisch, R. Goguel, W. Müller: Juden unterm Hakenkreuz. (Ost-)Berlin 1973; K. Pätzold: Faschismus, Rassenwahn, Judenverfolgung. (Ost-)Berlin 1975 (zit. Pätzold: Judenverfolgung).

18 Vgl. dazu M. Pikarski: Jugend im Berliner Widerstand. Herbert Baum und Kampfgefährten. (Ost-)Berlin 1978.

19 Vgl. hierzu die Ausführungen S. 177.

20 Das Schrifttum ist selbst für den Spezialisten nicht mehr überschaubar. Aus der Fülle der bibliographischen Nachweise sei hier nur auf zwei Standardwerke verwiesen: Bibliographical Series of Yad Vashem (YIVO). Vol. 1–13 (1960–1976), sowie Persecution and Resistance under the Nazis. I: Reprint of Catalogue No. 1. II: New Material and Amendments. London: The Institute of Contemporary History 1978. Zur jüdischen Geschichtsschreibung vgl. L. Yahil: The Holocaust in Jewish Historiography. In: Yad Vashem Studies. 7 (1968) 57–73.

21 London: Wiener Library-Bulletin 1946ff.; New York: The YIVO Institute for Jewish Research – YIVO Annual of Jewish Social Science 1946ff.; ferner Yivo-bleter 1931ff.; Warschau: Zydowski Instytut Historyczny w Polsce – Biuletyn 1950ff., sowie Bleter far geshikhte 1948ff.; Paris: Centre de Documentation Juive Contemporaine – Le Monde Juif 1946ff.; ferner La Revue du C. D. J. C.; Jerusalem: Yad Vashem – Bulletin 1957ff.; und Studies on the European Jewish Catastrophe and Resistance 1957ff.; Beit Lohamei Haghetaot. Yediot – Newsletters 1978ff. Der Aufbau eines »Holocuast Research Center« ist an der University of California in Los Angeles (UCLA) geplant. Versuche, vor einigen Jahren in West-Berlin ein Institut zur Erforschung der »Endlösung« zu etablieren, schlugen fehl. Gegenwärtig bemüht sich das Institut für Geschichtswissenschaft an der TU Berlin unter der Federführung Prof. Rürups um den Aufbau eines Instituts zur Antisemitismusforschung.

22 Vgl. dazu G. Reitlinger: The Final Solution. London 1953 (letzte engl. Neu-

aufl. 1971; erste deutsche Aufl. Berlin 1956. 4. Aufl. 1961); J. Tannenbaum: Race and Reich. New York 1956; L. Poliakov: Harvest of Hate. Syrakuse, N. Y. 1954 (Neuaufl. Westport, Conn. 1971) – zit. Poliakov: Harvest of Hate; L. Poliakov, J. Wulf: Das Dritte Reich und die Juden. Berlin 1955; dies.: Das Dritte Reich und seine Diener. Berlin 1956; dies.: Das Dritte Reich und seine Denker. Berlin 1959 (zit. Poliakov/Wulf: Drittes Reich 1, 2, 3); J. Robinson: And the Crooked Shall be Made Straight. New York 1965.

23 R. Hilberg: The Destruction of the European Jews. Chicago 1961; ders.: Documents of Destruction. Germany and Jewry 1933–1945. London 1972.

24 H. Arendt: Eichmann in Jerusalem. München 1964.

25 Zu den neueren Publikationen vgl. die Hinweise in den entsprechenden Abschnitten dieses Berichtes.

26 N. Levin: The Holocaust. The Destruction of European Jewry 1933–1945. New York 1975; L. S. Dawidowicz: The War Against the Jews 1933–1945. New York 1975 (Pelican Book 1977); dies.: A Holocaust Reader. New York 1975; Holocaust. Jerusalem 1974 (Israel Pocket Library); Y. Gutman, L. Rothkirchen (Eds.): The Catastrophe of Europeans Jewry. Antecedents – History – Reflections. Jerusalem: Yad Vashem 1976.

27 E. L. Fackenheim: From Bergen-Belsen to Jerusalem. Contemporary Implications of the Holocaust. Institute of Contemporary Jewry. The Hebrew University of Jerusalem 1975; S. Friedländer: Some Aspects of the Historical Significance of the Holocaust. The Middle East Institute. Jerusalem 1977 (zit. Friedländer: Some Aspects); H. Cargas: Harry James Cargas in Conversation with Elie Wiesel. New York 1977; Excerpts from Speeches by H. Friedländer, R. Hilberg and E. Wiesel. In: Anti-Defamation League Bulletin. 34 (1977) No. 9, sowie Bauer: Historical Perspective.

28 Zur Gesamtübersicht Publikationen des Leo Baeck Institute aus zwei Jahrzehnten. Hrsg. von M. Kreutzberger. Jerusalem, New York, London 1977.

29 A. Paucker: Der jüdische Abwehrkampf gegen Antisemitismus und Nationalsozialismus in den letzten Jahren der Weimarer Republik. Hamburg ^{2}1969; ders.: Zur Problematik einer jüdischen Abwehrstrategie in der deutschen Gesellschaft. In: Juden im Wilhelminischen Deutschland: 1890–1914. Ein Sammelband d. Hrsg. von W. E. Mosse unter Mitw. von A. Paucker. (= Schriftenreihe des Leo-Baeck-Instituts. Bd. 33.) Tübingen 1976, S. 479–548 (zit. Mosse/Paucker (Hrsg.): Juden im Wilhelminischen Deutschland).

30 H. G. Adler: Der verwaltete Mensch. Studien zur Deportation der Juden aus Deutschland. Tübingen 1974 (zit. Adler: Der verwaltete Mensch).

31 B. Z. Ophir, Pinkas Hakehillot: Encyclopedia of Jewish Communities from their Foundation till after the Holocaust (Germany-Bavaria). Jerusalem 1971 (in Hebr.); J. Walk: The Education of the Jewish Child in Nazi Germany. The Law and Its Execution. Jerusalem 1975 (in Hebr.; eine deutsche Ausg. steht bevor) – zit: Walk: Education of the Jewish Child; A. Margaliot: The Dispute over the Leadership of German Jewry (1933–1938). In: Yad Vashem Studies. 10 (1974) 129–148 (zit. Margaliot: Leadership of German Jewry). Die ausführliche Monographie liegt bislang nur in hebräischer Sprache vor. Unter der Federführung A. Margaliots wird gegenwärtig am Institute for Contemporary

Jewry at the Hebrew University Jerusalem ein umfassendes Projekt über die Verfolgung der Juden in Mitteleuropa vorbereitet.

32 Hinweise über Studienprojekte, die in Deutschland wie im Ausland auf dem Gebiet der Geschichte des deutschen Judentums und des Antisemitismus laufen, finden sich in den *Arbeitsinformationen*, die von Germania Judaica, Köln, in hektographierter Form herausgegeben werden. Über den letzten Stand informiert die Ausg. Nr. 10 vom November 1977.

33 Den besten Überblick über das unveröffentlichte Schrifttum vermittelt das große Serienwerk, das vom Institute of Contemporary Jewry und dem Yad Vashem herausgegeben wird. Guide to Unpublished Materials of the Holocaust Period. Vol. 1–4. Jerusalem 1973–1977.

34 Grundlegend noch immer E. G. Reichmann: Flucht in den Haß. Die Ursachen der deutschen Judenkatastrophe. Frankfurt a. M. 1969; P. W. Massing: Vorgeschichte des politischen Antisemitismus. Frankfurt a. M. 1959; P. G. J. Pulzer: Die Entstehung des politischen Antisemitismus in Deutschland und Österreich, 1867–1914. Gütersloh 1966. Zur neueren Literatur W. Jochmann: Struktur und Funktion des deutschen Antisemitismus. In: Mosse/Paucker (Hrsg.): Juden im Wilhelminischen Deutschland, S. 389–477; L. Poliakov: Histoire de l'Antisémitisme. Vol. 1–4. Paris 1955–77; ders.: Der arische Mythos. Wien 1977; G. L. Mosse: Rassismus. Ein Krankheitssymptom der europäischen Geistesgeschichte des 19. und 20. Jahrhunderts. Königstein/Ts. 1978; S. Friedländer: L'Antisémitisme Nazi. Histoire d'un psychose collective. Paris 1971; W. Zwi Bacharach: Die Ideologie des deutschen Rassenantisemitismus und seine praktischen Folgerungen. In: Jahrbuch des Instituts für deutsche Geschichte. 4 (1975) 369–386; Antisemitism. Jerusalem 1974 (Keter Book); R. S. Levy: The Downfall of the Anti-Semite Political Parties in Imperial Germany. New Haven, London 1975; F. H. Littell: The Cruxification of the Jews. New York, London 1976; Rürup: Emanzipation; I. Shachar: The Judensau. London 1974; A. G. Whiteside: The Socialism of Fools. Berkeley 1975, sowie U. Tal: Christians and Jews in Germany. New York 1974.

35 Zur Judenverfolgung in Österreich vgl. die neue Gesamtdarstellung von H. Rosenkranz: Verfolgung und Selbstbehauptung. Die Juden Österreichs 1938–1945. München 1978, sowie die Fallstudie von G. Botz: Wohnungspolitik und Judendeportation in Wien 1938–1945. Wien 1975.

36 Vgl. E. Ben-Elissar: La diplomatie du IIIe Reich et les Juifs 1933–1939. Paris 1968 (zit. Ben-Elissar: La diplomatie); K. A. Schleunes: The Twisted Road to Auschwitz. Nazi Policy towards German Jews 1933–1939. London 1972; Adam: Judenpolitik; M. Broszat: Soziale Motivation und Führer-Bindung der NS-Bewegung. In: VfZG 18 (1970) 405; Pätzold: Judenverfolgung, S. 11.

37 Neben den Gesamtdarstellungen und zahlreichen Beiträgen in den genannten einschlägigen Fachzeitschriften vgl. zur Judenverfolgung in den besetzten Gebieten: Faschismus – Getto – Massenmord. Dokumentation über Ausrottung und Widerstand der Juden in Polen während des Zweiten Weltkrieges. Hrsg. vom Jüdischen Historischen Institut Warschau. (Ost-)Berlin ^{2}1961; E. Ringelblum: Polish-Jewish Relations During the Second World War. Ed. by J. Kermish and Sh. Krakowski. Jerusalem 1974; Das Diensttagebuch des General-

gouverneurs in Polen 1939–1945. Hrsg. von W. Präg u. W. Jakobmeyer, Stuttgart 1975; J. Presser: Ondergang. Vervolging en verdelging van het Nederlandse Jodendom 1940–1945. Bd. 1.2.'s-Gravenhage 1965 (zit. Presser: Ondergang); L. De Jong: Het Koninkrijk der Nederlanden in de Tweede Wereldoorlog. Deel lff. 's-Gravenhage 1969ff. (zit. De Jong: Koninkrijk); R. L. Braham: The Destruction of Hungarian Jewry. New York 1963; F. B. Chary: The Bulgarian Jews and the Final Solution. Pittsburgh 1972; J. Billig: Le Commissariat Général aux Questions Juives (1941–1944). Vol. 1–3. Paris 1955–60; ders.: L'Institute d'Etude des Questions Juives. Officine française des autorités nazies en France. Paris 1974; S. Klarsfeld (Hrsg.): Die Endlösung der Judenfrage in Frankreich. Deutsche Dokumente 1941–1944. Paris 1977; M. Mohlo (Ed.): In memoriam: Hommage aux victimes juives des Nazis en Gréce. Vol. 1.2. Saloniki 1948/49; L. Poliakov, J. Sabille: Jews under Italian Occupation. Paris 1955; L. Yahil: The Rescue of Danish Jewry. Philadelphia 1969 (zit. Yahil: Danish Jewry).

38 L. Yahil: Madagaskar – Phantom of a Solution for the Jewish Question. In: Jews and Non-Jews in Eastern Europe. Ed. by B. Vago and G. L. Mosse. Jerusalem 1974, S. 315–324.

39 Vgl. hierzu Broszat: Hitler und die Genesis, S. 753; ferner J. Billig: The Launching of the »Final Solution«, and G. Wellers: The Existence of Gas Chambers. The Numbers of Victims and the Korherr Report ed. by Klarsfeld (Ed.): The Holocaust.

40 Zur neueren Literatur: Essays über Naziverbrechen. Simon Wiesenthal gewidmet. Amsterdam 1973 (zit. Essays über Naziverbrechen); Arndt/Scheffler: Organisierter Massenmord; Rückerl (Hrsg.): NS-Vernichtungslager; A. L. Rüter-Ehlemann, C. R. Rüter (Hrsg.): Justiz und NS-Verbrechen. Sammlung deutscher Strafurteile wegen nationalsozialistischer Tötungsverbrechen 1945 - 1966. Bd. 1ff. Amsterdam 1968ff.; K. Moritz, E. Noam (Hrsg.): Die Ahndung von NS-Verbrechen gegen Juden nach 1945. Eine Dokumentation aus hessischen Justizakten. Wiesbaden 1976.

41 Zu den Folgen der KZ-Haft B. Bettelheim: The Informed Heart. Glencoe 1960; J. Bastiaans: Psychosomatische Gevolgen van Onderdrukking en Verzet. Amsterdam 1957; ders.: Vom Menschen im KZ und vom KZ im Menschen. In: Essays über Naziverbrechen, S. 177–202; P. Matussek, P. Grigat u. a.: Die Konzentrationslagerhaft und ihre Folgen. Berlin, Heidelberg, New York 1971; J. S. Kerstenberg: Psychoanalytic Contributions to the Problem of Children of Suvivors from Nazi Persecution. In: The Israel Annals of Psychiatry. 10 (1972) H. 4, S. 311–325; G. Schneider: Survival and Guilt Feelings of Jewish Concentration Camp Victims. In: Jewish Social Studies. 37 (1975) 74–202; V. E. Frankl: ... trotzdem Ja zum Leben sagen. München 1977; des Pres: The Survivor. An Anatomy of Life in the Death Camps. New York 1976.

42 S. Kahn: Antisemitismus und Rassenhetze. Berlin 1948, S. 7.

43 Beispielhaft hierfür H. Kühnrich: Der K-Staat. (Ost-)Berlin 1960; H. Heitzer: Die Barbarei – extremster Ausdruck der Monopolherrschaft (Tagungsbericht). In: ZfG 9 (1961) 1632.

44 So R. Goguel in seiner Einleitung zu Eschwege (Hrsg.): Kennzeichen J, S. 19.
45 H. Himmler in seiner Gauleiterrede v. 3. 8. 1944. In: VfZG 1 (1953) 357 ff.
46 T. Mason: Der Primat der Politik – Politik und Wirtschaft im Nationalsozialismus. In: Das Argument, 41 (1968) 473–494. In seiner Dokumentation »Arbeiterklasse und Volksgemeinschaft«. Opladen 1975, nehmen Antisemitismus und Judenverfolgung nur eine marginale Stellung ein.
47 F. Pingel: Selbstbehauptung, Widerstand und Vernichtung. Bielefeld, Phil. Diss. 1976, S. 293. – Als Buch erschienen u. d. Tit.: Häftlinge unter SS-Herrschaft. Widerstand, Selbstbehauptung und Vernichtung im Konzentrationslager. Hamburg 1978 (= Historische Perspektiven. Bd. 12.)
48 Poliakov: Harvest of Hate. Zur Kritik an dieser These vgl. E. Goldhagen: Weltanschauung und Endlösung. In: VfZG 24 (1976) 395 f.
49 Vgl. hierzu Friedländer: Some Aspects, S. 12 ff., sowie Bauer: Historical Perspective, S. 30 ff.
50 Vgl. hierzu H. D. Loock: Quisling, Rosenberg und Terboven. Stuttgart 1970, S. 263 ff.
51 Broszat: Hitler und die Genesis, S. 753.
52 Ansätze eines Vergleichs finden sich bei Chr. Streit: Keine Kameraden. Die Wehrmacht und die sowjetischen Kriegsgefangenen 1941–1945. Stuttgart 1978 (zit. Streit: Keine Kameraden); s. auch J. Förster: Hitler's War Aims Against the Soviet Union and the German Military Leaders. In: Militärhistorisk Tidskrift. 1979 (ohne Jg-Zählung). Stockholm, S. 83–93 (zit. Förster: Hitler's War Aims).
53 M. Broszat: Der Staat Hitler. München 1969; P. Hüttenberger: Nationalsozialistische Polykratie. In: Geschichte und Gesellschaft. 2 (1976) 417–442.
54 Unvollständig sind die Sammlungen von B. Blau: Das Ausnahmerecht für die Juden in Deutschland 1933–1945. Düsseldorf [2]1965, und der United Restitution Organisation (Ed.): Dokumente über Methoden der Judenverfolgung im Ausland. Frankfurt a. M. 1959. Das Institut zur Erforschung des Diaspora-Judentums an der Bar-Ilan Universität (Israel) bereitet z. Zt. unter der Federführung von J. Walk eine umfassende Edition über die anti-jüdische Gesetzgebung im Dritten Reich vor.
55 Zur Rolle des Auswärtigen Amtes vgl. Chr. Browning: The Final Solution and the German Foreign Office. New York 1979.
56 Den besten Überblick vermittelt Adam: Judenpolitik.
57 Hierzu Sh. Aronson: Reinhard Heydrich und die Frühgeschichte von Gestapo und SD. Stuttgart 1971.
58 Um nur die wichtigsten Arbeiten zu nennen, Anatomie des SS-Staates, Bd. 1.2; H. Höhne: Der Orden unter dem Totenkopf. Die Geschichte der SS. Gütersloh 1967; Kogon: Der SS-Staat. Neben den schon erwähnten Arbeiten von Arndt/Scheffler, Rückerl und Pingel sind in den letzten Jahren eine Fülle von Studien und Dokumentationen über die Konzentrationslager erschienen: O. Wormser-Migot: Le système concentrationaire nazi (1933–1945). Paris 1968; Studien zur Geschichte der Konzentrationslager. Eingel. von M. Broszat. Stuttgart 1970; H. Langbein: Menschen in Auschwitz. Wien 1972; E. La

Chene: Mauthausen. The History of a Death Camp. London 1971; J. Billig: Les camps de concentration dans l'économie du Reich Hitlérien. Paris 1973; H. Maršalek: Die Geschichte des Konzentrationslagers Mauthausen. Wien 1974; G. Sereny: Into that Darkness. London 1974; P. Berben: Dachau 1933–1945. The Offical History. London 1975; K. Smolen (Ed.): From the History of KL-Auschwitz. Vol. 1.2 1967 u. 1976. Publ. by Anstwowe Muzeum W Oswiećimim; H. Vorländer: Nationalsozialistische Konzentrationslager im Dienst der totalen Kriegführung. Stuttgart 1978.

59 M. Messerschmidt: Die Wehrmacht im NS-Staat. Hamburg 1969; K.-J. Müller: Das Heer und Hitler. Stuttgart 1969 (zit. Müller: Heer und Hitler); A. Hillgruber: Hitlers Strategie. Frankfurt a. M. 1965 (zit. Hillgruber: Hitlers Strategie), sowie ders.: »Endlösung«; H.-A. Jacobsen: Kommissarbefehl und Massenexekutionen sowjetischer Kriegsgefangener. In: Anatomie des SS-Staates, Bd. 2, S. 137–232; H. Krausnick: Hitler und die Morde in Polen. In: VfZG 11 (1963), sowie ders.: Kommissarbefehl und »Gerichtsbarkeitserlaß Barbarossa« in neuerer Sicht. In: VfZG 25 (1977) 682–738; H. Umbreit: Der Militärbefehlshaber in Frankreich 1940–1944. Boppard a. Rh. 1968, S. 259ff., sowie ders.: Deutsche Militärverwaltungen 1938/39. Stuttgart 1977, S. 205ff.

60 Streit: Keine Kameraden.

61 Vgl. neuerdings auch die Aufsätze von Förster: Hitler's War Aims, und von H.-J. Rautenberg: Die Endlösung. Zur Rolle von Reichsbehörden, »SS« und Wehrmacht bei der Vernichtung der Juden. In: Information für die Truppe. 1979. H. 7, S. 81–110.

62 Müller: Heer und Hitler, S. 45.

63 Ebenda.

64 Streit: Keine Kameraden, S. 50ff.

65 Hillgruber: Hitlers Strategie, S. 525.

66 Vgl. neben den bereits genannten Arbeiten auch J. L. Wallach: Feldmarschall Erich von Manstein und die deutsche Judenausrottung in Rußland. In: Jahrbuch des Instituts für deutsche Geschichte. 6 (1974) 457–472.

67 Vgl. Streit: Keine Kameraden, S. 109.

68 Förster: Hitler's War Aims, insbes. S. 88–91.

69 Abgesehen von den Materialien in Quellensammlungen, Gesamtdarstellungen und regionalen Studien liegen zu diesem Themenkomplex nur eine Handvoll Arbeiten vor. Grundlegend ist noch immer H. Genschel: Die Verdrängung der Juden aus der Wirtschaft im Dritten Reich. Göttingen 1966. Einen vorzüglichen Überblick über den Ablauf der Enteignungsmaßnahmen vermittelt A. J. van der Leeuw: Der Griff des Reiches nach dem Judenvermögen. In: Studies over Nederland in Oorlogstijd I. 's-Gravenhage 1972, S. 211–236.

70 Grundlegend hierzu K. Scholder: Die Kirchen und das Dritte Reich. Bd. 1. Berlin 1977.

71 J. S. Conway: Der deutsche Kirchenkampf. In: VfZG 17 (1969) 423–449; F. W. Kantzenbach (Hrsg.): Widerstand und Solidarität der Christen in Deutschland 1933–1945. Neustadt (Aisch) 1971; A. Boyens: Kirchenkampf

und Ökumene 1939–1945. München 1973; W. Niemöller: Der Pfarrernotbund. Hamburg 1973; A. L. Bühler: Der Kirchenkampf im evangelischen München. Nürnberg 1974; G. Kretschmer: Dokumente zur Kirchenpolitik des Dritten Reiches. Bd. 1: Das Jahr 1933. München 1971, Bd. 2: 1934/35. München 1975; L. Siegele-Wenschkewitz: Nationalsozialismus und Kirche. Düsseldorf 1974; W. Gerlach: Zwischen Kreuz und Davidstern. Bekennende Kirche in ihrer Stellung zum Judentum im Dritten Reich. Hamburg, Theol. Diss. 1972; F. H. Littell, H. G. Locke (Eds.): The German Church Struggle and the Holocaust. Detroit 1974; L. E. Reuter: Katholische Kirche als Fluchthelfer im Dritten Reich. Recklinghausen, Hamburg 1971.

72 Neben den bereits genannten Dokumentationen über Bayern und Pommern vgl. F. J. Heyen: Nationalsozialismus im Alltag. Boppard a. Rh. 1967; E. Weinzierl: Zu wenig Gerechte. Österreicher und Judenverfolgung 1938–1945. Graz, Wien 1969; L. D. Stokes: The German People and the Destruction of European Jews. In: Central European History. 6 (1973) 167–191; F. Hahn (Hrsg.): Lieber Stürmer. Stuttgart 1978; G. L. Mosse: Der nationalsozialistische Alltag. Königstein/Ts. 1978, sowie die neueren oder wiederaufgelegten Erlebnisberichte. Nur einige seien genannt: König: David; I. Deutschkron: Ich trug den gelben Stern. Köln 1978.

73 K. J. Ball-Kaduri: Berlin wird judenfrei. In: Jahrbuch für die Geschichte Mittel- und Ostdeutschlands. 22 (1973) 208 ff.

74 Vgl. dazu M. Wolfson: Zum Widerstand gegen Hitler. Umriß eines Gruppenporträts deutscher Retter von Juden. In: Tradition und Neubeginn. Köln 1975, S. 391–407, sowie I. Rewald: Berliner, die uns halfen. Berlin 1975; Horbach: Holocaust, und Leunes: Gerettet.

75 Yad Vashem. List of Righteous Among the Nations of Germany, Recognized by Yad Vashem till 31. 12. 1971, sowie A. L. Bauminger: Roll of Honour. Jerusalem 1970.

76 BA, R 58 276.

77 M. v. Brentano: Die Endlösung – Ihre Funktion in Theorie und Praxis des Faschismus. In: Antisemitismus, hrsg. von H. Huss u. A. Schroeder. Frankfurt a. M. 1965, S. 35–76.

78 J. P. Stern: Hitler – der Führer und das Volk. München 1978, zit. nach Sterns Artikel in Die Zeit v. 28. 7. 1978, S. 30.

79 Für die Periode bis 1933 vgl. H. H. Knütter: Die Juden und die deutsche Linke in der Weimarer Republik 1918–1933. Düsseldorf 1971; D. L. Niewyk: Socialist, Anti-Semite and Jew. Baton Rouge 1971; R. S. Wistrich: Revolutionary Jews – From Marx to Trotzky. London 1976; N. Levin: Jewish Socialist Movements 1871–1917. London 1979; R. Lenschen-Seppel: Sozialdemokratie und Antisemitismus im Kaiserreich. Bonn 1979.

80 Vgl. K. Schabbetai: Wie Schafe zur Schlachtbank? Beit-Dagon 1965.

81 Vgl. die Studien von Paucker (Anm. 28).

82 Zur Geschichte der Juden in Deutschland sind in den letzten Jahren eine ganze Reihe von Beiträgen deutscher und ausländischer Autoren erschienen. Um nur einige Publikationen zu nennen: L. Sievers: Juden in Deutschland. Hamburg 1977; S. Jersch-Wenzel: Juden und »Franzosen« in der Wirtschaft

des Raumes Berlin-Brandenburg zur Zeit des Merkantilismus. Berlin 1978; H. Zimmermann: Patriotismus und deutscher Nationalismus. Die Emanzipation der Juden in Hamburg 1830–1865. Hamburg 1979; M. Richarz: Jüdisches Leben in Deutschland (1780–1871). Bd. 1.2. Stuttgart 1976–79; H. Liebeschütz, A. Paucker (Hrsg.): Das Judentum in der deutschen Umwelt 1800–1850. Tübingen 1977; Mosse/Paucker (Hrsg.): Juden im Wilhelminischen Deutschland; J. Toury: Soziale und politische Geschichte der Juden in Deutschland: 1847–1871. Zwischen Revolution, Reaktion und Emanzipation. Düsseldorf 1977 (= Schriftenreihe des Instituts für Deutsche Geschichte Universität Tel Aviv. Bd. 2.) (= Veröffentlichungen des Diaspora Research Institute. Bd. 20.); J. Reinharz: Fatherland or Primised Land: The Dilemma of the German Jews 1893–1914. Ann Arbor 1975; S. M. Bolkovsky: The Distorted Image. New York, Oxford, Amsterdam 1975; M. Lamberti: Jewish Activism in Imperial Germany. New Haven, London 1970; P. Gay: Freud, Jews and other Germans. New York 1978; G. Scholem: Zur sozialen Psychologie der Juden in Deutschland 1900–1939. In: Die Krise des Liberalismus zwischen den Weltkriegen, hrsg. von R. v. Thadden. Göttingen 1978; H. H. Bodenheimer (Hrsg.): Der Durchbruch des politischen Zionismus in Köln 1890–1900. Köln 1978; M. A. Meyer: The Origins of the Modern Jew. Detroit 1975; F. Stern: Gold und Eisen. Bismarck und sein Bankier Bleichröder. Frankfurt a. M., Berlin, Wien 1978; Ch. Stölzl: Kafkas böses Böhmen. München 1975; H. D. Hellige: Generationskonflikt, Selbsthaß und die Entstehung antikapitalistischer Positionen im Judentum. In: Geschichte und Gesellschaft. 5 (1979) 416–518.

83 Grundlegend hierfür G. Scholem: Wider den Mythos vom deutsch-jüdischen Gespräch. In: Bulletin LBI. 27 (1964) 278–281, und E. G. Reichmann: Größe und Verhängnis deutsch-jüdischer Existenz. Zeugnisse einer tragischen Begegnung. Heidelberg 1974.

84 Die einseitige, fehlerhafte und unbrauchbare Dokumentation von K. J. Herrmann: Das Dritte Reich und die deutsch-jüdischen Organisationen 1933–1934. Köln 1964, enthält nur ausgewählte, in bunter Folge abgedruckte Dokumente. Den größten Raum nehmen die Stellungnahmen des »Reichsbundes jüdischer Frontsoldaten« (RjF) und des »Verbandes nationaldeutscher Juden« (VNJ) ein. Grundlegend ist die Monographie von Margaliot (s. Anm. 31), die allerdings bislang nur in hebräischer Sprache vorliegt; vgl. aber deren Kurzfassung Margaliot: Leadership of German Jewry. Zur Geschichte des RjF s. die Darstellung von U. Dunker: Der Reichsbund jüdischer Frontsoldaten 1919–1938. Düsseldorf 1977 (vgl. die Bespr. in MGM 24 (1978) 208f.).

85 Nach den ersten pauschalen und einseitigen Analysen und Urteilen R. Hilbergs und H. Arendts (s. Anm. 23 u. 24) setzte sich eine differenziertere Betrachtungsweise durch. Grundlegend I. Trunk: Judenrat. The Jewish Councils in Eastern Europe during the Nazi Occupation. New York 1972; YIVO (Ed.): Imposed Jewish Governing Bodies under Nazi Rule. New York 1972; Yad Vashem Studies. 10 (1974) mit Einzelbeiträgen und bibliographischen Hinweisen. Zum Judenrat in den Niederlanden vgl. neben den Studien von Pres-

ser: Ondergang 1.2, und De Jong: Koninkrijk noch De Jong: Die Niederlande und Auschwitz. In: VfZG 17 (1969) 1–16.

86 Vgl. R. Vogel: Ein Stempel hat gefehlt. Dokumente zur Emigration deutscher Juden. München 1977; G. Luft: Heimkehr ins Unbekannte. Eine Darstellung der Einwanderung von Juden aus Deutschland nach Palästina vom Aufstieg Hitlers zur Macht bis zum Ausbruch des Zweiten Weltkrieges 1933–1939. Wuppertal 1977; K. J. Ball-Kaduri: Illegale Judenauswanderung nach Palästina 1939–1940. In: Jahrbuch des Instituts für deutsche Geschichte. 4 (1975) 387–421 (zit. Ball-Kaduri: Judenauswanderung). Zur allgemeinen Emigrationsliteratur R. Großmann: Emigration. Geschichte der Hitler-Flüchtlinge 1933–1945. Frankfurt a. M. 1969; H. E. Tutas: Nationalsozialismus und Exil. Die Politik des Dritten Reiches gegenüber der deutschen politischen Emigration 1933–1939. München 1975 (zit. Tutas: NS und Exil); U. Langkau-Alex: Volksfront für Deutschland. Bd. 1: Vorgeschichte und Gründung des »Ausschusses zur Vorbereitung einer deutschen Volksfront«, 1933–1936. Frankfurt a. M. 1977; J. Radkau: Die deutsche Emigration in die USA. Düsseldorf 1971; W. Röder: Die deutschen sozialistischen Exilgruppen in Großbritannien 1940–1945. Hannover 1968.

87 Vgl. G. v. Roon: Neuordnung im Widerstand. München 1967, S. 1.

88 Zur Problematik des deutsch-jüdischen Widerstandes vgl. den Aufsatz des Verf.: Jewish Resistance Historiography.

89 Diese Differenzierung erlaubt es, all jene Antifaschisten jüdischer Herkunft mit einzubeziehen, die in den Reihen der verschiedenen politischen Widerstandsorganisationen gekämpft haben.

90 Yad Vashem 01/298. Aussage v. Ch. Holzer. Eine schriftliche Anweisung ist bislang noch nicht gefunden worden. Hinweise auf die Existenz einer derartigen Anweisung finden sich auch in der Memoirenliteratur.

91 J. Toch: Juden im Spanischen Krieg 1936–1939. In: Zeitgeschichte. (1973/74) 157–169. Nach Toch betrug die Zahl der jüdischen Freiwilligen 7748. Bei einer Gesamtzahl von 45000 Freiwilligen stellten die »Juden« zahlenmäßig das zweitstärkste »nationale« Kontingent. Diese Kategorisierung ist problematisch, da sie auf einer anfechtbaren Begriffsbestimmung der »Juden« beruht.

92 Zwischen 1940 und 1942 gelangten etwa 20000–30000 Juden, zwischen 1942–1944 etwa 11000 nach Spanien und Portugal. Die Zahl der Juden, die in den Jahren 1942–1944 in die Schweiz flüchteten, wird auf 11000 geschätzt.

93 Yahil: Danish Jewry.

94 Grundlegend: Jewish Resistance During the Holocaust. Proceedings of the Conference on Manifestations on Jewish Resistance. Jerusalem April 7–11, 1968. Jerusalem 1971: Y. Suhl: They Fought Back. New York 1967; Y. Bauer: They Chose Life. New York 1973; ders.: My Brother's Keeper. Philadelphia 1974; J. F. Steiner: Treblinka. Die Revolte eines Vernichtungslagers. Oldenburg, Hamburg 1965; J. Garlinski: Fighting Auschwitz. London 1975; N. Blumenthal: German Documents on the Bialystok Ghetto Revolt. In: Yad Vashem Bulletin. 14 (1964) 19–25; L. Steinberg: La Révolte des Justes. Les juifs contre Hitler 1933–1945. Paris 1971 (Engl. Ausg. u. d. Tit.: Not as a Lamb.

Farnborough 1974); R. Ainszstein: Jewish Resistance in Nazi-occupied Eastern Europe. London 1974; N. Benchley: Bright Candles. New York 1974; B. Stadler: The Holocaust. A History of Courage and Resistance. New York 1974; M. Novitch: Sobibor. Paris 1978; I. Kowalski: A Secret Press in Nazi Europe. New York [3]1978.

95 Vgl. hierzu I. Gutman: The Genesis of the Resistance in the Warsaw Ghetto. In: Yad Vashem Studies. 9 (1973) 29–70; B. Mark: Uprising in the Warsaw Ghetto. New York 1975, sowie die beiden Publikationen, die jüngst auf dem deutschen Büchermarkt erschienen, D. Kurzman: Der Aufstand. Die letzten Tage des Warschauer Ghettos. München 1979, und K. Moczarski: Gespräche mit dem Henker. Düsseldorf 1978.

96 Vgl. dazu K. Macksey: The Partisans of Europe in World War II. London 1975. Zur marxistisch-leninistischen Geschichtsschreibung. Geschichte des Großen Vaterländischen Krieges der Sowjetunion 1941–1945. Bd. 1 ff. (Ost-) Berlin 1962 ff., sowie E. Kalbe: Antifaschistischer Widerstand und volksdemokratische Revolution in Südeuropa. (Ost-)Berlin 1974.

97 Nach I. Gutman: Partisans. In: Holocuast (Israel Pocket Library), S. 107–118. Für die Sowjetunion wird eine Zahl von 15000–20000 angegeben. Rund 2000 schlossen sich den Tito-Partisanen an; 250 kämpften in der bulgarischen Partisanenbewegung, etwa 2500 in der Slowakei. Einige Tausend operierten im italienischen und französischen Untergrund. Der »jüdische« Anteil an der französischen résistance wird auf 15–20 % geschätzt. Vgl. dazu Y. Jelinek: The Role of the Jews in the Slovakian Resistance. In: Jahrbücher für Geschichte Osteuropas. 15 (1967) 415–422; M. Finzi, F. Cesana: Jewish Deeds and Figures in the Antifascist Fight in Italy. International Conference for the Resistance History. Prague 2–4 Sept. 1963. J. Ravine: La résistance organisé des Juifs en France (1940–1944). Paris 1973; D. Diamant: Les Juifs dans la Résistance française 1940 – 1944. Paris 1971; C. Levy: Les parias de la Résistance. Paris 1970; A. Latour: La résistance juive en France. Paris 1970; D. Levin: Der bewaffnete Widerstand baltischer Juden gegen das Nazi-Regime 1941–1945. Königstein/Ts. 1976.

Literaturverzeichnis

Abendroth, Wolfgang (Hg.): Faschismus und Kapitalismus. Theorien über die sozialen Ursprünge und die Funktionen des Faschismus, Frankfurt 1967

Alltagsgeschichte in der NS-Zeit. Neue Perspektiven oder Trivialisierung?, München 1985

Arendt, Hannah: Eichmann in Jerusalem. Ein Bericht über die Banalität des Bösen, München 1986

Bracher, Karl-Dietrich: Die deutsche Diktatur. Entstehung, Struktur, Folgen des Nationalsozialismus, Köln/Bern 1969

Ders.: Zeitgeschichtliche Kontroversen. Um Faschismus, Totalitarismus, Demokratie, München 1976

Broszat, Martin: Der Staat Hitlers, München 1969

Ders.: »Hitler und die Genesis der Endlösung. Aus Anlaß der Thesen von David Irving«, in: Vierteljahrshefte für Zeitgeschichte 25 (1977), S. 739–775

Ders.: Deutschlands Weg in die Diktatur. Referate und Diskussion, Berlin 1983

Ders.: Das Dritte Reich. Herrschaftsstrukturen und Geschichte, München 1983

Ders.: Nach Hitler. Der schwierige Umgang mit unserer Geschichte, München/Wien 1986

Ders./Fröhlich, Elke/Wiesemann, Falk: Bayern in der NS-Zeit, 6 Bde., München 1977–1983

Dahrendorf, Ralf: Gesellschaft und Demokratie in Deutschland, München 1969

Fest, Joachim: Das Gesicht des Dritten Reiches. Profile einer totalitären Herrschaft, 4. Auflage, München 1975

Ders.: Hitler. Eine Biographie, Berlin 1973

Friedländer, Saul: Kitsch und Tod. Der Widerschein des Nationalsozialismus, München 1984

Ders.: »Vom Antisemitismus zur Ausrottung«, in: Jäckel, Eberhard/Rohwer, Jürgen (Hg.), Der Mord an den Juden im Zweiten Weltkrieg. Entschlußbildung und Verwirklichung, Stuttgart 1985, S. 18–60

Geschichtswerkstatt Berlin (Hg.): Nr. 11, Die Nation als Ausstellungsstück, Hamburg 1987

Habermas, Jürgen: Eine Art Schadensabwicklung, Frankfurt 1987

Haffner, Sebastian: Anmerkungen zu Hitler, München 1978

Herbert, Ulrich: ›Die guten und die schlechten Zeiten‹. Überlegungen zur diachronen Analyse lebensgeschichtlicher Interviews«, in: Niethammer, Lutz/

Plato von, Alexander (Hg.): Lebensgeschichte und Sozialstruktur im Ruhrgebiet 1930–1960, 3 Bde., Bd. 1: Die Jahre weiß man nicht, wo man die heute hinsetzen soll. Faschismuserfahrungen im Ruhrgebiet, 2. Auflage, Bonn 1986
Hildebrand, Klaus: Das Dritte Reich, München/Wien 1979
Ders.: Deutsche Außenpolitik 1933–1945. Kalkül oder Dogma?, 4. Auflage, Stuttgart 1980
Hillgruber, Andreas: Endlich genug über Nationalsozialismus und den Zweiten Weltkrieg? Forschungsstand und Literatur, Düsseldorf 1982
Ders.: Die Last der Nation. Fünf Beiträge über Deutschland und die Deutschen, Düsseldorf 1982
Ders.: Der Zusammenbruch im Osten 1944/45 als Problem der deutschen Nationalgeschichte und der europäischen Geschichte, Opladen 1985
Ders.: Zweierlei Untergang. Die Zerschlagung des Deutschen Reiches und das Ende des europäischen Judentums, Berlin 1986
Ders.: »Jürgen Habermas, Karl Heinz Janßen und die Aufklärung 1986«, in: Geschichte in Wissenschaft und Unterricht, Heft 12 (1986), S. 725–738
Jäckel, Eberhard: Hitlers Weltanschauung. Entwurf einer Herrschaft, Tübingen 1969
Ders./Rohwer, Jürgen (Hg.): Der Mord an den Juden im Zweiten Weltkrieg. Entschlußbildung und Verwirklichung, Stuttgart 1985
Ders.: Hitlers Herrschaft. Vollzug einer Weltanschauung, Stuttgart 1986
»Historikerstreit«. Die Dokumentation der Kontroverse um die Einzigartigkeit der nationalsozialistischen Judenvernichtung, München 1987
Institut für Zeitgeschichte (Hg.): Totalitarismus und Faschismus. Eine wissenschaftliche und politische Begriffskontroverse, München 1978
Knopp, Guido (Hg.): Hitler heute. Gespräche über ein deutsches Trauma, Aschaffenburg 1979
Lübbe, Hermann: Die Gegenwart der Vergangenheit. Vorträge der Oldenburgischen Landschaft, Heft 14 (1986)
Ders.: »Der Nationalsozialismus im politischen Bewußtsein der Gegenwart«, in: Broszat, Martin u. a. (Hg.): Deutschlands Weg in die Diktatur. Referate und Diskussion, Berlin 1983, S. 329–349
Ders.: »Der Nationalsozialismus im deutschen Nachkriegsbewußtsein«, in: Historische Zeitschrift, 236 (1983)
Meinecke, Friedrich: Die deutsche Katastrophe. Betrachtungen und Erinnerungen, Wiesbaden 1946
Mommsen, Hans: »Nationalsozialismus«, in: Sowjetsystem und demokratische Gesellschaft, Bd. 4, Freiburg 1971
Ders.: »Hitlers Stellung im nationalsozialistischen Herrschaftssystem«, in: Hirschfeld, G./Kettenacker, Lothar (Hg.), Der Führerstaat. Mythos und Realität. Studien zur Struktur und Politik des Dritten Reiches, Stuttgart 1982, S. 43–72
Ders.: »Die Realisierung des Utopischen. Die ›Endlösung der Judenfrage‹ im Dritten Reich«, in: Geschichte und Gesellschaft, 9 (1983), Göttingen, S. 381–420
Ders./Nolte, Ernst/Petersen, Jens/Schieder, Wolfgang/Winkler, Heinrich August: Faschismus als soziale Bewegung. Deutschland und Italien im Vergleich, 2. Auflage, Göttingen 1983

Ders.: »Nationalsozialismus oder Hitlerismus?«, in: Wippermann, Wolfgang (Hg.): Kontroversen um Hitler, Frankfurt 1986, S. 206–216
Niethammer, Lutz: Die Mitläuferfabrik. Die Entnazifizierung am Beispiel Bayerns, 2. Auflage, Berlin/Bonn 1982
Ders.: »Zum Wandel der Kontinuitätsdiskussion«, in: Herbst, Ludolf (Hg.): Westdeutschland 1945–1955, München 1986, S. 65–83
Ders./Plato von, Alexander (Hg.): Lebensgeschichte und Sozialstruktur im Ruhrgebiet 1930–1960, 3 Bde., 2. Auflage, Bonn 1986
Nolte, Ernst: Der Faschismus in seiner Epoche. Die Action Française, der italienische Faschismus, der Nationalsozialismus, München 1963
Ders. (Hg.): Theorien über den Faschismus, Köln 1967
Ders.: »Between Myth and Revisionism. The Third Reich in the Perspective of the 1980s«, in: Koch, Hans W. (Hg.): Aspects of the Third Reich, London 1985
Pelinka, Anton/Weinzierl, Erika (Hg.): Das große Tabu. Österreichs Umgang mit seiner Vergangenheit, Innsbruck/Wien 1987
Peukert, Detlev, J. K.: Volksgenossen und Gemeinschaftsfremde. Anpassung und Aufbegehren unter dem Nationalsozialismus, Bern 1982
Ders./Reulecke, Jürgen (Hg.): Alltag im Nationalsozialismus, Wuppertal 1983
Restauration durch Geschichte, in: Vorgänge, Heft 6 (1986)
Rittberger, Volker (Hg.): 1933. Wie die Republik der Diktatur erlag. Mit Beiträgen von Martin Greiffenhagen, Andreas Hillgruber u. a., Stuttgart 1983
Schulze, Hagen: Wir sind das, was wir geworden sind. Vom Nutzen der Geschichte für die deutsche Gegenwart, München 1987
Thamer, Hans-Ulrich: Verführung und Gewalt. Deutschland 1933–1945. Die Deutschen und ihre Nation, Berlin 1982
Weidenfeld, Werner (Hg.): Die Identität der Deutschen, München 1983
Winkler, Heinrich August: Revolution, Staat, Faschismus: Zur Revision des Historischen Materialismus, Göttingen 1978
Wippermann, Wolfgang (Hg.): Kontroversen um Hitler, Frankfurt 1986

Drucknachweise

Saul Friedländer, Überlegungen...: Die englische Originalversion findet sich in »Tel Aviv Jahrbuch für Deutsche Geschichte« der Universität Tel Aviv, 1987.

Dan Diner, Zwischen Aporie...: Erweiterte Fassung des 1987 in »Babylon. Beiträge zur jüdischen Gegenwart«, Heft 2, S. 23ff erschienenen Beitrags.

Detlev J. K. Peukert, Alltag...: »Gewerkschaftliche Monatshefte«, Heft 3/1987, S. 142ff.

Hans Mommsen, Aufarbeitung...: »Gewerkschaftliche Monatshefte«, Heft 3/1987, S. 129ff.

Gerhard Botz, Österreich...: Gekürzt erschienen in Sterz, Zeitschrift für Literatur, Kunst und Kulturpolitik, Graz, Heft 40, Mai 1987.

Lutz Niethammer, »Normalisierung«...: Leicht gekürzte Fassung des in Gerhard Brunn (Hg.), Neuland. Nordrhein-Westfalen und seine Anfänge nach 1945/46, Essen 1986 – mit freundlicher Genehmigung des Hg. und Verlags – erschienenen gleichnamigen Beitrags.

Dan Diner, Negative Symbiose...: Erweiterte Fassung des 1987 in »Babylon. Beiträge zur jüdischen Gegenwart«, Heft 1, S. 9ff erschienenen gleichnamigen Beitrags.

Konrad Kwiet, Judenverfolgung...: Überarbeitete Fassung des 1980 in den »Militärgeschichtlichen Mitteilungen«, Heft 1, S. 149ff erschienenen Beitrags.

Die Mitarbeiter des Bandes

Wolfgang Benz, geboren 1941, Dr. phil., Mitarbeiter des Instituts für Zeitgeschichte in München.

Gerhard Botz, geboren 1941, Dr. phil., o. Professor für Neuere Geschichte, Zeitgeschichte und Sozialgeschichte an der Universität Salzburg, seit 1982 Leiter des Ludwig-Boltzmann-Instituts für Historische Sozialwissenschaft, Salzburg.

Dan Diner, geboren 1946, Dr. jur., Professor für Neuere Geschichte/Außereuropäische Geschichte an der Universität/Gesamthochschule Essen. Ständiger Research Fellow an der Wiener Library, School of History, Universität Tel Aviv.

Saul Friedländer, geboren 1932, Dr. phil., Professor für Neuere Geschichte an der Universität Tel Aviv und an der University of California, Los Angeles.

Ulrich Herbert, geboren 1951, Dr. phil., Hochschulassistent für Neuere Geschichte an der FernUniversität Hagen, Lehrbeauftragter an der Universität/Gesamthochschule Essen.

Konrad Kwiet, geboren 1941, Dr. phil., Associate Professor an der University of New South Wales (School of German Studies) in Kensington/Australien.

Claus Leggewie, geboren 1950, Dr. disc. pol., Professor für Politikwissenschaft an der Universität Göttingen.

Lutz Niethammer, geboren 1939, Dr. phil., Professor für Neuere Geschichte an der FernUniversität Hagen.

Hans Mommsen, geboren 1930, Dr. phil., Professor für Neuere Geschichte an der Ruhr-Universität Bochum.

Detlev J. K. Peukert, geboren 1950, Dr. phil., Privatdozent für Neuere Geschichte an der Universität/Gesamthochschule Essen.

Gian Enrico Rusconi, geboren 1943, Dr. phil., Professor für Politikwissenschaft an der Universität von Turin.

Hagen Schulze, geboren 1943, Dr. phil., Professor für Neuere Geschichte sowie Theorie und Methodologie der Geschichtswissenschaft am Friedrich-Meinecke-Institut der Freien Universität Berlin.

Die Zeit des Nationalsozialismus

Eine Buchreihe
Herausgegeben von Walter H. Pehle

Götz Aly / Susanne Heim
Vordenker der Vernichtung
Auschwitz und die deutschen Pläne für eine neue europäische Ordnung
Band 11268

Ralph Angermund
Deutsche Richterschaft 1919–1945
Krisenerfahrung, Illusion, politische Rechtsprechung
Band 10238

Avraham Barkai
Vom Boykott zur »Entjudung«
Der wirtschaftliche Existenzkampf der Juden im Dritten Reich 1933–1943
Band 4368

Avraham Barkai
Das Wirtschafts-system des National-sozialismus
Ideologie, Theorie, Politik 1933–1945
Band 4401

Władisław Bartoszewski
Das Warschauer Ghetto – wie es wirklich war
Zeugenbericht eines Christen
Band 3459

Ute Benz / Wolfgang Benz (Hg.)
Sozialisation und Traumatisierung
Kinder in der Zeit des Nationalismus
Band 11067

Wolfgang Benz (Hg.)
Herrschaft und Gesellschaft im national-sozialistischen Staat
Studien zur Struktur- und Mentalitäts-geschichte. Band 4435

Dirk Blasius / Dan Diner (Hg.)
Zerbrochene Geschichte
Leben und Selbst-verständnis der Juden in Deutschland
Vom Mittelalter bis zur Gegenwart
Band 10524

Horst Boog / Jürgen Förster / Joachim Hoffmann / Ernst Klink / Rolf-Dieter Müller / Gerd R. Ueberschär
Der Angriff auf die Sowjetunion
Band 11008

Fischer Taschenbuch Verlag

fi 1710 / 4 a

Die Zeit des Nationalsozialismus

Eine Buchreihe
Herausgegeben von Walter H. Pehle

Ernst Klee
Persilscheine
und falsche Pässe
Wie die Kirchen
den Nazis halfen
Geschichte
Fischer

Günter Grau (Hg.)
Homosexualität in der NS-Zeit
Dokumente einer Diskriminierung und Verfolgung
Band 11254

Sebastian Haffner
Anmerkungen zu Hitler. Band 3489

Jost Hermand
Als Pimpf in Polen
Erweiterte Kinderlandverschickung 1940–1945
Band 11321

Raul Hilberg
Die Vernichtung der europäischen Juden
Drei Bände in Kassette
Band 4417

Hilmar Hoffmann
»Und die Fahne führt uns in die Ewigkeit«
Propaganda im NS-Film
Band 4404

Eberhard Jäckel / Jürgen Rohwer (Hg.)
Der Mord an den Juden im Zweiten Weltkrieg
Entschlußbildung und Verwirklichung
Band 4380

Wieslaw Kielar
Anus Mundi
Fünf Jahre Auschwitz
Band 3469

Ernst Klee
»Euthanasie« im NS-Staat
Die »Vernichtung lebensunwerten Lebens«. Band 4326
Persilscheine und falsche Pässe
Wie die Kirchen den Nazis halfen
Band 10956

Ernst Klee
Was sie taten – Was sie wurden
Ärzte, Juristen und andere Beteiligte am Kranken- und Judenmord. Band 4364
»Die SA Jesu Christi«
Die Kirche im Banne Hitlers. Band 4409

Ernst Klee (Hg.)
Dokumente zur »Euthanasie« im NS-Staat. Band 4327

Eugen Kogon / Hermann Langbein / Adalbert Rückerl u.a.(Hg.)
Nationalsozialistische Massentötungen durch Giftgas
Eine Dokumentation
Band 4353

Helmut Krausnick
Hitlers Einsatzgruppen
Die Truppe des Weltanschauungskrieges 1938–1942
Band 4344

Fischer Taschenbuch Verlag

fi 1710 / 4 c

Die Zeit des Nationalsozialismus

Eine Buchreihe
Herausgegeben von Walter H. Pehle

Ernst Schnabel
Anne Frank
Spur eines Kindes
Neuausgabe. Band 5089

Gerhard Schoenberner
Der gelbe Stern
Die Judenvernichtung in Europa 1933–1945
Band 10601

Hans Scholl/
Sophie Scholl
Briefe und Aufzeichnungen
Inge Jens (Hg.)
Band 5681

Inge Scholl
Die Weiße Rose
Band 11802

Günther Schwarberg
Das Getto
Spaziergang in die Hölle. Band 10302

Michael Schwarz
Felix Droese
Ich habe Anne Frank umgebracht
Ein Aufstand der Zeichen
Band 3955

Gerda Szepansky
»Blitzmädel«, »Heldenmutter«, »Kriegerwitwe«
Frauenleben im Zweiten Weltkrieg
Band 3700

Frauen leisten Widerstand: 1933–1945
Band 3741

Gerd R. Ueberschär/
Wolfram Wette
Der deutsche Überfall auf die Sowjetunion
»Unternehmen Barbarossa« 1941
Band 4437

Gerd R. Ueberschär/
Wolfram Wette (Hg.)
Stalingrad
Mythos und Wirklichkeit einer Schlacht
Band 11097

Michael Verhoeven/
Mario Krebs
Die Weiße Rose
Mit einem Geleitwort von Helmut Gollwitzer
Band 3678

Irmgard Weyrather
Muttertag und Mutterkreuz
Der Kult um die »deutsche Mutter« im Nationalsozialismus
Band 11517

Walter Otto Weyrauch
Gestapo V-Leute
Tatsachen und Theorie des Geheimdienstes
Band 11255

Robert Wistrich
Wer war wer im Dritten Reich?
Ein biographisches Lexikon. Band 4373

David S. Wyman
Das unerwünschte Volk
Amerika und die Vernichtung der europäischen Juden
Band 4428

Fischer Taschenbuch Verlag

fi 1710/3 e

Geschichte der Bundesrepublik Deutschland

Deutsche Geschichte 1945–1961
Darstellung und Dokumente in zwei Bänden
Herausgegeben von Rolf Steininger
Band I: Bd. 4315
Band II: Bd. 4316

Deutsche Geschichte 1962–1983
Dokumente in zwei Bänden
Herausgegeben von Irmgard Wilharm
Band I: Bd. 4317
Band II: Bd. 4318

Hermann Glaser
Die Kulturgeschichte der Bundesrepublik Deutschland
Drei Bände in Kassette:
Band 10530
Die Bände sind auch einzeln erhältlich:
Band 1: Zwischen Kapitulation und Währungsreform (1945–1948)
Band 10527
Band 2: Zwischen Grundgesetz und Großer Koalition (1949–1967)
Band 10528
Band 3: Zwischen Protest und Anpassung (1968–1989)
Band 10529

Georg G. Iggers (Hg.)
Ein anderer historischer Blick
Beispiele ostdeutscher Sozialgeschichte
Band 10834

Wilhelm von Sternburg
Adenauer
Eine deutsche Legende
Band 10151

Wilhelm von Sternburg (Hg.)
Die deutschen Kanzler
Von Bismarck bis Schmidt
Band 4383

Fischer Taschenbuch Verlag

fi 1705 / 1 b